D1233724

MUNDO SEM FIM

VOLUME 2

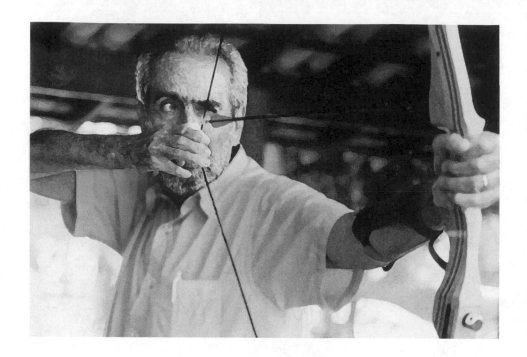

O ARQUEIRO

GERALDO JORDÃO PEREIRA (1938-2008) começou sua carreira aos 17 anos, quando foi trabalhar com seu pai, o célebre editor José Olympio, publicando obras marcantes como *O menino do dedo verde*, de Maurice Druon, e *Minha vida*, de Charles Chaplin.

Em 1976, fundou a Editora Salamandra com o propósito de formar uma nova geração de leitores e acabou criando um dos catálogos infantis mais premiados do Brasil. Em 1992, fugindo de sua linha editorial, lançou *Muitas vidas, muitos mestres*, de Brian Weiss, livro que deu origem à Editora Sextante.

Fã de histórias de suspense, Geraldo descobriu *O Código Da Vinci* antes mesmo de ele ser lançado nos Estados Unidos. A aposta em ficção, que não era o foco da Sextante, foi certeira: o título se transformou em um dos maiores fenômenos editoriais de todos os tempos.

Mas não foi só aos livros que se dedicou. Com seu desejo de ajudar o próximo, Geraldo desenvolveu diversos projetos sociais que se tornaram sua grande paixão.

Com a missão de publicar histórias empolgantes, tornar os livros cada vez mais acessíveis e despertar o amor pela leitura, a Editora Arqueiro é uma homenagem a esta figura extraordinária, capaz de enxergar mais além, mirar nas coisas verdadeiramente importantes e não perder o idealismo e a esperança diante dos desafios e contratempos da vida.

KEN FOLLETT

MUNDO SEM FIM

VOLUME 2

ARQUEIRO

Título original: *World Without End*

Copyright © 2007 por Ken Follett
Copyright da tradução © 2015 por Editora Arqueiro Ltda.

Todos os direitos reservados. Nenhuma parte deste livro
pode ser utilizada ou reproduzida sob quaisquer meios existentes
sem autorização por escrito dos editores.

tradução: Pinheiro de Lemos
revisão: Flávia Midori, Luis Américo Costa e Penha Dutra
projeto gráfico e diagramação: Valéria Teixeira
mapas: Stephen Raw
capa: Fiction
ilustração de capa: Garry Walton/ Meiklejohn
adaptação de capa: Miriam Lerner
impressão e acabamento: Lis Gráfica e Editora Ltda.

CIP-BRASIL. CATALOGAÇÃO NA PUBLICAÇÃO
SINDICATO NACIONAL DOS EDITORES DE LIVROS, RJ

F724m   Follett, Ken, 1949-
       Mundo sem fim/ Ken Follett; tradução de
       Pinheiro de Lemos. São Paulo: Arqueiro, 2015.
       1.136 p.; 16 x 23 cm.

       Tradução de: World without end
       ISBN 978-85-8041-473-8

       1. Ficção histórica inglesa. I. Lemos, Pinheiro de.
   II. Título.

                             CDD 823
15-26861   CDU 821.111-3

Todos os direitos reservados, no Brasil, por
Editora Arqueiro Ltda.
Rua Funchal, 538 – conjuntos 52 e 54 – Vila Olímpia
04551-060 – São Paulo – SP
Tel.: (11) 3868-4492 – Fax: (11) 3862-5818
E-mail: atendimento@editoraarqueiro.com.br
www.editoraarqueiro.com.br

PARTE V

MARÇO DE 1346
A DEZEMBRO DE 1348

43

A irmã Caris deixou o claustro das freiras e entrou apressada no hospital. Havia três pacientes deitados ali. A Velha Julie estava agora muito enferma para comparecer aos serviços ou subir a escada para o dormitório. Bella Brewer, a esposa de Danny, filho de Dick Brewer, recuperava-se de um parto complicado. E Rickie Silvers, de 13 anos, tinha um braço quebrado, que Matthew Barber consertara. Duas outras pessoas se sentavam num banco na lateral, conversando: uma noviça chamada Nellie e um servo do priorado, Bob.

O olhar experiente de Caris esquadrinhou a sala. Havia um prato sujo ao lado de cada cama ocupada. A hora do almoço havia muito se passara.

– Bob! – Ele se levantou de um pulo e Caris ordenou: – Retire esses pratos. Aqui é um mosteiro e a higiene é uma virtude. Depressa!

– Desculpe, irmã.

– Nellie, você já levou Velha Julie à latrina?

– Ainda não, irmã.

– Ela sempre precisa ir depois do almoço. A mesma coisa acontecia com minha mãe. Leve-a depressa antes que ocorra um acidente.

Nellie começou a levantar a velha freira.

Caris vinha tentando desenvolver a qualidade da paciência, mas, depois de sete anos no priorado, ainda não conseguira. Ficava frustrada por ter de repetir as instruções muitas e muitas vezes. Bob sabia que deveria levar os pratos sujos assim que os pacientes acabavam de comer. Caris lhe dissera isso inúmeras vezes. Nellie conhecia as necessidades da Velha Julie. Apesar disso, ficavam sentados num banco, conversando, até que Caris os surpreendia em uma inspeção inesperada.

Ela pegou a tigela com a água que fora usada para lavar as mãos e percorreu toda a extensão da sala para jogar fora. Um desconhecido urinava na parede externa do prédio. Caris calculou que era um viajante na expectativa de um lugar para dormir.

– Na próxima vez, use a latrina atrás do estábulo – disse, ríspida.

Ele lhe lançou um olhar desdenhoso, com o pênis na mão, e indagou, insolente:

– E quem é você?

– Sou a encarregada deste hospital e você terá de melhorar suas maneiras se quiser passar a noite aqui.

– Do tipo mandona, hem? – Ele não se apressou, sacudindo as últimas gotas.

– Guarde o seu patético membro ou não terá permissão para passar a noite nesta cidade, muito menos no priorado.

Caris jogou a água da tigela em cima dele. O homem pulou para trás, aturdido, o calção encharcado.

Ela tornou a entrar e encheu a tigela na fonte. Havia um cano subterrâneo que passava por baixo do priorado trazendo água limpa do rio, captada de um ponto acima da cidade. Alimentava as fontes nos claustros, nas cozinhas e no hospital. Uma ramificação separada da corrente subterrânea lavava as latrinas. Caris queria construir um dia uma nova latrina, ao lado do hospital, para que pacientes senis, como Julie, não precisassem ir tão longe. O estranho entrou no hospital.

– Lave as mãos – disse-lhe Caris, estendendo a tigela com água.

Ele hesitou, mas pegou a tigela. Caris examinou o estranho. Ele devia ter mais ou menos a sua idade, 29 anos.

– Quem é você? – perguntou ela.

– Gilbert de Hereford, um peregrino. Vim venerar as relíquias de Santo Adolfo.

– Nesse caso, será bem-vindo para passar a noite aqui no hospital desde que me fale com o devido respeito... e com qualquer outra pessoa aqui, diga-se de passagem.

– Está bem, irmã.

Caris voltou ao claustro. Era um dia ameno de primavera. O sol brilhava nas velhas pedras lisas do pátio. No lado oeste, a irmã Mair ensinava um novo hino às meninas da escola. Caris parou para observar. As pessoas diziam que Mair parecia um anjo: ela tinha pele alva, olhos brilhantes e uma boca que parecia um arco. A escola, pelas normas, era uma das responsabilidades de Caris, que tinha a seu cargo todas as pessoas que vinham do mundo exterior para o convento. Ela própria cursara aquela escola há quase vinte anos.

Havia dez alunas, dos 9 aos 15 anos de idade. Algumas eram filhas de mercadores de Kingsbridge, outras, de nobres. O hino com o tema de que Deus é bom chegou ao fim. Uma das meninas perguntou:

– Irmã Mair, se Deus é bom, por que ele deixou que meus pais morressem?

Era a versão pessoal de uma indagação clássica, formulada por todas as crianças inteligentes, mais cedo ou mais tarde. Como as coisas ruins podiam acontecer? Caris também perguntara isso. Ela olhou com interesse para a menina que fizera a pergunta. Era Tilly Shiring, sobrinha de 12 anos do conde Roland, uma menina com uma expressão travessa que Caris apreciava. A mãe de Tilly sangrara até a morte quando a filha nascera e o pai quebrara o pescoço num acidente de caça, não muito tempo depois. Por isso ela fora criada na casa do conde.

Mair deu uma resposta insossa sobre os misteriosos caminhos de Deus. Tilly não ficou satisfeita, mas, incapaz de articular suas dúvidas, resolveu se calar. A questão ressurgiria, Caris tinha certeza. Mair mandou que as meninas recomeçassem a cantar o hino antes de se afastar para falar com Caris.

– Uma menina inteligente – comentou Caris.

– A melhor da turma. Dentro de um ou dois anos ela estará debatendo comigo com o maior ardor.

– Ela me lembra alguém – murmurou Caris, franzindo o rosto. – Estou tentando recordar sua mãe...

Mair tocou de leve no braço de Caris. Os gestos de afeição eram proibidos entre as freiras, mas Caris não era rigorosa nessas coisas.

– Ela lhe lembra você mesma.

Caris riu.

– Nunca fui tão bonita.

Mas Mair tinha razão: mesmo quando criança, Caris já fazia perguntas céticas. Mais tarde, quando se tornara noviça, iniciava uma discussão em cada aula de teologia. Após uma semana, madre Cecilia fora obrigada a ordenar que ela permanecesse calada durante as aulas. Depois, Caris começara a violar as regras do convento e reagia ao cumprimento das normas com o questionamento da razão por trás da disciplina. Mais uma vez, o silêncio lhe fora imposto.

Não demorara muito para que madre Cecilia propusesse um acordo. Caris poderia passar a maior parte de seu tempo no hospital – nessa parte do trabalho de freira ela acreditava – e se abster dos serviços sempre que achasse necessário. Em troca, tinha de parar de escarnecer da disciplina e guardar para si mesma suas ideias teológicas. Caris concordara, relutante e contrariada, mas Cecilia era esperta e o arranjo dera certo. Ainda dava, pois Caris agora passava a maior parte do tempo supervisionando o hospital. Faltava a mais da metade dos serviços e quase nunca dizia ou fazia qualquer coisa que fosse abertamente subversiva.

Mair sorriu.

– Você é linda agora. Ainda mais quando ri.

Caris sentiu-se momentaneamente fascinada pelos olhos azuis de Mair. E foi nesse instante que ouviu o grito de uma criança. Virou-se. O grito não partira do grupo no claustro, mas sim do hospital. Seguiu apressada até lá. Christopher Blacksmith entrava no hospital com uma garota de 8 anos no colo. A criança, que Caris reconheceu como a filha dele, Minnie, gritava de dor.

– Deite-a num colchão – instruiu Caris.

Christopher obedeceu.

– O que aconteceu?

Christopher era um homem forte, mas estava em pânico. Falou num tom de voz estranhamente estridente:

– Ela tropeçou em minha oficina e caiu com o braço numa barra de ferro em brasa. Faça alguma coisa por ela depressa, irmã. Ela está sofrendo muito.

Caris tocou no rosto da criança.

– Calma, Minnie, calma... Já vamos aliviar a dor.

Extrato de semente de papoula era muito forte, pensou ela: poderia matar uma criança tão pequena. Ela precisava de uma poção mais leve.

– Nellie, vá até minha farmácia e pegue o pote que tem a indicação "Essência de cânhamo". Ande depressa, mas não corra; se tropeçar e quebrar o pote, levará horas para preparar uma nova poção.

Nellie afastou-se apressada. Caris estudou o braço de Minnie. A queimadura era horrível, mas se limitava ao braço. Não era tão perigosa quanto as queimaduras no corpo todo que as pessoas sofriam nos incêndios de suas casas. Havia enormes bolhas avermelhadas sobre a maior parte do antebraço e no meio a pele fora queimada até revelar a carne chamuscada por baixo. Caris procurou por ajuda e avistou Mair.

– Vá até a cozinha e me traga um quartilho de vinho e a mesma quantidade de azeite, em dois jarros separados. Ambos devem estar mornos, mas não quentes.

Mair se retirou.

– Minnie, você precisa parar de gritar – disse Caris. – Sei que dói, mas tem de me escutar. Já vou lhe dar um remédio para aliviar a dor.

Os gritos diminuíram de intensidade e começaram a se transformar em soluços. Nellie voltou com a essência de cânhamo. Caris despejou um pouco numa colher, enfiou na boca de Minnie e tapou-lhe o nariz. A criança engoliu. Gritou de novo, mas depois de um minuto começou a se acalmar.

– Dê-me uma toalha limpa, Nellie.

Elas usavam muitas toalhas no hospital. O armário por trás do altar estava sempre cheio de toalhas, por determinação de Caris.

Mair chegou com o azeite e o vinho. Caris pôs a toalha no chão, ao lado do colchão de Minnie. Ajeitou o braço queimado em cima da toalha.

– Como se sente? – perguntou ela.

– Dói muito – choramingou Minnie.

Caris assentiu com a cabeça, satisfeita. Eram as primeiras palavras coerentes que a paciente pronunciava. O pior já passara. Minnie começou a ficar sonolenta à medida que o cânhamo fazia efeito.

– Vou pôr uma coisa em seu braço para fazê-lo melhorar. Tente mantê-lo imóvel, está bem? – pediu Caris.

Minnie anuiu com a cabeça.

Caris despejou um pouco do vinho morno no pulso da menina, onde a queimadura não era tão grave. Minnie se encolheu toda, mas não tentou tirar o braço. Encorajada, Caris lentamente subiu o jarro pelo braço, despejando o vinho sobre o pior da queimadura, para limpar. Depois, fez a mesma coisa com o azeite, que também aliviaria a dor no local e protegeria a carne das influências ruins no ar. Finalmente, pegou outra toalha para envolver o braço, sem apertar, a fim de manter as moscas a distância.

Minnie estava gemendo, mas meio adormecida. Caris olhou ansiosa para sua pele. A menina tinha o rosto rosado, corado da tensão. O que era ótimo: se ela estivesse pálida, seria um sinal de que a dose fora muito forte.

Caris sempre ficava nervosa com as drogas. A força variava de uma poção para outra e ela não tinha uma maneira precisa de medir. Quando fraco, o medicamento era ineficaz; quando forte, perigoso. Ficava especialmente preocupada em exagerar com crianças embora os pais sempre a pressionassem a dar uma dose forte, porque ficavam transtornados com a dor dos filhos.

O irmão Joseph entrou no hospital. Estava velho agora – próximo dos 60 anos – e todos os dentes haviam caído, mas ainda era o melhor monge médico do priorado. Christopher Blacksmith se levantou de um pulo.

– Oh, irmão Joseph, graças a Deus está aqui! Minha menina sofreu uma terrível queimadura!

– Vamos dar uma olhada – disse Joseph.

Caris recuou, escondendo sua irritação. Todos achavam que os monges eram médicos competentes, capazes de realizar quase milagres, enquanto as freiras apenas alimentavam e limpavam os pacientes. Caris havia muito deixara de lutar contra essa atitude, mas ainda ficava transtornada.

Joseph tirou a toalha e examinou o braço da paciente. Tocou na carne queimada com as pontas dos dedos. Minnie choramingou em meio ao sono drogado.

– Uma queimadura grave, mas não fatal. – O monge virou-se para Caris. – Faça um cataplasma de três partes de gordura de galinha, três partes de esterco de cabra e uma parte de chumbo branco. Cubra a queimadura com isso. Vai tirar o pus.

– Está bem, irmão.

Caris tinha dúvidas sobre o valor de cataplasmas. Já observara que muitos ferimentos saravam sem que o pus saísse embora os monges considerassem que o pus era um sinal saudável. Em sua experiência, os ferimentos ficavam infeccionados por baixo desses cataplasmas. Mas os monges discordavam – exceto o irmão Thomas, que estava convencido de que perdera o braço por causa do cataplasma prescrito pelo prior Anthony, quase vinte anos antes. Mas essa era outra batalha que Caris desistira de travar. As técnicas dos monges tinham a autoridade de Hipócrates e Galeno, os autores antigos da medicina, e todos concordavam que eles deviam estar certos.

Joseph saiu. Caris providenciou para que Minnie ficasse confortável e tranquilizou o pai.

– Ela terá muita sede ao acordar. Cuide para que tenha o bastante para beber: cerveja fraca ou vinho aguado.

Caris não tinha pressa de fazer o cataplasma. Daria a Deus umas poucas horas para trabalhar sem ajuda, antes de iniciar o tratamento de Joseph. A probabilidade de o monge médico voltar mais tarde para verificar a paciente era mínima. Ela ordenou que Nellie buscasse esterco de cabra na horta a oeste da catedral e depois foi para sua farmácia.

Ficava ao lado da biblioteca dos monges. Infelizmente, ela não tinha janelas grandes, como havia na biblioteca. A sala era pequena e escura. Mas tinha uma bancada de trabalho, prateleiras para os potes e frascos e uma pequena lareira para aquecer os ingredientes.

Caris guardava um pequeno livro de anotações no armário. O pergaminho era caro e um bloco de folhas idênticas só era usado para as Sagradas Escrituras. Mas ela recolhera sobras de tamanhos irregulares e as juntara com uma costura. Mantinha registros de cada paciente com um problema sério. Anotava a data, o nome do paciente, os sintomas e o tratamento dispensado; mais tarde, acrescentava os resultados, sempre registrando com precisão quantas horas ou dias haviam se passado antes que o paciente melhorasse ou piorasse. Verificava os casos passados com frequência a fim de refrescar a memória sobre a eficiência de diferentes tratamentos.

Quando anotou a idade de Minnie, ocorreu-lhe que sua própria criança teria 8 anos agora se não fosse pela poção de Mattie Wise. Sem qualquer bom motivo, ela achava que seria uma menina. Especulou como reagiria se sua própria filha sofresse um acidente. Seria capaz de lidar com a emergência com tanta calma? Ou ficaria quase histérica de medo, como Christopher Blacksmith?

Acabara de registrar o caso quando soou o sino para as vésperas. Foi para o serviço. Depois, as freiras jantaram. E foram para a cama, pois tinham de se levantar às três horas da madrugada para as Matinas. Em vez de se deitar, porém,

Caris foi para a farmácia a fim de preparar o cataplasma. Não se importava com o esterco de cabra. Qualquer pessoa que trabalhasse num hospital via coisas piores. Mas não entendia como Joseph podia imaginar que era algo para pôr em carne queimada.

Agora, não poderia fazer a aplicação até o dia seguinte. Minnie era uma criança saudável: sua recuperação já estaria bem adiantada até lá.

Enquanto trabalhava, Mair entrou na sala. Caris fitou-a, surpresa.

– O que está fazendo fora da cama?

Mair parou ao lado da bancada de trabalho.

– Vim ajudá-la.

– Não há necessidade de duas pessoas para preparar um cataplasma. O que a irmã Natalie disse?

Natalie era a subprioresa, responsável pela disciplina, Ninguém podia deixar o dormitório à noite sem sua permissão.

– Ela está mergulhada em sono profundo. Você acha mesmo que não é bonita?

– Saiu da cama para me perguntar isso?

– Merthin devia achar que era.

Caris sorriu.

– É verdade, ele achava.

– Sente saudade dele?

Caris terminou de misturar o cataplasma e se virou para lavar as mãos numa tigela.

– Penso em Merthin todos os dias. Ele é agora o arquiteto mais rico de Florença.

– Como sabe?

– Tenho notícias dele quase todos os anos, na Feira do Velocino, por meio de Buonaventura Caroli.

– Merthin recebe notícias suas?

– Que notícias? Não há nada para contar. Sou uma freira.

– Ainda sente desejo por ele?

Caris se virou para fitar Mair nos olhos.

– As freiras são proibidas de desejar os homens.

– Mas não as mulheres – murmurou Mair, inclinando-se para beijá-la na boca.

Caris ficou tão surpresa que permaneceu paralisada por instantes. Mair insistiu no beijo. O contato dos lábios de uma mulher era suave, diferente do beijo de Merthin. Caris estava chocada, mas não horrorizada. Havia sete anos ninguém a beijava e compreendeu de repente quanto sentia falta.

No silêncio, ouviram um ruído alto na biblioteca ao lado. Mair se afastou com um movimento brusco, tremendo de culpa.

– Que foi isso?

– Pareceu uma caixa caindo no chão.

– Quem poderia ser?

Caris franziu o rosto.

– Não deve haver ninguém na biblioteca a esta hora da noite. Monges e freiras já estão na cama.

Mair parecia assustada.

– O que devemos fazer?

– É melhor darmos uma olhada.

Deixaram a farmácia. Embora a biblioteca ficasse ao lado, elas tinham de atravessar o claustro das freiras e passar pelo claustro dos monges para alcançar a porta. Era uma noite escura, mas as duas viviam ali há muitos anos e podiam encontrar o caminho de olhos vendados. Quando chegaram a seu destino, viram uma luz brilhando pelas janelas altas. A porta, normalmente trancada à noite, estava entreaberta.

Caris a empurrou.

Por um momento, não pôde entender o que estava olhando. Via uma porta de armário aberta, uma caixa em cima da mesa, uma vela acesa ao lado e um vulto escuro. Passado um momento, compreendeu que era o armário do tesouro, onde cartulários e outros documentos valiosos eram guardados. A caixa era a arca que continha os ornamentos de ouro e prata com pedras preciosas usados na catedral para os serviços especiais. Um homem tirava objetos da caixa e os metia numa espécie de saco.

Ele ergueu os olhos e Caris o reconheceu. Era Gilbert de Hereford, o peregrino que chegara naquele dia. Só que ele não era um peregrino e provavelmente nem era de Hereford. Era um ladrão.

Os dois se encararam por um momento, sem se mover. Até que Mair gritou.

Gilbert apagou a vela. Caris fechou a porta, para retardá-lo por mais algum tempo. Depois correu pelo claustro e entrou num recesso, puxando Mair.

Estavam ao pé da escada que levava ao dormitório dos monges. O grito de Mair deveria tê-los acordado, mas talvez eles fossem lentos para reagir.

– Conte aos monges o que está acontecendo! – gritou Caris para Mair. – Corra!

Mair subiu a escada. Caris ouviu um rangido e entendeu que a porta da biblioteca fora aberta. Ficou atenta ao som de passos nas pedras do claustro. Mas Gilbert devia ser um ladrão experiente, pois caminhava em silêncio. Ela prendeu a respiração e tentou ouvir a dele. E foi então que irrompeu um barulho lá em cima.

O ladrão deve ter compreendido que só tinha uns poucos segundos para escapar, pois desatou a correr. Caris podia agora ouvir seus passos.

Não se importava muito com os preciosos ornamentos da catedral, pois achava que ouro e pedras preciosas provavelmente agradavam ao bispo e ao prior mais do que a Deus, mas sentira aversão a Gilbert e detestava a perspectiva de o homem enriquecer com os objetos roubados do priorado. Por isso saiu do recesso.

Mal podia ver, mas não havia como se equivocar sobre os passos em disparada vindo em sua direção. Estendeu os braços para se proteger e, no instante seguinte, houve a colisão. Caris se desequilibrou, mas agarrou as roupas do ladrão. Os dois caíram no chão. Houve o maior estardalhaço quando o saco escapuliu da mão de Gilbert, crucifixos e cálices batendo nas pedras do piso.

A dor da queda enfureceu Caris, que largou as roupas do homem e estendeu as mãos na direção em que julgava estar seu rosto. Encontrou pele e cravou as unhas, rasgando fundo. O ladrão berrou de dor, e ela sentiu o sangue escorrer por seus dedos.

Mas ele era mais forte. Agarrou-a e montou nela. Uma luz apareceu no alto da escada dos monges. Subitamente, ela pôde ver Gilbert... e ele também a viu. Ajoelhado por cima, acertou vários socos no rosto de Caris, primeiro com o punho direito, depois com o esquerdo e outra vez com o direito. Ela gritou, aflita.

Havia mais luz agora. Os monges desciam a escada. Caris ouviu Mair gritar:

– Deixe-a em paz, seu demônio!

Gilbert se levantou de um pulo e estendeu a mão para o saco. Mas já era tarde demais: subitamente, Mair voou para cima dele com algum objeto rombudo na mão. Ele recebeu um golpe na cabeça, virou-se para revidar e caiu sob uma avalanche de monges.

Caris ficou de pé. Mair foi ao seu encontro e as duas se abraçaram.

– O que você fez? – quis saber Mair.

– Fiquei na frente para fazê-lo tropeçar e depois arranhei seu rosto. Com o que você bateu nele?

– Com a cruz de madeira do dormitório.

– Nem pensar em oferecer a outra face... – disse Caris.

44

Gilbert de Hereford foi julgado pelo tribunal eclesiástico, considerado culpado e condenado, pelo prior Godwyn, a uma punição apropriada para quem roubava igrejas: seria esfolado vivo. A pele seria removida enquanto ele estivesse consciente e depois o deixariam sangrar até a morte.

No dia do esfolamento, Godwyn teve sua reunião semanal com madre Cecilia. Seus assistentes também estariam presentes: o subprior Philemon e a subpriora Natalie. Na sala de sua casa, à espera da chegada das freiras, Godwyn disse a Philemon:

– Temos de persuadi-las a construir um novo tesouro. Não podemos continuar mantendo nossos objetos mais valiosos numa caixa na biblioteca.

Philemon pensou por um momento.

– Seria um prédio partilhado?

– Tem de ser. Não temos condições de pagar a construção de um prédio só nosso.

Godwyn pensou, pesaroso, nas ambições que outrora acalentara, quando jovem, de reformar as finanças do mosteiro e torná-lo rico de novo. Isso não acontecera e ele ainda não entendia o motivo. Fora rigoroso, obrigando os moradores da cidade a usar e pagar os moinhos do priorado e seus viveiros de peixes e coelhos. Mas parecia que eles sempre encontravam uma maneira de se esquivar de suas regras, como aconteceu com a construção de moinhos nas aldeias vizinhas. Impusera sentenças rigorosas aos homens e mulheres que eram apanhados a caçar ilegalmente ou a derrubar árvores nas florestas do priorado. E resistira às bajulações daqueles que queriam tentá-lo a gastar o dinheiro com a construção de moinhos ou a desperdiçar a madeira com a licença para funcionamento de carvoarias e fundições de ferro. Tinha certeza de que seus métodos eram corretos, mas ainda não conseguira a receita que achava que merecia.

– Portanto, vai pedir o dinheiro a Cecilia – comentou Philemon, pensativo. – Pode haver vantagens em manter nossas riquezas e as das freiras no mesmo lugar.

Godwyn percebeu aonde a mente insidiosa de Philemon queria chegar.

– Mas não diríamos isso a Cecilia.

– Claro que não.

– Muito bem. Farei a proposta.

– Enquanto esperamos...

– O que é?

– Há um problema na aldeia de Long Ham de que você precisa tomar ciência.

Godwyn assentiu com a cabeça. Long Ham era uma das dezenas de aldeias que prestavam vassalagem – e pagavam direitos feudais – ao priorado.

– Tem a ver com as terras de uma viúva, Mary-Lynn – explicou Philemon. – Quando o marido morreu, ela concordou que um vizinho, John Nott, cultivasse a terra. Agora, a viúva se casou outra vez e quer a terra de volta para que seu novo marido possa cultivá-la.

Godwyn ficou perplexo. Era uma típica disputa de camponeses, trivial demais para exigir sua intervenção.

– O que o bailio diz?

– Que a terra deveria reverter para a viúva, já que o acordo proposto sempre foi provisório.

– Então é isso que deve acontecer.

– Há uma complicação. A irmã Elizabeth tem um meio-irmão e duas meias-irmãs em Long Ham.

– Ahn...

Godwyn devia ter adivinhado que havia uma razão para o interesse de Philemon. A irmã Elizabeth, que antes era Elizabeth Clerk, era a matriculária das freiras, encarregada de seus prédios. Era jovem e inteligente e com certeza subiria na hierarquia. Poderia ser uma aliada valiosa.

– São seus únicos parentes, sua família –, além da mãe, que trabalha na Bell – continuou Philemon. – Elizabeth gosta deles, que por sua vez a reverenciam como a única santa na família. Quando vêm a Kingsbridge, trazem presentes para o convento... frutas, mel, ovos, essas coisas.

– E...?

– John Nott é meio-irmão de Elizabeth.

– Elizabeth pediu que você interferisse?

– Pediu. E também pediu que eu não contasse nada a madre Cecilia.

Godwyn sabia que isso era o tipo de coisa que Philemon apreciava. Adorava ser considerado uma pessoa poderosa, que podia usar sua influência para favorecer um lado ou outro numa disputa. Essas coisas alimentavam seu ego, que nunca se sentia satisfeito. E ele também era atraído por qualquer coisa clandestina. O fato de Elizabeth não querer que sua superiora soubesse do pedido deixava Philemon exultante. Significava que conhecia um segredo vergonhoso dela. Guardaria a informação como o ouro do avarento.

– O que você quer fazer? – perguntou Godwyn.

– A decisão é sua, mas sugiro que deixe John Nott ficar com a terra. Elizabeth seria nossa devedora, e é inevitável que isso nos será útil em algum momento no futuro.

– É duro para a viúva – comentou Godwyn, ainda em dúvida.

– Concordo. Mas isso deve ser decidido à luz dos interesses do priorado.

– E a obra de Deus é mais importante. Muito bem. Pode falar com o bailio.

– A viúva receberá sua recompensa no outro mundo.

– É verdade.

Houvera uma época em que Godwyn hesitava em autorizar os esquemas escusos de Philemon, mas isso acontecera há muito tempo. Philemon provara ser útil como a mãe de Godwyn, Petranilla, previra há tantos anos.

Houve uma batida à porta. Petranilla entrou na sala.

Ela vivia agora numa casa pequena e confortável em Candle Court, perto da rua principal. Edmund lhe deixara um legado generoso, o suficiente para durar pelo resto de sua vida. Tinha 58 anos, o corpo alto agora encurvado e frágil, e andava com uma bengala. Mas ainda possuía uma mente afiada como uma armadilha de urso. Como sempre, Godwyn ficou satisfeito ao vê-la, mas também apreensivo, com receio de ter feito alguma coisa que pudesse tê-la desagradado.

Petranilla era a chefe da família agora. Anthony morrera no desabamento da ponte e Edmund falecera há sete anos. Assim, era a única sobrevivente de sua geração. Nunca hesitava em dizer o que Godwyn deveria fazer. E fazia a mesma coisa com a sobrinha Alice. O marido dela, Elfric, era o regedor da paróquia, mas ela também lhe dava ordens. Sua autoridade se estendia até a neta indireta, Griselda. Aterrorizava o filho dela, o pequeno Merthin, agora com 8 anos. Seu julgamento continuava tão firme quanto antes e as pessoas quase sempre lhe obedeciam. Se por alguma razão ela não assumia o comando, mesmo assim elas pediam sua orientação. Godwyn não sabia como poderia passar sem a mãe. E, nas raras ocasiões em que não seguira seus conselhos, fizera de tudo para esconder o fato. Caris era a única que a enfrentava. "Não ouse me dizer o que fazer", declarara ela a Petranilla mais de uma vez. "Você teria deixado que me matassem."

Petranilla se sentou e olhou ao redor.

– Isto não é bom – comentou.

A mãe era brusca com frequência, mas Godwyn ainda ficava nervoso quando ela falava dessa maneira.

– Como assim?

– Você deve ter uma casa melhor.

– Sei disso.

Oito anos antes, Godwyn tentara persuadir madre Cecilia a pagar um palácio novo. Ela prometera que daria o dinheiro três anos depois, mas mudara de ideia quando o momento chegara. Godwyn tinha certeza de que a causa da recusa fora o que ele fizera com Caris. Depois do julgamento de heresia, seu charme deixara de funcionar com Cecilia. Ficara difícil arrancar dinheiro dela. Petranilla acrescentou:

– Você precisa de um palácio para receber bispos e arcebispos, barões e condes.

– Quase não temos esses visitantes hoje em dia. O conde Roland e o bispo Richard permaneceram na França durante a maior parte dos últimos anos.

O rei Eduardo invadira o Nordeste da França em 1339 e passara todo o ano seguinte ali; depois, em 1342, levara seu exército para o Noroeste da França e lutara na Bretanha. Em 1345, tropas inglesas haviam travado uma batalha na região vinícola do Sudoeste, na Gasconha. Agora, Eduardo retornara à Inglaterra, mas já começara a recrutar outro exército.

– Roland e Richard não são os únicos nobres – insistiu Petranilla, impaciente.

– Os outros nunca vêm aqui.

A voz da mãe endureceu:

– Talvez seja porque você não pode acomodá-los no estilo que eles esperam. Precisa de um salão de banquetes, uma capela particular e quartos espaçosos.

Ela passara a noite inteira acordada pensando nisso, percebeu Godwyn. Era o seu jeito: remoía as coisas e depois disparava suas ideias como flechas. Ele especulou sobre o que a levara àquele protesto em particular.

– Parece muito extravagante – murmurou ele, tentando ganhar tempo.

– Não consegue compreender? – indagou Petranilla, ríspida. – O priorado não é tão influente quanto poderia simplesmente porque você nunca recebe os homens poderosos da Inglaterra. Quando tiver um palácio, com lindos quartos, eles virão.

Provavelmente a mãe tinha razão. Os mosteiros ricos, como Durham e Saint Albans, jamais se queixavam do número de visitantes nobres e reais que eram obrigados a receber.

– Ontem foi o aniversário da morte de meu pai.

Então era isso o que provocara aquela conversa, pensou Godwyn: a mãe estivera recordando a carreira gloriosa do avô.

– Você é prior há quase nove anos – continuou Petranilla. – Não quero que fique empacado aqui. Os arcebispos e o rei deviam estar considerando você para um bispado, uma grande abadia como Durham ou uma missão junto ao papa.

Godwyn sempre presumira que Kingsbridge seria seu trampolim para planos maiores, mas compreendia agora que deixara sua ambição definhar. Parecia que fora há pouco tempo que ganhara a eleição para prior. Sentira na ocasião que chegara ao topo. Mas a mãe tinha razão: já haviam se passado mais de oito anos e ele continuava no mesmo lugar.

– Por que não estão pensando em você para postos mais importantes? – indagou a mãe, retórica. – Porque não sabem que você existe! É o prior de um grande mosteiro, mas não contou a ninguém. Demonstre sua pompa! Construa um palácio. Convide o arcebispo de Canterbury para ser seu primeiro hóspede. Dedique a capela ao santo predileto dele. Avise ao rei que construiu aposentos reais na esperança de que ele o visite.

– Espere um instante – protestou Godwyn. – Uma coisa de cada vez. Eu adoraria construir um palácio, mas não tenho dinheiro.

– Então trate de arrumar.

Ele queria perguntar como, mas nesse momento as duas líderes do convento entraram na sala. Petranilla e Cecilia se cumprimentaram com uma cortesia fria e depois a mãe se retirou.

Madre Cecilia e irmã Natalie se sentaram. Cecilia tinha 51 anos agora, cabelos grisalhos e vista deficiente. Ainda circulava apressada por toda parte, como um passarinho irrequieto, dando instruções a freiras, noviças e criadas, mas abrandara ao longo dos anos e agora procurava evitar conflitos. Cecilia trazia um pergaminho.

– O convento recebeu um legado – anunciou ela depois que se sentou. – De uma devota de Thornbury.

– Quanto? – perguntou Godwyn.

– 150 libras em moedas de ouro.

Godwyn ficou estupefato. Era uma quantia fabulosa, o suficiente para construir um palácio modesto.

– Foi o convento que recebeu... ou o priorado?

– O convento – disse Cecilia, firme. – Este pergaminho é nossa cópia do testamento dela.

– Por que ela deixou tanto dinheiro para o convento?

– Ao que parece, cuidamos dela quando caiu doente ao voltar para casa, depois de uma visita a Londres.

Natalie, uns poucos anos mais velha do que Cecilia, rosto redondo, sempre afável, interveio nesse instante:

– Nosso problema é o seguinte: onde vamos guardar o dinheiro?

Godwyn olhou para Philemon. Natalie lhes dera uma abertura para o assunto que tencionavam levantar.

– O que vocês fazem atualmente com o dinheiro?

– Fica no quarto da prioresa, que só pode ser alcançado através do dormitório.

Como se pensasse nisso pela primeira vez, Godwyn sugeriu:

– Talvez devêssemos gastar um pouco desse legado na construção de uma nova tesouraria.

– Acho que é mesmo necessário – concordou Cecilia. – Um prédio de pedra simples, sem janelas, com uma resistente porta de carvalho.

– Não levaria muito tempo para construir – comentou Godwyn. – E não deve custar mais do que 5 ou 10 libras.

– Por uma questão de segurança, achamos que deve ser parte da catedral.

Então era por isso que as freiras queriam tratar do assunto com Godwyn.

Não precisariam consultá-lo sobre uma nova construção dentro de sua área do priorado, mas a igreja era comum a monges e freiras.

– Poderia ser junto da parede da catedral, no canto formado pelo transepto norte e o coro. O acesso seria apenas pelo interior da catedral.

– Isso mesmo. Foi o que pensei.

– Falarei com Elfric hoje se você quiser. Pedirei a ele que nos dê um orçamento.

– Faça isso, por favor.

Godwyn ficou feliz por arrancar de Cecilia uma fração do legado, mas ainda não se sentia satisfeito. Depois da conversa com a mãe, ele ansiava por conseguir mais. Gostaria de ficar com tudo. Mas como seria possível?

O sino da catedral repicou. Os quatro se levantaram e saíram.

O condenado esperava lá fora, na extremidade oeste da igreja. Estava nu, amarrado pelos pés e pelas mãos a um retângulo de madeira vertical como uma porta. Cerca de uma centena de pessoas se encontrava ali para testemunhar a execução. Os monges e as freiras comuns não haviam sido convidados: era considerado impróprio que vissem derramamento de sangue.

O carrasco era Will Tanner, um homem em torno dos 50 anos, curtidor de couro, como seu nome e a pele marrom de seu ofício indicavam. Usava um avental de lona limpo. Mantinha-se ao lado de uma pequena mesa, onde ajeitara suas facas. Afiava uma delas numa pedra e o rangido do aço no granito fez Godwyn estremecer.

Godwyn fez várias orações, terminando com uma súplica extemporânea, em inglês, para que a morte do ladrão servisse a Deus, evitando que outros cometessem o mesmo pecado. Depois, acenou com a cabeça para Will Tanner.

Will se postou atrás do ladrão amarrado. Pegou uma faca pequena, com ponta afiada, e a inseriu no centro do pescoço de Gilbert, para depois descer numa linha reta e comprida até a base da espinha. Gilbert berrou de dor. O sangue começou a sair do talho. Will fez outro corte ao longo dos ombros do ladrão, formando a letra T.

Então mudou de faca, selecionando uma de lâmina comprida e fina. Inseriu-a com todo o cuidado no ponto em que os dois cortes se encontravam e levantou um canto da pele. Gilbert gritou de novo. Com o pedaço nos dedos da mão esquerda, Will começou a remover a pele com o maior cuidado.

Gilbert desatou a berrar sem parar.

A irmã Natalie soltou um grito estrangulado, virou-se e correu de volta para o priorado. Cecilia fechou os olhos e começou a rezar. Godwyn sentiu-se nauseado. Alguém na multidão caiu no chão, desmaiado, com um baque surdo. Somente Philemon permaneceu inabalado.

Will trabalhou depressa, a faca afiada cortando pela gordura subcutânea para revelar os músculos trançados por baixo. O sangue fluía em abundância e ele parava a intervalos de poucos segundos para limpar as mãos no avental. Gilbert gritava numa agonia indescritível a cada corte. Não demorou muito para que a pele das costas pendesse em duas abas largas. Will se ajoelhou, os joelhos numa funda poça de sangue, e começou a trabalhar nas pernas.

Os gritos cessaram de repente: Gilbert parecia ter desmaiado. Godwyn ficou aliviado. Queria que o homem sofresse uma lenta agonia por tentar roubar a catedral – e queria que outros testemunhassem o tormento de um ladrão –, mas mesmo assim descobrira que era difícil escutar aquilo.

Will continuou a trabalhar, impassível, aparentemente sem se preocupar se a vítima estava consciente ou não, até que toda a pele de trás – costas, braços e pernas – foi arrancada. Depois foi para a frente do homem. Cortou em torno dos pulsos e tornozelos e separou a pele, para que pendesse dos ombros e quadris. Trabalhou de baixo para cima, através da pélvis, e Godwyn compreendeu que ele tentaria arrancar a pele inteira num único pedaço. E logo não havia mais pele presa ao corpo, exceto na cabeça.

Gilbert ainda respirava.

Will fez uma série de cortes cuidadosos em torno do crânio. Largou as facas e tornou a limpar as mãos no avental. Pegou a pele de Gilbert nos ombros e deu um puxão para cima. A pele do rosto e do couro cabeludo se soltou da cabeça, mas continuou ligada ao resto. Will levantou a pele ensanguentada de Gilbert como se fosse um troféu de caça e a multidão aplaudiu.

Caris estava apreensiva com a perspectiva de guardar o novo tesouro junto com o dos monges. Tanto importunou a irmã Beth com perguntas sobre a segurança do dinheiro que ela a levou para inspecionar o lugar.

Godwyn e Philemon estavam na catedral na ocasião, como que por acaso; viram as freiras e as seguiram. Elas passaram por uma nova arcada na parede sul do coro, entraram num pequeno saguão e pararam diante de uma formidável porta tachonada. A irmã Beth tirou do bolso uma enorme chave de ferro. Era uma mulher humilde e despretensiosa, como a maioria das freiras.

– Esta chave é nossa – disse ela a Caris. – Podemos entrar na tesouraria a qualquer momento que quisermos.

– Não poderia ser de outra forma, já que fomos nós que pagamos – comentou Caris, incisiva.

Entraram numa pequena sala quadrada. Continha uma mesa com uma pilha de pergaminhos em cima, alguns bancos e uma enorme arca reforçada com ferro.

– A arca é grande demais para ser levada pela porta – ressaltou Beth.

– Então como a puseram aqui dentro? – indagou Caris.

– Em pedaços – respondeu Godwyn. – O carpinteiro a montou aqui dentro.

Caris lançou um olhar frio para Godwyn. Aquele homem tentara matá-la.

Desde o julgamento por bruxaria, ela só o fitava com evidente aversão e evitava falar com ele, sempre que possível. Então Caris disse, decidida:

– As freiras vão precisar de uma chave da arca.

– Não há necessidade – declarou Godwyn. – Ela contém os ornamentos com pedras preciosas da catedral, aos cuidados do sacristão, que é sempre um monge.

– Mostre-me – disse Caris.

Ela percebeu que Godwyn ficou ofendido com seu tom e pensou em recusar, mas queria parecer acessível e inocente e por isso concordou. Ele tirou uma chave da bolsa no cinto e abriu a arca. Além dos ornamentos da catedral, continha dezenas de pergaminhos, que eram os cartulários do priorado.

– Portanto, a arca não contém apenas os ornamentos – disse Caris, vendo suas suspeitas confirmadas.

– Os registros também estão aqui.

– Inclusive os cartulários das freiras.

– Isso mesmo.

– Nesse caso, devemos ter uma chave.

– Minha ideia é copiar todos os cartulários e guardar as cópias na biblioteca.

Sempre que precisarmos examinar um cartulário, poderemos ler a cópia na biblioteca, para que os preciosos originais possam permanecer trancados.

Beth detestava conflitos e interveio, nervosa:

– Parece-me uma ideia bastante sensata, irmã Caris.

Caris admitiu, relutante:

– Desde que as freiras sempre tenham acesso a seus documentos de alguma forma.

Os cartulários eram uma questão secundária. Ela se dirigiu a Beth, mais do que a Godwyn, ao acrescentar:

– Mais importante ainda, onde guardamos o dinheiro?

– Em cofres escondidos no chão – respondeu Beth. – São quatro, dois para os monges, dois para as freiras. Se olhar com atenção, poderá perceber as pedras soltas.

Caris estudou o chão, antes de comentar:

– Eu não teria percebido se não tivesse me dito. Mas posso perceber agora. É possível trancar esses cofres?

– Creio que sim – respondeu Godwyn. – Mas dessa forma se tornaria óbvio onde estão, o que anularia nosso propósito ao escondê-los por baixo das lajes.

– Mas nesse caso os monges e as freiras têm acesso ao dinheiro uns dos outros.

Philemon interveio, fitando Caris com um olhar acusador:

– Por que você está aqui? É a responsável pelos visitantes... não tem nada a ver com o tesouro.

A atitude de Caris em relação a Philemon era de total aversão. Achava que ele não era completamente humano. Parecia não ter noção de certo ou errado, não ter princípios nem escrúpulos. Enquanto desprezava Godwyn como um homem iníquo, que sabia quando se entregava ao mal, sentia que Philemon era mais como um animal desvairado, como um cão raivoso ou um porco selvagem.

– Tenho um olho para os detalhes – declarou ela.

– Você é muito desconfiada – resmungou ele, ressentido.

Caris soltou uma risada sem humor.

– Partindo de você, Philemon, isso é irônico.

Ele fingiu que ficou magoado.

– Não sei o que está querendo insinuar com isso.

Beth tornou a interferir, num esforço para manter a paz:

– Eu só queria que Caris viesse dar uma olhada porque ela fez perguntas que eu não sabia responder.

– Por exemplo, como podemos ter certeza de que os monges não tiram o dinheiro das freiras? – indagou Caris.

– Vou mostrar – respondeu Beth.

Ela pegou uma vara de carvalho resistente que estava pendurada num gancho na parede. Usou-a como uma alavanca para levantar uma laje. Por baixo havia um espaço vazio, contendo uma arca reforçada com ferro.

– Mandamos fazer arcas do tamanho certo para caber nos espaços.

Beth se abaixou e removeu a arca. A tampa era presa por dobradiças, com um cadeado de ferro. Caris examinou a arca. Parecia bem-feita. A tampa estava encaixada e presa por um cadeado de ferro.

– Onde compramos esses cadeados? – perguntou Caris.

– Foram feitos por Christopher Blacksmith.

Ainda bem, pensou Caris. Christopher era um cidadão respeitável de Kingsbridge e não arriscaria sua reputação com a venda de cópias das chaves para ladrões.

Caris não conseguiu encontrar nenhuma falha no que fora feito. Talvez sua preocupação fosse desnecessária. Virou-se para ir embora. Foi nesse instante que Elfric apareceu, acompanhado por um aprendiz com um saco na mão.

– Posso pendurar o aviso agora? – perguntou Elfric.

– Pode, sim, por favor – respondeu Philemon.

O aprendiz de Elfric tirou do saco o que parecia ser um couro enorme.

– O que é isso? – indagou Beth.

– Espere um instante que já vai descobrir – disse Philemon.

O aprendiz levantou o couro contra a porta.

– Eu só estava esperando secar – explicou Philemon. – É a pele de Gilbert de Hereford.

Beth soltou um grito de horror.

– É repulsivo – disse Caris.

A pele estava ficando amarelada e os cabelos caíam, mas dava para distinguir o rosto: as orelhas, os dois buracos dos olhos, a abertura da boca, que dava a impressão de estar contraída num sorriso.

– Isso deve afugentar os ladrões – comentou Philemon com evidente satisfação.

Elfric pegou um martelo e começou a pregar a pele na porta da tesouraria.

⌒

As duas freiras se retiraram. Godwyn e Philemon esperaram que Elfric concluísse a tarefa macabra, depois tornaram a entrar na tesouraria.

– Creio que estamos seguros agora – comentou Godwyn.

Philemon assentiu.

– Caris é uma mulher desconfiada, mas todas as suas perguntas foram respondidas de maneira satisfatória.

– Nesse caso...

Philemon fechou e trancou a porta por dentro. Depois, levantou o bloco de pedra de um dos dois cofres das freiras e tirou a arca.

– A irmã Beth guarda uma pequena quantidade de dinheiro para as necessidades do dia a dia em algum lugar dos aposentos das freiras – explicou. – Ela só entra aqui para retirar ou depositar quantias maiores. E sempre abre o outro cofre, que contém principalmente as moedas de prata. Ela quase nunca abre esta arca, onde guarda o legado.

Ele virou a arca e verificou as dobradiças. Estavam presas na madeira por quatro pregos. Philemon tirou do bolso uma talhadeira fina de aço e um alicate. Godwyn especulou onde ele arrumara aquelas ferramentas, mas não perguntou. Às vezes era melhor não saber de muitos detalhes.

Philemon encaixou a ponta da talhadeira sob a dobradiça de ferro e empurrou. Foi forçando, com o maior cuidado e paciência, para que as marcas na madeira não ficassem visíveis. Pouco a pouco, a placa da dobradiça foi se desprendendo, os pregos saindo. Quando havia espaço suficiente, ele usou o alicate para puxar os pregos. Depois levantou a tampa.

– Aqui está o dinheiro da devota de Thornbury – disse ele.

Godwyn olhou para a arca. Eram ducados venezianos. As moedas de ouro mostravam o doge de Veneza ajoelhado diante de São Marcos; no outro lado, a Virgem Maria estava cercada por estrelas, para indicar que se encontrava no céu. Os ducados eram equivalentes aos florins de Florença e tinham o mesmo tamanho, peso e pureza do metal. Valiam 3 xelins, ou 36 *pence* de prata ingleses. A Inglaterra tinha agora suas próprias moedas de ouro, uma inovação do rei Eduardo – nobre, meio nobre e quarto de nobre –, mas elas circulavam há apenas dois anos e ainda não haviam suplantado as moedas de ouro estrangeiras.

Godwyn tirou 50 ducados, que valiam 7 libras e 10 xelins. Philemon tornou a fechar a arca. Envolveu cada prego com um pedaço fino de couro para que ficassem bem justos e prendeu a dobradiça. Pôs a arca de volta no cofre e baixou o bloco de pedra.

– Claro que elas vão notar a falta, mais cedo ou mais tarde – comentou.

– Talvez não percebam nada durante anos – retorquiu Godwyn. – E vamos deixar para cruzar essa ponte quando a alcançarmos.

Os dois saíram. Godwyn trancou a porta.

– Procure Elfric e se encontrem comigo no cemitério – disse ele.

Philemon se afastou. Godwyn foi para a extremidade leste do cemitério, logo depois da casa do prior. Era um dia de maio com muito vento, que fazia o hábito esvoaçar em torno de suas pernas. Uma cabra solta pastava entre os túmulos. Godwyn ficou a observá-la, pensativo.

Sabia que estava se arriscando a uma briga terrível com as freiras. Calculava que elas nada descobririam por um ano pelo menos, mas não podia ter certeza. Quando descobrissem, seria um inferno. Mas o que exatamente elas poderiam fazer? Ele não era como Gilbert de Hereford, que roubava dinheiro para si. Apropriara-se do legado de uma devota para propósitos sagrados.

Pôs as preocupações de lado. Sua mãe tinha razão: precisava glorificar seu papel como prior de Kingsbridge se quisesse continuar progredindo. Quando Philemon apareceu com Elfric, Godwyn disse:

– Quero construir o palácio do prior aqui, a leste da residência atual.

Elfric acenou com a cabeça em concordância.

– Uma excelente localização, lorde prior, se me permite dizer... perto do capítulo e na extremidade leste da catedral, mas separada do mercado pelo cemitério. Assim terá privacidade e sossego.

– Quero um grande salão para banquetes – continuou Godwyn. – Com cerca de 30 metros de comprimento. Deve ser um salão imponente, apropriado para receber a nobreza, talvez até a realeza.

– Excelente.

– E uma capela na ala leste do andar térreo.

– Mas estará a poucos passos da catedral.

– Os hóspedes nobres nem sempre querem se expor ao povo. Devem ter a possibilidade de fazer o culto em particular se assim desejarem.

– E no segundo andar?

– Os aposentos do prior, incluindo uma sala com um altar e uma escrivaninha, e três quartos grandes para hóspedes.

– Esplêndido!

– Quanto custará?

– Mais de 100 libras... talvez 200. Farei um projeto e apresentarei uma estimativa mais precisa.

– Não deixe passar de 150. Isso é tudo o que posso gastar.

Elfric pode ter tentado imaginar onde Godwyn conseguira de repente 150 libras, mas não perguntou.

– É melhor começar a estocar as pedras o mais depressa possível. Pode me adiantar algum dinheiro para que eu já iniciei a obra?

– Quanto precisaria?... Cinco libras?

– Dez seria melhor.

– Eu lhe darei 7 libras e 10 xelins em ducados – disse Godwyn, entregando as 50 moedas de ouro que tirara das reservas das freiras.

Três dias depois, quando monges e freiras saíam da catedral depois do serviço da Nona, a irmã Elizabeth falou com Godwyn.

Freiras e monges não deviam conversar uns com os outros, por isso ela teve de arrumar um pretexto. Um cachorro aparecera na nave e latira durante o serviço. Havia sempre cachorros entrando na catedral, mas em geral eram ignorados. Elizabeth, no entanto, decidiu se desligar da procissão para afugentar o cachorro. Era obrigada a atravessar pela fileira de monges e calculou o momento para passar diante de Godwyn. Ofereceu-lhe um sorriso contrafeito.

– Peço perdão, padre prior. – Baixou a voz para acrescentar: – Encontre-se comigo na biblioteca como se fosse por acaso. – E saiu pela porta oeste.

Intrigado, Godwyn seguiu para a biblioteca. Sentou-se para ler a Regra de São Bento. Elizabeth apareceu pouco depois e pegou o Evangelho de São Mateus. As freiras haviam construído sua própria biblioteca depois que Godwyn assumira o papel de prior e decidira aumentar a separação entre homens e mulheres. Mas, depois que retiraram todos os seus livros da biblioteca dos monges, o lugar ficara tão vazio que Godwyn revogara sua decisão. O prédio da biblioteca das freiras era agora usado como sala de aula quando fazia frio.

Elizabeth se sentou de costas para Godwyn, a fim de que ninguém desconfiasse, ao entrar ali, de que estavam conspirando. Mas ficou bem perto para que ele pudesse ouvir com clareza.

– Há uma coisa que percebi que devo lhe contar – sussurrou Elizabeth. – A irmã Caris não gosta da ideia de guardar o dinheiro das freiras na nova tesouraria.

– Eu já sabia disso.

– Ela persuadiu a irmã Beth a contar o dinheiro para ter certeza de que tudo continua ali. Achei que deveria saber... para o caso... de ter tomado algum dinheiro emprestado delas.

O coração de Godwyn quase parou. Uma verificação revelaria que faltavam 50 ducados. E ele ainda precisaria do resto para construir seu palácio. Não esperava que a descoberta pudesse ocorrer tão cedo. Amaldiçoou Caris. Como ela fora capaz de adivinhar o que ele fizera em tamanho sigilo?

– Quando? – indagou ele, com a voz um pouco trêmula.

– Hoje. Não sei a que horas... Pode ser a qualquer momento. Mas Caris foi bastante enfática ao dizer que você não deveria ser avisado com antecedência.

Godwyn teria de pôr os ducados de volta na arca o mais depressa possível.

– Muito obrigado pela informação – disse ele. – Gostei de poder contar com você.

– Fiz isso porque você favoreceu minha família em Long Ham.

Elizabeth se levantou e saiu. Godwyn também saiu passado um momento. Que sorte Elizabeth se sentir em dívida com ele! O instinto de Philemon para a intriga era mesmo valioso. Enquanto pensava nisso, avistou o subprior no claustro.

– Pegue aquelas ferramentas e se encontre comigo na tesouraria! – sussurrou.

Depois Godwyn saiu do priorado. Atravessou apressado o pátio gramado e seguiu pela rua principal. A esposa de Elfric, Alice, herdara a casa de Edmund Wooler, uma das maiores da cidade, junto com todo o dinheiro que Caris ganhara com seus tecidos tingidos. Elfric vivia agora no maior luxo.

Godwyn bateu à porta e entrou. Alice estava sentada à mesa, diante do resto do almoço. Ali encontravam-se a enteada, Griselda, e o filho dela, o pequeno Merthin. Ninguém acreditava agora que Merthin Fitzgerald fosse o pai do menino: ele era a cara do antigo namorado fugido de Griselda, Thurstan. Griselda se casara com um dos empregados do pai, Harold Mason. As pessoas educadas chamavam o menino de 8 anos de Merthin Haroldson; outras se referiam a ele como Merthin Bastardo.

Alice se levantou de um pulo quando viu Godwyn.

– É um prazer tê-lo em nossa casa, primo prior. Aceita um copo de vinho?

Godwyn ignorou a hospitalidade polida.

– Onde está Elfric?

– Lá em cima tirando um cochilo antes de voltar ao trabalho. Sente-se na sala de visitas enquanto vou chamá-lo.

– O mais depressa possível, por favor.

Godwyn foi para a outra sala. Havia cadeiras confortáveis ali, mas ele ficou andando de um lado para outro. Elfric apareceu pouco depois, esfregando os olhos.

– Desculpe a demora, mas eu estava...

– Os 50 ducados que lhe dei há três dias – interrompeu-o Godwyn. – Preciso que me devolva.

Elfric ficou surpreso.

– Mas o dinheiro era para as pedras!

– Sei disso. Mas preciso do dinheiro de volta imediatamente.

– Já gastei uma parte com carroceiros que trarão as pedras da pedreira.

– Quanto?

– Cerca da metade.

– Pode cobrir essa parte com seus próprios recursos, não é?

– Não quer mais o palácio?

– Claro que quero. Mas preciso desse dinheiro agora. Não me pergunte por quê, apenas devolva-o.

– O que farei com as pedras que encomendei?

– Guarde-as. Terá o dinheiro de volta. Só preciso dele por uns dias. Depressa!

– Está bem. Espere aqui, por favor.

– Não irei a lugar nenhum enquanto não me entregar o dinheiro.

Elfric saiu. Godwyn especulou sobre onde ele guardaria as moedas. Sob as pedras da lareira era o lugar mais comum. Mas Elfric, por ser um construtor, podia ter um esconderijo mais astucioso. Onde quer que fosse, ele não demorou a voltar.

Contou 50 moedas de ouro.

– Eu lhe dei ducados... e algumas destas moedas são florins – disse Godwyn.

O florim era do mesmo tamanho, mas tinha imagens diferentes: João Batista de um lado, uma flor do outro.

– Não tenho mais as mesmas moedas. Já expliquei que gastei algumas. Mas valem a mesma coisa, não é?

Era verdade. As freiras notariam a diferença?

Godwyn guardou as moedas na bolsa e saiu sem dizer mais nada.

Retornou apressado à catedral. Encontrou Philemon na tesouraria e explicou, ofegante:

– As freiras vão fazer uma verificação. Preciso devolver o dinheiro que dei a Elfric. Abra aquela arca.

Philemon levantou o bloco de pedra, tirou a arca, removeu os pregos e ergueu a tampa. Godwyn examinou as moedas. Todas eram ducados. Mas não havia mais nada que ele pudesse fazer agora. Largou as moedas na arca, empurrando os florins para o fundo.

– Pode fechar e guardar de volta no lugar.

Philemon assim o fez. Godwyn experimentou um momento de alívio. Seu crime fora em parte encoberto. Pelo menos agora não seria tão clamorosamente evidente.

– Quero estar presente quando for feita a contagem – disse a Philemon. – Estou preocupado com a possibilidade de notarem que há agora alguns florins no lugar de ducados.

– Sabe quando elas tencionam vir?

– Não.

– Porei um noviço para varrer o coro. Ele nos avisará assim que Beth aparecer.

Philemon contava com um pequeno círculo de noviços admiradores que fariam qualquer coisa para agradá-lo. Mas não houve necessidade. Irmã Beth e irmã Caris apareceram quando eles deixavam a tesouraria. Godwyn fingiu estar no meio de uma conversa sobre contas.

– Teremos de procurar num rolo de contas anterior, irmão – disse a Philemon. – Ah, bom dia, irmãs.

Caris abriu os cofres das freiras e tirou as duas arcas.

– Posso ajudá-las com alguma coisa? – perguntou Godwyn.

Caris ignorou-o.

– Estamos apenas querendo verificar uma coisa, mas obrigada, padre prior. Não vamos demorar – respondeu Beth.

– Podem continuar, podem continuar... – disse ele, benevolente, embora o coração batesse forte dentro do peito.

– Não há necessidade de se desculpar por nossa presença aqui, irmã Beth – disse Caris, irritada. – É nossa tesouraria e nosso dinheiro.

Godwyn abriu um rolo de contas ao acaso. Fingiu estudá-lo, junto com Philemon. Beth e Caris contaram as peças de prata na primeira arca: quartos de *penny*, moedas de meio *penny*, alguns *pence* e uns poucos Luxembourgs, *pence* falsos, feitos com prata adulterada, além de umas poucas moedas de ouro, florins, ducados, além de *genovinos* de Gênova e *reales* de Nápoles, assim como *moutons* franceses e os novos nobres ingleses. Beth confrontou os totais com seus registros. Quando terminaram, ela disse:

– Absolutamente certo.

Elas guardaram todas as moedas na arca, trancaram e a puseram de volta no cofre no chão. Começaram a contar as moedas de ouro na outra arca, fazendo pilhas de dez. Quando se aproximavam do fundo da arca, Beth franziu o rosto e soltou um murmúrio de perplexidade.

– O que foi? – perguntou Caris.

Godwyn sentiu uma pontada de medo e culpa.

– Esta arca contém apenas o legado da devota de Thornbury. Eu o deixei separado – explicou Beth.

– E daí?

– O marido dela tinha negócios em Veneza. Eu tinha certeza de que toda a quantia era em ducados, mas também há alguns florins aqui.

Godwyn e Philemon ficaram imóveis, escutando.

– Isso é estranho – comentou Caris.

– Talvez eu tenha me enganado.

– Mas é um pouco suspeito.

– Nem tanto – declarou Beth. – Os ladrões não põem dinheiro em sua arca, não é?

– Tem razão – admitiu Caris, relutante.

Terminaram de contar. Tinham cem pilhas de dez moedas, no valor de 150 libras.

– É a quantia exata em meus registros – anunciou Beth.

– Então todos os *pence* e libras estão corretos – disse Caris.

– Como eu disse.

45

Caris passou muitas horas pensando na irmã Mair.

Ficara surpresa com o beijo, mas ainda mais com sua própria reação. Fora excitante. Até agora, não se sentira atraída por Mair ou qualquer outra mulher. Na verdade, havia apenas uma pessoa que já a fizera ansiar por ser acariciada, beijada e penetrada, e ela era Merthin. No convento, aprendera a viver sem contato físico. A única mão que a tocava sexualmente era a sua, na escuridão do dormitório, quando se lembrava dos dias de namoro e comprimia seu rosto contra o travesseiro para que as outras freiras não ouvissem sua respiração ofegante.

Não sentia por Mair o mesmo desejo feliz que Merthin lhe inspirava. Mas Merthin se encontrava a 1.500 quilômetros de distância e há sete anos no passado. E ela gostava de Mair. Era alguma coisa relacionada com seu rosto angelical, os olhos azuis, uma reação a seu comportamento gentil no hospital e na escola.

Mair sempre falava doce com Caris e, quando ninguém olhava, tocava em seu braço, em seu ombro, até em seu rosto. Caris não a repelia, mas evitava corresponder. Não era porque pensasse que seria um pecado. Tinha certeza de que Deus era sensato demais para fazer uma regra contra as mulheres proporcionarem um prazer inofensivo umas às outras. Mas é que sentia medo de desapontar Mair. O instinto lhe dizia que os sentimentos de Mair eram fortes e definidos enquanto os seus eram incertos. Ela é apaixonada por mim, pensava Caris, mas eu não retribuo o sentimento. Se beijá-la de novo, ela pode acalentar a esperança de que nós seremos almas irmãs pelo resto da vida, e não posso prometer isso.

Por isso ela não fez nada até a semana da Feira do Velocino.

A feira de Kingsbridge se recuperara do desastre de 1338. O comércio de lã crua ainda sofria a interferência do rei e os italianos só apareciam de dois em dois anos, mas isso era compensado pelo novo negócio de tecido tingido. A cidade ainda não era tão próspera quanto poderia, pois a proibição do prior Godwyn do funcionamento de moinhos particulares afastara a indústria da cidade e a levara para as aldeias ao redor. Mas a maior parte do tecido ainda era vendida no mercado e ele ficara conhecido como Escarlate de Kingsbridge. A ponte de Merthin fora concluída por Elfric e as pessoas atravessavam sua larga extensão com cavalos de carga e carroças.

Por isso, na noite de sábado, antes da abertura oficial da feira, o hospital se encontrava lotado de visitantes. E um deles estava doente.

Seu nome era Maldwyn Cook e seu negócio era fazer pequenas iguarias salgadas, com farinha de trigo e pedaços de carne ou peixe. Eram fritas na manteiga numa fogueira e vendidas por um quarto de *penny* a meia dúzia. Pouco depois de chegar, ele sentiu uma súbita e violenta dor de barriga, seguida por vômito e diarreia. Não havia nada que Caris pudesse fazer para ajudá-lo a não ser providenciar uma cama perto da porta.

Há muito ela desejava dotar o hospital da própria latrina a fim de poder supervisionar sua higiene. Mas essa era apenas uma das melhorias que pretendia fazer. Precisava de uma nova farmácia ao lado do hospital, uma sala espaçosa e bem iluminada onde poderia preparar os medicamentos e escrever suas anotações. E também queria encontrar uma maneira de proporcionar mais privacidade aos pacientes. No momento, todos ali podiam ver uma mulher dando à luz, um homem tendo um ataque, uma criança vomitando. As pessoas doentes deveriam ter espaços reservados, em sua opinião, como as capelas laterais numa catedral. Mas não sabia como poderia conseguir isso: o hospital não era bastante grande. Conversara muito com Jeremiah Builder – que fora o aprendiz de Merthin a quem chamavam de Jimmie –, mas não haviam encontrado uma solução satisfatória.

Na manhã seguinte, mais três pessoas apresentavam os mesmos sintomas de Maldwyn Cook. Caris serviu a primeira refeição aos visitantes e mandou que fossem para o mercado. Só os doentes podiam permanecer no hospital. O chão do hospital estava mais sujo do que o habitual e ela ordenou que fosse varrido e limpo com esfregão. Depois foi para o serviço na catedral.

O bispo Richard não estava presente. Fazia companhia ao rei, que preparava uma nova invasão à França. Richard sempre considerara que o bispado era apenas um meio de sustentar seu estilo de vida aristocrático. Em sua ausência, a diocese era comandada pelo arquidiácono Lloyd, que coletava os dízimos e os pagamentos dos arrendamentos do bispo, batizava crianças e conduzia serviços com uma eficiência determinada, mas nem um pouco imaginativa – uma característica que ele demonstrou naquela manhã com um tedioso sermão sobre o motivo pelo qual Deus era mais importante do que o dinheiro, um estranho tema na abertura de uma das maiores feiras comerciais da Inglaterra.

Apesar disso, todos se mostravam animados, como sempre, no primeiro dia. A Feira do Velocino era o ponto alto do ano para os habitantes e os camponeses das aldeias ao redor. As pessoas ganhavam dinheiro na feira e o perdiam jogando nas estalagens. Jovens robustas das aldeias se deixavam seduzir por insinuantes rapazes da cidade. Prósperos camponeses pagavam às prostitutas por serviços que não ousavam pedir às esposas. Com bastante frequência, ocorria um assassinato; às vezes, vários.

Caris distinguiu o vulto corpulento e bem-vestido de Buonaventura Caroli entre a congregação e seu coração disparou. Ele podia ter notícias de Merthin. Ela passou todo o serviço distraída, recitando os salmos. Na saída, conseguiu atrair a atenção de Buonaventura, que lhe sorriu. Ela tentou indicar, com um aceno de cabeça, que queria conversar com ele mais tarde. Não teve certeza se a mensagem foi entendida.

Foi para o hospital – o único lugar do priorado em que uma freira podia se encontrar com um homem do mundo exterior – e Buonaventura entrou ali pouco depois. Usava um casaco azul luxuoso e sapatos pontudos.

– Na última vez em que a vi – comentou ele –, você tinha acabado de ser ordenada freira pelo bispo Richard.

– Agora sou a responsável pelos visitantes.

– Parabéns! Nunca pensei que pudesse se dar tão bem no convento.

Buonaventura a conhecia desde que ela era uma criança.

– Nem eu – respondeu Caris, rindo.

– O priorado parece estar indo bem.

– Por que diz isso?

– Soube que Godwyn está construindo um novo palácio.

– É verdade.

– Ele deve estar prosperando.

– Creio que sim. Mas como você está? E os negócios?

– Temos alguns problemas. A guerra com a França afetou o transporte e os impostos de seu rei Eduardo fazem com que a lã inglesa seja mais cara do que a espanhola. Mas é também de melhor qualidade.

Os mercadores sempre se queixavam dos tributos. Caris foi direto ao assunto que realmente lhe interessava:

– Alguma notícia de Merthin?

– Tenho, sim. – Embora o comportamento de Buonaventura permanecesse afável, Caris notou alguma hesitação enquanto ele acrescentava: – Merthin se casou.

Caris teve a sensação de ter sido atingida por um golpe violento. Nunca esperara por isso, nem sequer pensara na possibilidade. Como Merthin podia fazer aquilo? Ele era... Eles eram...

Não havia motivo para que ele não se casasse, é claro. Caris o rejeitara mais de uma vez e na última tornara a rejeição definitiva ao ingressar no convento.

Apenas era extraordinário que ele esperasse tanto tempo. Ela não tinha o direito de se sentir magoada. Forçou um sorriso.

– Mas isso é maravilhoso! Por favor, transmita a ele minhas congratulações. Quem é a moça?

Buonaventura fingiu não notar a consternação de Caris.

– Seu nome é Silvia – disse ele, como se estivesse contando uma fofoca inofensiva. – É a filha mais nova de um dos cidadãos mais proeminentes da cidade, Alessandro Christi, um mercador de especiarias orientais que possui vários navios.

– Que idade tem?

Ele sorriu.

– Alessandro? Deve ter mais ou menos a minha idade...

– Não zombe de mim! – Ela sentiu-se grata a Buonaventura por ter abrandado o tom. – Qual é a idade de Silvia?

– Vinte e três anos.

– Seis anos mais moça do que eu.

– Uma linda jovem...

Caris sentiu a ressalva implícita.

– Mas...?

Ele inclinou a cabeça para o lado.

– Ela é conhecida por ter uma língua afiada. As pessoas dizem todos os tipos de coisas, é claro, mas talvez seja por isso que ela permaneceu solteira durante tanto tempo. As moças em Florença costumam se casar antes dos 18 anos.

– Tenho certeza de que os comentários sobre a língua afiada são verdadeiros. As duas únicas jovens que Merthin apreciava aqui em Kingsbridge eram Elizabeth Clerk e eu... e sempre fomos de falar muito, verdadeiras megeras.

Buonaventura riu.

– Nem tanto, nem tanto...

– Quando foi o casamento?

– Há dois anos. Pouco depois de ter visto você pela última vez.

Caris compreendeu que Merthin permanecera solteiro até que ela fosse ordenada freira. Devia ter tomado conhecimento por Buonaventura que ela dera o passo final. Ela pensou em Merthin esperando e acalentando uma esperança, por mais de quatro anos, em outra terra... e sua fachada de animação começou a se desfazer.

– E eles têm uma criança, uma menina chamada Lolla – informou Buonaventura.

Era demais. Toda a dor que Caris experimentara sete anos antes – a angústia que pensara ter desaparecido para sempre – voltou de repente. Não o perdera em 1339, refletiu. Merthin permanecera fiel à sua memória por anos. Mas o perdera, afinal, para sempre. Ficou abalada e compreendeu que não conseguiria se controlar por muito mais tempo. Trêmula, disse:

– Foi um prazer revê-lo e saber das novidades, mas tenho de voltar ao trabalho.

O rosto de Buonaventura demonstrou preocupação.

– Espero não tê-la deixado muito transtornada. Pensei que você gostaria de saber.

– Não seja gentil comigo... Não posso suportar.

Caris se virou e saiu, quase correndo. Baixou a cabeça para esconder o rosto enquanto deixava o hospital e entrava no claustro. À procura de um lugar para ficar sozinha, subiu a escada até o dormitório. Não havia ninguém ali durante o dia. Começou a soluçar enquanto percorria o dormitório vazio. O quarto de madre Cecilia ficava na outra extremidade. Ninguém tinha permissão de entrar ali sem convite, mas Caris desobedeceu à ordem e bateu a porta. Jogou-se na cama, sem se importar quando a touca de freira caiu. Comprimiu o rosto contra o colchão de palha e chorou.

Passado algum tempo, sentiu uma mão em sua cabeça, afagando os cabelos curtos. Não ouvira a pessoa entrar no quarto. E não se importava com quem era. Mesmo assim, aos poucos foi se acalmando. Os soluços já não eram tão desesperados, as lágrimas secaram, a tempestade de emoções começou a amainar. Rolou na cama e olhou para a pessoa que a confortava. Era Mair.

– Merthin se casou... e tem uma filhinha – relatou, recomeçando a chorar.

Mair se deitou a seu lado e aninhou a cabeça de Caris em seus braços. Esta comprimiu o rosto contra os seios macios de Mair, deixando que o hábito de lã absorvesse as lágrimas.

– Calma, calma... – sussurrou Mair.

Por fim, Caris se acalmou. Estava esgotada demais para sentir mais pesar. Pensou em Merthin segurando no colo uma criança italiana de cabelos escuros e imaginou como ele seria feliz. Ficou contente por isso e, exausta, mergulhou no sono.

～

A doença que começara com Maldwyn Cook se espalhou como fogo de verão pela multidão na Feira do Velocino. Na segunda-feira, passou do hospital para as tavernas e, na terça, dos visitantes para os habitantes. Caris registrou as características em seu livro: começava com dores no estômago, logo levava a vômito e diarreia e durava entre 24 e 48 horas. Os adultos se recuperavam, mas a doença matava os velhos e os bebês.

Na quarta-feira, atingiu as freiras e as crianças na escola. Mair e Tilly foram afetadas. Caris saiu para falar com Buonaventura, na Bell, e lhe perguntou, preocupada, se os médicos italianos tinham tratamento para aquele tipo de doença.

– Não há cura – disse ele. – Ou, pelo menos, nenhuma que funcione embora os médicos quase sempre receitem algo, só para arrancar mais dinheiro das pessoas. Mas alguns médicos árabes acham que é possível retardar a disseminação.

– É mesmo? – Caris se interessou. Os mercadores diziam que os médicos muçulmanos eram superiores aos cristãos, mas os monges refutassem isso com veemência. – Como?

– Eles acham que a doença é adquirida quando uma pessoa doente olha para você. A vista funciona como raios que saem dos olhos e tocam nas coisas que você vê. É como estender um dedo para sentir se alguma coisa é quente, dura ou seca. Mas os raios podem também projetar doenças. Assim, você pode evitá-las se nunca ficar na mesma sala que um doente.

Caris não achou que a doença pudesse ser transmitida pelo olhar. Se isso fosse verdade, depois de um serviço importante, todos na congregação contrairiam qualquer doença que o bispo tivesse. Sempre que o rei estivesse doente, contagiaria as centenas de pessoas que o viam. E, com certeza, alguém já teria notado isso.

Mas a noção de que não se devia partilhar um cômodo com alguém que estava doente parecia convincente. No hospital, a doença de Maldwyn parecia se espalhar de um sofredor para as pessoas nas camas próximas.

Ela também já observara que certos tipos de doenças – problemas de estômago, tosses e resfriados, pústulas de todos os tipos – pareciam aumentar durante feiras e mercados; portanto, parecia óbvio que eram transmitidas de uma pessoa para outra da mesma maneira.

Na noite de quarta-feira, por volta do jantar, metade das pessoas no hospital já contraíra a doença; na manhã de quinta-feira, todas estavam infectadas. Vários empregados do priorado também caíram doentes e Caris não dispunha de pessoal suficiente para a limpeza.

Ao observar o caos na hora da primeira refeição, madre Cecilia sugeriu o fechamento do hospital. Caris estava disposta a considerar qualquer coisa. Sentia-se consternada por sua impotência para combater a doença e arrasada pela imundície do lugar.

– Mas onde as pessoas dormiriam? – indagou.

– Mande-as para as tavernas.

– As tavernas estão com o mesmo problema. Podemos deixá-las na catedral.

Cecilia balançou a cabeça.

– Godwyn não admitiria camponeses vomitando na nave enquanto os serviços prosseguem no coro.

– Onde quer que as pessoas durmam, devemos separar as que estão doentes. É a maneira de retardar a disseminação da doença, segundo Buonaventura.

– Faz sentido.

Uma ideia nova aflorou de repente à mente de Caris. Parecia uma providência óbvia embora nunca tivesse pensado a respeito.

– Talvez não devêssemos apenas melhorar o hospital. Poderíamos construir um novo apenas para os doentes e manter o prédio antigo para os peregrinos e outros visitantes saudáveis.

Cecilia assumiu uma expressão pensativa.

– Seria muito caro.

– Temos 150 libras. – A imaginação de Caris começou a funcionar. – Podemos ter uma nova farmácia. E quartos particulares para os doentes crônicos.

– Descubra quanto custaria. Pode perguntar a Elfric.

Caris odiava Elfric. Já o detestava antes mesmo de ele prestar depoimento contra ela. Não queria que ele construísse seu novo hospital.

– Elfric anda muito ocupado com a construção do novo palácio de Godwyn. Prefiro consultar Jeremiah.

– Faça como quiser.

Caris sentiu um impulso de simpatia por Cecilia. Embora fosse rigorosa na disciplina, ela dava autonomia para que as ajudantes tomassem as próprias decisões. Sempre compreendera as paixões conflitantes que impulsionavam Caris. Em vez de tentar reprimir essas paixões, Cecilia encontrara meios de aproveitá-las. Dera à freira um trabalho que lhe interessava e fornecera meios para que extravasasse sua energia rebelde. Aqui estou eu, pensou Caris, incapaz de lidar com a crise atual, mas minha superiora me diz calmamente para começar a cuidar de um projeto a longo prazo.

– Obrigada, madre Cecilia.

Mais tarde, ainda naquele dia, ela circulou pelo terreno do priorado com Jeremiah e explicou suas intenções. Ele continuava supersticioso como antes, vendo a ação de anjos e demônios nos mais triviais incidentes cotidianos. Apesar disso, era um construtor imaginativo, aberto a novas ideias: aprendera com Merthin. Não demoraram a definir o melhor local para o novo hospital, ao sul do bloco da cozinha. Seria afastado dos outros prédios, para que os doentes tivessem menos contato com os saudáveis, mas a comida não teria de percorrer grande distância. Além disso, teria a conveniência do fácil acesso através do claustro das freiras. Com a farmácia, as novas latrinas e um andar superior com aposentos particulares, Jeremiah calculou que a obra custaria 100 libras – a maior parte do legado.

Caris conversou sobre a localização com madre Cecilia. Era um terreno que não pertencia aos monges nem às freiras, por isso elas foram falar com Godwyn.

Encontraram-no no local de seu próprio projeto de construção, o novo palácio. A parte externa estava pronta e o telhado, instalado. Caris não visitava o local havia algumas semanas, e ficou surpresa com o tamanho, pois seria tão grande quanto seu novo hospital. Compreendeu por que Buonaventura o considerara impressionante: o salão de jantar seria maior do que o refeitório das freiras. O local enxameava de trabalhadores, como se Godwyn tivesse pressa de acabar. Os pedreiros ajustavam um piso de ladrilhos coloridos num padrão geométrico, vários carpinteiros faziam portas e um vidraceiro usava uma fornalha para produzir os vidros. Godwyn estava gastando muito dinheiro.

Ele e Philemon mostravam o prédio ao arquidiácono Lloyd, o secretário do bispo. Godwyn se afastou deles quando viu as freiras chegando.

– Não precisa interromper sua conversa. Mas, quando acabar, poderá se encontrar conosco junto do hospital? Temos uma coisa para lhe mostrar – pediu Cecilia.

– Claro – respondeu Godwyn.

Caris e Cecilia voltaram, passando pela área do mercado na frente da catedral. Sexta-feira era o dia de pechincha na Feira do Velocino, quando os mercadores vendiam os estoques restantes a preços reduzidos para não terem de levar o que não fora vendido. Caris avistou Mark Webber, de rosto redondo e agora barrigudo, usando um casaco escarlate. Os quatro filhos o ajudavam na barraca. Caris gostava muito de Doris, agora com 15 anos, uma jovem que tinha a confiança esfuziante da mãe, mas num corpo mais esguio.

– Você parece próspero – comentou Caris com Mark, sorrindo.

– A riqueza deveria ser sua. Foi você quem inventou a tintura. Eu apenas fiz o que mandou. Quase sinto que a enganei.

– Você foi recompensado por seu trabalho árduo.

Caris não se importava que Mark e Madge tivessem se saído tão bem com a sua invenção. Embora sempre apreciasse o desafio de fazer negócios, nunca dera muita importância ao dinheiro – talvez porque nunca tivera de se preocupar com isso, criada na casa de um pai rico. Qualquer que fosse o motivo, não sentia o menor pesar pelo fato de os Webbers estarem ganhando uma fortuna que poderia ser sua. Não se importava com a vida sem dinheiro no priorado. E ficou emocionada por ver as crianças saudáveis e bem-vestidas. Ainda lembrava a época em que todos disputavam espaço para dormir no chão de um único cômodo, a maior parte do qual era ocupada por um tear.

Ela e Cecilia seguiram para a extremidade sul do terreno do priorado. A terra em torno dos estábulos parecia um pátio de fazenda. Havia uns poucos prédios: um pombal, um galinheiro e um barracão para guardar ferramentas. Galinhas ciscavam na terra e porcos fuçavam o lixo da cozinha. Caris ansiava por cuidar logo de tudo.

Godwyn e Philemon apareceram pouco depois, acompanhados por Lloyd. Cecilia indicou o terreno ao lado da cozinha.

– Vou construir um novo hospital, e deve ser aqui – disse. – O que acham?

– Um novo hospital? – repetiu Godwyn. – Por quê?

Caris achou que ele parecia nervoso, o que a deixou intrigada.

– Queremos um hospital para os doentes e uma casa de hóspedes separada para as pessoas saudáveis – explicou Cecilia.

– Uma ideia extraordinária.

– Foi por causa da doença de estômago que começou com Maldwyn Cook. É um caso bastante virulento, mas as doenças muitas vezes surgem nos mercados e se espalham depressa, em parte porque doentes e saudáveis comem juntos, dormem juntos e vão à latrina juntos.

Godwyn pareceu ofendido.

– Então as freiras se tornaram médicas agora?

Caris franziu o rosto. Esse tipo de atitude desdenhosa não era o estilo de Godwyn. Ele usava o charme para conseguir o que queria, ainda mais com pessoas poderosas como Cecilia. Aquela demonstração de ressentimento visava esconder alguma coisa.

– Claro que não – respondeu Cecilia. – Mas todo mundo sabe que algumas doenças se espalham de uma pessoa afetada para outra... Isso é óbvio.

– Os médicos muçulmanos acham que a doença é transmitida ao se olhar para uma pessoa doente – comentou Caris.

– É mesmo? Muito interessante! – O sarcasmo de Godwyn era agora profundo. – Aqueles que passaram sete anos estudando medicina na universidade ficam contentes em ouvir preleções sobre doença de jovens freiras que mal saíram do noviciado.

Caris não se intimidou. Não tinha a menor disposição para demonstrar respeito por um mentiroso hipócrita que tentara assassiná-la.

– Se não acredita na transmissão da doença, por que não prova sua sinceridade passando a noite no hospital, dormindo no meio de uma centena de pessoas que sofrem de náusea e diarreia?

– Irmã Caris! – exclamou Cecilia. – Já chega!

Ela se virou para Godwyn.

– Perdoe-a, padre prior. Não era minha intenção levá-lo a uma discussão com uma simples freira. Só quero ter certeza de que não faz nenhuma objeção à escolha do lugar.

– De qualquer forma, não podem construir agora – declarou Godwyn. – Elfric está muito ocupado com o palácio.

– Não queremos Elfric – interveio Caris de novo. – Vamos usar Jeremiah.

Cecilia fitou-a com um olhar severo.

– Fique calada, Caris. Lembre-se de seu lugar. Não interrompa outra vez minha conversa com o lorde prior.

Caris compreendeu que não estava ajudando Cecilia. Contra a vontade, baixou a cabeça e disse:

– Desculpe, madre prioresa.

– A questão não é quando vamos construir, mas onde – disse Cecilia a Godwyn.

– Lamento, mas não posso aprovar – declarou Godwyn em tom cortante.

– Onde prefere que o novo hospital seja construído?

– Acho que vocês não precisam de um novo hospital.

– Perdoe-me, mas estou no comando do convento – declarou Cecilia, ríspida. – Não pode me dizer como devo gastar nosso dinheiro. Mas costumamos consultar um ao outro antes de erguer novos prédios... embora tenha esquecido de cumprir essa pequena cortesia quando planejou seu palácio. Mesmo assim, decidi consultá-lo, mas apenas sobre a questão do local.

Ela olhou para Lloyd e acrescentou:

– Tenho certeza de que o arquidiácono concorda comigo nesse ponto.

– Devem chegar a um acordo – sugeriu Lloyd, sem se comprometer.

Caris franziu o rosto, aturdida. Por que Godwyn se importava? Ele estava construindo seu palácio no lado norte da catedral. Não faria diferença para ele se as freiras erguessem um novo prédio ali no lado sul, aonde os monges quase não iam. Por que ele se mostrava tão preocupado?

– Estou dizendo que não aprovo a localização nem o prédio – declarou Godwyn. – A conversa está encerrada.

Caris compreendeu subitamente, num lampejo de inspiração, a razão do comportamento de Godwyn. Ficou tão chocada que não pôde se conter:

– Você roubou nosso dinheiro!

– Caris! – protestou Cecilia. – Já lhe disse...

– Ele roubou o legado da devota de Thornbury! – gritou Caris, sobrepondo-se à indignação de Cecilia. – Foi de lá que ele tirou o dinheiro para o palácio! E agora tenta nos impedir de construir porque sabe que encontraremos nosso tesouro vazio.

Ela estava tão indignada que sentia que poderia explodir a qualquer instante.

– Não seja ridícula! – gritou Godwyn.

Como resposta, aquilo era tão irrelevante que Caris teve certeza de que acertara em cheio. A confirmação a deixou ainda mais furiosa.

– Pois então prove! – Ela se forçou a falar mais calmamente: – Vamos até a tesouraria agora para verificar os cofres. Não tem objeções, não é, padre prior?

– Seria uma atitude de absoluta indignidade e o prior não vai se submeter a isso – interveio Philemon.

Caris ignorou-o.

– Deveria haver 150 libras nas reservas das freiras.

– Isso está fora de questão – afirmou Godwyn.

– É claro que as freiras vão verificar de qualquer maneira, agora que a acusação foi feita – rebateu Caris, olhando para Cecilia, que assentiu. – Portanto, se o prior prefere não estar presente, tenho certeza de que o arquidiácono ficará feliz em comparecer como testemunha.

Lloyd dava a impressão de que preferia não se envolver naquela disputa, mas era difícil recusar o papel de árbitro.

– Se puder ajudar os dois lados, é claro...

A mente de Caris estava acelerada.

– Como abriu a arca? Christopher Blacksmith fez o cadeado, e ele é honesto demais para fornecer uma duplicata da chave e ajudar a roubar o dinheiro. Vocês devem tê-la arrombado de alguma maneira e depois consertado para que ninguém percebesse. O que fizeram? Tiraram uma dobradiça?

Ela viu Godwyn lançar um olhar rápido para o subprior e acrescentou, triunfante:

– Então foi Philemon quem tirou a dobradiça. Mas o prior pegou o dinheiro e entregou a Elfric.

– Chega de especulação – disse Cecilia. – Vamos resolver esse assunto. Iremos todos à tesouraria, abriremos a arca e daremos um fim a isso.

– Não foi roubo – declarou Godwyn.

Todos olharam para ele. Houve um silêncio chocado.

– Você está admitindo! – exclamou Cecilia.

– Não foi roubo – repetiu ele. – O dinheiro está sendo usado em benefício do priorado e pela glória de Deus.

– Não faz diferença – protestou Caris. – O dinheiro não era seu.

– É dinheiro de Deus – insistiu Godwyn, obstinado.

– Foi deixado para o convento – disse Cecilia. – Você sabia. Viu o testamento.

– Não sei de nenhum testamento.

– Claro que sabe. Eu lhe dei para fazer uma cópia e... – Cecilia parou de falar de repente.

– Não sei de nenhum testamento – reiterou Godwyn.

– Ele destruiu o testamento – declarou Caris. – Disse que faria uma cópia e guardou o documento numa arca na tesouraria... e depois o destruiu.

Cecilia olhava boquiaberta para Godwyn.

– Eu deveria saber. Depois do que tentou fazer com Caris... eu nunca mais deveria ter confiado em você. Mas pensei que sua alma ainda poderia ser salva. Estava enganada.

– Ainda bem que fizemos uma cópia do testamento antes de entregá-lo – disse Caris, lançando mão de uma invenção desesperada.

– Uma falsificação, é claro – disse Godwyn.

– Se o dinheiro era mesmo seu, não precisaria arrombar a arca para pegá-lo – comentou Caris. – Vamos examiná-la. Isso resolverá o problema de um jeito ou de outro.

– O fato de alguém ter mexido na dobradiça não prova nada – interveio Philemon.

– Portanto, eu estava certa! – gritou Caris. – Como sabe da dobradiça? A irmã Beth não abriu o cofre desde a última verificação, e a arca estava intacta na ocasião. Você mesmo deve tê-la tirado do cofre se sabe o que foi mexido.

Philemon pareceu atordoado. Não disse mais nada. Cecilia se dirigiu a Lloyd:

– Arquidiácono, é o representante do bispo. Acho que é seu dever ordenar que o prior devolva o dinheiro às freiras.

Lloyd estava preocupado.

– Sobrou algum tostão? – perguntou a Godwyn.

– Quando se pega um ladrão, não se pergunta a ele se pode abrir mão de uma parte dos ganhos desonestos! – declarou Caris, furiosa.

– Mais da metade já foi gasta no palácio – respondeu Godwyn.

– A construção tem de ser interrompida imediatamente – disse Caris. – Os homens devem ser dispensados hoje mesmo, o prédio demolido e os materiais de construção vendidos. Tem de devolver até a última moeda. Se não puder pagar em dinheiro depois que o palácio for demolido, compense em terras ou outros bens.

– Eu me recuso a fazer isso – disse Godwyn.

Cecilia tornou a se dirigir a Lloyd:

– Arquidiácono, cumpra o seu dever, por favor. Não pode permitir que um subordinado do bispo roube de outro, não importa se ambos realizam a obra de Deus.

– Não posso julgar esta disputa pessoalmente – disse Lloyd. – É grave demais.

Caris não conseguia falar de tanta fúria e consternação pela fraqueza de Lloyd.

– Mas deve! – protestou Cecilia.

Ele parecia acuado, mas ainda assim balançou a cabeça em negativa, obstinado.

– Acusações de roubo, destruição de um testamento, acusação de falsificação... Cabe ao bispo decidir pessoalmente.

– Mas o bispo Richard está a caminho da França... e ninguém sabe quando ele voltará! – alegou Cecilia. – Enquanto isso Godwyn continuará a gastar o dinheiro roubado!

– Lamento muito, mas não posso fazer nada – disse Lloyd. – Devem apelar a Richard.

– Tudo bem.

Caris falou com tanta determinação que todos olharam para ela.

– Nesse caso, só nos resta uma coisa a fazer: vamos procurar nosso bispo.

46

Em julho de 1346, o rei Eduardo III reuniu em Portsmouth a maior esquadra de invasão que a Inglaterra já vira, formada por quase mil navios. Ventos desfavoráveis atrasaram a armada, mas afinal partiram, a 11 de julho, o destino mantido em segredo.

Caris e Mair chegaram a Portsmouth dois dias depois, perdendo por pouco o bispo Richard, que zarpara junto com o rei. Decidiram, então, seguir o exército até a França.

Não fora fácil obter aprovação até mesmo para a viagem até Portsmouth. Madre Cecilia convocara um capítulo das freiras para discutirem a proposta. Algumas acharam que Caris correria perigo físico e moral. Mas as freiras deixavam seus conventos não apenas em peregrinações, mas também para tratar de negócios em Londres, Canterbury e Roma. E as irmãs de Kingsbridge queriam de volta seu dinheiro roubado.

Caris, no entanto, não tinha certeza se receberia aprovação para cruzar o canal da Mancha. Por sorte, já tendo chegado até ali, não tinha como perguntar.

Ela e Mair não podiam seguir o exército imediatamente, mesmo que soubessem o destino do rei, porque todas as embarcações em condições de navegar na costa sul da Inglaterra haviam sido requisitadas para a invasão. Por isso elas esperaram por notícias, impacientes, num convento nos arredores de Portsmouth.

Caris soube mais tarde que o rei Eduardo e seu exército haviam desembarcado numa praia larga em St.-Vaast-la-Hogue, na costa norte da França, perto de Barfleur. Mas a esquadra não voltara em seguida. Em vez disso, os navios seguiram para leste, ao longo da costa, por duas semanas, acompanhando o exército invasor até Caen. Ali carregaram os porões com despojos: joias, tecidos caros, ouro e prata, tudo o que fora saqueado pelos soldados de Eduardo dos prósperos burgueses da Normandia. Só depois os navios retornaram à Inglaterra.

Um dos primeiros a chegar foi o *Grace*, um navio de carga com a proa e a popa arredondadas. Seu comandante, um marujo de rosto curtido pelo sol chamado Rollo, teceu os maiores elogios ao rei. Recebera um valor ínfimo pelo uso do navio e da tripulação, mas fora premiado com uma boa parcela do butim.

– O maior exército que já vi – garantiu, exultante.

Seu palpite era o de que havia pelo menos 15 mil homens, cerca de metade dos quais arqueiros, e provavelmente 5 mil cavalos.

– Vocês terão muito trabalho para alcançá-los – advertiu. – Eu as levarei até Caen, o último lugar em que sei que estiveram. Dali por diante, terão de seguir a trilha. Qualquer que seja o rumo que tenham seguido, estarão uma semana à frente de vocês.

Caris e Mair negociaram o preço da passagem com Rollo e depois embarcaram no *Grace*, levando dois pôneis resistentes, Blackie e Stamp. Não seriam capazes de correr mais do que os cavalos militares, mas o exército precisava parar e lutar a intervalos, o que lhes permitiria alcançá-lo.

Quando chegaram à costa francesa e entraram pelo estuário do Orne, no início de uma manhã ensolarada de agosto, Caris inspirou a brisa e sentiu o cheiro desagradável de cinzas antigas. Ao estudar a paisagem, nos dois lados do rio, constatou que os campos cultiváveis estavam pretos. Parecia que as colheitas haviam sido incendiadas ainda no solo.

– É a prática normal – explicou Rollo. – O que o exército não pode levar deve ser destruído para não beneficiar o inimigo.

Ao se aproximarem do porto de Caen, passaram pelos cascos de vários navios incendiados, presumivelmente pelo mesmo motivo.

– Ninguém conhece os planos do rei – informou Rollo. – Ele pode seguir para o sul e avançar contra Paris ou virar para nordeste, até Calais, na esperança de se encontrar com os aliados flamengos. Mas vocês poderão seguir a trilha da marcha. Basta se manterem atentas aos campos queimados nos dois lados.

Antes de desembarcarem, Rollo lhes ofereceu um presunto.

– Obrigada, mas levamos peixe defumado e queijo duro em nossos alforjes – respondeu Caris. – E temos dinheiro. Podemos comprar qualquer coisa de que precisarmos.

– O dinheiro pode não ser de muito proveito aqui. Talvez não haja nada para comprar. Um exército é como uma praga de gafanhotos, devasta toda a terra. Levem o presunto.

– É muito gentil. Adeus.

– Reze por mim se puder, irmã. Cometi alguns pecados terríveis ao longo da minha vida.

Caen tinha milhares de casas. Como Kingsbridge, suas duas partes, Cidade Velha e Cidade Nova, eram divididas por um rio, o Odon, atravessado pela ponte de São Pedro. Na margem, perto da ponte, alguns pescadores vendiam seus peixes. Caris perguntou o preço de uma enguia. Teve dificuldade para entender a resposta: o pescador falava um dialeto do francês que ela nunca ouvira. Quando finalmente compreendeu, o preço a deixou atordoada. A comida se tornara tão escassa que era agora mais cara do que pedras preciosas. E sentiu-se grata pela generosidade de Rollo.

As duas haviam decidido que diriam que eram freiras irlandesas a caminho de Roma se fossem detidas e interrogadas. Agora, porém, ao se afastarem do rio, Caris pensou, muito nervosa, se os habitantes locais perceberiam pelo sotaque que ela era inglesa.

Mas não havia muitos habitantes à vista. Portas arrombadas e janelas quebradas revelavam casas vazias. Reinava um silêncio espectral: não havia vendedores apregoando suas mercadorias, crianças brincando, sinos de igreja repicando. A batalha ocorrera havia mais de uma semana, mas pequenos grupos de homens sombrios ainda tiravam cadáveres de prédios e os empilhavam em carroças. Parecia que o exército inglês massacrara homens, mulheres e crianças. Elas passaram por uma igreja. Um enorme buraco fora escavado no cemitério e corpos eram jogados numa sepultura coletiva, sem caixões e até mesmo sem mortalhas, enquanto um padre entoava um rito fúnebre incessante. O mau cheiro era insuportável.

Um homem bem-vestido fez uma reverência para as duas e perguntou se precisavam de ajuda. Seu comportamento decidido sugeria que era um cidadão eminente, sem a menor intenção de fazer mal às religiosas. Caris recusou a oferta, notando que o francês normando do homem não era muito diferente do usado por um nobre na Inglaterra. Talvez, pensou ela, todas as classes inferiores tenham diferentes dialetos locais enquanto a classe dominante fala com um sotaque internacional.

As freiras saíram da cidade e seguiram pela estrada para leste, contentes por deixarem para trás as ruas mal-assombradas. Os campos também estavam desertos. Caris sentia na ponta da língua, o tempo todo, o gosto amargo de cinza. Muitos pomares e plantações nos dois lados da estrada haviam sido incendiados. A intervalos de poucos quilômetros, elas passavam por ruínas calcinadas do que fora outrora uma aldeia. Os camponeses haviam fugido à aproximação do exército ou morrido nos incêndios, pois havia pouca vida ao redor: apenas passarinhos, uns poucos porcos e galinhas, esquecidos pelos saqueadores do exército. Às vezes avistavam também um cachorro, farejando atordoado pelos escombros, tentando encontrar o cheiro de seu dono numa pilha de brasas frias.

O destino imediato das duas era um convento a meio dia de viagem de Caen. Sempre que possível, passavam a noite numa casa religiosa – convento, mosteiro ou hospital –, como haviam feito no percurso de Kingsbridge a Portsmouth. Conheciam os nomes e os locais de 51 instituições desse tipo, entre Caen e Paris.

Se pudessem encontrá-las enquanto seguiam a trilha de devastação deixada pelo rei Eduardo, teriam acomodações e comida de graça. Além disso, ficariam a salvo de ladrões... e, madre Cecilia acrescentaria, das tentações: uma bebida forte e a companhia masculina.

Os instintos de Cecilia eram aguçados, mas ela não percebera que havia um tipo diferente de tentação entre Caris e Mair. Por causa disso, Caris recusara a princípio o pedido de Mair para acompanhá-la. Estava empenhada em avançar o mais depressa possível e não queria complicar sua missão com o início de um envolvimento apaixonado... ou com a recusa em fazê-lo. Por outro lado, precisava de uma pessoa corajosa e engenhosa como sua companheira de viagem. Agora, sentia-se contente pela escolha: entre todas as freiras, Mair era a única com coragem para seguir o exército inglês através da França.

Caris planejara ter uma conversa franca antes da partida, dizendo que não deveria haver afeição física entre as duas durante a viagem. Além de todo o resto, poderiam se meter numa terrível encrenca se fossem vistas. Mas, por algum motivo, ela nunca chegara a falar nada disso. Por isso, estavam na França com a questão ainda em suspenso, sem ser mencionada, como um terceiro viajante num cavalo silencioso.

Pararam ao meio-dia num córrego à beira de um bosque, onde havia uma campina que não fora queimada para que os pôneis pudessem pastar. Caris cortou fatias do presunto dado por Rollo enquanto Mair tirava do alforje um pão velho trazido de Portsmouth. Beberam a água do córrego embora tivesse gosto de cinzas.

Caris reprimiu sua ansiedade para continuar e se forçou a deixar que os animais descansassem durante a hora mais quente do dia. Depois, quando se preparavam para partir, ficou surpresa ao descobrir que alguém a observava. Permaneceu imóvel, com o presunto numa das mãos e a faca na outra.

– O que foi? – perguntou Mair.

Ela acompanhou o olhar de Caris e também viu. Havia dois homens a poucos metros de distância, à sombra das árvores. Pareciam jovens, mas era difícil ter certeza, pois tinham os rostos cobertos de fuligem e as roupas imundas. Passado um momento, Caris decidiu falar, em francês normando:

– Deus os abençoe, meus filhos.

Eles não responderam. Caris calculou que não sabiam o que fazer. Mas que possibilidades estariam considerando? Roubo? Estupro? A aparência era de predadores.

Estava apavorada, mas se obrigou a pensar com calma. Independentemente do que queriam, refletiu, os dois deviam estar famintos. Então disse a Mair:

– Dê-me depressa duas fatias desse pão.

Mair cortou duas fatias grossas. Caris cortou fatias do presunto, pôs as fatias no pão e disse a Mair:

– Entregue um pão a cada um.

Mesmo apavorada, Mair atravessou a área relvada a passos firmes e ofereceu a comida aos homens.

Ambos agarraram os pães com avidez e os devoraram. Caris agradeceu à sua estrela da sorte por ter entendido corretamente.

Guardou o presunto no alforje e a faca no cinto para depois montar em Blackie. Mair seguiu seu exemplo, guardando o pão e montando em Stamp. Caris sentiu-se mais segura em cima do cavalo.

O mais alto dos dois homens se adiantou a passos rápidos. Caris ficou tentada a bater no pônei e partir, mas não houve tempo, pois no instante seguinte o homem segurava as rédeas. Falou, a boca cheia de comida, no forte sotaque local:

– Obrigado.

– Agradeça a Deus, não a mim – disse Caris. – Ele me enviou para ajudá-lo. E observa você neste momento. Ele vê tudo.

– Tem mais carne na sua bolsa.

– Deus me dirá a quem devo dar.

Houve uma pausa enquanto o homem pensava a respeito.

– Dê-me sua bênção – disse.

Caris relutou em estender a mão direita no gesto tradicional de bênção, pois assim afastaria a mão da faca no cinto. Era apenas uma faca de cozinha, de lâmina curta, do tipo que todos os homens e mulheres levavam, mas era suficiente para cortar o dorso da mão que segurava as rédeas e obrigar o homem a largá-las. Mas, de repente, teve uma inspiração.

– Está bem. Ajoelhe-se.

O homem hesitou.

– Deve se ajoelhar para receber minha bênção – insistiu ela, elevando a voz.

Lentamente, o homem se ajoelhou, ainda segurando o pão com presunto. Caris olhou para o outro homem. Depois de um instante, ele fez a mesma coisa.

Caris os abençoou, depois bateu com os calcanhares em Blackie e partiu a trote. Olhou para trás. Mair a acompanhava de perto. Os dois homens famintos olhavam aturdidos para elas.

Caris refletiu sobre o incidente, na maior ansiedade, enquanto cavalgavam ao longo da tarde. O sol brilhava alegremente, como num belo dia no inferno. Em alguns lugares, a fumaça se elevava de um trecho de bosque ou de algum celeiro incendiado. Mas os campos não estavam totalmente desertos, como foi percebendo pouco a pouco. Avistou uma mulher grávida colhendo vagens de uma plantação que escapara das tochas inglesas; os rostos assustados de duas crianças espiando das pedras enegrecidas de um solar; e vários grupos pequenos de homens, em geral à beira dos bosques, movendo-se com a determinação alerta de animais que se alimentam de carniça. Os homens a deixaram preocupada. Pareciam famintos, e homens famintos eram sempre perigosos. Pensou se não deveria parar de se afligir com a rapidez e passar a cuidar da segurança.

Encontrar o caminho para as casas religiosas em que planejavam parar também seria mais difícil do que Caris imaginara. Não previra que o exército inglês deixaria tamanha devastação em sua esteira. Presumira que por toda parte encontraria camponeses para orientá-la. Já podia ser bastante difícil em tempos normais extrair informações de pessoas que nunca viajavam além da cidade-mercado mais próxima. Agora, seus interlocutores seriam também esquivos, apavorados e predadores.

Caris sabia pelo sol que seguia para leste. Calculou, pelos sulcos profundos das rodas de carroças na lama ressequida, que se encontrava na estrada principal. O destino daquela noite era uma aldeia chamada Hôpital-des-Soeurs por causa do convento que havia ali. À medida que a sombra à sua frente se alongava, ela olhava ao redor com crescente urgência à procura de alguém que pudesse orientá-la.

As crianças fugiam à sua aproximação, com medo. Caris ainda não se sentia desesperada o suficiente para correr o risco de chegar perto dos homens, que pareciam famintos. Não havia mulheres jovens em parte alguma e Caris teve uma terrível suspeita do destino que podiam ter encontrado nas mãos dos invasores ingleses. De vez em quando avistava a distância uns poucos vultos solitários, cuidando de alguma colheita que não fora queimada, mas relutava em se afastar demais da estrada.

Até que finalmente encontraram uma velha encarquilhada, sentada sob uma macieira, ao lado de uma casa de pedra de tamanho considerável. Comia pequenas maçãs, colhidas da árvore antes de ficarem maduras. Parecia aterrorizada. Caris desmontou, para não se mostrar tão intimidadora. A velha tentou esconder a miserável refeição nas dobras do vestido, sem forças para fugir. Caris disse, polida:

– Boa tarde, mãe. Posso perguntar se esta estrada leva para Hôpital-des-Soeurs?

A mulher conseguiu se controlar. Apontou na direção para onde elas seguiam e disse, de forma inteligível:

– Atravessando o bosque, do outro lado do morro.

Caris reparou que ela não tinha dentes. Devia ser quase impossível comer aquelas maçãs ainda verdes com as gengivas, pensou, compadecida.

– A que distância?

– Muito longe.

Todas as distâncias eram longas na idade da mulher.

– Podemos chegar lá antes do anoitecer?

– A cavalo podem.

– Obrigada, mãe.

– Eu tinha uma filha – disse a velha. – E dois netos, de 14 e 16 anos. Bons rapazes.

– Lamento saber disso.

– Os ingleses... Que todos eles ardam no inferno.

Era evidente que não lhe ocorria que Caris e Mair pudessem ser inglesas. Isso esclarecia a dúvida dela: os habitantes locais não podiam identificar a nacionalidade de estrangeiros.

– Quais eram os nomes dos rapazes, mãe?

– Giles e Jean.

– Rezarei pelas almas de Giles e Jean.

– Tem pão?

Caris olhou ao redor para ter certeza de que não havia ninguém espreitando nas proximidades, prestes a atacar. Mas estavam sozinhas. Acenou com a cabeça para Mair, que tirou o resto do pão do alforje e o ofereceu à velha.

A mulher agarrou o pão, ansiosa, e começou a roê-lo com as gengivas. Caris e Mair se afastaram.

– Se continuarmos a dar nossa comida, vamos passar fome – comentou Mair.

– Sei disso – respondeu Caris. – Mas como podemos recusar?

– Não poderemos cumprir nossa missão se morrermos.

– Mas somos freiras – declarou Caris com alguma rispidez. – Devemos ajudar os necessitados e deixar que Deus decida o momento de nossa morte.

Mair ficou surpresa.

– Nunca ouvi você falar assim antes.

– Meu pai detestava as pessoas que pregavam moralidade. Somos todos bons quando nos convém, ele dizia: isso não conta. É quando você quer demais fazer alguma coisa errada, quando está prestes a ganhar uma fortuna com um negócio desonesto, quando beija os lábios adoráveis da mulher de seu vizinho, quando conta uma mentira para se livrar de uma terrível encrenca... É nesse momento que você precisa das regras. Sua integridade é como uma espada, ele dizia: você não deve brandi-la até se submeter ao teste. Não que ele soubesse qualquer coisa sobre espadas...

Mair ficou calada por algum tempo. Podia estar remoendo o que Caris dissera ou apenas desistira da discussão. Não dava para saber.

Os comentários sobre Edmund sempre faziam Caris compreender quanto sentia saudade do pai. Depois da morte da mãe, Edmund se tornara a pedra fundamental de sua vida. Sempre estivera presente, ao seu lado, à disposição quando ela precisava de solidariedade ou compreensão, de um conselho esperto ou apenas de informação: ele conhecia muita coisa do mundo. Agora, quando ela se virava nessa direção, deparava apenas com um grande vazio.

Elas passaram por um trecho de bosque e depois subiram um morro, como a velha dissera. Lá de cima viram um vale raso, com outra aldeia queimada, exceto por um agrupamento de prédios de pedra que parecia um pequeno convento.

– Deve ser o Hôpital-des-Soeurs – comentou Caris. – Graças a Deus.

Ela pensou, ao se aproximarem, em como se acostumara à vida no convento. Ao descerem a encosta, descobriu-se a aguardar ansiosa pelo ritual de lavar as mãos, uma refeição feita em silêncio, a hora de se deitar ao anoitecer, até mesmo o sossego sonolento das Matinas, às três da madrugada. Depois do que vira naquele dia, a segurança daquelas paredes cinzentas de pedra era atraente. Ela incitou Blackie a um trote.

Não havia movimento ali, mas isso não chegava a surpreender: era um convento pequeno numa aldeia e não se podia contar com a atividade incessante de um priorado como Kingsbridge. Ainda assim, deveria haver, àquela hora do dia, uma coluna de fumaça se elevando do fogo na cozinha enquanto o jantar era preparado. Ao se aproximar, divisou outros sinais sinistros e foi dominada por um sentimento de consternação. O prédio mais próximo, que parecia uma igreja, não tinha telhado. As janelas eram buracos vazios, sem venezianas e vidros. Algumas paredes de pedra estavam enegrecidas, talvez por fumaça.

O lugar estava silencioso: não havia sinos tocando, gritos de cavalariços ou empregadas da cozinha. Um convento deserto, compreendeu Caris, desolada, ao parar o cavalo. E fora incendiado, como todos os outros prédios da aldeia. A maioria das paredes de pedra continuava de pé, mas os telhados de madeira haviam desabado, portas e janelas tinham sido destruídas pelo fogo e os vidros, estilhaçados pelo calor.

– Eles incendiaram um convento? – disse Mair, incrédula.

Caris também estava chocada. Acreditava que os exércitos invasores invariavelmente deixavam intactos os prédios eclesiásticos. Era uma regra inviolável, diziam as pessoas. Um comandante não hesitaria em condenar à morte um soldado que violasse um lugar sagrado. Ela sempre aceitara isso sem questionar.

– O cavalheirismo não existe mais.

Desmontaram e foram andando, cautelosas onde pisavam, por meio das vigas queimadas e dos escombros calcinados. Ao se aproximarem da porta da cozinha, Mair soltou um grito estridente.

– Oh, Deus, o que é aquilo?

Caris sabia a resposta.

– É uma freira morta.

O cadáver estava nu, mas tinha os cabelos curtos de uma freira. O corpo sobrevivera de alguma forma ao incêndio. A mulher devia estar morta há uma semana. Aves de carniça já haviam devorado os olhos e partes do rosto tinham sido roídas por outros animais. E os seios tinham sido cortados com uma faca.

– Os ingleses fizeram isso? – indagou Mair, atônita.

– Não foram os franceses.

– Nossos soldados têm estrangeiros como aliados, não é? Galeses, alemães e assim por diante. Talvez tenham sido eles.

– Estão todos sob as ordens de nosso rei – comentou Caris com sombria reprovação. – Foi ele quem os trouxe para cá. E tudo que seus homens fazem é responsabilidade dele.

Ficaram olhando em silêncio para a cena macabra. Um camundongo saiu da boca do cadáver. Mair soltou um grito e se virou. Caris a abraçou.

– Calma – disse ela, firme, afagando as costas de Mair para confortá-la. Passado um momento, Caris disse: – Vamos sair daqui.

Voltaram aos cavalos. Caris resistiu ao impulso de sepultar a freira morta: se demorassem, ainda estariam ali quando a noite caísse. Mas para onde iriam? Haviam planejado passar a noite naquele convento.

– Vamos voltar até a velha na macieira – decidiu Caris. – Sua casa é o único prédio intacto que encontramos desde que deixamos Caen.

Olhou ansiosa para o sol poente antes de acrescentar:

– Se pressionarmos os cavalos, podemos chegar lá antes de escurecer.

Voltaram pela estrada. Bem à frente, o sol mergulhava depressa demais na linha do horizonte. A última claridade do dia se desvanecia quando alcançaram a casa ao lado da macieira.

A velha se mostrou feliz ao vê-las, na esperança de que partilhassem sua comida, o que foi feito. Comeram no escuro. Seu nome era Jeanne. Não acenderam um fogo, mas o tempo era ameno e as três se deitaram lado a lado, enroladas em seus cobertores. Sem confiar plenamente na anfitriã, Caris e Mair dormiram com os alforjes em que guardavam a comida.

Caris permaneceu acordada por algum tempo. Sentia-se satisfeita por estar em movimento, depois da longa espera em Portsmouth. Haviam feito um bom progresso nos últimos dois dias. Se conseguisse encontrar o bispo Richard, tinha certeza de que ele obrigaria Godwyn a devolver o dinheiro das freiras. O bispo não era um paradigma de integridade, mas tinha a mente aberta e, à sua maneira, dispensava justiça com imparcialidade. Godwyn não conseguira todas as coisas que queria, nem mesmo no julgamento de bruxaria. Caris sabia que poderia persuadir Richard a lhe dar uma carta ordenando que Godwyn vendesse os bens do priorado para devolver o dinheiro roubado.

Mas também se preocupava com sua segurança e a de Mair. A suposição de que os soldados não fariam nada contra freiras fora errada: o que haviam visto em Hôpital-des-Soeurs deixara isso bem claro. Ela e Mair precisavam de um disfarce.

Quando acordou, à primeira claridade da manhã, Caris perguntou a Jeanne:

– Seus netos... A senhora ainda guarda as roupas deles?

A velha abriu uma arca de madeira.

– Pode levar o que quiser. Não tenho a quem dar essas roupas.

Ela pegou um balde e saiu para buscar água. Caris começou a examinar as roupas. Jeanne não pedira pagamento. Roupas tinham pouco valor monetário depois da morte de tantas pessoas, refletiu Caris.

– O que está querendo fazer? – perguntou Mair.

– Freiras não estão seguras. Vamos nos tornar escudeiros a serviço de um pequeno senhor... Pierre, *sieur* de Longchamp, na Bretanha. Pierre é um nome bastante comum e deve haver muitos lugares chamados Longchamp. Nosso senhor foi capturado pelos ingleses e nossa senhora nos mandou procurá-lo, para negociar o resgate.

– Tudo bem – concordou Mair, ansiosa.

– Giles e Jean tinham 14 e 16 anos. Com um pouco de sorte, suas roupas caberão em nós.

Caris pegou uma túnica, um calção e uma capa com capuz, tudo em lã marrom sem tingimento. Mair encontrou um traje similar em verde, com mangas curtas e uma camisa de baixo. As mulheres não usavam roupas de baixo, ao contrário dos homens. Por sorte, Jeanne lavara todas as roupas de sua falecida família. Caris e Mair poderiam continuar com seus sapatos, pois os calçados práticos das freiras não eram muito diferentes dos que os homens usavam.

– Vamos trocar de roupa agora mesmo – propôs Mair.

Elas tiraram os hábitos de freiras. Caris nunca vira Mair despida e não pôde resistir a uma espiada. O corpo nu da companheira a deixou sem fôlego. A pele de Mair parecia luzir como uma pérola rosada. Os seios eram generosos, com mamilos claros de menina, os pelos púbicos exuberantes. Caris teve uma súbita noção de que seu corpo não era tão bonito. Desviou os olhos e se apressou em vestir as roupas que havia escolhido.

Enfiou a túnica pela cabeça. Era como um vestido de mulher, só que terminava nos joelhos em vez de descer até os tornozelos. Vestiu as roupas de baixo e o calção comprido. Calçou os sapatos e ajeitou o cinto.

– Como estou? – perguntou Mair.

Caris a estudou. Mair tinha um gorro de menino por cima dos cabelos louros curtos, um pouco inclinado. Exibia um sorriso de satisfação.

– Você parece tão feliz! – exclamou Caris, surpresa.

– Sempre gostei de roupas de meninos. – Mair desfilou de um lado para outro. – É assim que eles andam. Sempre ocupando mais espaço do que precisam.

Era uma imitação tão precisa que Caris desatou a rir. Um pensamento lhe ocorreu.

– Teremos de urinar de pé?

– Posso fazer isso, mas não com a roupa de baixo... Ficaria toda molhada.

Caris riu.

– Não podemos tirar a roupa de baixo, porque uma súbita rajada de vento poderia expor... nossa farsa.

Mair também riu. Depois, passou a olhar para Caris de maneira estranha, que não chegava a ser totalmente desconhecida, de alto a baixo, fitando-a nos olhos.

– O que está fazendo? – perguntou Caris.

– É assim que os homens olham para as mulheres, como se nos possuíssem. Mas tome cuidado: se fizer isso com um homem, ele se torna agressivo.

– Pode ser mais difícil do que eu imaginava.

– Você é bonita demais, Caris. Precisa de um rosto sujo.

Mair foi até a lareira e enegreceu a mão com fuligem. Passou no rosto de Caris. O contato foi como uma carícia. Meu rosto não é bonito, pensou Caris, ninguém jamais o julgou assim. Exceto Merthin, é claro.

– Tem demais – comentou Mair logo depois, limpando um pouco com a outra mão. – Assim está melhor. – Passou fuligem na mão de Caris e disse: – Agora é minha vez.

Caris espalhou um pouco de fuligem nas faces e na garganta de Mair, como se fosse uma barba incipiente. Era uma sensação de intimidade olhar atentamente para aquele rosto, tocar de leve na pele. Ela também sujou a testa de Mair. Agora, Mair parecia um menino bonito, mas não uma mulher.

Estudaram uma à outra. Um sorriso se insinuou no arco vermelho que eram os lábios de Mair. Caris experimentou um sentimento de expectativa, como se alguma coisa da maior importância estivesse prestes a acontecer. E foi nesse instante que uma voz indagou:

– Onde estão as freiras?

As duas se viraram, culpadas. Jeanne estava parada na porta, segurando um pesado balde com água, com uma expressão assustada.

– O que vocês fizeram com elas?

Caris e Mair desataram a rir. Jeanne as reconheceu.

– Como vocês mudaram! – exclamou.

Elas beberam a água fresca. Caris partilhou o resto do peixe defumado no desjejum. Era um bom sinal, pensou, enquanto comiam, que Jeanne não as tivesse reconhecido. Se tomassem cuidado, talvez tudo desse certo.

As duas se despediram de Jeanne e partiram. Ao subirem o morro antes de Hôpital-des-Soeurs, o sol brilhava bem à frente, projetando uma claridade avermelhada sobre o convento. A impressão era a de que as ruínas ainda ardiam. Caris e Mair passaram a trote pela aldeia, tentando não pensar no cadáver mutilado da freira no meio dos escombros, e seguiram em direção ao sol nascente.

47

Na terça-feira, 22 de agosto, o exército inglês batia em retirada.

Ralph Fitzgerald não sabia como isso acontecera. Haviam avançado pela Normandia, de oeste para leste, saqueando e incendiando, sem que ninguém resistisse. Ralph estava em seu elemento. Na guerra, um soldado podia se apropriar de qualquer coisa que quisesse – comida, joias, mulheres – e matar qualquer homem que tentasse se opor. Era assim que a vida deveria ser vivida.

O rei era um homem que fazia gosto ao coração de Ralph. Eduardo III adorava combater. Quando não estava em guerra, passava a maior parte do tempo organizando justas, elaboradas e dispendiosas encenações de batalhas, com exércitos de cavaleiros em uniformes especialmente desenhados. Em campanha, sempre se mostrava disposto a comandar uma incursão ou uma expedição de ataque, arriscando a própria vida, sem se dar o trabalho de comparar os riscos com os benefícios, como fazia um mercador de Kingsbridge. Os cavaleiros mais velhos e os condes comentavam sua brutalidade. Haviam protestado contra os incidentes e o estupro sistemático das mulheres de Caen. Mas Eduardo não se importara. Ao saber que cidadãos de Caen haviam atirado pedras em soldados que saqueavam suas casas, ordenou que todos os habitantes fossem mortos. Só suspendeu a ordem depois de fortes protestos de sir Godfrey de Harcourt e outros.

As coisas haviam começado a dar errado quando alcançaram o rio Sena. Em Rouen, encontraram a ponte destruída e a cidade fortemente guardada no outro lado da água. O rei Filipe VI da França estava ali em pessoa com um poderoso exército.

Os ingleses marcharam rio acima à procura de um lugar para efetuar a travessia. Mas descobriram que Filipe se antecipara e uma ponte após outra estava fortemente defendida ou em ruínas. Chegaram até Poissy, a pouco mais de 30 quilômetros de Paris. Ralph pensou que atacariam a capital, mas os mais velhos balançaram a cabeça, sensatos, alegando que isso era impossível. Paris era uma cidade de 50 mil homens e, a essa altura, eles já deviam ter recebido notícias de Caen. Por isso se mostrariam dispostos a lutar até a morte, sabendo que não poderiam esperar por misericórdia.

Se o rei não tencionava atacar Paris, especulou Ralph, qual seria seu plano? Ninguém sabia, e Ralph desconfiou que Eduardo não tinha plano nenhum, exceto a destruição de tudo que encontrasse pela frente.

Poissy fora evacuada. Os engenheiros ingleses conseguiram reconstruir sua ponte – ao mesmo tempo que repeliam um ataque francês – e o exército finalmente cruzou o rio.

A essa altura, era evidente que Filipe reunira um exército muito maior do que o inglês. Eduardo decidiu se desviar para o norte, com o objetivo de se encontrar com uma força anglo-flamenga que desfechara uma invasão por nordeste.

Filipe saiu no seu encalço.

Os ingleses acamparam ao sul de outro grande rio, o Somme. Os franceses efetuavam as mesmas manobras que haviam usado no Sena. Patrulhas de reconhecimento informavam que todas as pontes haviam sido destruídas e as cidades à margem do rio, fortificadas. Ainda mais sinistro, um destacamento inglês avistou, na outra margem, a bandeira do mais famoso e assustador aliado de Filipe, João I, o Cego, rei da Boêmia.

Eduardo começara a invasão com 15 mil homens. Em seis semanas de campanha, milhares haviam tombado e outros desertaram, voltando para casa com alforjes cheios de ouro. Restavam cerca de 10 mil homens agora, pelos cálculos de Ralph. Informações de espiões sugeriam que em Amiens, poucos quilômetros rio acima, Filipe tinha agora 60 mil soldados de infantaria e 12 mil cavaleiros, uma vantagem esmagadora em números. Ralph ficou mais preocupado do que em qualquer outra ocasião desde que chegara à Normandia. Á situação estava crítica para os ingleses.

No dia seguinte, desceram pelo rio até Abbeville, o local da última ponte antes de o Somme se alargar num estuário. Mas os burgueses da cidade haviam gastado muito dinheiro, ao longo dos anos, fortalecendo as muralhas. Os ingleses compreenderam que a cidade era inexpugnável. Os cidadãos estavam tão seguros e arrogantes que enviaram uma grande força de cavaleiros para atacar a vanguarda do exército inglês. Houve um violento combate, até que as tropas locais se retiraram de volta para sua cidade murada.

Quando os soldados de Filipe deixaram Amiens e começaram a avançar do sul, Eduardo se viu acuado na ponta de um triângulo: o estuário à direita, o mar à esquerda e, por trás, o exército francês, clamando pelo sangue dos invasores bárbaros.

Naquela tarde, o conde Roland foi falar com Ralph.

Havia sete anos Ralph lutava com Roland. O conde não mais o considerava um garoto inexperiente. Roland ainda dava a impressão de que não gostava muito de Ralph, mas sem dúvida o respeitava. Sempre o usava para reforçar um ponto fraco em sua linha ou comandar uma incursão. Ralph perdera três dedos da mão esquerda e claudicava quando cansado, desde que o chuço de um francês entrara em sua canela nos arredores de Nantes, em 1342. Mesmo assim, o rei ainda não elevara Ralph a cavaleiro, uma omissão que lhe causava um amargo ressentimento. Apesar de todo o saque que acumulara – a maior parte aos cuidados de um ourives de Londres –, Ralph ainda não se sentia realizado. Sabia que o pai também se mostraria insatisfeito. Como Gerald, Ralph lutava pela honra, não por dinheiro, mas durante todo esse tempo não subira nem um só degrau na escada da nobreza.

Quando Roland apareceu, Ralph estava sentado numa plantação de trigo amadurecendo, pisoteada pelo exército. Tinha a companhia de Alan Fernhill e meia dúzia de outros, comendo uma refeição sofrível de sopa de ervilha e cebola: a comida era escassa e não restava qualquer carne. Ralph sentia a mesma coisa que os outros homens: cansaço das marchas constantes, desânimo pelas pontes destruídas e cidades bem defendidas. E medo pelo que aconteceria quando o exército francês os alcançasse.

Roland era agora um velho, os cabelos e a barba grisalhos, mas ainda andava empertigado e falava com autoridade. Aprendera a manter uma expressão impassível, de tal maneira que as pessoas mal notavam que o lado direito do rosto era paralisado.

– O estuário do Somme é invadido pelo mar – disse ele. – Na maré baixa, a água fica rasa em vários pontos. Mas o fundo é tão lamacento que se torna intransponível.

– Então não podemos cruzá-lo – arrematou Ralph. Mas ele sabia que o conde não viera apenas para lhe dar a má notícia, e ficou otimista.

– Pode haver um vau... um ponto em que o fundo é mais firme – continuou Roland. – Se há mesmo, os franceses devem saber.

– E quer que eu descubra.

– Tão rápido quanto puder. Há alguns prisioneiros no campo ao lado.

Ralph meneou a cabeça.

– Os soldados podem ter vindo de qualquer lugar da França ou mesmo de outros países. Só os habitantes locais terão a informação.

– Não quero saber quem você vai interrogar. Só quero que leve a resposta à tenda do rei até o anoitecer.

Roland afastou-se. Ralph esvaziou sua tigela de sopa e se levantou de um pulo, contente por ter alguma coisa agressiva para fazer.

– Selem os cavalos, rapazes.

Ele ainda montava Griff. Milagrosamente, seu cavalo predileto sobrevivera a sete anos de combates. Griff era um pouco menor que um cavalo de guerra, mas tinha mais vigor que os animais enormes a que a maioria dos cavaleiros preferia. Era agora experiente em batalha e suas ferraduras proporcionavam uma vantagem extra a Ralph nos combates. Ralph gostava mais de seu cavalo do que da maioria de seus companheiros humanos. Na verdade, a única criatura viva a que ele se sentia mais ligado era o irmão, Merthin, a quem não via havia sete anos... e poderia nunca mais ver, pois ele fora para Florença.

Seguiram para nordeste, na direção do estuário. Todos os camponeses que moravam a meio dia de caminhada deviam saber onde ficava o vau, se é que havia algum, calculou Ralph. Deviam usá-lo com frequência, atravessando o rio para comprar e vender animais, comparecer a casamentos e funerais de parentes, ir a mercados, feiras e festas religiosas. Relutariam em fornecer a informação aos invasores ingleses, é claro, mas ele sabia como resolver esse problema.

Afastaram-se do exército, embrenhando-se por um território que ainda não sofrera com a passagem de milhares de homens, onde havia ovelhas nos pastos e colheitas amadurecendo nos campos. Chegaram a uma aldeia de onde se podia avistar o estuário a distância. Avançaram a galope pela trilha relvada que levava à aldeia. As choupanas de um ou dois cômodos dos servos fizeram Ralph se lembrar de Wigleigh. Como esperava, os camponeses fugiram em todas as direções, as mulheres carregando bebês e crianças, a maioria dos homens segurando um machado ou uma foice.

Ralph e seus companheiros já haviam passado por aquele drama vinte ou trinta vezes nas últimas semanas. Eram especialistas em coletar informações. Em geral, os líderes do exército queriam saber onde os habitantes guardavam seus estoques de alimentos. Quando descobriam que os ingleses se aproximavam, os astuciosos camponeses levavam vacas e ovelhas para as florestas, enterravam sacos de farinha de trigo e escondiam fardos de feno no campanário da igreja. Sabiam que provavelmente passariam fome depois se revelassem tudo, mas sempre acabavam contando, mais cedo ou mais tarde. Em outras ocasiões, o exército precisara de uma orientação, talvez para uma cidade importante, uma ponte estratégica ou uma abadia fortificada. Os camponeses em geral responderam a indagações desse tipo sem qualquer hesitação. Mas era preciso ter certeza de que não mentiam. Os mais astutos podiam tentar enganar o exército invasor, sabendo que os soldados não poderiam voltar para puni-los.

Ralph e seus homens, ao perseguirem os camponeses em fuga, ignoraram os homens e se concentraram em mulheres e crianças. Ralph sabia que, se as capturasse, maridos e pais voltariam.

Alcançou uma garota que deveria ter uns 13 anos. Galopou a seu lado por alguns segundos, observando sua expressão aterrorizada. Tinha os cabelos escuros, a pele também escura, rosto feio, jovem, mas com o corpo arredondado de uma mulher – o tipo que ele apreciava. Lembrava-lhe Gwenda. Em circunstâncias um pouco diferentes, teria se aproveitado dela sexualmente, como fizera com várias outras ao longo das últimas semanas.

Mas hoje tinha outras prioridades. Virou Griff para bloqueá-la. Ela tentou desviar, tropeçou nos próprios pés e caiu num canteiro de hortaliças. Ralph saltou do cavalo e agarrou-a antes que ela tivesse tempo de se levantar. A garota gritou e arranhou o rosto dele, o que obrigou Ralph a dar um soco em sua barriga para aquietá-la. Segurou-a pelos cabelos compridos. Voltou para o cavalo e começou a levá-la para a aldeia. A garota cambaleou e caiu, mas Ralph prosseguiu, arrastando-a pelos cabelos. Ela fez esforço para se levantar, chorando de dor. Depois disso, não caiu de novo.

Eles se reuniram na pequena igreja de madeira. Os oito soldados ingleses haviam capturado quatro mulheres, quatro crianças e dois bebês de colo. Obrigaram todas a se sentar no chão, na frente do altar. Pouco depois, um homem entrou correndo na igreja, balbuciando no francês local, suplicante. Quatro outros apareceram em seguida.

Ralph ficou satisfeito. Foi se postar junto ao altar, que era apenas uma mesa de madeira pintada de branco.

– Quietos! – gritou. Todos silenciaram quando ele brandiu a espada. Apontou para um jovem. – O que você é?

– Um homem que trabalha com couro, senhor. Por favor, não faça mal à minha esposa e ao meu filho, que nada fizeram de errado.

Ralph apontou para outro homem.

– E você?

A garota capturada reprimiu um grito, levando Ralph a concluir que eram parentes, talvez pai e filha.

– Sou apenas um pobre vaqueiro.

– Um vaqueiro? – Isso era ótimo. – E com que frequência atravessa o rio com o gado?

– Uma ou duas vezes por ano, senhor, quando vou ao mercado.

– E onde fica o vau?

O homem hesitou.

– Vau? Não há nenhum vau. Temos de atravessar a ponte em Abbeville.

– Tem certeza?

– Tenho, senhor.

Ralph olhou ao redor.

– Pergunto a todos vocês... isso é verdade?

Todos acenaram em confirmação. Ralph pensou um pouco. Estavam assustados – apavorados –, mas ainda assim talvez estivessem mentindo.

– Se eu trouxer o padre com uma Bíblia, todos poderão jurar por suas almas imortais que não há vau para cruzar o estuário?

– Sim, senhor.

Mas isso levaria muito tempo. Ralph olhou para a garota que capturara.

– Venha até aqui.

Ela deu um passo para trás. O vaqueiro caiu de joelhos.

– Por favor, senhor, não faça mal a uma criança inocente. Ela tem apenas 13 anos...

Alan Fernhill pegou a garota como se fosse um saco de cebolas e a levou até Ralph, que a segurou.

– Estão mentindo para mim, todos vocês. Há um vau, tenho certeza. Só preciso saber onde fica exatamente.

– Tudo bem – concordou o vaqueiro. – Eu lhe direi. Mas deixe a criança em paz.

– Onde fica o vau?

– A um quilômetro e meio de Abbeville, rio abaixo.

– Qual é o nome da aldeia?

O vaqueiro ficou confuso por um instante, mas logo respondeu:

– Não há nenhuma aldeia, mas se pode ver uma estalagem do outro lado.

O homem mentia. Nunca viajara, por isso não sabia que havia sempre uma aldeia perto de um vau.

Ralph levantou a mão da garota e colocou-a no altar. Tirou a faca da bainha. Com um movimento rápido, decepou um dedo da garota. A pesada lâmina cortou com facilidade os ossos pequenos. Ela gritou de dor e o sangue esguichou vermelho sobre a mesa pintada de branco. Todos os camponeses gritaram de horror. O vaqueiro deu um passo à frente, furioso, mas foi detido pela ponta da espada de Alan Fernhill. Ralph continuou a segurar a garota com uma das mãos. Ergueu o dedo decepado na ponta da faca.

– Você é o demônio em pessoa – balbuciou o vaqueiro, tremendo de choque.

– Não sou, não. – Ralph já ouvira essa acusação antes, mas ela ainda o incomodava. – Estou salvando as vidas de milhares de homens. E se for necessário, cortarei os outros dedos, um a um.

– Não! Não!

– Então me diga onde exatamente fica o vau.

Ralph tornou a erguer a faca.

– Blanchetaque! É chamado de Blanchetaque! Por favor, deixe-a em paz! – gritou o vaqueiro.

– Blanchetaque?

Ralph simulou ceticismo, mas a perspectiva parecia promissora. Era uma palavra desconhecida, mas dava a impressão de que podia significar uma plataforma branca. Não era o tipo de coisa que um homem apavorado poderia inventar num súbito impulso.

– Sim, senhor. Chamam assim por causa das pedras brancas no fundo do rio, que permitem a passagem por cima do lodo.

Ele estava em pânico, as lágrimas escorrendo pelas faces; portanto, era quase certo que dizia a verdade, pensou Ralph, satisfeito.

– As pessoas dizem que as pedras foram postas ali pelos romanos, nos tempos antigos – acrescentou o homem. – Por favor, deixe minha filha ir embora.

– Onde fica?

– A 15 quilômetros de Abbeville, rio abaixo.

– Não a um quilômetro e meio?

– Estou dizendo a verdade desta vez, senhor, pois espero ser salvo.

– E o nome da aldeia?

– Saigneville.

– O vau é sempre transponível ou apenas na maré baixa?

– Só na maré baixa, senhor, ainda mais com gado ou uma carroça.

– Mas você conhece as marés.

– Conheço.

– Agora só tenho mais uma pergunta, mas é muito importante. Se eu desconfiar que está mentindo, cortarei a mão de sua filha. – A garota gritou, enquanto Ralph acrescentava: – Sabe que falo sério, não é mesmo?

– Sei, sim, senhor. Eu lhe direi qualquer coisa.

– Quando é a maré baixa, amanhã?

Uma expressão de pânico estampou-se no rosto do vaqueiro.

– Ahn... ahn... Deixe-me calcular!

O vaqueiro estava tão apavorado que não conseguia pensar direito. O homem que trabalhava com couro interveio:

– Posso dizer. Meu irmão passou pelo vau ontem, por isso eu sei. A maré baixa amanhã será na metade da manhã, duas horas antes do meio-dia.

– Isso mesmo! – exclamou o vaqueiro. – Eu só tentava calcular. Na metade da manhã, ou pouco depois. E outra vez ao final da tarde.

Ralph continuava segurando a mão da garota, que sangrava.

– Até que ponto tem certeza?

– Oh, senhor, tanta certeza quanto tenho do meu próprio nome, eu juro!

Era bem provável que o vaqueiro nem fosse capaz de dizer seu nome naquele momento, de tão transtornado pelo terror. Ralph olhou para o homem que trabalhava com couro. Não havia sinal de impostura em seu rosto, nada de desafio ou ansiedade em seu rosto por agradar. Só parecia envergonhado, como se tivesse sido forçado, contra sua vontade, a fazer uma coisa errada. É a verdade, pensou Ralph, exultante. Consegui.

– Blanchetaque. A 15 quilômetros de Abbeville, rio abaixo, na aldeia de Saigneville. Pedras brancas no fundo do rio. Maré baixa no meio da manhã.

– Isso mesmo, senhor.

Ralph largou o pulso da garota. Ela correu chorando para o pai, que a abraçou. Ralph olhou para a poça de sangue na mesa branca do altar. Era muito sangue para uma garota tão franzina.

– Muito bem, homens – disse. – Já acabamos aqui.

~

As trombetas acordaram Ralph à primeira claridade da manhã. Não havia tempo para acender uma fogueira ou comer alguma coisa. O exército precisava levantar acampamento imediatamente. Dez mil homens, a maior parte a pé, tinham de percorrer 10 quilômetros até a metade da manhã.

A divisão do príncipe de Gales seguiu na frente, acompanhada pela do rei, depois o trem de bagagem e a retaguarda. Batedores foram enviados para verificar a que distância se encontrava o exército francês. Ralph ia na vanguarda, com o príncipe de 16 anos, que tinha o mesmo nome do pai, Eduardo.

Esperavam surpreender os franceses com a travessia do Somme no vau. O rei dissera na noite passada:

– Bom trabalho, Ralph Fitzgerald.

Ralph havia muito aprendera que essas palavras nada significavam. Cumprira numerosas missões úteis e de extrema bravura para o rei, o conde Roland e outros nobres, mas até agora não fora feito cavaleiro. Hoje, no entanto, não acalentava qualquer ressentimento. Sua vida corria perigo e sentia-se tão contente por ter encontrado um caminho de fuga para si mesmo que mal se importava se alguém lhe dava crédito ou não por salvar todo o exército.

Enquanto marchavam, dezenas de oficiais reais patrulhavam toda a área, orientando o exército na direção certa, mantendo a formação correta, providenciando para que as divisões continuassem separadas e trazendo de volta os extraviados. Eram todos nobres, pois precisavam de autoridade para dar ordens. O rei Eduardo era obcecado pela ordem durante as marchas.

Seguiram para o norte. O terreno se elevava numa encosta suave até uma crista, de onde se podia avistar o brilho distante do estuário. Desceram através dos trigais. Ao passarem por aldeias, os oficiais reais impediram os saques, porque não queriam bagagem extra na travessia do rio. Também se abstiveram de incendiar as plantações, com receio de que a fumaça pudesse denunciar sua posição exata para o inimigo.

O sol já estava prestes a nascer quando os líderes chegaram a Saigneville. A aldeia ficava num penhasco, cerca de 10 metros acima do rio. Da margem, Ralph observou um formidável obstáculo: mais de 2 quilômetros de água e terreno pantanoso. Podia ver as pedras esbranquiçadas no fundo, indicando o vau. No outro lado do estuário havia uma colina verde. Enquanto o sol surgia, à sua direita, ele avistou na encosta distante um brilho de metal e um relance de cor. Seu coração se encheu de desalento.

A claridade aumentou e confirmou sua suspeita: o inimigo esperava por eles. Os franceses sabiam onde ficava o vau, é claro, e um comandante sensato previra a possibilidade de os ingleses acharem o local. Portanto, a manobra não seria uma surpresa.

Ralph olhou para a água. Corria para oeste, demonstrando que a maré estava baixando, mas ainda era funda demais para um homem vadear. Teriam de esperar.

O exército inglês continuava a se concentrar na margem, centenas de homens chegando a cada minuto. Se o rei tentasse fazer o exército voltar agora, a confusão se tornaria um pesadelo.

Um batedor retornou e Ralph ouviu a notícia quando era relatada ao príncipe de Gales. O exército do rei Filipe deixara Abbeville e se aproximava daquela margem do rio. O batedor foi despachado para informar a rapidez com que o exército francês se deslocava.

Não havia como voltar atrás, compreendeu Ralph, com medo no coração; os ingleses tinham de cruzar o estuário de qualquer maneira.

Ele estudou o outro lado, tentando calcular quantos franceses havia na margem norte. Mais de mil, pensou. Mas o perigo maior era o exército de dezenas de milhares de homens que vinha de Abbeville. Ralph aprendera, em muitos combates com os franceses, que eles tinham uma bravura extraordinária – às vezes até temerária –, mas também eram indisciplinados. Marchavam em desordem, desobedeciam ordens e podiam até atacar, para provar seu valor, quando seria mais sensato esperarem. Mas, se fossem capazes de superar seus hábitos desordenados e chegassem ali nas próximas horas, pegariam o exército do rei Eduardo no meio do estuário. Com o inimigo nas duas margens, os ingleses podiam ser exterminados. E, depois da devastação que haviam promovido nas últimas seis semanas, não poderiam esperar por misericórdia.

Ralph pensou numa armadura. Tinha uma que tirara de um cadáver francês em Cambrai sete anos antes, mas estava numa carroça no trem de bagagem. Além disso, não sabia se conseguiria vadear 2,5 quilômetros de água e lama sob o peso de uma armadura. Usava um capacete de aço e uma cota de malha curta, que era tudo o que podia levar numa marcha. Teria de se contentar com isso. Os outros tinham uma proteção leve similar. A maioria dos soldados de infantaria carregava o capacete pendurado no cinto, só o pondo na cabeça quando se aproximava do inimigo. Mas ninguém marchava com uma armadura completa.

O sol foi subindo a leste. O nível da água baixou, até ficar na altura dos joelhos. Os nobres do círculo do rei deram as ordens para o início da travessia. O filho do conde Roland, William de Caster, trouxe instruções para o grupo do pai.

– Os arqueiros seguem na frente e começam a atirar assim que chegarem perto da outra margem.

Ralph o fitou impassível. Não esquecera que William tentara enforcá-lo por ter feito o que metade do exército inglês fizera durante as últimas seis semanas.

– Depois, quando chegarem à praia, os arqueiros se dispersam para a esquerda e a direita, a fim de permitir a passagem de cavaleiros e homens de armas – acrescentou William.

Parecia bastante simples, pensou Ralph. Era o que sempre acontecia com as ordens. Mas seria uma batalha sangrenta. O inimigo estava bem posicionado, na encosta acima do rio, para liquidar os soldados ingleses que atravessassem o estuário desprotegidos.

Os homens de Hugh Dispenser seguiram na frente, com seu estandarte distintivo em preto e branco. Os arqueiros entraram no vau com seus arcos acima da água, acompanhados pelos cavaleiros e homens de armas. Os soldados de Roland foram atrás. Não demorou muito para que Ralph e Alan estivessem cavalgando na água.

Dois quilômetros e meio não eram uma distância muito grande para percorrer a pé, mas sim para vadear, até mesmo para um cavalo, como Ralph compreendia agora. A profundidade variava: em alguns trechos, caminhavam sobre terreno pantanoso por cima das pedras, enquanto em outros a água alcançava a cintura da infantaria. Homens e animais se cansavam depressa. O sol de agosto batia inclemente em suas cabeças, enquanto os pés molhados ficavam dormentes de frio. E o tempo todo, olhando à frente, podiam ver mais e mais claramente o inimigo à espera na margem norte.

Ralph estudou as forças adversárias com crescente apreensão. A linha da frente, ao longo da praia, era formada por besteiros. Ele sabia que não eram franceses, mas sim mercenários italianos, sempre chamados de genoveses, mas na verdade oriundos de várias partes da Itália. Usavam bestas, que eram um pouco mais lentas que os arcos ingleses, mas os genoveses teriam bastante tempo para recarregar enquanto os alvos avançavam com dificuldade pela água rasa. Atrás dos besteiros, na encosta verde, havia soldados de infantaria e cavaleiros prontos para atacar.

Ao olhar para trás, Ralph avistou milhares de ingleses atravessando o rio. Mais uma vez, voltar não era uma opção; na verdade, os que vinham atrás pressionavam a vanguarda e não deixavam alternativas para os líderes.

Agora ele podia ver com nitidez as fileiras inimigas. Ao longo da praia, havia pesados escudos de madeira, chamados de pavises, usados pelos besteiros. Assim que os ingleses estivessem ao alcance, os genoveses começariam a atirar.

A 300 metros, a mira era imprecisa: as flechas caíram com força reduzida. Mesmo assim, alguns cavalos e homens foram atingidos. Os feridos caíram e foram arrastados pela correnteza até se afogarem. Os cavalos feridos se debateram na água, deixando-a ensanguentada. O coração de Ralph começou a bater mais depressa.

À medida que os ingleses se aproximavam da margem, a precisão dos genoveses melhorava e as flechas faziam mais estragos. A besta era lenta, mas disparava uma flecha de ponta de aço com uma força terrível. Ao redor de Ralph, homens e cavalos caíam. Alguns morriam instantaneamente. Não havia nada que ele pudesse fazer para se proteger, compreendeu Ralph, com a apreensão de um condenado: ou teria sorte ou morreria. O ar ressoava com os terríveis ruídos da batalha: o zunido das flechas fatais, as imprecações dos feridos, os relinchos dos cavalos agonizando.

Os arqueiros à frente da coluna inglesa também atiraram. Os arcos compridos, com 2 metros, afundavam na água, por isso eles precisavam erguê-los em ângulos insólitos, além de o fundo do rio ser escorregadio. Mas fizeram o melhor que podiam.

As flechas disparadas por bestas podiam penetrar em armaduras quando disparadas de perto, mas nenhum inglês usava uma armadura completa naquele dia. Com exceção do capacete, tinham pouca proteção contra a salva mortífera.

Ralph teria se virado e fugido, se pudesse. Mas por trás dele havia 10 mil homens e pelo menos 5 mil cavalos pressionando para avançar; ele seria pisoteado e morreria afogado se tentasse voltar. Não tinha alternativa senão baixar a cabeça para junto do pescoço de Griff e exortá-lo a continuar.

Os sobreviventes entre os arqueiros ingleses na vanguarda finalmente alcançaram águas rasas e começaram a usar seus arcos com mais eficácia. Atiravam em arco, por cima dos pavises. Depois que começaram, os arqueiros ingleses podiam disparar doze flechas por minuto. As hastes eram de madeira – geralmente de freixo –, mas tinham pontas de aço. Quando caíam como uma chuva, eram aterradoras. De repente, o inimigo já não disparava tantas flechas. Alguns escudos caíram. Os genoveses recuaram... e os ingleses começaram a chegar à praia.

Assim que deixaram o vau, os arqueiros se dispersaram para a esquerda e a direita, ficando o caminho livre para os cavaleiros, que investiram das águas rasas para as linhas inimigas. Ralph, ainda vadeando o rio, já vira batalhas suficientes para saber qual deveria ser a tática francesa naquele momento: precisavam manter sua linha e deixar que os besteiros continuassem a massacrar os ingleses, na praia e na água. Mas o código da cavalaria não permitia que a nobreza francesa se escondesse por trás de arqueiros de origem humilde. Por isso, eles romperam sua linha para atacar os cavaleiros ingleses, perdendo assim grande parte do benefício de sua posição. Ralph sentiu um vislumbre de esperança.

Os genoveses recuaram. A confusão na praia era total. O coração de Ralph vibrava de medo e excitação. Os franceses ainda dispunham da vantagem do ataque encosta abaixo e do uso de armaduras completas e massacraram os soldados de Hugh Dispenser. A vanguarda da investida francesa alcançou águas rasas, abatendo os homens que ainda não haviam concluído a travessia.

Os arqueiros do conde Roland alcançaram a margem do rio um pouco à frente de Ralph e Alan. Os sobreviventes se dividiram. Ralph achava que os ingleses estavam condenados e tinha certeza de que morreria. Mas não havia para onde ir, exceto para a frente, e de repente ele se descobriu atacando, a cabeça inclinada no pescoço de Griff, a espada erguida, direto para a linha francesa. Esquivou-se de um golpe de espada e alcançou terra firme. Golpeou inutilmente um capacete de aço. Griff esbarrou em outro cavalo. O animal francês era maior embora mais jovem; tropeçou e jogou seu cavaleiro na lama. Ralph virou Griff, voltou e se preparou para atacar de novo.

Sua espada tinha uso restrito contra armaduras, mas ele era um homem enorme num cavalo fogoso. Esperava derrubar da sela os cavaleiros inimigos. Atacou de novo. Já não sentia mais medo àquela altura da batalha. Em vez disso, era dominado por uma fúria inebriante, que o levava a matar tantos inimigos quanto podia. Em batalha, o tempo parecia parar e ele vivia cada momento. Mais tarde, quando a ação terminasse, se ainda estivesse vivo, ficaria espantado ao constatar que o sol se punha no horizonte e descobrir que um dia inteiro se passara. Então atacou os franceses, muitas e muitas vezes, esquivando-se das espadas, golpeando sempre que tinha oportunidade; nunca diminuindo o ritmo, pois isso seria fatal.

Em algum momento – alguns minutos ou algumas horas depois –, percebeu, com a maior incredulidade, que os ingleses não estavam mais sendo massacrados. Na verdade, pareciam conquistar terreno e ganhar esperanças. Ralph se afastou da confusão e parou por um momento, ofegante, para avaliar a situação.

A praia estava coberta de cadáveres, mas havia tantos franceses quanto ingleses. Ele percebeu a loucura da carga francesa. Assim que os cavaleiros dos dois lados se enfrentaram em combate, os besteiros genoveses pararam de atirar, com medo de atingir seus homens. Por isso, o inimigo não tinha mais condições de acertar os ingleses na água, como patos num lago. Desde então, os ingleses vinham saindo do estuário em hordas, todos seguindo as mesmas ordens: os arqueiros se dispersavam para a esquerda e a direita, os cavaleiros e infantes avançavam, de tal forma que os franceses foram sufocados pelo peso dos números. Ao olhar para a água, Ralph verificou que a maré começava a subir. Os ingleses ainda no rio estavam desesperados para sair, qualquer que fosse o destino que pudesse aguardá-los na praia.

Enquanto Ralph recuperava o fôlego, os franceses perderam a disposição. Rechaçados da praia, perseguidos encosta acima, pressionados pelo exército que saía da água, começaram a bater em retirada. Os ingleses continuaram a avançar, mal podendo acreditar em sua sorte, e, como acontecia com frequência, não demorou muito para que a retirada francesa se transformasse numa debandada geral, cada um por si.

Ralph olhou para o estuário. O trem de bagagem estava no meio do rio, cavalos e bois puxando as pesadas carroças pelo vau, chicoteados por condutores frenéticos por alcançar a margem. Havia algum combate na outra margem agora. A vanguarda do exército do rei Filipe devia ter chegado e atacava alguns extraviados. Ralph pensou ter reconhecido, à luz do sol, as cores da cavalaria ligeira da Boêmia. Mas chegara tarde demais.

Ele arriou na sela, subitamente aliviado. A batalha terminara. Por mais incrível que pudesse parecer, contra todas as expectativas, os ingleses haviam escapado da armadilha francesa. Por hoje estavam seguros.

48

Caris e Mair chegaram aos arredores de Abbeville no dia 25 de agosto e ficaram consternadas ao descobrir que o exército francês já se encontrava ali. Dezenas de milhares de infantes e arqueiros haviam acampado nos campos ao redor da cidade. Na estrada, ouviram não apenas sotaques franceses regionais, mas também idiomas de lugares mais distantes como Flandres, Boêmia, Itália, Savoia, Maiorca.

Assim como Caris e Mair, os franceses e seus aliados perseguiam o rei Eduardo da Inglaterra e seu exército. Caris se perguntou como poderia se antecipar na corrida.

Ao passarem pelos portões e entrarem na cidade, no final da tarde, encontraram as ruas apinhadas de nobres franceses. Caris nunca vira tamanha exibição de roupas de luxo, boas armas, cavalos magníficos e sapatos novos, nem mesmo em Londres. A impressão era a de que toda a aristocracia francesa se concentrara ali. Estalajadeiros, padeiros, artistas de rua e prostitutas trabalhavam sem parar a fim de atender às necessidades dos ilustres visitantes. Cada taverna regurgitava de condes e cada casa tinha cavaleiros dormindo no chão.

A abadia de São Pedro figurava na lista de instituições religiosas em que Caris e Mair planejavam se abrigar. Mas, mesmo que ainda estivessem vestidas como freiras, teriam dificuldade para encontrar um lugar nos aposentos para hóspedes: o rei da França estava ali e sua comitiva ocupava todo o espaço disponível. As duas freiras de Kingsbridge, disfarçadas agora como Christophe de Longchamp e Michel de Longchamp, foram orientadas para a enorme igreja da abadia, onde centenas de escudeiros, cavalariços e outros servidores do rei dormiam à noite, no frio chão de pedra da nave. Mas o oficial em comando ali disse às duas que não havia mais espaço disponível e que elas teriam de dormir nos campos, como todas as outras pessoas de baixa extração.

O transepto norte era um hospital para os feridos. Na saída, Caris parou para observar um cirurgião costurar um talho profundo no rosto de um soldado que não parava de gemer. O cirurgião foi rápido e eficiente. Quando acabou, Caris não pôde deixar de comentar, em tom de admiração:

– Fez um bom trabalho.

– Obrigado. – O médico fitou-a. – Mas como sabe disso, rapazinho?

Caris sabia porque observara Matthew Barber em ação muitas vezes. Mas também sabia que tinha de inventar rapidamente uma história.

– Em Longchamp, meu pai é cirurgião para o *sieur*.

– E você está com o *sieur* agora?

– Ele foi capturado pelos ingleses e minha ama me mandou, junto com meu irmão, para negociar o resgate.

– Talvez seja melhor seguir direto para Londres. Se ele já não está lá, chegará em breve. Mas, já que está aqui, poderia ganhar uma cama para passar a noite se me ajudasse.

– Terei o maior prazer.

– Já viu seu pai lavar ferimentos com vinho morno?

Caris era capaz de lavar ferimentos mesmo dormindo. Pouco depois, ela e Mair estavam fazendo o que melhor sabiam: cuidar de doentes. A maioria dos homens fora ferida no dia anterior, numa batalha no vau do rio Somme. Os nobres feridos haviam sido atendidos primeiro e agora o cirurgião cuidava dos soldados comuns. As duas trabalharam sem parar nas horas seguintes. A longa tarde de verão se tornou crepúsculo e velas foram acesas. Finalmente, todos os ossos quebrados haviam sido encanados, as extremidades esmagadas foram amputadas e os ferimentos, costurados. Martin Chirurgien, o médico, as levou ao refeitório para cearem.

Foram tratadas como parte da comitiva real e comeram ensopado de cordeiro com cebolas. Não comiam carne havia uma semana. Serviram até um bom vinho tinto. Mair bebeu com evidente satisfação. Caris ficou contente pela oportunidade de recuperarem as energias, mas continuava ansiosa por alcançar os ingleses. Um cavaleiro à mesa comentou:

– Sabiam que na sala de jantar do abade, aqui ao lado, há quatro reis e dois arcebispos comendo? – Ele contou nas pontas dos dedos. – Os reis da França, Boêmia, de Roma e Maiorca e os arcebispos de Rouen e Sens.

Caris decidiu que tinha de ver isso. Saiu do refeitório pela porta que levava à cozinha, viu servos carregando travessas para a sala de jantar e espreitou pela porta.

Os homens ao redor da mesa eram sem dúvida ocupantes de altos cargos. A mesa estava repleta de aves assadas, imensos pedaços de carne de vaca e ovelha, pastelões apetitosos, frutas doces. O homem à cabeceira devia ser o rei Filipe, de 53 anos, com um punhado de fios brancos na barba loura. Ao lado, um homem mais jovem, parecido com ele, estava falando, o rosto vermelho de fúria:

– Os ingleses não são nobres. São como ladrões, que roubam à noite e depois fogem.

Martin apareceu ao lado de Caris e sussurrou em seu ouvido:

– Esse é meu senhor. Charles, conde de Alençon, irmão do rei.

– Discordo – disse uma voz diferente.

Caris percebeu no mesmo instante que o homem era cego, e concluiu que devia ser o rei Jean da Boêmia.

– Os ingleses não podem fugir por muito mais tempo. Estão com pouca comida e cansados.

– Eduardo quer juntar forças com o exército anglo-flamengo que invadiu o nordeste da França a partir de Flandres – comentou Charles.

Jean balançou a cabeça.

– Descobrimos hoje que o exército bateu em retirada. Creio que Eduardo terá de parar em algum momento e lutar. E, do ponto de vista dele, quanto mais cedo, melhor, pois seus homens ficarão mais e mais desanimados à medida que os dias passarem.

Charles arrematou, muito excitado:

– Nesse caso, devemos enfrentá-los amanhã. Depois do que fizeram na Normandia, todos devem morrer: cavaleiros, nobres, até mesmo o próprio Eduardo!

O rei Filipe pôs a mão no braço de Charles, silenciando-o.

– A ira de nosso irmão é compreensível. Os crimes dos ingleses são repulsivos. Mas não esqueçam: quando enfrentarmos o inimigo, o mais importante é pôr de lado as divergências entre nós... as brigas e ressentimentos... e confiar uns nos outros pelo menos durante a batalha. Temos uma enorme superioridade numérica e devemos vencer com facilidade, mas precisamos lutar juntos, como um único exército. Vamos beber à nossa união.

Fora um brinde interessante, concluiu Caris enquanto se retirava discretamente. Era evidente que o rei não podia ter certeza de que seus aliados agiriam como uma equipe coesa. Mas o que a preocupou na conversa foi a probabilidade de ocorrer uma batalha em breve, talvez no dia seguinte. Ela e Mair teriam de tomar cuidado para não se envolverem. Ao voltarem ao refeitório, Martin comentou:

– Como o rei, você tem um irmão turbulento.

Caris viu que Mair estava ficando bêbada. Exagerava em seu papel masculino, sentada com as pernas abertas e os cotovelos em cima da mesa.

– Por todos os santos, o ensopado estava muito gostoso, mas me faz peidar como um demônio – disse a freira de rosto doce em roupas de homem. – Lamento o fedor, pessoal.

Ela tornou a encher o copo com vinho e bebeu. Os homens riram, indulgentes, divertidos com a cena de um garoto se embriagando pela primeira vez, sem dúvida recordando incidentes embaraçosos de seu passado. Caris pegou Mair pelo braço.

– Já está na hora de você ir para a cama, irmãozinho. Vamos embora.

Mair foi sem reclamar.

– Meu irmão se comporta como uma velha – declarou ela antes de se retirar. – Mas ele me ama... não é mesmo, Christophe?

– Claro, Michel. Eu amo você.

Os homens riram de novo. Mair se apoiou em Caris enquanto ela a levava de volta à igreja até o lugar em que haviam deixado os cobertores. Fez Mair se deitar e a cobriu.

– Dê-me um beijo de boa-noite, Christophe – pediu Mair.

Caris a beijou nos lábios.

– Você está de porre. Trate de dormir. Temos de nos levantar cedo amanhã de manhã.

Caris passou mais algum tempo acordada, na maior preocupação. Sentia que estava com muito azar. Quase haviam alcançado o exército inglês e o bispo Richard... mas fora exatamente nesse momento que os franceses também apareceram. Deveria se manter longe do campo de batalha. Por outro lado, se ela e Mair ficassem retidas na retaguarda do exército francês, talvez nunca conseguissem alcançar os ingleses.

Em suma, refletiu, o melhor era partir bem cedo e tentar se antecipar ao exército francês. Afinal, um exército daquele tamanho não poderia se deslocar muito depressa: levaria horas só para as tropas entrarem em formação de marcha. Se ela e Mair fossem rápidas, poderiam se manter à frente. Era arriscado, mas não haviam feito outra coisa que não assumir riscos desde a partida de Portsmouth.

Ela caiu no sono. Despertou quando o sino tocou para as Matinas, pouco depois de três da madrugada. Acordou Mair e não se mostrou nem um pouco compadecida quando ela se queixou de dor de cabeça. Enquanto os monges cantavam salmos na igreja, Caris e Mair foram para os estábulos e encontraram seus pôneis. O céu estava claro e elas puderam se orientar pela luz das estrelas.

Os padeiros da cidade haviam trabalhado a noite inteira, por isso poderiam comprar pão para a viagem. Mas os portões da cidade ainda estavam fechados: tiveram de esperar, impacientes, até o amanhecer, tremendo no ar frio, para comer pão fesco.

Afinal deixaram Abbeville, por volta das quatro e meia da manhã. Seguiram para noroeste, ao longo da margem direita do Somme, a direção que o exército inglês tomara, segundo ouviram.

Haviam se afastado menos de meio quilômetro quando as trombetas soaram o toque de despertar dentro das muralhas da cidade. Como Caris, o rei Filipe decidira iniciar cedo. Nos campos, soldados e homens de armas começaram a se levantar. Os oficiais reais deviam ter recebido ordens na noite anterior, pois pareciam saber o que fazer. Não demorou muito para que uma parte do exército se juntasse a Caris e Mair na estrada.

Caris ainda esperava alcançar os ingleses antes daquelas tropas. Era evidente que os franceses teriam de parar e se reagrupar antes do início da batalha. Isso deveria proporcionar a Caris e Mair tempo suficiente para alcançar seus conterrâneos e encontrar um lugar seguro. Ela não queria ser apanhada entre os dois lados. Já começava a pensar que fora temerária ao partir naquela missão. Sem saber nada de guerra, não fora capaz de imaginar as dificuldades e os perigos. Mas era tarde demais agora para qualquer arrependimento. E haviam chegado até ali sem sofrer qualquer mal.

Os soldados na estrada não eram franceses, mas italianos. Levavam bestas de aço e feixes de flechas de ferro. Eram cordiais e Caris conversou numa mistura de francês normando, latim e italiano, que aprendera com Buonaventura Caroli. Disseram que em batalha sempre formavam a linha de frente e disparavam de trás de pesados pavises de madeira, um tipo de escudo grande, que no momento vinham nas carroças que os acompanhavam. Protestaram contra a refeição apressada ao acordarem, menosprezaram os cavaleiros franceses como impulsivos e belicosos e falaram com admiração de seu líder, Ottone Doria, que podia ser visto poucos metros à frente.

O sol foi subindo no céu e todos sentiram calor. Como sabiam que podiam entrar em batalha naquele dia, os besteiros usavam grossos casacos, capacetes de ferro e proteções nos joelhos, além das bestas e flechas. Perto do meio-dia, Mair declarou que desmaiaria se não parasse para descansar um pouco. Caris também estava exausta – cavalgavam desde o amanhecer – e sabia que os cavalos precisavam de repouso. Por isso, contra a sua vontade, foi obrigada a parar enquanto milhares de besteiros as ultrapassavam.

Caris e Mair deixaram os animais beber no Somme e comeram um pouco mais do pão. Quando tornaram a partir, descobriram-se no meio de cavaleiros e homens de armas franceses. Caris reconheceu o colérico Charles, irmão de Filipe, à frente do grupo. Estava no meio do exército francês, mas não havia nada que pudesse fazer a não ser seguir em frente e torcer por uma oportunidade para se distanciar.

Uma ordem percorreu a linha pouco depois do meio-dia. Os ingleses não se achavam a oeste, como antes se acreditava, mas sim ao norte, e o rei francês ordenara que seu exército se desviasse nessa direção, não em uma coluna, mas todos ao mesmo tempo. Os homens em torno de Caris e Mair, liderados pelo conde Charles, deixaram a estrada à beira do rio e seguiram por um caminho estreito através dos campos. Caris foi atrás, com um aperto no coração.

Uma voz familiar a chamou. Pouco depois, Martin Chirurgien estava a seu lado.

– Isto é o caos – comentou, sombrio. – A ordem de marcha foi totalmente rompida.

Alguns homens em cavalos rápidos surgiram no outro lado dos campos e saudaram o conde Charles.

– São batedores – explicou Martin e se adiantou para ouvir as informações.

Os pôneis de Caris e Mair foram atrás, com o instinto natural dos cavalos para se manterem agrupados.

– Os ingleses fizeram alto – informou um homem. – Assumiram uma posição defensiva numa crista perto da cidade de Crécy.

– É Henri le Moine – disse Martin –, um velho companheiro do rei da Boêmia.

– Então teremos uma batalha hoje! – exclamou Charles, satisfeito com a notícia, e os cavaleiros ao seu redor gritaram de júbilo. Henri ergueu a mão, num gesto de cautela:

– Estamos sugerindo que todas as unidades parem e se reagrupem.

– Parar agora? – berrou Charles. – Quando os ingleses finalmente se mostram dispostos a lutar? Vamos atacá-los agora!

– Nossos homens e cavalos precisam de descanso. O rei está bem atrás, na retaguarda. Devemos lhe dar a chance de nos alcançar e avaliar o campo de batalha. Ele poderá tomar todas as medidas necessárias hoje para um ataque amanhã, quando os homens estarão descansados.

– Ao inferno com as medidas. São só uns poucos milhares de ingleses. Vamos passar por cima deles.

Henri fez um gesto de impotência.

– Não me cabe comandá-lo, milorde. Mas pedirei a seu irmão, o rei, que me dê suas ordens.

– Isso mesmo, peça a ele! – gritou Charles, seguindo em frente.

Martin comentou com Caris:

– Não sei por que meu senhor é tão impulsivo.

– Acho que ele tem de provar que é bastante bravo para reinar embora por um acaso de nascimento não seja o rei – explicou Caris, pensativa.

Martin fitou-a atentamente.

– Você sabe demais para um rapaz tão simples.

Caris evitou os olhos dele e jurou que não esqueceria mais sua falsa identidade. Não havia hostilidade na voz de Martin, mas ele estava desconfiado. Como cirurgião, conhecia as sutis diferenças nas estruturas ósseas de homens e mulheres. Poderia ter notado que Christophe e Michel de Longchamp fugiam aos padrões. Mas, felizmente, não insistiu no assunto.

O céu começou a ficar nublado, mas o ar ainda era quente e úmido. Havia muitas árvores à esquerda e Martin informou a Caris que aquela era a floresta de Crécy. Não podiam estar longe dos ingleses, mas agora Caris imaginava como poderia se desligar dos franceses e se juntar aos ingleses sem ser morta por nenhum dos dois lados.

A floresta comprimiu o flanco esquerdo do exército em marcha, de tal forma que o caminho ficou atulhado de homens, as divisões se misturando de maneira irremediável.

Mensageiros percorreram a linha com novas ordens do rei: o exército deveria parar e montar acampamento. Caris sentiu sua esperança renovada: teria agora uma oportunidade de seguir à frente do exército francês. Charles discutia com um mensageiro. Martin foi até Charles a fim de descobrir o que estava acontecendo. Voltou com um ar de incredulidade.

– O conde Charles se recusa a obedecer às ordens!

– Por quê? – indagou Caris, consternada.

– Ele acha que o irmão é cauteloso demais. Diz que ele, Charles, não será covarde para se deter diante de um inimigo tão fraco.

– Pensei que todos obedecessem ao rei em batalha.

– E deveriam. Mas nada é mais importante para os nobres franceses do que seu código de cavalaria. Preferem morrer a assumir uma atitude que possa parecer covardia.

O exército continuou a marcha, desafiando as ordens.

– Fico contente que vocês dois estejam aqui – comentou Martin. – Precisarei de ajuda de novo. Ganhando ou perdendo, haverá muitos feridos ao pôr do sol.

Caris compreendeu que não poderia escapar. Mas, por algum motivo, não queria mais se afastar. Na verdade, sentia uma estranha ansiedade. Se aqueles homens eram bastante loucos para mutilarem uns aos outros com espadas e flechas, ela podia pelo menos ajudar os feridos.

Não demorou muito para que o líder dos besteiros, Ottone Doria, se aproximasse a cavalo – com alguma dificuldade, de tão compacta a multidão – para falar com Charles de Alençon.

– Pare seus homens! – gritou ele para o conde. Charles se mostrou ofendido.

– Como ousa me dar ordens?

– As ordens vieram do rei, mas meus homens não podem parar porque os seus os empurrariam!

– Pois então que eles sigam em frente.

– Estamos à vista do inimigo. Se continuarmos, teremos de entrar em batalha.

– Pois que assim seja.

– Mas meus homens marcharam durante o dia inteiro. Estão exaustos, com fome e sede. E meus besteiros estão sem os pavises.

– São covardes demais para lutarem sem escudos?

– Está chamando meus homens de covardes?

– Se eles não lutarem, estou.

Ottone ficou calado por um momento. Depois, falou em voz tão baixa que Caris mal conseguiu ouvir:

– Você é um tolo, Alençon. E estará no inferno ao cair da noite.

O italiano virou seu cavalo e se afastou. Caris sentiu água pingando no rosto e ergueu os olhos. Começava a chover.

49

O aguaceiro foi forte, mas de curta duração. Quando clareou, Ralph olhou para o vale e viu, com um arrepio de medo, que o inimigo chegara.

Os ingleses ocupavam uma crista que se estendia de sudoeste para nordeste. Por trás, para noroeste, havia uma floresta. À frente e nos lados, a encosta descia íngreme. O flanco direito dava para a cidade de Crécy-en-Ponthieu, aninhada no vale do rio Maye.

Os franceses se aproximavam pelo sul.

Ralph estava no flanco direito, com os homens do conde Roland, comandados pelo jovem príncipe de Gales. Mantinham a formação compacta de forcado, que provara ser tão eficaz diante dos escoceses. À esquerda e à direita se destacavam formações triangulares de arqueiros, como os dois dentes de um forcado. Entre os dentes, bem recuados, havia homens de armas e cavaleiros desmontados. Era uma inovação radical, a que muitos cavaleiros ainda resistiam: gostavam de seus cavalos e sentiam-se vulneráveis a pé. Mas o rei fora implacável: todos a pé. No terreno diante dos cavaleiros, os homens haviam cavado buracos com 30 centímetros de profundidade para que os cavalos franceses tropeçassem e caíssem.

À direita de Ralph, na extremidade da crista, havia uma novidade: três máquinas novas, chamadas de bombardas, ou canhões, que usavam pólvora explosiva para disparar enormes pelotas de pedra. Haviam sido arrastadas por toda a Normandia, mas nunca as usaram antes. Ninguém tinha certeza se funcionariam. Hoje o rei Eduardo precisava usar todos os recursos à sua disposição, pois a superioridade do inimigo se situava em algum ponto entre quatro contra um e sete contra um.

No flanco esquerdo dos ingleses, os homens do conde de Northampton usavam a mesma formação de forcado. Por trás da linha de frente havia um terceiro batalhão de reserva, comandado pelo rei. Por trás do rei, havia duas posições de recuo. As carroças do trem de bagagem constituíam a primeira, dispostas num círculo, com os não combatentes – cozinheiros, sapadores, cavalariços – ali dentro, com os cavalos. A segunda posição era a própria floresta, para onde os remanescentes do exército inglês poderiam fugir no caso de uma derrota fragorosa. Os cavaleiros franceses teriam dificuldades para segui-los.

Postavam-se ali desde o início da manhã, sem nada para comer além de sopa de ervilha com cebola. Ralph usava sua armadura e suava com o calor, por isso a chuva fora bem-vinda. Também deixara enlameada a encosta pela qual os franceses teriam de atacar, o que tornaria a aproximação traiçoeiramente escorregadia.

Ralph podia imaginar qual seria a tática francesa. Os besteiros genoveses atirariam de trás de seus escudos, a fim de enfraquecer a resistência da linha inglesa. Depois, quando já tivessem causado bastantes estragos, tratariam de se deslocar para o lado, para que os cavaleiros franceses avançassem em seus cavalos de batalha.

Não havia nada tão apavorante quanto essa carga. Chamada de *furor franciscus*, era a suprema arma da nobreza francesa. O código de honra fazia com que ignorassem a própria segurança. Aqueles enormes cavalos, com cavaleiros tão blindados que pareciam feitos de ferro, passavam por cima de arqueiros, escudos, espadas e homens de armas.

Claro que nem sempre dava certo. A carga podia ser rechaçada, em particular quando o terreno favorecia os defensores, como acontecia ali. Mas os franceses não desanimavam com facilidade e atacariam de novo. E tinham tanta superioridade em números que Ralph não podia imaginar como os ingleses conseguiriam detê-los indefinidamente.

Sentia medo, mas mesmo assim não se arrependia de estar com o exército. Há sete anos que levava a vida de ação que sempre desejara, em que os homens fortes eram reis e os fracos não contavam para nada. Tinha 29 anos, e os homens de ação raramente sobreviviam para chegar à velhice. Ele cometera terríveis pecados, mas fora absolvido de todos, o mais recente naquela manhã, pelo bispo de Shiring, que agora se postava ao lado do pai, o conde, armado com uma maça de aparência assustadora... Sacerdotes não deveriam derramar sangue, uma regra que respeitavam superficialmente pelo uso de armas rombudas no campo de batalha.

Os besteiros, em seus casacos brancos, se estendiam até a base da encosta. Estavam sentados, os arcos fincados na terra à sua frente. Então começaram a se levantar, ajustando as cordas. Ralph calculou que a maioria sentia a mesma coisa que ele, uma mistura de alívio, porque a longa espera terminara, e de medo, ao pensarem em tudo que poderia lhes acontecer.

Ralph imaginou que ainda havia bastante tempo. Podia ver que os genoveses não traziam os pesados escudos de madeira, elemento essencial de sua tática. E tinha certeza de que a batalha não começaria até que os escudos chegassem.

Por trás dos besteiros, milhares de cavaleiros se despejavam pelo vale, procedentes do sul. Espalhavam-se para a esquerda e a direita, próximos dos arqueiros. O sol apareceu de novo, iluminando as cores vibrantes de seus estandartes e as proteções de malha dos cavalos. Ralph reconheceu o brasão de Charles, conde de Alençon, irmão do rei Filipe.

Os besteiros pararam na base da encosta. Havia milhares. Como se a um sinal, todos soltaram um grito terrível. Alguns pularam. Trombetas soaram.

Era seu grito de guerra, visando apavorar o inimigo, e podia dar certo com alguns. Mas o exército inglês era formado por guerreiros experientes, após uma campanha de seis semanas, e seria preciso mais do que gritos para assustá-los. Todos permaneceram impassíveis.

E no instante seguinte, para total espanto de Ralph, os genoveses levantaram suas bestas e começaram a atirar. O que estavam fazendo? Não tinham escudos!

O som foi súbito e aterrador: 5 mil flechas de ferro cruzando o ar. Mas os arqueiros ingleses estavam fora de alcance. Talvez não levassem em consideração o fato de que atiravam encosta acima, e o sol da tarde, por trás das linhas inglesas, devia ofuscar seus olhos. Qualquer que fosse a razão, as flechas caíram muito antes do alvo.

Houve um clarão de uma língua de fogo e um estrondo que parecia uma trovoada, no meio da linha de frente inglesa. Aturdido, Ralph viu a fumaça se elevar do lugar em que estavam as bombardas. O som era impressionante, mas, quando tornou a olhar para o inimigo, Ralph constatou que os danos haviam sido mínimos. Muitos besteiros genoveses, no entanto, ficaram bastante chocados e interromperam a recarga.

Nesse momento, o príncipe de Gales gritou a ordem para que seus arqueiros começassem a atirar. Dois mil arcos compridos foram erguidos. Como sabiam que se encontravam muito distantes para dispararem em linha reta, paralela ao solo, os arqueiros ingleses apontaram para o céu, intuitivamente procurando uma trajetória em curva para suas flechas. Todos os arcos foram puxados ao mesmo tempo, como hastes de trigo numa plantação se inclinando a uma repentina brisa de verão; depois, as flechas foram lançadas, com um som coletivo que parecia um sino de igreja repicando. Voando mais rápido que a mais veloz das aves, as flechas subiram pelo ar, viraram para baixo e caíram como uma tempestade de granizo sobre os besteiros genoveses.

As fileiras inimigas eram compactas e as cotas dos genoveses não proporcionavam muita proteção. Sem os escudos, ficavam horrivelmente vulneráveis. Centenas caíram mortos ou feridos.

Mas isso fora apenas o começo.

Enquanto os besteiros sobreviventes rearmavam suas bestas, os arqueiros ingleses dispararam outras vezes. Eram necessários apenas quatro ou cinco segundos para pegar uma flecha no chão, ajustá-la, puxar o arco, mirar, atirar e pegar outra flecha. Arqueiros experientes podiam ser ainda mais rápidos. No período de um minuto, 20 mil flechas caíram em cima dos genoveses desprotegidos.

Foi um massacre, e a consequência foi inevitável: eles se viraram e fugiram.

Em poucos momentos, os genoveses estavam fora do alcance. Os ingleses suspenderam os disparos, rindo de seu triunfo inesperado e escarnecendo do inimigo. Mas depois os arqueiros ingleses se defrontaram com outro perigo. Os cavaleiros franceses começaram a avançar. Uma densa multidão de genoveses em fuga esbarrou nos cavaleiros concentrados, ansiosos por uma carga. Por um momento, houve o caos.

Ralph ficou espantado ao perceber que os inimigos começavam a lutar entre si. Os cavaleiros desembainharam suas espadas e passaram a golpear os genoveses, que descarregaram suas flechas neles e passaram a lutar com suas facas. Os nobres franceses deveriam tentar conter a carnificina, mas aqueles que usavam as armaduras mais caras e montavam os cavalos maiores eram, até onde Ralph podia ver, os que se destacavam na luta, atacando os próprios aliados com uma fúria cada vez maior.

Os cavaleiros empurraram os besteiros de volta à encosta até que ficaram de novo ao alcance dos arqueiros ingleses. Mais uma vez, o príncipe de Gales deu ordem para que seus homens atirassem. Dessa vez a saraivada de flechas caiu em cima de genoveses e cavaleiros. Em sete anos de guerra, Ralph nunca vira algo parecido. Centenas de inimigos estavam estendidos no chão, mortos ou feridos, sem que um único soldado inglês tivesse sido sequer arranhado.

Os cavaleiros franceses finalmente bateram em retirada e os besteiros sobreviventes se dispersaram. Deixaram a encosta por baixo da posição inglesa coberta de cadáveres. Soldados de Gales e da Cornualha, armados com facas, começaram a liquidar os franceses ainda vivos. Também recolhiam as flechas intactas para serem reaproveitadas e com certeza aproveitavam para roubar os cadáveres. Ao mesmo tempo, ajudantes correram para buscar novos estoques de flechas nas carroças, levando-as para a linha de frente.

Houve uma pausa, mas não durou muito tempo.

Os cavaleiros franceses se reagruparam, reforçados por recém-chegados, que apareciam às centenas e aos milhares. Ao correr os olhos pelas fileiras, Ralph constatou que as cores de Alençon eram agora acompanhadas pelas cores de Flandres e da Normandia. O estandarte do conde de Alençon se deslocou para a frente, as trombetas soaram e os cavaleiros começaram a avançar.

Ralph baixou a viseira e desembainhou a espada. Pensou na mãe. Sabia que a mãe rezava por ele cada vez que ia à igreja e por um momento sentiu uma terna gratidão. Depois, voltou a observar o inimigo.

Os imensos cavalos eram lentos para começar, estorvados pelos próprios cavaleiros com armaduras. O sol poente cintilava nas viseiras francesas, as bandeiras estalavam à brisa vespertina. Pouco a pouco, as batidas dos cascos foram se tornando mais altas e o ritmo da carga aumentou. Os cavaleiros gritavam palavras de exortação para suas montarias e uns para os outros, acenando com suas espadas e lanças. Eram como uma onda numa praia, parecendo cada vez maior à medida que se aproximava. A boca de Ralph ficou seca e o coração batia como um grande tambor.

Chegaram ao alcance dos arqueiros e mais uma vez o príncipe deu ordem para atirar. Novamente as flechas subiram pelo ar e caíram como uma chuva mortífera.

Os cavaleiros atacantes estavam blindados e só por sorte as flechas atingiam os pontos fracos entre as placas. Mas os cavalos tinham apenas viseiras e capas de malha. Por isso, eram vulneráveis. Quando as flechas penetraram em suas espáduas e ancas, alguns pararam, alguns caíram, alguns se viraram e tentaram fugir. Os relinchos de dor dos animais povoaram o ar. Colisões entre cavalos fizeram com que mais cavaleiros caíssem, juntando-se aos corpos dos arqueiros genoveses. Os cavaleiros por trás vinham com muita pressa para tentar uma ação evasiva e passar por cima dos caídos.

Mas havia milhares de cavaleiros, e continuaram a investida.

A distância para os arqueiros diminuiu e a trajetória das flechas mudou. Quando a carga se encontrava a 100 metros de distância, eles passaram a usar um tipo diferente de flecha, com a ponta de aço rombuda em vez de pontiaguda, para provocar um impacto nas armaduras. Agora podiam matar os cavaleiros, embora derrubar os cavalos fosse também eficiente.

O terreno já estava encharcado da chuva e então a carga alcançou os buracos escavados antes pelos ingleses. O ímpeto dos cavalos era tanto que poucos podiam pisar numa depressão de 30 centímetros sem tropeçar. Muitos caíram, derrubando seus cavaleiros na frente dos outros cavalos.

Os cavaleiros atacantes tentaram se desviar dos arqueiros. Como os ingleses haviam planejado, a carga entrou num funil estreito, um verdadeiro matadouro, as flechas disparadas da esquerda e da direita.

Essa foi a chave para a tática inglesa. A essa altura, a sabedoria de obrigar os cavaleiros ingleses a desmontar ficou evidente. Se estivessem a cavalo, não poderiam resistir ao impulso de atacar – e, nesse caso, os arqueiros teriam de parar de atirar por receio de matar os próprios companheiros. Mas, como os cavaleiros e os homens de armas continuavam em suas fileiras, os arqueiros podiam disparar à vontade contra o inimigo sem que houvesse baixas no lado inglês.

Mas não era suficiente. Os franceses eram muito numerosos e bravos. Continuaram a atacar e finalmente alcançaram a linha dos homens de armas e cavaleiros ingleses desmontados, entre as duas massas de arqueiros. O combate de fato começou.

Os cavalos pisotearam os primeiros ingleses, mas o ímpeto da carga fora reduzido pela encosta enlameada. Os franceses foram detidos pela compacta linha inglesa. Ralph se descobriu no meio da batalha, esquivando-se dos golpes desferidos de cima para baixo, golpeando com a espada as pernas dos cavalos, querendo inutilizar os animais pelo método mais fácil e mais confiável, que era o de cortar os tendões do jarrete. A luta era encarniçada: os ingleses não tinham para onde ir e os franceses sabiam que teriam de passar de novo pela chuva letal de flechas se recuassem.

Homens caíam ao redor de Ralph, retalhados por espadas e machados e pisoteados pelos poderosos cascos com ferraduras de ferro dos cavalos de batalha. Ele viu o conde Roland cair, atingido por uma espada francesa. O filho de Roland, o bispo Richard, golpeou com a maça para proteger o pai, mas um cavalo o empurrou para o lado e pisoteou o conde.

Os ingleses foram forçados a recuar e Ralph compreendeu que os franceses tinham um alvo: o príncipe de Gales. Ralph não sentia qualquer afeição pelo privilegiado herdeiro de 16 anos do trono, mas sabia que seria um golpe devastador para o moral inglês se o príncipe fosse capturado ou morto. Ralph recuou e se deslocou para a esquerda, juntando-se a vários outros que engrossavam o escudo de guerreiros em torno do príncipe. Mas os franceses intensificaram seus esforços, com a vantagem de estarem a cavalo.

Logo Ralph lutava ombro a ombro com o príncipe, que podia reconhecer pelo manto com flores-de-lis sobre fundo azul e os leões heráldicos em vermelho. Um momento depois, um cavaleiro francês acertou o príncipe com um machado, derrubando-o.

Foi um momento terrível.

Ralph pulou para a frente e golpeou o atacante, a espada comprida atingindo a junção entre as placas na axila. Ele teve a satisfação de sentir a ponta penetrar na carne e viu o sangue esguichar do ferimento.

Alguém se postou por cima do príncipe caído e girou uma espada enorme, que segurava com as duas mãos, contra homens e cavalos. Ralph viu que era o porta-bandeira do príncipe, Richard FitzSimon. Ele largara a bandeira sobre seu senhor, caído de costas. Por alguns momentos, Richard e Ralph lutaram desesperados para proteger o filho do rei, sem saber se ele estava vivo ou morto.

Chegaram reforços. O conde de Arundel apareceu com um enorme contingente de homens de armas, todos descansados. Os recém-chegados entraram na batalha com o maior vigor e inverteram a situação. Os franceses começaram a recuar.

O príncipe de Gales ficou de joelhos. Ralph levantou a viseira e o ajudou a ficar de pé. O garoto parecia ferido, mas sem gravidade. Ralph virou-se e continuou a lutar.

Logo depois os franceses desistiram. Apesar da loucura de sua tática, a coragem quase lhes permitira romper a linha inglesa, mas não conseguiram. Fugiam agora, muitos mais caindo enquanto corriam entre os arqueiros, descendo pela encosta ensanguentada de volta às suas linhas; e gritos de alegria soaram entre os ingleses, exaustos, mas exultantes.

Mais uma vez, os galeses circularam pelo campo de batalha, cortando a garganta dos feridos e recolhendo milhares de flechas. Os arqueiros também pegaram novas flechas, para reabastecer seus estoques. Da retaguarda vieram cozinheiros com jarros de cerveja e vinho. Os cirurgiões começaram a tratar dos nobres feridos.

Ralph viu William de Caster se inclinar sobre o conde Roland. O conde ainda respirava, mas mantinha os olhos fechados e parecia à beira da morte.

Ralph limpou a espada ensanguentada na terra e levantou a viseira para poder tomar uma caneca de cerveja. O príncipe de Gales se aproximou.

– Qual é o seu nome? – perguntou ele.

– Ralph Fitzgerald de Wigleigh, milorde.

– Lutou com extrema bravura. Vai se tornar sir Ralph amanhã se o rei me escutar.

Ralph ficou radiante de prazer.

– Obrigado, milorde.

O príncipe acenou com a cabeça, cordial, e se afastou.

50

Caris observou os primeiros estágios da batalha do outro lado do vale. Viu os besteiros genoveses tentando fugir, apenas para serem retalhados por cavaleiros de seu próprio lado. Depois, assistiu à primeira grande carga, com as cores de Charles de Alençon conduzindo milhares de cavaleiros e homens de armas.

Nunca testemunhara uma batalha e ficou angustiada. Centenas de cavaleiros foram derrubados por flechas inglesas e pisoteados pelos cascos dos enormes cavalos de guerra. Ela estava muito longe para poder acompanhar os combates corpo a corpo, mas viu espadas faiscarem e homens caírem. Teve vontade de chorar. Como freira, já vira ferimentos graves – homens que caíam do alto de um andaime, que se machucavam com ferramentas afiadas, sofriam acidentes em caçadas – e sempre sentia a dor e o desperdício de uma mão perdida, uma perna esmagada, um cérebro lesionado. E ficava revoltada ao constatar que homens infligiam esses ferimentos uns aos outros intencionalmente.

Por um bom tempo, parecia que o combate podia pender para qualquer dos lados. Se estivesse em sua terra, ao ouvir notícias da guerra distante, poderia torcer por uma vitória inglesa, mas, depois do que vira nas duas últimas semanas, sentia uma espécie de neutralidade repugnada. Não podia se identificar com ingleses que assassinavam camponeses e queimavam colheitas. Não fazia diferença para ela que tivessem cometido essas atrocidades na Normandia. Claro que diriam que os franceses mereciam o que recebiam por terem incendiado Portsmouth, mas essa era uma maneira estúpida de pensar – tão estúpida que levava a cenas de horror como aquela.

Os franceses recuaram. Ela presumiu que se reagrupariam e se reorganizariam, esperando pela chegada do rei para desenvolver um novo plano de batalha. Ainda tinham uma superioridade esmagadora em números, Caris podia perceber: havia dezenas de milhares de soldados franceses no vale e mais continuavam a chegar.

Mas os franceses não se reagruparam. Em vez disso, cada novo batalhão chegado ao vale seguia direto para o ataque, lançando-se em carga suicida contra a posição inglesa no alto da encosta. A segunda carga e as subsequentes sofreram estragos ainda piores do que a primeira. Algumas foram dizimadas pelos arqueiros antes mesmo de alcançarem as linhas inglesas; as outras foram repelidas pelos ingleses a pé. A encosta cintilava com o sangue derramado de centenas de homens e cavalos.

Depois da primeira carga, Caris só olhava de vez em quando para a batalha. Estava ocupada demais cuidando dos franceses feridos que tiveram bastante sorte para escapar do campo de batalha. Martin Chirurgien descobrira que Caris era uma cirurgiã tão competente quanto ele. Concedera-lhe livre acesso a seus instrumentos e a deixara trabalhar por conta própria, junto com Mair. As duas lavaram ferimentos, costuraram e puseram bandagens hora após hora.

Notícias de baixas proeminentes vieram da linha de frente. Charles de Alençon foi a primeira fatalidade importante. Caris não pôde deixar de sentir que ele merecera seu destino. Testemunhara seu entusiasmo insensato e a indisciplina irresponsável. Horas depois, veio a notícia de que o rei Jean da Boêmia também morrera. Ela não pôde deixar de pensar sobre a loucura que levava um cego a se lançar numa batalha.

– Em nome de Deus, por que eles não param? – indagou quando Martin levou-lhe uma caneca de cerveja para restaurar as energias.

– Por medo – respondeu ele. – Estão apavorados com a possibilidade de caírem em desgraça. Deixar o campo de batalha sem ter sofrido qualquer golpe seria vergonhoso. Eles preferem morrer.

– Muitos deles já tiveram esse desejo atendido – comentou Caris, sombria.

Ela esvaziou a caneca de cerveja e voltou ao trabalho. Seu conhecimento e sua compreensão do corpo humano aumentavam aos saltos, refletiu. Via cada parte interna de um homem vivo: o cérebro por baixo de crânios fraturados, o tubo da garganta, os músculos dos braços cortados, o coração e os pulmões dentro de caixas torácicas esmagadas, o emaranhado de intestinos, a articulação dos ossos nos quadris, joelhos e tornozelos. Descobriu mais em uma hora no campo de batalha do que em um ano inteiro no hospital do priorado. Fora assim que Matthew Barber aprendera tanto, compreendeu. Não era de admirar que ele fosse tão confiante.

A carnificina continuou até que a noite caiu. Os ingleses acenderam tochas, com medo de um ataque furtivo durante a escuridão. Mas Caris poderia tê-los avisado que se encontravam sãos e salvos. Os franceses estavam irremediavelmente derrotados. Dava para ouvir os gritos de soldados franceses à procura de parentes e companheiros no campo de batalha. O rei, que chegara a tempo de participar de uma das últimas cargas desesperadas, deixara o local. Depois disso, a debandada fora geral.

Um nevoeiro se elevou do rio, espalhou-se pelo vale e ocultou as fogueiras distantes. Mais uma vez, Caris e Mair trabalharam à luz do fogo, noite afora, cuidando dos feridos. Todos os que podiam andar, mesmo mancando, trataram de partir, ansiosos por ficarem o mais longe possível dos ingleses, a fim de escaparem da inevitável e sangrenta operação de limpeza que ocorreria no dia seguinte. Quando terminaram de fazer tudo o que podiam pelos feridos, Caris e Mair escapuliram.

Aquela era sua chance.

Encontraram seus pôneis e os levaram adiante à luz de uma tocha. Alcançaram o fundo do vale e se descobriram na terra de ninguém. Ocultas pelo nevoeiro e a escuridão, tiraram as roupas de homem. Por um momento, sentiram-se extremamente vulneráveis, duas mulheres nuas no meio de um campo de batalha. Mas ninguém podia vê-las, e no segundo seguinte vestiram os hábitos de freira pela cabeça. Guardaram os trajes de homem, para o caso de precisarem deles de novo; afinal, seria longa a viagem de volta para casa.

Caris decidiu abandonar a tocha, com receio de que um arqueiro inglês resolvesse atirar para a luz primeiro e só depois fazer perguntas. De mãos dadas, para não se separarem, seguiram em frente, ainda puxando os pôneis. Não podiam ver nada: o nevoeiro obscurecia qualquer claridade que pudesse vir da lua ou das estrelas. Subiram a encosta, na direção das linhas inglesas. O lugar cheirava como um matadouro. Havia tantos corpos de homens e cavalos espalhados pelo chão que não dava para contorná-los. Elas rangiam os dentes e pisavam em cima. Não demorou muito para que os sapatos ficassem cobertos por uma mistura de sangue e lama.

A quantidade de cadáveres foi diminuindo e logo não havia mais nenhum à frente. Caris começou a experimentar um sentimento de alívio ao se aproximar do exército inglês. Ela e Mair haviam percorrido centenas de quilômetros, enfrentado as maiores dificuldades e arriscado a vida por aquele momento. Quase esquecera o roubo ultrajante do prior Godwyn, que tirara 150 libras do tesouro das freiras – a razão da viagem. De certa forma, parecia menos importante, depois de todo aquele derramamento de sangue. Mesmo assim, apelaria ao bispo Richard e obteria justiça para o convento.

A caminhada parecia mais longa do que Caris calculara ao olhar através do vale à luz do dia. Pensou, nervosa, se teria ficado desorientada. Poderia ter se desviado, seguido uma direção errada e passado além dos ingleses. Talvez o exército estivesse agora por trás dela. Esforçou-se para ouvir alguma coisa – 10 mil homens não podiam se manter em silêncio absoluto, mesmo que a maioria mergulhasse num sono de exaustão –, mas o nevoeiro abafava os sons.

Apegou-se à convicção de que deveria se aproximar se continuasse a subir, já que o rei Eduardo posicionara suas forças no ponto mais alto. Mas a cegueira era enervante. Se houvesse um precipício por ali, poderia cair de repente.

A claridade do amanhecer dava ao nevoeiro uma cor perolada quando ela ouviu uma voz. Parou no mesmo instante. Era um homem sussurrando. Mair apertou sua mão, nervosa. Outro homem falou. Caris não entendeu a língua. Sentiu medo de ter dado uma volta completa e retornado para o lado dos franceses.

Virou-se na direção da voz, ainda segurando a mão de Mair. O clarão vermelho de chamas se tornou visível através do nevoeiro cinzento. Seguiu nessa direção, agradecida. Ao se aproximar, pôde ouvir melhor e compreendeu com imenso alívio que eles falavam em inglês. Logo depois, divisou um grupo de homens em torno de uma fogueira. Vários dormiam, envoltos por cobertores, mas três estavam sentados no chão, de pernas cruzadas, olhando para as chamas enquanto conversavam. Caris logo avistou um homem de pé, esquadrinhando o nevoeiro, presumivelmente no serviço de sentinela. O fato de não ter notado a aproximação dela provava que a missão era impossível.

Para atrair a atenção do grupo, Caris disse, em voz baixa:

– Deus os abençoe, homens da Inglaterra.

Ela os assustou. Um deles soltou um grito de medo. A sentinela indagou, atrasado:

– Quem vem lá?

– Duas freiras do priorado de Kingsbridge – respondeu Caris.

Os homens a fitaram com um medo supersticioso e ela compreendeu que poderiam pensar que eram uma aparição.

– Não se preocupem. Somos de carne e osso, assim como nossos pôneis.

– Você disse Kingsbridge? – indagou um deles, surpreso. O homem se levantou. – Sei quem você é. Já a vi antes.

Caris o reconheceu.

– Lorde William de Caster.

– Sou o conde de Shiring agora. Meu pai morreu há uma hora em decorrência dos ferimentos sofridos.

– Que sua alma descanse em paz. Viemos até aqui para falar com seu irmão, o bispo Richard, que é nosso abade.

– Chegou atrasada. Meu irmão também está morto.

⁓

Mais tarde, ainda naquela manhã, quando o nevoeiro se dissipou e o campo de batalha parecia um matadouro iluminado pelo sol, o conde William levou Caris e Mair para falar com o rei Eduardo.

Todos se espantaram com a história das duas freiras que haviam seguido o exército inglês por toda a Normandia. Soldados que haviam enfrentado a morte no dia anterior se mostraram fascinados por suas aventuras. William disse a Caris que o rei queria ouvir o relato diretamente de seus lábios.

Eduardo III era rei havia dezenove anos, mas ainda tinha apenas 33 anos de idade. Alto e com ombros largos, era imponente em vez de bonito, com um rosto que poderia ter sido moldado para o poder: nariz grande, malares salientes, cabelos compridos que começavam a recuar no alto da testa. Caris compreendeu por que as pessoas o chamavam de leão.

Estava sentado num banco diante de sua tenda, vestido com elegância, com calção de duas cores e uma capa com a borda recortada em concha. Não usava armadura nem portava armas: os franceses haviam desaparecido e uma força de ingleses vingativos fora enviada para caçar e matar os extraviados. Havia alguns barões de pé ao seu redor.

Enquanto relatava como ela e Mair haviam procurado comida e abrigo na paisagem devastada da Normandia, Caris especulou se o rei se sentiria criticado ao ouvir a descrição das dificuldades. Mas o rei não parecia pensar que os sofrimentos das pessoas pudessem se refletir nele. Ficou maravilhado com as façanhas das freiras, como se ouvisse alguém falar de sua bravura durante um naufrágio.

Ela terminou com um comentário sobre seu desapontamento ao descobrir, depois de tantas dificuldades, que o bispo Richard, de quem esperava justiça, havia morrido.

– Suplico a Vossa Majestade que ordene que o prior de Kingsbridge devolva o dinheiro que roubou das freiras.

Eduardo sorriu, pesaroso.

– É uma brava mulher, mas não sabe nada sobre política – disse ele, condescendente. – O rei não pode se envolver numa disputa eclesiástica como essa. Teríamos todos os bispos batendo em nossa porta em protesto.

Era bem possível, refletiu Caris, mas isso não impedia o rei de interferir na Igreja quando era conveniente a seus propósitos. Mas não disse nada.

– E seria prejudicial à sua causa – acrescentou Eduardo. – A Igreja ficaria tão indignada que todos os clérigos do país se oporiam à nossa decisão, independentemente de seus méritos.

Pode haver alguma procedência nisso, concluiu Caris. Mas ele não era tão impotente quanto pretendia se mostrar.

– Sei que vai se lembrar das freiras enganadas de Kingsbridge – disse ela. – Quando designar o novo bispo de Kingsbridge, conte, por favor, nossa história.

– Claro – concordou o rei.

No entanto, Caris teve o pressentimento de que ele esqueceria. A entrevista parecia encerrada, mas William disse:

– Majestade, agora que confirmou tão generosamente minha elevação ao condado de meu pai, resta decidir quem será o novo lorde de Caster.

– Ah, sim. Nosso filho, o príncipe de Gales, sugere sir Ralph Fitzgerald, que foi elevado ao grau de cavaleiro ontem, por salvar sua vida.

– Oh, não! – murmurou Caris.

O rei não a ouviu, mas William sim, e obviamente pensava a mesma coisa. Não foi capaz de esconder sua indignação quando disse:

– Ralph era um fora da lei, culpado de numerosos assaltos, assassinatos e estupros, até que obteve um perdão real para se juntar ao exército de Vossa Majestade.

O rei não ficou tão impressionado quanto Caris esperava.

– Mesmo assim, Ralph luta conosco há sete anos – disse ele. – Merece uma segunda oportunidade.

– Tem razão – admitiu William, diplomático. – Mas, por causa dos problemas que tivemos com ele no passado, eu gostaria de vê-lo se assentar pacificamente, por um ou dois anos, antes de ser elevado à nobreza.

– Como será o suserano de Ralph, terá de lidar com ele – concedeu Eduardo. – Não devemos impô-lo contra a sua vontade. Mas o príncipe está ansioso para que ele tenha alguma recompensa.

O rei pensou por longo tempo, para depois acrescentar:

– Você não tem uma prima em condições de se casar?

– Tenho. Seu nome é Matilda. Nós a chamamos de Tilly.

Caris conhecia Tilly. Ela estudava na escola do convento.

– Essa mesma – confirmou Eduardo. – Ela era pupila de Roland, seu pai. Pelo que me lembro, o pai da jovem tinha três aldeias perto de Shiring.

– Vossa Majestade tem boa memória para detalhes.

– Case lady Matilda com Ralph e dê a ele as aldeias que pertenciam ao pai dela.

Caris ficou estarrecida.

– Mas ela só tem 12 anos! – Não conseguiu se conter.

– Cale-se! – ordenou William.

O rei Eduardo fitou-a com uma expressão fria.

– As crianças da nobreza devem crescer depressa, irmã. A rainha Philippa tinha 14 anos quando me casei com ela.

Caris sabia que devia ficar calada, mas não podia. Tilly era apenas quatro anos mais velha do que a filha que ela poderia ter tido, se tivesse dado à luz a criança de Merthin.

– Há uma enorme diferença entre 12 e 14 anos – declarou, desesperada.

O jovem rei se tornou ainda mais frio.

– Na presença real, as pessoas só dão sua opinião quando são convidadas. E o rei quase nunca pede a opinião de mulheres.

Caris compreendeu que tomara o rumo errado. Sua objeção ao casamento não se baseava na idade de Tilly, mas sim no caráter de Ralph.

– Conheço Tilly – disse. – Não pode casá-la com aquele bruto do Ralph.

Mair interveio, com um sussurro assustado:

– Caris! Lembre-se de com quem está falando!

Eduardo olhou para William.

– Tire-a daqui, Shiring, antes que ela diga alguma coisa que não poderá ser ignorada.

William pegou Caris pelo braço e a afastou com firmeza da presença real. Mair foi atrás. Caris ainda ouviu o rei comentar:

– Posso entender agora como ela sobreviveu na Normandia: deve ter deixado os habitantes locais apavorados.

Os nobres ao seu redor caíram na gargalhada.

– Você deve estar louca! – exclamou William.

– É mesmo? – Estavam agora longe dos ouvidos do rei e Caris elevou a voz: – Nas últimas seis semanas, o rei causou a morte de milhares de homens, mulheres e crianças, incendiou suas colheitas, queimou suas casas. E eu tentei salvar uma menina de 12 anos do casamento com um assassino. Qual de nós é louco, lorde William?

51

Os camponeses de Wigleigh tiveram uma péssima colheita no ano de 1347. Os aldeões fizeram o que sempre faziam nessas ocasiões: comeram menos, adiaram a compra de chapéus e cintos e passaram a dormir juntos para aproveitar o calor. A velha viúva Huberts morreu mais cedo do que se esperava; Janey Jones sucumbiu a uma tosse a que poderia ter sobrevivido num ano bom; e o bebê de Joanna David, que poderia de outra forma ter uma chance, não chegou a seu primeiro aniversário.

Gwenda vigiava ansiosa os dois filhos. Sam, de 8 anos, era grande para sua idade e bastante forte: tinha o físico de Wulfric, as pessoas diziam, embora Gwenda soubesse que ele era parecido com o verdadeiro pai, Ralph Fitzgerald. Mesmo assim, Sam estava visivelmente mais magro em dezembro. David, que ganhara o nome do irmão de Wulfric, morto no desabamento da ponte, tinha 6 anos. Parecia-se com Gwenda: era pequeno e moreno. A dieta deficiente o enfraquecera e durante todo o outono ele sofrera com pequenos problemas: um resfriado, depois erupções na pele e por último uma tosse persistente.

Mesmo assim, ela levava os meninos quando ia com Wulfric terminar de semear o trigo de inverno na terra de Perkin. Um vento muito frio soprava pelos campos abertos. Ela largava as sementes nos sulcos; Sam e David corriam atrás, afugentando as aves que queriam pegar o trigo antes que Wulfric cobrisse com terra. Enquanto corriam, pulavam e gritavam, Gwenda se admirava por aqueles dois seres humanos em miniatura, em perfeito funcionamento, terem saído de seu corpo. Os meninos transformavam o esforço de afugentar as aves em alguma espécie de jogo competitivo, deixando Gwenda maravilhada com o milagre de suas imaginações. Antes uma parte dela, podiam agora acalentar pensamentos que ela ignorava por completo.

A lama aderia a seus pés enquanto andavam de um lado para outro. Um córrego de correnteza rápida margeava o campo. Na outra margem ficava o moinho de pisoar que Merthin construíra oito anos antes. O rumor distante das batidas de madeira acompanhava o trabalho da família. O moinho era operado por dois irmãos excêntricos, Jack e Eli – ambos solteiros e sem terras –, e um sobrinho, que era o aprendiz. Eram os únicos aldeões que não haviam sofrido por causa da péssima colheita: Mark Webber lhes pagara os mesmos salários durante todo o inverno.

Foi um dia curto de inverno. Gwenda e sua família terminaram de semear quando o céu cinzento começava a escurecer. O crepúsculo trouxe uma neblina dos bosques distantes. Todos estavam exaustos.

Restava meio saco de sementes e eles decidiram levá-lo de volta à casa de Perkin. Ao se aproximarem, avistaram Perkin vindo da direção oposta. Ele andava ao lado de uma carroça em que viajava a filha Annet. Haviam ido a Kingsbridge para vender as últimas maçãs e peras do ano das árvores de Perkin.

Annet ainda conservava o corpo de menina embora estivesse agora com 28 anos e uma criança. Chamava a atenção para sua juventude por um vestido muito curto e os cabelos desarrumados de uma forma encantadora. Parecia ridícula, pensava Gwenda, uma opinião partilhada por todas as mulheres da cidade, mas por nenhum dos homens.

Gwenda ficou chocada ao ver que a carroça de Perkin continuava cheia de frutas.

– O que aconteceu? – perguntou ela. A expressão de Perkin era sombria.

– As pessoas de Kingsbridge enfrentam um inverno tão difícil quanto o nosso. Não têm dinheiro para comprar maçãs. Teremos de fazer sidra com todo este carregamento.

O que era lamentável. Gwenda nunca soubera de Perkin voltar do mercado com tantos produtos por vender.

Annet parecia despreocupada. Estendeu a mão para Wulfric, que a ajudou a descer da carroça. Ao pisar no chão, ela tropeçou e caiu sobre ele, pondo a mão em seu peito.

– Epa! – exclamou Annet. Ela sorriu ao recuperar o equilíbrio. Wulfric corou de satisfação. Seu idiota cego, pensou Gwenda.

Todos entraram. Perkin se sentou à mesa. Sua mulher, Peg, serviu-lhe uma tigela de potagem. Ele cortou uma grossa fatia de pão. Peg serviu a própria família em seguida: Annet, o marido Billy Howard, o irmão de Annet, Rob, e a mulher de Rob. Deu um pouco para a filha de 4 anos de Annet, Amabel, e para os dois filhos pequenos de Rob. Depois convidou Wulfric e sua família a se sentarem.

Gwenda tomou a potagem com a maior voracidade. Era mais espessa do que a potagem que ela fazia. Peg serviu pão dormido, enquanto na casa de Gwenda o pão nunca durava o suficiente para ficar dormido. A família de Perkin tomou cerveja, mas nenhuma foi oferecida a Gwenda e Wulfric: a hospitalidade não ia muito longe em tempos difíceis.

Perkin era jovial com os fregueses, mas, afora isso, era um homem azedo; por esse motivo, o ambiente em sua casa era sempre mais ou menos melancólico. Ele falou em tom desanimado sobre o mercado em Kingsbridge. A maioria dos comerciantes tivera um péssimo dia. Os únicos que ainda faziam negócios eram os que vendiam produtos essenciais, como trigo, carne e sal. Ninguém estava comprando o Escarlate de Kingsbridge, o tecido agora famoso.

Peg acendeu um lampião. Gwenda queria ir para casa, mas ela e Wulfric esperavam pelos salários. Os meninos começaram a se comportar mal, correndo de um lado para outro, esbarrando nos adultos.

– Está na hora de levá-los para a cama – disse Gwenda, embora não fosse o caso.

Wulfric finalmente disse:

– Se pagar nossos salários, Perkin, poderemos ir embora.

– Não tenho dinheiro – anunciou Perkin.

Gwenda ficou estupefata. Perkin nunca dissera isso nos nove anos em que ela e Wulfric trabalhavam em suas terras.

– Temos de receber nossos salários – insistiu Wulfric. – Precisamos comer.

– Vocês têm alguma potagem, não é? – disse Perkin.

– Trabalhamos por dinheiro, não por potagem! – exclamou Gwenda, indignada.

– Mas acontece que não tenho dinheiro – reiterou Perkin. – Fui ao mercado para vender minhas maçãs, mas ninguém comprou. Agora, temos mais maçãs do que podemos comer, mas nenhum dinheiro.

Gwenda estava tão chocada que não sabia o que dizer. Nunca lhe ocorrera que Perkin pudesse deixar de pagar seus salários. E sentiu uma pontada de medo ao compreender que não havia nada que ela pudesse fazer. Wulfric disse, bem devagar:

– O que podemos fazer? Voltar a Longfield para tirar as sementes da terra?

– Ficarei devendo os salários desta semana – declarou Perkin. – Pagarei assim que as coisas melhorarem.

– E na próxima semana?

– Também não terei dinheiro na próxima semana... de onde você pensa que o dinheiro poderia vir?

– Vamos falar com Mark Webber – interveio Gwenda. – Talvez ele possa nos contratar no moinho de pisoar.

Perkin balançou a cabeça.

– Falei com ele ontem, em Kingsbridge, e perguntei se podia contratá-los. Ele disse que não. Não está vendendo bastante tecido. Continuará a empregar Jack, Eli e o garoto e a estocar o tecido, até o comércio se recuperar. Mas não pode contratar nenhum empregado extra.

Wulfric estava atordoado.

– Como vamos viver? Como você poderá ter a aradura da primavera?

– Podem trabalhar por comida – sugeriu Perkin.

Wulfric olhou para Gwenda. Ela reprimiu uma resposta sarcástica. Sua família se encontrava numa situação crítica e aquele não era o momento de hostilizar ninguém. Pensou depressa. Não tinham muita opção: comer ou passar fome.

– Trabalharemos por comida e você ficará nos devendo o dinheiro – declarou Gwenda.

Perkin balançou a cabeça.

– O que está sugerindo pode ser justo...

– É justo.

– Está bem, é justo, mas mesmo assim não posso concordar. Não sei quando terei dinheiro. Poderia estar devendo 1 libra na semana de Pentecostes. Podem trabalhar por comida ou não trabalhar.

– Terá de alimentar nós quatro.

– Está certo.

– Mas apenas Wulfric vai trabalhar.

– Não sei...

– Uma família quer mais do que comida. Crianças precisam de roupas. Um homem deve ter botas. Se não pode me pagar, terei de encontrar alguma outra maneira de conseguir essas coisas.

– Como?

– Não sei. – Gwenda fez uma pausa. A verdade era que não tinha a menor ideia. Fez um esforço para reprimir o pânico. – Posso perguntar a meu pai como ele consegue.

Peg interveio:

– Eu não faria isso, se fosse você... Joby lhe dirá para roubar.

Gwenda ficou irritada. Que direito Peg tinha de assumir aquela atitude arrogante? Joby nunca empregara pessoas para depois dizer no fim da semana que não tinha dinheiro para pagar. Mas ela mordeu a língua e comentou apenas:

– Ele me alimentou ao longo de dezoito invernos, embora no final tenha me vendido para bandidos.

Peg balançou a cabeça e começou abruptamente a recolher as tigelas da mesa.

– Vamos embora – disse Wulfric.

Gwenda não se mexeu. Qualquer vantagem que pudesse obter tinha de ser conquistada agora. Depois que saíssem daquela casa, Perkin consideraria que fora feito um acordo que não poderia ser renegociado. Ela pensou por um momento. Recordou como Peg servira cerveja apenas para a própria família e declarou:

– Não vão nos enganar com peixe do dia anterior e cerveja aguada. Devemos comer exatamente a mesma coisa que você e sua família... carne, pão, cerveja, qualquer outra coisa que seja servida.

Peg deixou escapar um grunhido de desaprovação. Ao que parecia, planejava fazer o que Gwenda temia.

– Isto é, se quiser que Wulfric faça o mesmo trabalho que você e Rob – acrescentou Gwenda.

Todos sabiam muito bem que Wulfric fazia mais trabalho do que Rob e duas vezes mais do que Perkin.

– Está bem – concordou Perkin.

– E isso é estritamente um acordo de emergência. Assim que você tiver dinheiro, terá de nos pagar de novo, ao preço antigo... 1 *penny* por dia para cada um.

– Certo.

Houve um breve momento de silêncio.

– Isso é tudo? – perguntou Wulfric.

– Acho que sim – respondeu Gwenda. – Você e Perkin devem trocar um aperto de mãos para fechar o acordo.

Foi o que eles fizeram.

Gwenda e Wulfric se retiraram, levando os meninos. A escuridão era completa agora. Nuvens escondiam as estrelas e eles tinham de se orientar apenas pelas réstias de luz que passavam pelas portas e janelas fechadas das casas. Por sorte, já haviam percorrido mil vezes o caminho entre a casa de Perkin e a deles.

Wulfric acendeu o lampião e preparou o fogo na lareira, enquanto Gwenda punha os meninos para dormir. Embora houvesse quartos em cima – ainda viviam na casa grande que fora ocupada pelos pais de Wulfric –, todos dormiam na cozinha por causa do calor.

Gwenda estava deprimida ao envolver os filhos com cobertores e acomodá-los perto do fogo. Crescera com a determinação de não viver como a mãe, em constante preocupação e necessidade. Sonhara com a independência: uma terra para cultivar, um marido trabalhador, um senhor razoável. Wulfric ansiava por voltar à terra que seu pai cultivara. Mas os dois haviam fracassado em todas essas aspirações. Ela era pobre e o marido, um trabalhador sem terra, cujo empregador não podia sequer pagar 1 *penny* por dia. Acabara exatamente como a mãe, pensou Gwenda, amargurada demais para chorar.

Wulfric pegou uma botija de barro numa prateleira e despejou cerveja num copo de madeira.

– Trate de aproveitar – disse Gwenda, amarga. – Não poderá comprar cerveja por algum tempo.

– É espantoso que Perkin não tenha dinheiro – comentou Wulfric. – Ele é o homem mais rico da aldeia, depois de Nathan Reeve.

– Perkin tem dinheiro – garantiu Gwenda. – Há um pote cheio de *pence* de prata por baixo da lareira. Eu já vi.

– Então por que ele não quer nos pagar?

– Não quer tirar dinheiro de suas economias.

Wulfric pareceu confuso.

– Mas ele poderia nos pagar, se quisesse?

– Claro.

– Então por que tenho de trabalhar por comida?

Gwenda deixou escapar um resmungo impaciente. Wulfric era lento para compreender as coisas.

– Porque a alternativa era não ter qualquer trabalho.

Wulfric sentia que haviam sido enganados.

– Devíamos ter insistido no pagamento.

– Por que você não fez isso?

– Não sabia do pote com *pence* debaixo da lareira.

– Pelo amor de Deus! Acha que um homem tão rico quanto Perkin poderia ficar pobre porque não conseguiu vender as maçãs de uma carroça? Ele cultiva mais terras do que qualquer outro em Wigleigh desde que ficou com as terras que eram de seu pai, há dez anos. É claro que ele tem economias!

– Percebo isso agora.

Gwenda ficou olhando para o fogo enquanto o marido terminava de tomar a cerveja. Wulfric a abraçou e ela encostou a cabeça em seu peito. Mas não queria fazer amor. Estava furiosa demais. Disse a si mesma que não deveria descarregar no marido: fora Perkin quem os deixara em situação difícil, não Wulfric. Mas ela também estava com raiva de Wulfric. Enquanto o sentia mergulhar no sono, compreendeu que a irritação não era pelos salários. Era o tipo de infortúnio que afligia a todos de vez em quando, como o mau tempo e o mofo da cevada.

O que era então?

E ela lembrou a maneira como Annet caíra sobre Wulfric ao descer da carroça. Pensou no sorriso coquete de Annet e no rubor de satisfação de Wulfric, e teve vontade de esbofeteá-lo. Estou zangada com você, pensou, porque aquela idiota imprestável e de cabeça vazia ainda pode fazê-lo bancar o idiota.

～

No domingo antes do Natal foi realizada uma sessão do tribunal da aldeia na igreja, depois da missa. Fazia frio e os aldeões se agasalhavam com mantas e cobertores. Nathan Reeve a presidia. O senhor do solar, Ralph Fitzgerald, não aparecia em Wigleigh há anos. Melhor assim, pensou Gwenda. Além do mais, ele era sir Ralph agora, com três outras aldeias em seu feudo. Por isso, não tinha muito interesse por parelhas de bois e pastos para as vacas.

Alfred Shorthouse morrera essa semana. Era um viúvo sem filhos, com 10 acres.

– Ele não tem herdeiros naturais – declarou Nate Reeve. – Perkin deseja assumir sua terra.

Gwenda ficou surpresa. Como Perkin podia pensar em assumir mais terra? O espanto foi tão grande que ela demorou a reagir. Aaron Appletree, o tocador de gaita de foles, foi o primeiro a falar:

– Alfred tinha problemas de saúde desde o verão. Não arou o solo no outono e não semeou o trigo do inverno. Todo esse trabalho terá de ser feito agora. Perkin ficará com as mãos cheias.

– Está pedindo a terra? – perguntou Nate, agressivo.

Aaron balançou a cabeça.

– Se fosse daqui a alguns anos, com meus filhos já crescidos para ajudar, eu não perderia essa oportunidade. Mas agora não teria condições de cuidar da terra sozinho.

– Eu posso cuidar – garantiu Perkin.

Gwenda franziu o rosto. Era evidente que Nate queria que Perkin ficasse com a terra. Sem dúvida lhe fora prometido um suborno. Ela sabia o tempo todo que Perkin tinha dinheiro. Mas tinha pouco interesse em denunciar a falsidade dele. Queria apenas encontrar uma maneira de aproveitar aquela situação e tirar sua família da pobreza.

– Você pode contratar outro trabalhador, Perkin – sugeriu Nate.

– Espere um instante – interveio Gwenda. – Perkin não pode pagar os trabalhadores que tem agora. Como poderia cuidar de mais terra?

Perkin foi pego de surpresa, mas não podia desmentir o que Gwenda dissera. Por isso, preferiu se calar.

– Quem mais poderia cuidar da terra? – indagou Nate.

Gwenda apressou-se em declarar:

– Nós poderíamos.

Nate ficou surpreso. Ela acrescentou:

– Wulfric está trabalhando por comida. Eu não tenho trabalho. Precisamos de terra.

Gwenda notou que várias cabeças acenavam em concordância. Ninguém na aldeia gostara do que Perkin fizera. Todos temiam que um dia pudessem acabar na mesma situação. Nate percebeu o perigo de seu plano ser frustrado.

– Vocês não têm condições de pagar a taxa de transferência.

– Pagaremos um pouco de cada vez.

Nate balançou a cabeça.

– Quero alguém que possa pagar imediatamente.

Correu os olhos pelos aldeões reunidos. Ninguém se apresentou como voluntário.

– David Johns?

David era um homem de meia-idade cujos filhos tinham suas próprias terras.

– Eu diria sim no ano passado. Mas a chuva na época da colheita me derrubou.

A oferta de 10 acres extras teria provocado, em circunstâncias normais, uma acirrada disputa entre os aldeões mais ambiciosos. Mas fora um péssimo ano. A situação de Gwenda e Wulfric era diferente. Por um lado, Wulfric nunca deixara de ansiar por sua própria terra. Os acres de Alfred não eram um direito de herança de Wulfric, mas eram melhores do que nada. De qualquer forma, Gwenda e Wulfric estavam desesperados.

– Dê a terra para Wulfric, Nate – disse Aaron Appletree. – Ele é um bom trabalhador e vai arar tudo num instante. E ele e a esposa merecem um pouco de sorte... já tiveram mais do deviam de seu quinhão de azar.

Nate parecia contrariado, mas se elevou um burburinho de concordância dos camponeses. Wulfric e Gwenda eram muito respeitados, apesar de sua pobreza.

Aquela era uma combinação excepcional de circunstâncias que poderiam levar Gwenda e sua família a enveredarem pela estrada para uma vida melhor. Ela sentia uma crescente excitação, pois isso começava a parecer possível. Nate, no entanto, ainda tinha restrições:

– Sir Ralph odeia Wulfric.

Wulfric levou a mão ao rosto, tocando na cicatriz deixada pela espada de Ralph.

– Sei disso – respondeu Gwenda. – Mas Ralph não está aqui.

52

Quando o conde Roland morreu, um dia depois da batalha de Crécy, várias pessoas subiram um degrau na escada. Seu filho mais velho, William, tornou-se o conde, suserano do condado de Shiring, tendo apenas o rei acima dele. Um primo de William, sir Edward Courthose, tornou-se lorde de Caster e assumiu o controle de quarenta aldeias daquele feudo, como vassalo do conde, mudando-se para a antiga casa de William e Philippa em Casterham. E sir Ralph Fitzgerald se tornou lorde de Tench.

Nos dezoito meses seguintes, nenhum deles foi para casa. Todos estiveram ocupados, a viajar com o rei e matar franceses. Até que em 1347 a guerra chegou a um impasse. Os ingleses capturaram e mantiveram a preciosa cidade portuária de Calais, mas, afora isso, havia pouco a mostrar após dez anos de guerra... exceto, é claro, uma grande quantidade de despojos: o butim de guerra.

Em janeiro de 1349, Ralph tomou posse de sua nova propriedade. Tench era uma aldeia grande, com uma centena de famílias de camponeses. Ele tinha também duas aldeias menores nas proximidades, além de conservar Wigleigh, que ficava a distância de meio dia de viagem.

Ralph experimentou uma intensa emoção de orgulho ao cavalgar cruzando Tench. Aguardara ansioso por aquele momento. Os servos se curvaram em reverência e as crianças ficaram olhando, impressionadas. Era o senhor de todas as pessoas ali, o proprietário de todas as coisas.

A casa ficava num conjunto de construções cercado por uma muralha. Ralph seguiu na frente, acompanhado por uma carroça repleta de despojos franceses. Ele percebeu logo que as muralhas há muito não eram reparadas. Perguntou-se se não deveria restaurá-las. Os burgueses da Normandia haviam negligenciado suas defesas, de modo geral, e isso permitira que Eduardo III os derrotasse com relativa facilidade. Por outro lado, a probabilidade de uma invasão do Sul da Inglaterra era agora muito pequena. No início da guerra, a maior parte da frota francesa fora destruída no porto de Sluys. Depois disso, os ingleses passaram a controlar o Canal da Mancha, que separava os dois países. A não ser por pequenos ataques de corsários, todas as batalhas desde Sluys haviam sido travadas em solo francês. Em suma, parecia que não valia a pena reconstruir aquelas muralhas.

Vários cavalariços se adiantaram para cuidar dos animais. Ralph deixou Alan Fernhill supervisionando a descarga e se encaminhou para sua nova casa. Claudicava ao andar: a perna ferida sempre doía depois de longas horas a cavalo. Tench Hall era um solar de pedra. Era impressionante, notou Ralph com satisfação, embora precisasse de reparos... o que não era de surpreender, pois permanecera desocupado desde a morte do pai de lady Matilda. Mas tinha um projeto moderno. Nas casas mais antigas, os aposentos privados do senhor eram insignificantes, quase uma extensão do vasto salão, que era a coisa mais importante. Mas Ralph percebeu, pelo lado de fora, que ali os aposentos domésticos ocupavam a metade do prédio.

Entrou no grande salão e ficou irritado ao deparar com o conde William. Na outra extremidade do salão havia uma cadeira grande, feita de madeira escura, toda esculpida, com símbolos de poder: anjos e leões no encosto e nos braços, cobras e monstros nas pernas. Era obviamente a cadeira do senhor do solar. Mas William estava sentado nela.

Grande parte do prazer de Ralph evaporou. Não podia desfrutar o domínio de seu novo solar sob o olhar atento de seu suserano. Seria como ir para a cama com uma mulher enquanto o marido escutava do outro lado da porta.

Mas disfarçou sua insatisfação e cumprimentou formalmente o conde William. O conde apresentou o homem de pé ao seu lado.

– Este é Daniel, que é o bailio aqui há vinte anos e tem feito um bom trabalho, por conta de meu pai, durante a menoridade de Tilly.

Ralph observou o bailio com alguma frieza. A mensagem de William era clara: queria que Ralph deixasse Daniel continuar no cargo. Mas Daniel fora um homem do conde Roland e agora seria um homem do conde William. Ralph não tinha a menor intenção de permitir que seu domínio fosse administrado por um homem do conde. Seu bailio tinha de ser leal apenas a ele.

William esperou que Ralph dissesse alguma coisa sobre Daniel. Ralph, no entanto, não pretendia entrar nessa discussão. Dez anos antes teria reagido com veemência, mas aprendera muita coisa durante o tempo que passara com o rei. Não era obrigado a pedir a aprovação do seu conde para a escolha do bailio, por isso não a pediria. Não diria nada até William ir embora e depois comunicaria a Daniel que lhe seriam atribuídas outras funções.

Tanto William quanto Ralph permaneceram num silêncio obstinado por algum tempo, até que o impasse foi rompido. A porta no lado doméstico do salão foi aberta e lady Philippa entrou, alta e elegante. Fazia muitos anos que Ralph não a via, mas sua paixão juvenil voltou no mesmo instante, com um choque que parecia um golpe violento, deixando-o sem fôlego. Ela estava mais velha – beirando os 40 anos, calculou Ralph –, mas continuava exuberante. Talvez um pouco mais corpulenta do que ele lembrava, os quadris mais arredondados, os seios mais cheios, mas tudo isso contribuía para aumentar ainda mais sua fascinação. Ainda andava como uma rainha. Como sempre, sua presença fez com que Ralph se perguntasse, ressentido, por que não podia ter uma esposa assim.

No passado, Philippa mal se dignava a reconhecer sua presença, mas hoje ela sorriu, apertou sua mão e disse:

– Já conversou com Daniel?

Ela também queria que Ralph mantivesse o homem de confiança do conde... e era por isso que se mostrava tão cortês. Mais razão ainda para se livrar do homem, pensou Ralph com secreta satisfação.

– Acabei de chegar – informou ele, não querendo se comprometer.

– Queríamos estar presentes quando você conhecesse a jovem Tilly, ela é parte de nossa família – assim Philippa explicou o motivo da presença deles.

Ralph ordenara às freiras do priorado de Kingsbridge que levassem sua noiva para Tench, para encontrá-lo ali hoje. Intrometidas, elas deviam ter comunicado tudo ao conde.

– Lady Matilda estava sob a guarda do conde Roland, que sua alma descanse em paz – ressaltou Ralph, enfatizando que a tutela acabara com a morte de Roland.

– É verdade... e eu esperava que o rei transferisse a tutela para meu marido, como herdeiro de Roland.

Era evidente que Philippa teria preferido isso.

– Mas ele não o fez – lembrou Ralph. – E a entregou a mim em casamento.

Embora a cerimônia ainda não tivesse ocorrido, a jovem passara à responsabilidade de Ralph. Em termos estritos, William e Philippa não tinham por que estar ali hoje, como se desempenhassem o papel de pais de Tilly. Mas William era suserano de Ralph e, assim, podia visitá-lo sempre que quisesse.

Ralph não queria discutir com William. Era muito fácil para William tornar difícil a sua vida. Por outro lado, o conde exorbitava de sua autoridade ali, provavelmente pressionado por Philippa. Mas Ralph não se deixaria intimidar. Os últimos sete anos lhe haviam dado a confiança necessária para defender a independência a que tinha direito.

De qualquer forma, ele estava gostando do duelo verbal com Philippa, pois lhe oferecia a oportunidade de contemplá-la. Ele concentrou sua atenção na linha determinada do queixo e nos lábios cheios. Apesar de sua altivez, Philippa era obrigada a fitá-lo. E aquela seria a conversa mais longa que já tivera com Ralph.

– Tilly é muito jovem – comentou ela.

– Fará 14 anos este ano – respondeu Ralph. – Era a idade que nossa rainha tinha quando se casou com nosso rei... como o próprio rei fez questão de lembrar, a mim e ao conde William, depois da batalha de Crécy.

– O momento seguinte a uma batalha não é necessariamente a melhor ocasião para decidir o destino de uma jovem – murmurou lady Philippa.

Ralph não podia deixar isso passar sem uma resposta:

– A meu ver, tenho a obrigação de cumprir as decisões de Sua Majestade.

– Como todos nós – garantiu ela.

Ralph sentiu que a vencera. Foi uma sensação sexual, quase como se a tivesse levado para a cama. Satisfeito, ele se virou para Daniel.

– Minha futura esposa deve chegar a tempo de jantar. Providencie um banquete.

– Já cuidei disso – anunciou Philippa.

Ralph virou lentamente a cabeça até que seus olhos se encontraram com os dela. Philippa ultrapassara os limites da cortesia ao entrar em sua cozinha e dar ordens. Ela compreendia isso e ficou vermelha.

– Não sabia a que horas você chegaria.

Ralph não disse nada. Philippa não pediria desculpa, mas ele ficou contente por tê-la forçado a se explicar – um constrangimento para uma mulher tão orgulhosa.

Por um breve momento se ouviu o barulho de cavalos lá fora. Os pais de Ralph entraram no salão. Ele não os via havia alguns anos e se adiantou para abraçá-los.

Os dois estavam na casa dos 50 anos, mas a mãe parecia ter envelhecido mais depressa. Os cabelos estavam brancos e o rosto ficara enrugado. Estava um pouco encurvada, como as mulheres idosas. O pai parecia mais vigoroso. Era em parte pela excitação do momento: tinha o rosto vermelho de orgulho e apertou a mão de Ralph como se estivesse bombeando água de um poço. Mas não havia fios brancos em sua barba ruiva e o corpo esguio ainda era empertigado. Os dois usavam roupas novas, adquiridas com o dinheiro que Ralph mandara. Sir Gerald exibia um pesado casaco de lã, enquanto lady Maud ostentava um manto de pele.

Ralph estalou os dedos para Daniel.

– Traga vinho.

Por um instante, o bailio deu a impressão de que iria protestar por ser tratado como um criado, mas depois engoliu o orgulho e seguiu apressado para a cozinha.

– Conde William, lady Philippa, quero apresentar meu pai, sir Gerald, e minha mãe, lady Maud.

Ele receava que William e Philippa menosprezassem seus pais, mas os dois os cumprimentaram com a devida cortesia.

– Fui companheiro de armas de seu pai – comentou Gerald com o conde –, que sua alma descanse em paz. Para ser franco, conde William, eu o conheci quando era menino, embora não deva se lembrar de mim.

Ralph desejou que o pai não chamasse a atenção para seu passado glorioso. Só servia para enfatizar quanto ele caíra. Mas William pareceu não notar.

– Acho que me lembro. – Era provável que ele estivesse apenas sendo gentil, mas Gerald ficou satisfeito. – Pelo que me recordo, parecia um gigante com mais de 2 metros de altura.

Gerald, que era baixo, riu deliciado. Maud correu os olhos ao redor e comentou:

– É uma boa casa, Ralph.

– Quero decorá-la com todos os tesouros que trouxe da França. Mas ainda não tive tempo, pois acabei de chegar.

Uma garota da cozinha trouxe vinho e taças numa bandeja. Todos beberam. O vinho era um excelente Bordeaux, Ralph notou, claro e doce. Tinha de dar um crédito a Daniel por manter a casa bem abastecida, pensou ele a princípio, mas depois refletiu que durante muitos anos não houvera ninguém ali para tomar vinho... exceto Daniel, é claro.

– Alguma notícia de meu irmão Merthin? – perguntou à mãe.

– Ele está ótimo – respondeu Maud, orgulhosa. – Casado, com uma filha e rico. Está construindo um palácio para a família de Buonaventura Caroli.

– Mas ainda não o fizeram *conte*, não é mesmo?

Ralph fingiu estar gracejando, mas queria ressaltar que Merthin, apesar de todo o seu sucesso, não obtivera um título de nobreza e que era ele, Ralph, quem realizava as esperanças do pai ao levar a família de volta à nobreza.

– Ainda não – disse o pai, jovial.

Era como se ele pensasse que havia uma possibilidade concreta de Merthin se tornar um conde italiano, o que deixou Ralph irritado, mas apenas por um momento.

– Podemos ver nossos aposentos? – perguntou-lhe a mãe.

Ralph hesitou. O que ela estava querendo dizer com "nossos aposentos"? Aflorou à sua mente o pensamento terrível de que os pais podiam estar pensando que morariam ali. Era uma coisa que Ralph não podia admitir: eles seriam um lembrete constante dos anos de vergonha da família. Além do mais, a presença dos pais seria um estorvo para seu estilo de vida. Por outro lado, ele compreendeu então, também seria vergonhoso para um nobre deixar que os pais continuassem a morar numa casa de um único cômodo, como pensionistas de um priorado. Teria de pensar mais a respeito. Por ora, disse apenas:

– Ainda não tive a oportunidade de ver nem mesmo meus aposentos pessoais. Espero que possam ficar confortáveis por algumas noites.

– Algumas noites? – repetiu a mãe. – Vai nos mandar de volta para a choupana em Kingsbridge?

Ralph ficou mortificado pelo fato de a mãe tratar desse assunto na presença de William e Philippa.

– Acho que não há espaço para vocês morarem aqui.

– Como sabe, se ainda não viu os aposentos?

Daniel interveio:

– Um aldeão de Wigleigh está aqui, sir Ralph... o nome é Perkin. Quer apresentar seus respeitos e discutir um problema urgente.

Em circunstâncias normais, Ralph teria repreendido o homem por se intrometer na conversa, mas naquele momento sentiu-se grato pela mudança de assunto.

– Dê uma olhada nos aposentos enquanto eu converso com esse camponês.

William e Philippa saíram com seus pais para inspecionar os aposentos domésticos. Daniel conduziu Perkin até a mesa. Perkin se mostrou subserviente como sempre.

– É um prazer vê-lo inteiro, são e salvo, depois das guerras francesas, milorde.

Ralph olhou para sua mão esquerda, onde faltavam três dedos.

– Quase inteiro.

– Todos os habitantes de Wigleigh lamentam seus ferimentos, milorde, mas estão felizes com as recompensas! Um título de cavaleiro, mais três aldeias... e lady Matilda em casamento!

– Obrigado pelas felicitações, mas qual é o assunto urgente que o trouxe até aqui?

– Não levarei muito tempo para explicar, milorde. Alfred Shorthouse morreu sem deixar um herdeiro natural para seus 10 acres. Ofereci-me para ficar com a terra, embora os tempos sejam difíceis, depois das tempestades em agosto...

– O tempo não importa.

– Tem toda a razão. Para resumir, Nathan Reeve tomou uma decisão que acho que milorde não aprovaria.

Ralph estava impaciente. Não queria saber que camponês cultivaria os 10 acres de Alfred.

– O que Nathan decidiu...

– Ele entregou a terra a Wulfric.

– Ahn...

– Alguns aldeões disseram que Wulfric merecia, já que ele não tinha terra. Mas Wulfric não pode pagar toda a taxa de transferência, e de qualquer maneira...

– Não precisa me convencer – interrompeu-o Ralph. – Não permitirei que aquele desordeiro ocupe qualquer terra em meu território.

– Obrigado, milorde. Posso dizer a Nathan Reeve que deseja que eu fique com os 10 acres?

– Claro. – Ralph viu o conde e a condessa voltarem dos aposentos particulares, com seus pais a reboque. – Irei até lá para confirmar pessoalmente dentro das próximas duas semanas. – Depois dispensou Perkin com um gesto da mão.

E foi nesse momento que lady Matilda chegou. Ela entrou no salão com uma freira de cada lado. Uma delas era a antiga namorada de Merthin, Caris, que tentara dizer ao rei que Tilly era jovem demais para se casar. Do outro lado estava a freira que viajara com Caris até Crécy, uma mulher com rosto de anjo cujo nome Ralph não sabia. Por trás delas, presumivelmente servindo como guarda-costas, vinha o monge de um braço só que capturara Ralph com tanta astúcia nove anos antes, o irmão Thomas.

E no meio vinha Tilly. Ralph percebeu no mesmo instante por que as freiras queriam protegê-la do casamento. Seu rosto exibia uma expressão de inocência infantil. Tinha sardas no nariz e uma espaço entre os dois dentes da frente. Olhou ao redor, assustada. Caris realçara a aparência infantil ao vesti-la com um hábito branco de freira e uma touca simples. Mas o tecido não era suficiente para ocultar as curvas de mulher por baixo. Era evidente que Caris queria demonstrar que Tilly era jovem demais para a vida conjugal. O efeito sobre Ralph foi o oposto do pretendido.

Uma das coisas que Ralph aprendera a serviço do rei era que, em muitas situações, um homem podia assumir o comando se falasse primeiro. Então disse alto:

– Venha até aqui, Tilly.

A garota se adiantou. Sua escolta hesitou, mas permaneceu onde estava.

– Sou seu marido, Tilly. Meu nome é sir Ralph Fitzgerald, lorde de Tench.

– Prazer em conhecê-lo, senhor. – Ela parecia apavorada.

– Esta é a sua casa agora, como foi no tempo em que era pequena e seu pai era o senhor aqui. É agora a lady de Tench, como sua mãe também foi. Está feliz em voltar para a casa de sua família?

– Estou, milorde.

A garota parecia qualquer coisa, menos feliz.

– Tenho certeza de que as freiras lhe disseram que deve ser uma esposa obediente e fazer tudo o que puder para agradar seu marido, que é seu amo e senhor.

– Claro, milorde.

– E aqui estão meu pai e minha mãe, que agora são seus pais também.

Ela fez uma pequena reverência para Gerald e Maud.

– Chegue mais perto – continuou Ralph.

Ele estendeu as mãos. Num impulso automático, Tilly também estendeu as mãos, mas depois viu a mão esquerda mutilada. Soltou um gemido de repulsa e recuou.

Uma imprecação furiosa aflorou aos lábios de Ralph, mas ele a reprimiu. Com alguma dificuldade, forçou-se a falar em tom descontraído:

– Não precisa ter medo de minha mão ferida. Deveria se orgulhar. Perdi os dedos a serviço do rei.

Manteve os braços estendidos, em expectativa. Com esforço, ela pegou suas mãos.

– Agora pode me beijar, Tilly.

Ralph estava sentado, a garota de pé diante dele. Ela se inclinou, oferecendo o rosto. Ele pôs a mão atrás de sua cabeça e virou seu rosto para beijá-la nos lábios. Sentiu a incerteza e adivinhou que Tilly nunca fora beijada por um homem antes. Deixou que o beijo se prolongasse, em parte porque era muito doce, em parte para enfurecer as pessoas que observavam. Depois, com lenta deliberação, acariciou os seios da garota com a mão boa. Eram cheios e redondos. Não era mais uma criança. Ralph a soltou e deixou escapar um suspiro de satisfação.

– Devemos nos casar logo. – Ele olhou para Caris, que reprimia a raiva com evidente dificuldade. – Na catedral de Kingsbridge, daqui a quatro semanas a contar do domingo.

Virou-se para Philippa, mas se dirigiu a William:

– Como estamos nos casando por desejo expresso de Sua Majestade, o rei Eduardo, eu me sentiria honrado se comparecesse, conde William.

William assentiu de leve com a cabeça. Caris falou pela primeira vez:

– Sir Ralph, o prior de Kingsbridge envia saudações e manda dizer que se sentirá honrado em celebrar a cerimônia, a menos, é claro, que o novo bispo deseje fazê-lo.

Ralph concordou, generoso, com um aceno de cabeça. Logo Caris acrescentou:

– Mas todas as pessoas que tomaram conta desta criança acham que ela ainda é jovem demais para manter relações conjugais com o marido.

– Eu concordo – declarou Philippa.

– Sabe, filho – comentou Gerald –, esperei anos para me casar com sua mãe.

Ralph não queria ouvir essa história de novo.

– Ao contrário de você, pai, recebi uma ordem do rei para me casar com lady Matilda.

– Talvez devesse esperar, filho – disse a mãe.

– Já esperei mais de um ano! Ela tinha 12 anos quando o rei decidiu o casamento.

– Case-se com a criança com a devida cerimônia – interveio Caris –, mas depois a deixe voltar ao convento por mais um ano. Espere que ela desenvolva toda a sua feminilidade antes de trazê-la para casa.

Ralph soltou uma risada desdenhosa.

– Posso estar morto daqui a um ano, ainda mais se o rei decidir voltar à França. Antes disso, os Fitzgeralds precisam de um herdeiro.

– Ela é uma criança...

Ralph interrompeu Caris, elevando a voz:

– Não, não é uma criança... olhem só para ela! Esse estúpido hábito de freira não pode disfarçar seus seios.

– Uma criança gorda...

– Ela já tem pelos de mulher? – perguntou Ralph.

Tilly soltou um grito de espanto diante da franqueza grosseira, as faces vermelhas de vergonha. Caris hesitou.

– Talvez minha mãe deva examiná-la por mim e depois me informar – sugeriu Ralph.

Caris balançou a cabeça.

– Isto não será necessário. Tilly tem pelos onde uma mulher tem e uma criança não tem.

– Eu sabia disso. Já vi... – Ralph parou de falar, pois não queria que todos ali soubessem em que circunstâncias ele vira os corpos nus de garotas da idade de Tilly. Apressou-se em corrigir, evitando os olhos da mãe: – Adivinhei, por seu corpo.

Um tom suplicante, raramente ouvido, insinuou-se na voz de Caris:

– Mas ela ainda é uma criança em sua mente, Ralph.

Não me importo com sua mente, pensou Ralph. Mas não disse isso.

– Ela tem quatro semanas para aprender o que não sabe. – Ele lançou um olhar sugestivo para Caris. – Tenho certeza de que você pode lhe ensinar tudo.

Caris corou. As freiras nada deviam saber sobre intimidade conjugal, mas ela fora namorada do irmão de Ralph.

– Talvez um acordo... – disse a mãe.

– Você não compreende, não é, mãe? – indagou Ralph, interrompendo-a com rudeza. – Ninguém está preocupado com a idade dela. Se eu fosse me casar com a filha de um açougueiro de Kingsbridge, ninguém se importaria se ela tivesse 9 anos. Não percebe que as objeções são apenas porque Tilly teve um nascimento nobre? Eles acham que são superiores a nós!

Ele sabia que estava gritando, e pôde perceber as expressões espantadas de todos os presentes, mas não se importava.

– Não querem que uma prima do conde de Shiring se case com o filho de um cavaleiro empobrecido. E tentam adiar, na esperança de que Eduardo morra em batalha antes que o casamento seja consumado. – Ralph limpou a boca e prosseguiu: – Mas este filho de um cavaleiro empobrecido lutou na batalha de Crécy e salvou a vida do príncipe de Gales. E é isso que importa para o rei.

Fez uma pausa enquanto os fitava um a um: o altivo William, a desdenhosa Philippa, a furiosa Caris e seus pais atônitos.

– Portanto, é melhor aceitarem os fatos. Ralph Fitzgerald é um cavaleiro e um lorde, um companheiro de armas do rei. E vai se casar com lady Matilda, a prima do conde, quer vocês gostem ou não!

Por um bom tempo reinou no salão um silêncio chocado.

Até que, por fim, Ralph se voltou para Daniel.

– Pode servir o jantar agora.

53

Na primavera de 1348, Merthin despertou de um pesadelo que não conseguia lembrar direito. Estava assustado e fraco. Abriu os olhos para um quarto iluminado por feixes brilhantes de luz do sol que atravessavam as venezianas semiabertas. Avistou um teto alto, paredes brancas, ladrilhos vermelhos. O ar era ameno. A realidade voltou lentamente. Era seu quarto, sua casa, Florença. Estivera doente.

A doença foi a primeira coisa que recordou. Começara com erupções na pele, manchas púrpura escuras no peito, depois nos braços, por toda parte. Surgira um caroço doloroso na axila, um bubo. Tivera febre, suando na cama, emaranhando os lençóis ao se contorcer. Vomitara e tossira sangue. Pensara que iria morrer. O pior de tudo era a sede, terrível, insaciável, que o fazia ter vontade de se jogar no rio Arno com a boca escancarada.

Não era o único a sofrer. Milhares de italianos haviam caído doentes com aquela peste... dezenas de milhares. Metade dos trabalhadores de suas obras havia desaparecido, assim como a metade dos empregados de sua casa. Quase todas as pessoas que contraíam a doença morriam em cinco dias. Era chamada de *la moria grande*, a grande morte.

Mas ele estava vivo.

Teve a sensação persistente de que tomara uma decisão da maior importância enquanto estava doente, mas não conseguia se lembrar qual era. Concentrou-se por um momento. Quanto mais pensava a respeito, no entanto, mais esquiva a memória se tornava, até que desapareceu por completo.

Merthin se sentou na cama. Os braços e pernas estavam fracos, a cabeça girou por um momento. Usava um camisolão de linho limpo e se perguntou quem o teria vestido nele. Depois de um momento, levantou-se.

Tinha uma casa com quatro andares e um pátio. Ele mesmo a projetara e construíra, com uma fachada plana em vez dos tradicionais andares salientes. Havia detalhes arquitetônicos interessantes, como as arcadas de janelas redondas e as colunas clássicas. Os vizinhos a chamavam de *palagetto*, pequeno palácio. Isso acontecera há sete anos. Vários prósperos mercadores florentinos lhe haviam pedido que construísse *palagetti*, e fora assim que sua carreira deslanchara.

Florença era uma república, sem um príncipe ou duque reinante, dominada por uma elite de famílias de mercadores em permanente conflito. A cidade era povoada por milhares de tecelões, mas eram os mercadores que ganhavam fortunas. Gastavam seu dinheiro na construção de casas grandiosas, o que fazia da cidade o lugar perfeito para um jovem e talentoso arquiteto prosperar. Merthin foi até a porta do quarto e chamou a esposa:

– Silvia! Onde você está? – Era com a maior naturalidade que falava agora o dialeto toscano, depois de nove anos na cidade.

Lembrou-se no instante seguinte. Silvia também ficara doente. E o mesmo acontecera com a filha, que tinha apenas 3 anos. Seu nome era Laura, mas haviam adotado a maneira infantil como ela se referia a si mesma, Lolla. O coração de Merthin foi dominado por um medo terrível. Silvia estaria viva? E Lolla?

A casa estava quieta. E a cidade também, ele percebeu subitamente. O ângulo dos raios do sol entrando pelas janelas indicava que era o meio da manhã. Deveria estar ouvindo naquele momento os gritos dos vendedores ambulantes das ruas, o ressoar dos cascos dos cavalos, o ranger das rodas de madeira das carroças, o murmúrio de mil conversas ao fundo... mas não havia nada.

Subiu a escada. Em sua fraqueza, o esforço o deixou ofegante. Abriu a porta do quarto da filha. Parecia vazio. Um suor de medo se espalhou por seu corpo. Lá estavam a cama de Lolla, um pequeno baú para suas roupas, uma caixa com brinquedos, uma mesa em miniatura, com duas cadeiras pequenas. E depois ouviu um barulho. Ali, no canto, viu Lolla, sentada no chão, usando um vestido limpo, brincando com um cavalo de madeira que tinha pernas articuladas. Merthin soltou um grito estrangulado de alívio. A menina ouviu e ergueu os olhos.

– Papai... – disse ela, sem demonstrar qualquer surpresa.

Merthin se adiantou para pegá-la no colo e abraçá-la.

– Você está viva! – exclamou ele, em inglês.

Ouviu um som no quarto ao lado. Logo depois, Maria apareceu. Era a babá de Lolla, uma mulher de cabelos grisalhos na casa dos 50 anos.

– Amo! Levantou-se finalmente... Está melhor?

– Onde está sua ama?

O rosto de Maria murchou.

– Sinto muito, amo. A ama morreu.

– Mamãe foi embora – disse Lolla.

Merthin sentiu o choque como se fosse um golpe poderoso. Entregou Lolla a Maria. Em movimentos lentos e cuidadosos, virou-se e deixou o quarto. Desceu a escada para o *piano nobile*, o andar principal. Olhou para a mesa comprida, as cadeiras vazias, os tapetes no chão, os retratos nas paredes. Parecia a casa de outra pessoa.

Parou diante de um quadro da Virgem Maria com sua mãe. Os pintores italianos eram superiores aos ingleses ou quaisquer outros, e aquele dera a Santa Ana o rosto de Silvia. Era uma beleza orgulhosa, com a pele azeitonada impecável e as feições nobres, mas o pintor percebera a paixão sensual fumegando naqueles olhos castanhos distantes.

Era difícil aceitar que Silvia não mais existia. Ele pensou no corpo esguio, recordou como admirara, muitas e muitas vezes, os seios perfeitos. Aquele corpo, com o qual tivera uma intimidade total, estava agora no fundo da terra, em algum lugar. Quando imaginou isso, as lágrimas finalmente afloraram a seus olhos e ele soluçou em desespero.

Onde seria a sepultura? Merthin lembrou que os funerais haviam cessado em Florença: as pessoas tinham pavor de sair de casa. Limitavam-se a levar os cadáveres para fora, deixando-os nas ruas. Os ladrões, mendigos e bêbados da cidade haviam adquirido uma nova profissão: eram chamados de carregadores de cadáveres, os *becchini*, e cobravam preços exorbitantes para levar os corpos e sepultá-los em covas coletivas. Talvez Merthin nunca descobrisse onde Silvia fora enterrada.

Haviam casado quatro anos antes. Olhando para seu retrato, com o vestido vermelho tradicional de Santa Ana, Merthin sofreu um acesso de angustiada franqueza. Perguntou-se se realmente a amara. Gostara muito dela, mas não fora uma paixão devastadora. Silvia tinha um espírito independente e uma língua afiada, e ele foi o único homem em Florença com coragem para cortejá-la, apesar da riqueza de seu pai. Em troca, ela lhe dera devoção absoluta. Mas Silvia avaliara com precisão a qualidade do amor do marido.

– Em que você está pensando? – indagava de vez em quando.

Merthin tinha um sobressalto de culpa, porque estivera se lembrando de Kingsbridge. Não demorava muito para que Silvia mudasse a pergunta:

– Em quem você está pensando?

Ele nunca enunciara o nome de Caris, mas Silvia dizia:

– Deve ser em uma mulher. Dá para perceber pela sua expressão.

Pouco depois ela passara a falar sobre "sua jovem inglesa".

– Está se lembrando de sua jovem inglesa.

E sempre tinha razão. Mas parecia aceitar. Merthin era fiel. E adorava Lolla.

Depois de algum tempo, Maria lhe serviu sopa e pão.

– Que dia é hoje? – perguntou Merthin.

– Terça-feira.

– Quanto tempo fiquei acamado?

– Duas semanas. Ficou muito doente.

Ele se perguntou por que sobrevivera. Algumas pessoas nunca sucumbiam à doença, como se tivessem uma proteção natural; aqueles que pegavam a peste quase sempre morriam. Mas a pequena minoria que se recuperava da peste era duplamente afortunada, pois ninguém jamais contraíra a doença pela segunda vez.

Ao acabar de comer, sentiu-se mais forte. Tinha de reconstruir sua vida, pensou. Desconfiava de que já tomara essa decisão antes, durante a doença, mas foi novamente atormentado pelo fio de memória que escapava do seu alcance.

A primeira tarefa agora era descobrir quanto de sua família restara.

Merthin levou os pratos para a cozinha, onde Maria alimentava Lolla com pão embebido em leite de cabra.

– E os pais de Silvia? – perguntou ele. – Ainda estão vivos?

– Não sei. Só tenho saído de casa para comprar comida.

– É melhor eu descobrir.

Merthin se vestiu e desceu. O andar térreo da casa era uma oficina, com o pátio nos fundos usado para estocar madeira e pedra. Não havia ninguém trabalhando, dentro ou fora da casa.

Saiu. Os prédios ao redor eram quase todos de pedra, alguns espetaculares. Kingsbridge não tinha residências que pudessem se comparar. O homem mais rico de Kingsbridge, Edmund Wooler, residia numa casa de madeira. Ali, em Florença, só os pobres viviam em casas desse tipo.

A rua estava deserta. Merthin nunca a vira assim, nem mesmo durante a noite. O efeito era sinistro. Ele se perguntou quantas pessoas teriam morrido: um terço da população? A metade? Seus fantasmas ainda estariam à espreita nas vielas e cantos escuros, observando, invejosos, os sobreviventes afortunados?

A casa de Christi ficava na rua seguinte. O sogro de Merthin, Alessandro Christi, fora o seu primeiro e melhor amigo em Florença. Um colega de escola de Buonaventura Caroli, Alessandro oferecera a Merthin seu primeiro trabalho na cidade, a construção de um armazém simples. Ele era o avô de Lolla.

A porta do *palagetto* de Alessandro estava trancada, o que era muito estranho. Merthin bateu na madeira e esperou. Depois de algum tempo, a porta foi aberta por Elizabetta, uma mulher pequena e gorducha que era a lavadeira de Alessandro. Ela o encarou em choque.

– Você está vivo!

– Olá, Betta. Fico contente em ver que você também está viva.

Ela se virou e gritou para o interior da casa:

– É o lorde inglês!

Merthin dissera que não era um lorde, mas os criados não acreditavam. Ele entrou.

– Alessandro?

Elizabetta balançou a cabeça e começou a chorar.

– E sua ama?

– Os dois morreram.

A escada levava do vestíbulo ao andar principal. Merthin subiu devagar, surpreso ao descobrir como ainda se sentia fraco. Sentou na sala principal para recuperar o fôlego. Alessandro fora um homem rico, e aquela sala era um mostruário de tapetes e tapeçarias, quadros, ornamentos com pedras preciosas, livros.

– Quem mais está aqui? – perguntou a Elizabetta.

– Apenas Lena e suas crianças.

Lena era uma escrava asiática, um caso excepcional mas não exclusivo nas prósperas famílias florentinas. Tinha duas crianças pequenas de Alessandro, um menino e uma menina. O pai sempre os tratara como sua prole legítima. Silvia até comentara que ele os mimava mais do que jamais fizera com ela e o irmão. O arranjo era considerado excêntrico em vez de escandaloso pelos sofisticados florentinos. Merthin perguntou:

– O que pode me dizer sobre o Signor Gianni? – Gianni era o irmão de Silvia.

– Ele morreu. E a esposa também. A criança está aqui comigo.

– Santo Deus!

Betta indagou, hesitante:

– E sua família, milorde?

– Minha esposa morreu.

– Sinto muito.

– Mas Lolla está viva.

– Graças a Deus!

– Maria tem cuidado dela.

– Maria é uma boa mulher. Gostaria de beber alguma coisa?

Merthin assentiu com a cabeça e Betta se retirou.

As crianças de Lena entraram na sala para vê-lo: um menino de olhos escuros de 7 anos que parecia com Alessandro e uma linda menina de 4 anos, com os olhos asiáticos da mãe. Um momento depois, apareceu a própria Lena, uma linda mulher na casa dos 20 anos com a pele dourada e os malares salientes. Trazia uma taça de prata com um vinho tinto toscano escuro e uma bandeja com amêndoas e azeitonas.

– Vai morar aqui, milorde?

Merthin ficou surpreso com a indagação.

– Acho que não. Por que pergunta?

– A casa é sua agora. – Ela acenou com a mão para indicar a riqueza da família Christi. – Tudo é seu.

Merthin percebeu que ela tinha razão. Era o único parente adulto de Alessandro Christi ainda vivo. Isso o tornava o herdeiro... e o guardião de três crianças, além de Lolla.

– Tudo – repetiu Lena, fitando-o nos olhos.

Merthin sustentou seu olhar expressivo e entendeu que ela estava se oferecendo.

Considerou a perspectiva. A casa era linda. Era o lar para as crianças de Lena, um lugar familiar para Lolla e até mesmo para o bebê de Gianni: todas as crianças seriam felizes ali. Ele herdara dinheiro suficiente para viver sem trabalhar pelo resto da vida. Lena era uma mulher de inteligência e experiência, e ele podia imaginar com facilidade os prazeres de desfrutar de sua intimidade.

Ela leu seus pensamentos. Pegou sua mão e a apertou contra os seios. Eram macios e quentes, como ele pôde sentir através do vestido leve de lã.

Mas não era isso que ele queria. Merthin puxou a mão de Lena e a beijou.

– Providenciarei para que você e suas crianças tenham tudo que precisarem – disse ele. – Não se preocupe.

– Obrigada, milorde.

Mas Lena parecia desapontada. Alguma coisa em seus olhos dizia a Merthin que a oferta não fora apenas pelo arranjo prático. Ela esperava sinceramente que Merthin pudesse se tornar mais do que apenas seu novo dono. Mas isso era parte do problema. Ele não podia imaginar fazer sexo com uma mulher que era sua propriedade. A ideia era tão desagradável que lhe causava repulsa.

Tomou um gole do vinho e sentiu-se mais forte. Se não se sentia atraído por uma vida fácil de luxo e pela satisfação sensual, o que ele queria? Sua família quase desaparecera: só restava Lolla. Mas ainda tinha o trabalho. Em diferentes lugares da cidade havia três projetos seus em construção. Não tinha a menor intenção de renunciar ao trabalho que amava. Não sobrevivera à grande morte para se tornar um ocioso. Recordou sua ambição juvenil de construir o prédio mais alto da Inglaterra. Recomeçaria de onde parara. Haveria de se recuperar da perda de Silvia ao se empenhar em seus projetos de construção. Merthin se levantou para ir embora. Lena o abraçou.

– Obrigada – disse ela. – Obrigada por dizer que vai cuidar das minhas crianças.

Ele afagou as costas dela.

– São filhos de Alessandro. – Em Florença, os filhos de escravas não eram escravos. – Quando crescerem, serão ricos.

Merthin afastou os braços de Lena gentilmente e desceu a escada. Todas as casas estavam trancadas, as janelas fechadas. Ele viu em algumas portas mortalhas envolvendo o que presumiu serem cadáveres. Havia umas poucas pessoas nas ruas, mas quase todas eram pobres. A desolação era angustiante.

Florença era a maior cidade do mundo cristão, uma ruidosa metrópole comercial que produzia milhares de metros do melhor tecido de lã todos os dias, um mercado em que vastas somas de dinheiro eram pagas por não mais que a garantia de uma carta de Antuérpia ou a promessa verbal de um príncipe. Caminhar por aquelas ruas silenciosas e vazias era como ver um cavalo ferido que caíra e não podia se levantar: uma imensa força subitamente virava nada. Ele não encontrou ninguém de seu círculo de conhecidos. Presumiu que os amigos preferiam ficar dentro de casa – os que ainda continuavam vivos.

Seguiu primeiro para uma praça próxima, na antiga cidade romana, em que estava construindo um chafariz para a municipalidade. Projetara um sistema elaborado para reciclar quase toda a água durante os secos e prolongados verões de Florença.

Quando chegou à praça, porém, constatou no mesmo instante que não havia ninguém trabalhando ali. Os canos subterrâneos haviam sido instalados e cobertos antes que ele caísse doente. Além disso, já havia sido assentada a primeira fileira de pedras para o plinto em degraus ao redor do tanque. Mas a aparência empoeirada e negligenciada das pedras indicava que nenhum trabalho era feito ali havia dias. Pior ainda, uma pequena pirâmide de argamassa, numa tábua, endurecera e virara uma massa sólida, de onde se soltou alguma poeira quando ele deu um chute. Havia até algumas ferramentas espalhadas pelo chão. Era um milagre que não tivessem sido roubadas.

O chafariz seria espetacular. Na oficina de Merthin vinha trabalhando o melhor escultor de pedra da cidade, preparando a peça central... ou estivera. Merthin ficou desapontado ao descobrir que o trabalho fora interrompido. Não era possível que todos os construtores da cidade tivessem morrido, não é mesmo? Talvez estivessem apenas esperando para saber se Merthin se recuperaria.

Aquele era o menor de seus três projetos, embora fosse de grande prestígio. Ele deixou a praça e seguiu para o norte, a fim de inspecionar outro. Mas começou a ficar mais e mais preocupado enquanto andava. Ainda não encontrara ninguém com informações suficientes para lhe dar uma perspectiva mais ampla. O que restara do governo da cidade? A peste estava diminuindo ou piorando? E o que acontecera no resto da Itália?

Uma coisa de cada vez, disse a si mesmo.

Também estava construindo uma casa para Giulielmo Caroli, o irmão mais velho de Buonaventura. Seria um verdadeiro *palazzo*, uma casa com fachada dupla, projetada em torno de uma escada espetacular, mais larga do que algumas ruas da cidade. O andar térreo já estava todo de pé. A fachada se inclinava para trás e para cima, a partir do solo, a ligeira projeção dando uma impressão de fortificação, mas, acima, havia duas janelas elegantes, em arcadas pontudas em forma de trevo. O projeto dizia que as pessoas lá dentro eram ao mesmo tempo poderosas e refinadas, e era isso que a família Caroli queria.

O andaime para o segundo andar fora erguido, mas não havia ninguém trabalhando. Deveria haver pelo menos cinco pedreiros assentando as pedras. Mas a única pessoa no local era um velho que servia como zelador e morava numa cabana de madeira nos fundos do terreno. Merthin o encontrou cozinhando uma galinha sobre uma fogueira. O idiota usara caríssimos blocos de mármore para servir como lareira.

– Onde estão todos? – perguntou Merthin em tom áspero. O zelador se levantou de um pulo.

– O Signor Caroli morreu, e seu filho Agostino não quis pagar os homens. Por isso, todos foram embora... isto é, aqueles que não tinham morrido.

Era um tremendo golpe. A família Caroli era uma das mais ricas de Florença. Se achavam que não podiam mais arcar com os custos da construção, então a crise era mesmo grave.

– Quer dizer que Agostino está vivo?

– Está, sim, amo. Eu o vi esta manhã.

Merthin conhecia o jovem Agostino. Não era tão esperto quanto o pai ou o tio Buonaventura, por isso compensava com um comportamento prudente e conservador. Não recomeçaria a construção enquanto não tivesse certeza de que as finanças da família haviam se recuperado dos efeitos da peste.

Mas Merthin tinha certeza de que seu terceiro e maior projeto continuaria a ser executado. Estava construindo uma igreja para uma ordem de frades muito favorecida pelos mercadores da cidade. O local ficava ao sul do rio e por isso ele atravessou a ponte nova.

A ponte fora concluída apenas dois anos antes. Merthin até realizara algum trabalho ali, sob a orientação do principal projetista, o pintor Taddeo Gaddi. A ponte tinha de resistir à correnteza rápida do rio, como sempre acontecia quando as neves do inverno derretiam. Merthin ajudara a projetar as pilastras. Agora, ao passar por ela, ficou consternado ao constatar que todas as pequenas lojas de ourives na ponte estavam fechadas... o que era outro mau sinal.

A igreja de Sant'Anna dei Frari era o seu projeto mais ambicioso até agora. Era enorme, mais como uma catedral – os frades eram ricos –, embora nem um pouco parecida com a catedral de Kingsbridge. A Itália tinha catedrais góticas, sendo a de Milão uma das maiores, mas os italianos de mentalidade moderna não gostavam da arquitetura da França e da Inglaterra: consideravam as janelas imensas e as arcadas que se projetavam pelo teto como um fetiche estrangeiro. A obsessão pela claridade, que fazia sentido no sombrio noroeste da Europa, parecia uma distorção na ensolarada Itália, onde as pessoas procuravam sombra e frescor. Os italianos se identificavam com a arquitetura clássica da Roma Antiga, cujas ruínas podiam ser vistas por toda parte ali. Gostavam de empenas e arcadas redondas e rejeitavam as paredes externas muito esculpidas e ornamentadas em favor de padrões decorativos de pedras e mármores de cores diferentes.

Mas Merthin surpreenderia até mesmo os florentinos com aquela igreja. O projeto era uma série de quadrados, cada um encimado por um domo – cinco em linha e dois em cada lado da interseção. Ele já ouvira falar de domos quando ainda vivia na Inglaterra, mas nunca vira nenhum até visitar a catedral de Siena. Não havia nenhum domo em Florença. O clerestório seria formado por uma fileira de janelas redondas ou óculos. Em vez de colunas estreitas que se projetavam ansiosamente para o céu, aquela igreja teria círculos, completos em si mesmos, com a aparência de autossuficiência ligada a terra, que caracterizava o povo comercial de Florença.

Ficou desapontado, mas não surpreso, ao descobrir que não havia pedreiros nos andaimes, nenhum trabalhador deslocando as enormes pedras, nem as mulheres que preparavam a argamassa com suas imensas pás. O local da obra estava tão quieto e silencioso quanto os outros dois. Naquele caso, porém, ele estava confiante em que logo poderia reiniciar a execução do projeto. Uma ordem religiosa tinha vida própria, independente dos indivíduos. Ele deu a volta pela obra e entrou no mosteiro dos frades.

O lugar também estava silencioso. Os mosteiros deveriam ser sempre assim, é claro, mas havia uma qualidade naquele silêncio que o deixou nervoso. Merthin passou do vestíbulo para a sala de espera. Havia em geral um irmão de serviço ali, estudando as escrituras nos intervalos do atendimento aos visitantes. Hoje, no entanto, aquela sala estava vazia. Com sombria apreensão, Merthin passou por outra porta e se achou no claustro. Não havia ninguém no pátio.

– Olá! – gritou. – Tem alguém aqui?

Sua voz ressoou pelas arcadas de pedra. Ele revistou o mosteiro. Todos os frades haviam desaparecido. Na cozinha, encontrou três homens sentados à mesa, comendo presunto e bebendo vinho. Usavam as roupas caras dos mercadores, mas tinham os cabelos emaranhados, as barbas não aparadas, as mãos sujas: eram pobres que usavam roupas dos mortos. Quando entrou na cozinha, os homens exibiram expressões de culpa, mas também de desafio.

– Onde estão os santos irmãos? – perguntou Merthin.

– Todos morreram – respondeu um dos homens.

– Todos?

– Todos, sem exceção. Eles cuidavam dos doentes e por isso pegaram a doença.

O homem estava bêbado, Merthin percebeu. Mas parecia dizer a verdade. Aqueles três pareciam muito à vontade, sentados no mosteiro, comendo a comida dos frades, bebendo seu vinho. Era evidente que sabiam que não restara ninguém para protestar.

Merthin retornou à obra da nova igreja. As paredes do coro e dos transeptos já haviam sido levantadas; os óculos no clerestório eram visíveis. Sentou no meio da interseção, entre pilhas de pedras, olhando para sua obra. Por quanto tempo o projeto seria retardado? Se os frades estavam mortos, quem providenciaria o dinheiro? Até onde ele sabia, aqueles frades não faziam parte de uma ordem maior. A herança poderia ser reivindicada pelo bispo, talvez até pelo próprio papa. Havia um emaranhado legal ali que poderia levar anos para ser resolvido.

Naquela manhã, ele decidira mergulhar no trabalho como uma maneira de curar a ferida da morte de Silvia. Agora, era evidente que não teria trabalho, pelo menos por algum tempo. Desde que começara a reparar o telhado da igreja de Saint Mark, em Kingsbridge, dez anos antes, tivera sempre pelo menos um projeto de construção em andamento. Sem isso, ficaria perdido. E o pensamento o deixou em pânico.

Acordara para descobrir toda a sua vida em ruínas. O fato de que se tornara muito rico de repente só servia para aumentar ainda mais a sensação de pesadelo. Lolla era a única parte de sua vida que lhe restava.

Nem sabia para onde ir naquele momento. Voltaria para casa, mais cedo ou mais tarde. Mas não podia passar o dia inteiro brincando com a filha de 3 anos e conversando com Maria. Por isso, permaneceu onde estava, sentado num disco de pedra esculpido que seria usado numa coluna, olhando para o lugar que seria a nave.

Enquanto o sol descrevia sua curva descendo o céu, Merthin começou a recordar sua doença. Tivera certeza de que morreria. Tão poucos sobreviviam que ele não tinha qualquer esperança de estar entre os afortunados. Em seus momentos mais lúcidos, revisara sua vida, como se estivesse se aproximando do fim. Chegara a alguma conclusão da maior importância, ele sabia, mas, desde que se recuperara, não conseguia recordar qual era. Ali, na tranquilidade da igreja inacabada, ele lembrou que cometera um único grande erro em sua vida. Qual teria sido? Brigara com Elfric, fizera sexo com Griselda, rejeitara Elizabeth Clerk... Todas essas decisões haviam causado problemas, mas nenhuma podia ser considerada como o erro de uma vida inteira.

Estendido na cama, suando, tossindo, atormentado pela sede, ele quase desejara morrer, mas não de todo. Alguma coisa o mantivera vivo... e então lhe ocorreu o que fora.

Queria ver Caris novamente.

Era essa a sua razão para viver. Em seu delírio, vira o rosto de Caris. Chorara de desespero ao pensar que poderia morrer ali, a milhares de quilômetros de Caris. O grande erro de sua vida fora deixá-la.

Ao recuperar finalmente a memória esquiva e apreender a verdade ofuscante da revelação, foi dominado por uma estranha espécie de felicidade.

Não fazia sentido, refletiu Merthin. Ela ingressara no convento. Recusara-se a vê-lo, a dar qualquer explicação. Mas a alma dele não era racional e lhe dizia que deveria ficar no mesmo lugar em que Caris se encontrava.

Merthin se perguntou o que Caris estaria fazendo naquele instante, enquanto ele sentava numa igreja inacabada, numa cidade quase destruída pela peste. A última notícia que recebera de Kingsbridge era a de que ela fora ordenada pelo bispo. A decisão era irrevogável... ou pelo menos era o que as pessoas diziam. Mas Caris nunca aceitara o que os outros lhe diziam ser as regras. Por outro lado, depois que tomava uma decisão, era quase impossível fazê-la mudar de ideia. Não podia haver a menor dúvida de que ela se empenhava em sua nova vida com total dedicação.

Não fazia diferença. Ele queria vê-la de novo. Não fazer isso seria o segundo maior erro de sua vida.

E agora ele estava livre. Todos os seus vínculos com Florença haviam sido cortados. Sua esposa morrera, assim como todos os parentes pelo casamento, exceto por três crianças. A única família que ele tinha ali era sua filha, Lolla, e poderia levá-la. Ela era tão pequena, pensou, que dificilmente perceberia que eles haviam partido de Florença.

Seria uma mudança radical, disse a si mesmo. Primeiro, teria de confirmar o testamento de Alessandro e tomar as providências relativas às crianças. Agostino Caroli o ajudaria nisso. Depois, teria de converter sua fortuna em ouro e cuidar para que este fosse transferido para a Inglaterra. A família Caroli também poderia cuidar disso, se sua rede internacional ainda estivesse intacta. E, o mais assustador, teria de realizar a viagem de quase 2 mil quilômetros desde Florença, atravessando a Europa, até chegar a Kingsbridge. E tudo isso sem ter a menor ideia de como Caris o receberia.

Era uma decisão que exigia, é claro, longos e cuidadosos pensamentos.

Mas ele decidiu em poucos momentos. Voltaria para sua terra.

54

Merthin deixou a Itália em companhia de uma dúzia de mercadores de Florença e Lucca. Em Gênova embarcaram num navio para o antigo porto francês de Marselha. De lá, viajaram por terra até Avignon, a sede do papado durante os últimos quarenta anos ou mais, a corte mais suntuosa da Europa... e a cidade mais malcheirosa que Merthin já conhecera. Ali, se juntaram a um grupo grande de clérigos e peregrinos de volta ao norte.

Todos viajavam em grupo; quanto maior, melhor. Os mercadores levavam dinheiro e produtos caros e contratavam homens de armas para defendê-los dos bandidos. Ficavam felizes em ter companhia: hábitos sacerdotais e emblemas de peregrinos podiam dissuadir os assaltantes. Até mesmo os viajantes comuns, como Merthin, podiam ajudar, pelo simples aumento do número.

Merthin confiara a maior parte de sua fortuna à família Caroli, em Florença. Seus parentes na Inglaterra lhe dariam o dinheiro. Os Carolis sempre realizavam esse tipo de transação internacional. Merthin usara seus serviços nove anos antes, ao transferir uma fortuna menor de Kingsbridge para Florença. Mesmo assim, ele sabia que o sistema não era completamente infalível: as famílias podiam ir à falência, ainda mais quando se envolviam em empréstimos para homens que não mereciam qualquer confiança, como reis e príncipes. Por isso levava uma grande quantia em florins de ouro costurados na camisa de baixo.

Lolla gostou da viagem. Como única criança na caravana, era mimada por todos. Durante as longas cavalgadas, ela sentava na sela na frente de Merthin, que a envolvia com seus braços, enquanto as mãos seguravam as rédeas. Ele entoava cantigas infantis, contava histórias e falava sobre as coisas que viam, como árvores, moinhos, pontes, igrejas. Era provável que ela não entendesse a metade do que o pai dizia, mas o som de sua voz a deixava feliz.

Nunca antes Merthin passara tanto tempo com a filha. Ficavam juntos o dia inteiro, todos os dias, semana após semana. Ele torcia para que essa intimidade compensasse em parte a perda da mãe. O inverso também acontecia, com toda a certeza: sem a filha, ele sentiria uma terrível solidão. Não falava mais com Lolla sobre a mãe, mas de vez em quando ela o enlaçava pelo pescoço e apertava com força, em desespero, como se tivesse medo de que ele também partisse.

Ele só sentiu pesar quando parou na frente da grande catedral de Chartres, a 100 quilômetros de Paris. Havia duas torres no lado oeste. A torre norte estava inacabada, mas a torre sul tinha 107 metros de altura. Lembrou-lhe que outrora sonhara em projetar prédios assim. Era improvável que realizasse essa ambição em Kingsbridge.

Merthin passou duas semanas em Paris. A peste não chegara até ali e foi um imenso alívio observar a vida normal de uma vasta cidade, pessoas comprando e vendendo, andando de um lado para outro, em vez de ruas vazias e cadáveres diante das casas. Reanimou-se e só então percebeu como ficara abalado com o horror que deixara para trás, em Florença. Estudou as catedrais e os palácios de Paris, fazendo desenhos dos detalhes que o interessavam. Tinha um pequeno livro de anotações, feito de papel, um novo material para se escrever popular na Itália.

Ao deixar Paris, acompanhou uma família nobre que voltava para Cherbourg. Ao ouvirem Lolla falar, as pessoas presumiam que Merthin era italiano. Ele não desmentia, pois os ingleses eram muito odiados no norte da França. Com a família e seu séquito, Merthin atravessou a Normandia sem pressa, com Lolla na sela à sua frente e seu cavalo de carga puxado pela rédea. Estudou as igrejas e abadias que haviam sobrevivido à devastação da invasão do rei Eduardo, quase dois anos antes.

Poderia viajar mais depressa, mas disse a si mesmo que estava aproveitando ao máximo uma oportunidade que poderia não se repetir, a chance de conhecer uma rica variedade de arquitetura. Mas, nos momentos de franqueza consigo mesmo, tinha de admitir que sentia medo do que poderia descobrir ao chegar a Kingsbridge.

Estava voltando para Caris, mas não seria a mesma Caris que deixara há nove anos. Ela podia ter mudado, em termos físicos e mentais. Algumas freiras se tornavam muito gordas, a comida sendo seu único prazer na vida. Era mais provável, no entanto, que Caris tivesse assumido uma magreza etérea, passando fome no êxtase da abnegação. A esta altura, ela podia estar obcecada pela religião, rezando o dia inteiro, empenhada em se infligir flagelações por pecados imaginários. Ou podia ter morrido.

Esses eram seus pesadelos mais delirantes. No fundo do coração, porém, sabia que ela não se tornara gorda demais nem uma fanática religiosa. E, se tivesse morrido, ele teria sido informado, da mesma forma como tomara conhecimento da morte de seu pai, Edmund. Encontraria a mesma Caris, pequena e impecável, a mente ágil, organizada, determinada. E como Caris se sentiria em relação a ele depois de nove anos? Pensaria nele com indiferença, como uma parte de seu passado remota demais para se importar, tal como ele pensava, por exemplo, em Griselda? Ou ainda o desejaria, em algum lugar no fundo de sua alma? Merthin não tinha a menor ideia, e essa era a verdadeira causa de sua ansiedade.

Ele e Lolla navegaram para Portsmouth e depois seguiram com um grupo de mercadores. Deixaram o grupo em Mudeford Crossing, os mercadores seguindo para Shiring, enquanto Merthin e Lolla vadeavam o rio raso a cavalo e pegavam a estrada para Kingsbridge. Era uma pena, pensou Merthin, que não houvesse uma placa visível indicando o caminho para Kingsbridge. Ele especulou quantos mercadores continuavam a viagem para Shiring apenas porque não sabiam que Kingsbridge ficava mais perto.

Era um dia quente de verão. O sol brilhava ao se aproximarem de seu destino. A primeira coisa que ele avistou em Kingsbridge foi o topo da torre da catedral, visível acima das árvores. Pelo menos não desabara, pensou Merthin: os reparos de Elfric resistiam há onze anos. Era uma pena que a torre não pudesse ser vista de Mudeford Crossing – faria uma enorme diferença no número de pessoas que visitavam a cidade.

Ao chegarem mais perto, ele começou a sentir uma estranha mistura de excitação e medo que o deixou nauseado. Por algum tempo, teve receio de ser obrigado a saltar para vomitar. Tentou permanecer calmo. O que poderia acontecer? Mesmo que Caris se mostrasse indiferente, ele não morreria.

Viu diversos prédios novos no subúrbio de Newtown. A esplêndida casa que construíra para Dick Brewer não ficava mais no extremo de Kingsbridge, pois a cidade a ultrapassara.

Esqueceu por um momento a apreensão ao ver sua ponte. Erguia-se numa curva graciosa desde a margem do rio e ia pousar com toda a elegância na ilha no meio da correnteza. No outro lado da ilha, a ponte tornava a subir sobre o segundo canal. As pedras faiscavam ao sol. Pessoas e carroças atravessavam a ponte nas duas direções. A cena fez seu coração se inflar de orgulho. Era tudo o que ele esperava que seria: linda, útil e forte. Eu fiz essa ponte, pensou, e é uma coisa boa.

Mas ele sofreu um choque quando chegou mais perto. O trabalho de alvenaria no arco mais próximo estava avariado em torno da pilastra central. Dava para ver as rachaduras, tudo reparado com cintas de ferro de maneira inepta, a marca típica de Elfric. Ficou consternado. Manchas marrons de ferrugem escorriam dos pregos que fixavam as horrendas cintas na alvenaria. A cena o levou de volta ao passado, onze anos antes, aos reparos de Elfric na velha ponte de madeira. Todos podem cometer erros, pensou Merthin, mas as pessoas que não aprendem com seus erros tornam a cometê-los.

– Idiotas desgraçados! – exclamou em voz alta.

– Idiotas desgraçados – repetiu Lolla, que começava a falar inglês.

Ele cavalgou através da ponte. Ficou feliz ao verificar que o leito da estrada fora feito direito. Também se sentiu satisfeito com o parapeito, uma barreira vigorosa com a pedra angular esculpida, lembrando as molduras na catedral.

A ilha dos Leprosos continuava infestada de coelhos. Merthin ainda mantinha o arrendamento da ilha. Em sua ausência, Mark Webber recebia os aluguéis dos ocupantes e todos os anos pagava o arrendamento ao priorado. Tirava a comissão por seus serviços e mandava o saldo para Merthin em Florença, por intermédio da família Caroli. Depois de todas as deduções, era uma quantia mínima, mas aumentava a cada ano.

A casa de Merthin na ilha tinha aparência de estar ocupada, as janelas abertas, o pátio varrido. Ele providenciara para que Jimmie morasse lá. O garoto devia ser um homem agora, pensou.

Na extremidade mais próxima do segundo vão da ponte havia um velho que Merthin não reconheceu, sentado ao sol, recebendo o pedágio. Merthin lhe deu 1 *penny*. O velho o fitou atentamente, como se tentasse recordar onde já o vira antes, mas não disse nada.

A cidade era ao mesmo tempo familiar e estranha. Porque era quase a mesma, as mudanças impressionavam Merthin e pareciam milagrosas, como se tivessem ocorrido da noite para o dia: uma fileira de choupanas derrubada e substituída por boas casas; uma movimentada estalagem onde antes havia uma casa grande e sombria ocupada por uma viúva rica; um poço que secara e fora tapado; uma casa cinzenta pintada de branco.

Seguiu para a Bell Inn, na rua principal, junto aos portões do priorado. Permanecia inalterada: uma taverna tão bem localizada provavelmente duraria centenas de anos. Deixou os cavalos e a bagagem com um cavalariço e entrou, segurando a mão de Lolla.

A Bell era como as tavernas em toda parte: uma sala grande na frente, com mesas e bancos toscos, e uma área nos fundos, onde eram guardados os barris de cerveja e vinho e se preparava a comida. Porque era popular e lucrativa, a palha no chão era mudada com frequência, as paredes, pintadas de branco e, no inverno, um fogo imenso ardia na lareira. Agora, no calor do verão, todas as janelas estavam abertas e uma suave brisa soprava pela sala da frente.

Passado um momento, Bessie Bell veio da sala dos fundos. Nove anos antes, era uma jovem cheia de curvas; agora, era uma mulher voluptuosa. Fitou-o sem reconhecê-lo, mas Merthin percebeu que ela avaliou suas roupas e o considerou um freguês próspero.

– Bom dia, viajante. O que posso fazer para que você e sua criança fiquem confortáveis?

Merthin sorriu.

– Eu gostaria de ir para seu quarto particular, por favor, Bessie.

Ela o reconheceu assim que ouviu sua voz.

– Por minha alma! – exclamou Bessie. – É Merthin Bridger!

Ele estendeu a mão para um aperto, mas Bessie se adiantou para envolvê-lo num abraço. Sempre sentira atração por Merthin. Ela o soltou e estudou seu rosto.

– Deixou crescer a barba. Eu o teria reconhecido antes se não fosse por isso. E esta... é sua filha?

– O nome dela é Lolla.

– Mas que linda criança! A mãe deve ser muito bonita.

– Minha esposa morreu.

– Que pena. Mas Lolla é bastante pequena para esquecer. Meu marido também morreu.

– Não sabia que tinha se casado.

– Eu o conheci depois que você foi embora. Richard Brown, de Gloucester. Ele faleceu há um ano.

– Lamento muito.

– Meu pai foi para Canterbury em peregrinação, por isso estou cuidando sozinha da taverna.

– Sempre gostei de seu pai.

– E ele também gostava de você. Ele sempre se afeiçoou a homens com um pouco de espírito. Nunca teve muita simpatia pelo meu Richard.

– Ahn... – Merthin sentiu que a conversa se tornara muito íntima depressa demais. – Tem notícia de meus pais?

– Eles não estão mais em Kingsbridge. Foram para a nova casa de seu irmão, em Tench.

Merthin soubera, por meio de Buonaventura, que Ralph se tornara lorde de Tench.

– Meu pai deve estar muito satisfeito.

– Orgulhoso como um pavão. – Ela sorriu, para depois assumir uma expressão preocupada. – Você deve estar faminto. Mandarei os garotos levarem sua bagagem para o quarto e depois servirei potagem e uma caneca de cerveja.

Bessie se virou para voltar à sala dos fundos.

– É muita gentileza sua, mas... – Bessie parou na porta – ... se quiser dar um pouco de sopa a Lolla, ficarei agradecido. Há uma coisa que tenho de fazer agora.

Bessie acenou com a cabeça.

– Claro. – Ela se abaixou para falar com Lolla: – Quer vir com a tia Bessie? Espero que queira comer um pedaço de pão. Gosta de pão fresco?

Merthin traduziu a pergunta para o italiano. Lolla balançou a cabeça, feliz. Bessie olhou para Merthin.

– Vai procurar a irmã Caris, não é?

Ele se sentiu culpado, o que era um absurdo.

– Isso mesmo. Quer dizer que ela ainda está aqui?

– Claro. É agora a mestra dos hóspedes no convento. Não ficarei surpresa se ela se tornar a prioresa um dia.

Bessie pegou a mão de Lolla e a levou para a sala dos fundos. Olhou para trás antes de desaparecer.

– Boa sorte.

Merthin saiu. Bessie podia ser um pouco sufocante, mas sua afeição era sincera. O coração de Merthin se animou por ser recebido com tanto entusiasmo. Ele entrou no terreno do priorado. Parou para olhar a fachada oeste da catedral. Tinha quase 200 anos agora e ainda continuava impressionante como sempre.

Notou um novo prédio de pedra ao norte da catedral, além do cemitério. Era um palácio de tamanho médio, com uma entrada imponente e um andar superior. Fora construído perto do lugar em que ficava a antiga casa de madeira do prior. Portanto, podia-se presumir que substituíra o prédio modesto como residência de Godwyn. Ele se perguntou de onde Godwyn teria tirado o dinheiro.

Merthin se aproximou. O palácio era imponente, mas ele não gostou do projeto. Nenhum dos níveis se relacionava de qualquer forma com a catedral que assomava por cima. Os detalhes eram descuidados. O alto da porta ostentosa bloqueava uma parte da janela superior. Pior ainda, o palácio fora construído num eixo diferente do da catedral e por isso se destacava num ângulo desfavorável.

Era uma obra de Elfric, sem dúvida.

Um gato gordo estava sentado à porta, ao sol. Era preto, com uma ponta branca no rabo. Lançou um olhar malévolo para Merthin.

Ele se voltou e foi andando devagar para o hospital. O pátio gramado da catedral estava deserto e silencioso: não havia mercado hoje. A excitação e a apreensão tornaram a deixar seu estômago embrulhado. Podia se encontrar com Caris a qualquer momento. Entrou no hospital. A sala comprida parecia mais clara e com um cheiro melhor do que recordava: tudo dava a impressão de ter sido lavado e esfregado. Havia umas poucas pessoas deitadas em colchões no chão, quase todas idosas. Diante do altar, uma jovem noviça rezava em voz alta. Merthin esperou que ela acabasse. Sua ansiedade era tão grande que tinha certeza de que se sentia mais doente do que os pacientes nos colchões. Percorrera quase 2 mil quilômetros para aquele momento. Teria sido uma viagem perdida?

A noviça finalmente disse "Amém" pela última vez e se virou. Merthin não a conhecia. Ela se aproximou e disse, atenciosa:

– Que Deus o abençoe, estranho.

Merthin respirou fundo.

– Eu gostaria de falar com a irmã Caris.

⟿

As reuniões do capítulo das freiras ocorriam agora no refeitório. No passado, elas partilhavam com os monges a elegante casa octogonal do capítulo, no canto nordeste da catedral. Lamentavelmente, a desconfiança entre monges e freiras era agora tão grande que as freiras não queriam correr o risco de que os monges as espionassem enquanto elas tomavam suas decisões. Por isso se reuniam na sala grande e despojada em que faziam as refeições.

As autoridades do convento sentavam por trás de uma mesa, com madre Cecilia no meio. Não havia subprioresa: Natalie morrera poucas semanas antes, aos 57 anos, e Cecilia ainda não a substituíra. À direita de Cecilia sentava a tesoureira, Beth, e sua matriculária, Elizabeth. À esquerda de Cecilia sentavam Margaret, a despenseira, responsável por todos os suprimentos, e sua subordinada Caris, a mestra dos hóspedes. Trinta freiras ocupavam nas fileiras de bancos diante delas.

Depois da oração e das leituras, madre Cecilia apresentou os comunicados.

– Recebemos uma carta do senhor bispo em resposta à queixa de que o prior Godwyn roubou nosso dinheiro.

Houve um murmúrio de expectativa das freiras. A resposta demorara a chegar. O rei Eduardo levara quase um ano para substituir o bispo Richard. O conde William pressionara por Jerome, o competente administrador de seu pai. No final, porém, Eduardo escolhera Henri de Mons, um parente de sua esposa de Hainault, no Norte da França. O bispo Henri viera à Inglaterra para a cerimônia, depois viajara para Roma, a fim de ser confirmado pelo papa, voltara e se instalara em seu palácio em Shiring, antes de responder à carta formal de queixa de Cecilia.

– O bispo se recusa a tomar qualquer decisão quanto ao roubo – acrescentou ela –, alegando que os fatos ocorreram no tempo do bispo Richard e que o passado é passado.

As freiras soltaram exclamações de espanto. Haviam aceitado a demora com a maior paciência, confiantes de que no final teriam justiça. Aquela rejeição era chocante.

Caris vira a carta antes. Não estava tão espantada quanto as outras freiras. Não era tão extraordinário assim que o novo bispo não quisesse começar a exercer suas funções brigando com o prior de Kingsbridge. A carta indicava que Henri seria um bispo pragmático, não um homem de princípios. Não era diferente, sob esse aspecto, da maioria dos homens bem-sucedidos na política da Igreja.

Mas Caris não se sentia menos desapontada por não ter sido surpreendida. A decisão significava que tinha de abandonar, pelo menos no futuro previsível, seu sonho de construir um novo hospital, onde as pessoas doentes poderiam ficar isoladas dos hóspedes saudáveis. Disse a si mesma que não devia lamentar: o priorado existia há centenas de anos sem esse luxo, portanto podia esperar uma década ou mais. Por outro lado, irritava-a ver a rápida disseminação de problemas como a doença do vômito, que Maldwyn Cook trouxera para a Feira do Velocino há dois anos. Ninguém compreendia direito como essas coisas eram transmitidas – ao se olhar para uma pessoa doente, pelo contato físico ou apenas pela presença no mesmo lugar –, mas não podia haver a menor dúvida de que muitas doenças pulavam de uma vítima para a seguinte e que a proximidade era um fator. No entanto, ela teria de esquecer tudo isso por enquanto.

Um burburinho de murmúrios ressentidos se elevou das freiras nos bancos. A voz de Mair soou mais alta do que as outras:

– Os monges vão cantar de galo, exultantes.

Mair tinha razão, pensou Caris. Godwyn e Philemon haviam escapado impunes de um roubo escancarado. Sempre alegavam que não era roubo os monges usarem o dinheiro das freiras, pois era tudo pela glória de Deus, no final das contas. Agora considerariam que o bispo os justificara. Era uma derrota amarga, especialmente para Caris e Mair. Mas madre Cecilia não tinha a menor disposição para perder tempo com lamentações:

– Não é culpa de nenhuma de nós, exceto minha, talvez. Fomos confiantes demais.

Você confiou em Godwyn, mas eu não, pensou Caris, optando por permanecer calada. Ela esperou para ouvir o que Cecilia diria em seguida. Sabia que a prioresa pretendia promover mudanças na direção do convento, mas ninguém sabia o que decidira.

– Contudo, devemos ser mais cuidadosas no futuro. Construiremos uma tesouraria nossa, a que os monges não terão acesso. Na verdade, espero que eles nem sequer saibam onde fica. A irmã Beth vai deixar o cargo de tesoureira, com nossos agradecimentos pelos longos e leais serviços. A irmã Elizabeth tomará seu lugar. Tenho fé absoluta em Elizabeth.

Caris tentou controlar a expressão para que sua repulsa não ficasse evidente.

Elizabeth testemunhara que Caris era uma bruxa. Acontecera há nove anos e Cecilia perdoara Elizabeth, mas Caris não. Mas essa não era a única razão para a antipatia. Elizabeth era amarga e tinha a mente distorcida, os ressentimentos pessoais interferindo em seu julgamento. Pessoas assim nunca podiam merecer confiança, na opinião de Caris: eram sempre propensas a tomar decisões baseadas em seus preconceitos.

– A irmã Margaret pediu permissão para deixar suas funções – prosseguiu Cecilia –, e a irmã Caris assumirá seu lugar como nova despenseira.

Caris ficou desapontada. Esperava se tornar subprioresa, a substituta de Cecilia. Tentou sorrir como se estivesse satisfeita, mas teve alguma dificuldade. Era evidente que Cecilia não pretendia designar uma subprioresa. Teria duas subordinadas rivais, Caris e Elizabeth, e deixaria que as duas brigassem. Caris se virou para Elizabeth e percebeu um ódio mal reprimido em seus olhos.

– Sob a supervisão de Caris – continuou Cecilia –, a irmã Mair será a nova mestra dos hóspedes. Mair ficou radiante de prazer. Estava contente por ter sido promovida e ainda mais feliz porque trabalharia sob as ordens de Caris, que também gostou da decisão. Mair partilhava sua obsessão por higiene e a desconfiança pelos remédios que os monges receitavam, em particular a sangria.

Caris não conseguira o que queria, mas tentou parecer feliz enquanto Cecilia anunciava diversas designações menores. Terminada a reunião, ela foi agradecer a Cecilia.

– Não imagine que foi uma decisão fácil – declarou a prioresa. – Elizabeth tem inteligência e determinação e se mostra firme onde você é instável. Mas você é imaginativa e consegue tirar o melhor das pessoas. Preciso das duas.

Caris não podia contestar a análise que Cecilia fizera dela. Ela realmente me conhece, pensou Caris com pesar, melhor do que qualquer outra pessoa no mundo, agora que meu pai morreu e Merthin foi embora. Sentiu um impulso de afeição. Cecilia era como uma ave-mãe, sempre em movimento, sempre ocupada, tomando conta de suas crias.

– Farei tudo o que puder para corresponder às suas expectativas – prometeu Caris.

Ela deixou o refeitório. Precisava dar uma olhada na Velha Julie. Não importava o que dissesse às freiras mais jovens, o fato é que ninguém cuidava de Julie como ela. Era como se acreditassem que uma velha desamparada não precisava ser mantida confortável. Somente Caris cuidava para que Julie tivesse um cobertor quando fazia frio, recebesse alguma coisa para beber quando tinha sede e fosse levada às latrinas quando tinha necessidade. Caris decidiu levar para ela uma bebida quente, uma infusão de ervas que parecia animar a velha freira. Foi para a farmácia e pôs para ferver no fogo uma pequena panela com água. Mair entrou e fechou a porta.

– Não é maravilhoso? Continuaremos a trabalhar juntas!

Enlaçou Caris e a beijou nos lábios. Caris retribuiu o abraço, mas depois se desvencilhou.

– Não me beije assim.

– É porque eu amo você.

– Também amo você, mas não da mesma maneira.

Era verdade. Caris gostava muito de Mair. Haviam se tornado muito íntimas na França quando arriscaram a vida juntas. Caris até se descobrira atraída pela beleza de Mair. Uma noite, numa taverna em Calais, quando as duas partilhavam um quarto com uma porta que podia ser trancada, ela finalmente sucumbira aos avanços de Mair, que acariciara e beijara Caris nos lugares mais íntimos e ela fizera o mesmo com Mair. Depois, Mair dissera que fora o dia mais feliz de sua vida. Infelizmente, Caris não sentira a mesma coisa. A experiência fora agradável para ela, mas não emocionante, e ela não queria repeti-la.

– Está bem – disse Mair. – Desde que você me ame, mesmo que apenas um pouco, já me sinto feliz. Você nunca para, não é?

Caris despejou a água fervendo nas ervas.

– Quando você for tão velha quanto Julie, prometo que lhe servirei uma infusão para mantê-la saudável.

Lágrimas afloraram aos olhos de Mair.

– É a coisa mais linda que alguém já me disse.

Caris não tivera a intenção de fazer uma jura de amor eterno.

– Não seja sentimental – disse gentilmente. Coou a infusão num copo de madeira. – Vamos ver como Julie está.

Atravessaram o claustro e entraram no hospital. Um homem de barba ruiva estava parado perto do altar.

– Deus o abençoe, estranho – disse Caris.

Ele parecia familiar. Não respondeu à saudação, mas fitou-a com olhos castanho-dourados intensos. E, de repente, Caris o reconheceu. Largou o copo.

– Oh, Deus! – gritou ela. – Você!

⌒

Os poucos momentos antes que ela o visse ali foram excepcionais, e Merthin compreendeu que os recordaria com carinho pelo resto de sua vida, independentemente de tudo o mais que pudesse acontecer. Contemplou ansioso o rosto que não via há nove anos. Recordou, com um choque que foi como mergulhar num rio gelado num dia quente, como aquele rosto lhe fora querido. Caris quase não mudara: todos os seus receios haviam sido infundados. Nem mesmo parecia mais velha. Estava com 30 anos agora, calculou ele, mas parecia tão esguia e empertigada quanto era aos 20. Avançou a passos largos pelo hospital, com um ar de autoridade firme, carregando um copo de madeira com algum medicamento, até que o fitou, estacou e largou o copo.

Ele sorriu, sentindo-se feliz.

– Você está aqui! – exclamou Caris. – Pensei que estivesse em Florença!

– Estou muito satisfeito por ter voltado.

Ela baixou os olhos para o líquido derramado no chão. A freira a seu lado disse:

– Não se preocupe com isso. Limparei tudo. Vá conversar com ele.

A segunda freira era bonita e tinha lágrimas nos olhos, notou Merthin, mas estava excitado demais para lhe dispensar qualquer atenção.

– Quando voltou? – perguntou Caris.

– Cheguei há uma hora. Você parece bem.

– E você parece... um homem.

Merthin riu.

– O que o levou a tomar a decisão de voltar?

– É uma longa história, mas eu adoraria lhe contar tudo.

– Vamos sair.

Caris tocou de leve em seu braço e os dois deixaram o hospital. As freiras não deveriam tocar nas pessoas, nem ter conversas particulares com homens, mas para Caris essas regras sempre haviam sido opcionais. Merthin estava contente por ela não ter adquirido respeito pela autoridade nos últimos nove anos. Ele apontou para o banco junto da horta.

– Sentei-me aqui com Madge e Mark Webber no dia em que você ingressou no convento. Madge me disse que você se recusara a falar comigo.

Ela assentiu com a cabeça em confirmação.

– Foi o dia mais infeliz de minha vida, mas eu sabia que um encontro com você o tornaria ainda pior.

– Senti a mesma coisa, só que eu queria vê-la de qualquer maneira, por mais que isso me deixasse desesperado depois.

Ela o fitou, os olhos verdes com manchas douradas tão francos quanto sempre.

– Isso parece um pouco com uma censura.

– Talvez seja mesmo. Fiquei furioso com você. Não importava o que decidira fazer, achei que me devia uma explicação.

Merthin não desejava levar a conversa por esse rumo, mas descobriu que não podia evitar. Ela não se desculpou.

– É muito simples. Eu mal suportava deixá-lo. Se fosse obrigada a conversar com você, acho que teria me matado.

Ele ficou atordoado. Durante nove anos pensara que Caris fora egoísta naquele dia da separação. Agora, parecia que o egoísta fora ele ao fazer a reivindicação. Ela sempre tivera essa capacidade de fazê-lo revisar suas atitudes, recordou ele. Era um processo aflitivo, mas frequentemente Caris tinha razão.

Não sentaram no banco. Em vez disso, foram andando pelo pátio gramado da catedral. O céu ficara nublado e o sol desaparecera.

– Há uma peste terrível na Itália – disse Merthin. – É chamada de *la moria grande*.

– Já ouvi falar. Não alcançou também o Sul da França? Parece uma coisa horrorosa.

– Peguei a doença, mas me recuperei, o que quase nunca acontece. Mas Silvia, minha mulher, morreu.

Caris ficou chocada.

– Sinto muito. Você deve estar desesperado.

– Toda a família dela também morreu. O mesmo aconteceu com todos os meus clientes. Achei que era o momento certo de voltar para casa. E você?

– Acabo de ser promovida a despenseira – informou Caris, com evidente orgulho.

Para Merthin, isso parecia trivial, ainda mais depois da mortandade que testemunhara. Mas essas coisas eram importantes na vida no convento. Ele olhou para a catedral.

– Florença tem uma catedral magnífica, com muitos padrões de pedras coloridas. Mas prefiro esta, com as formas esculpidas, tudo na mesma tonalidade.

Enquanto ele estudava a torre, pedra cinzenta contra céu cinzento, começou a chover. Entraram na catedral em busca de abrigo. Havia uma dúzia ou mais de pessoas espalhadas pela nave: visitantes admirando a arquitetura, devotos locais rezando, dois noviços varrendo o chão.

– Lembro-me de acariciá-la atrás daquela coluna – disse Merthin, sorrindo.

– Também me lembro – disse Caris, mas sem fitá-lo.

– Ainda sinto por você o mesmo que sentia naquele dia. E é esse o verdadeiro motivo da minha volta.

Caris se virou e fitou-o, com raiva nos olhos.

– Mas você se casou.

– E você se tornou uma freira.

– Mas como pôde se casar com ela... Silvia... se me amava?

– Pensei que poderia esquecer você. Mas jamais consegui. E depois, quando pensei que ia morrer, compreendi que nunca poderia esquecê-la.

A raiva de Caris desapareceu tão depressa quanto surgira. Lágrimas afloraram a seus olhos.

– Sei disso – disse ela, desviando os olhos.

– Você sente a mesma coisa.

– Nunca mudei.

– Mas tentou?

Caris fitou-o nos olhos.

– Há uma freira...

– Aquela bonita que estava com você no hospital?

– Como adivinhou?

– Ela chorou quando me viu. Tentei imaginar por quê.

Caris parecia culpada. Merthin concluiu que ela se sentia como ele quando Silvia dizia "Você está pensando em sua jovem inglesa".

– Gosto muito de Mair. E ela me ama. Mas...

– Mas você não me esqueceu.

– Não, não esqueci.

Merthin se encheu de júbilo, mas se esforçou para não deixar transparecer.

– Nesse caso, você deve renunciar a seus votos, deixar o convento e se casar comigo.

– Deixar o convento?

– Primeiro precisará obter o perdão da condenação por bruxaria, sei disso. Mas tenho certeza de que é possível. Vamos subornar o bispo e o arcebispo, até mesmo o papa, se for necessário. Tenho condições...

Caris não tinha certeza se seria tão fácil quanto ele imaginava. Mas esse não era o seu problema principal.

– Não posso dizer que não me sinto tentada. Mas prometi a Cecilia que corresponderia à sua fé em mim. Tenho de ajudar Mair a assumir as funções de mestra dos hóspedes, precisamos construir uma nova tesouraria, e sou a única que cuida direito da Velha Julie...

Merthin ficou atônito.

– Tudo isso é tão importante?

– Claro que é! – respondeu ela, irritada.

– Pensei que o convento fosse apenas um lugar para velhas fazerem orações.

– E curar os doentes, alimentar os pobres, administrar milhares de acres de terras. É pelo menos tão importante quanto construir pontes e igrejas.

Merthin não previra isso. Ela sempre fora cética quanto aos deveres religiosos. Caris fora para o convento sob pressão, como a única maneira de salvar a própria vida. Mas agora parecia que ela passara a amar sua punição.

– Você é como uma prisioneira que reluta em deixar a masmorra mesmo quando a porta está escancarada – comentou ele.

– A porta não está escancarada. Eu teria de renunciar a meus votos. Madre Cecilia...

– Teremos de resolver todos esses problemas. E podemos começar agora mesmo.

Caris estava angustiada.

– Não tenho certeza...

Ela parecia dividida. O que o deixou espantado.

– É mesmo você? – indagou Merthin, incrédulo. – Odiava a hipocrisia e a falsidade que via no priorado. Preguiçosos, gananciosos, desonestos, tirânicos...

– Isso ainda é verdade quanto a Godwyn e Philemon.

– Então saia.

– Para fazer o quê?

– Para se casar comigo, é claro.

– Isso é tudo?

Mais uma vez ele ficou atônito.

– É tudo o que eu quero.

– Não é, não. Você também quer projetar palácios e castelos. Quer construir o prédio mais alto da Inglaterra...

– Se você precisa de alguém para cuidar...

– Como?

– Tenho uma filha pequena. Seu nome é Lolla. Ela tem 3 anos.

Isso pareceu levar Caris a se decidir. Ela soltou um suspiro.

– Sou uma das autoridades num convento de 35 freiras, dez noviças e 25 empregados, com uma escola, um hospital e uma farmácia... e você me pede que largue tudo isso para cuidar de uma criança que nem conheço.

Merthin desistiu de argumentar.

– Tudo que sei é que a amo e quero ficar junto de você.

Ela riu, sem qualquer humor.

– Se você dissesse isso e nada mais, poderia ter me convencido.

– Estou confuso, Caris. Está me recusando ou não?

– Não sei...

55

Merthin permaneceu acordado durante boa parte da noite. Já se acostumara a dormir em tavernas e o ressonar de Lolla servia para relaxá-lo; naquela noite, porém, não conseguia parar de pensar em Caris. Estava chocado com a reação dela à sua volta. Compreendia agora que nunca pensara de forma lógica sobre o que Caris sentiria quando o visse de novo. Deixara-se levar por pesadelos irreais sobre como ela poderia ter mudado e no fundo de seu coração acalentara a esperança de uma alegre reconciliação. Claro que ela não o esquecera, mas podia ter imaginado que Caris não passaria nove anos lamentando sua ausência, pois não era desse tipo.

Mesmo assim, nunca pensara que ela poderia ter se dedicado tanto a seu trabalho como freira. Caris sempre fora mais ou menos hostil à Igreja. Considerando como era perigoso criticar a religião de qualquer forma, ela bem que poderia ter escondido a verdadeira profundidade de seu ceticismo até mesmo dele. Por isso, era um terrível choque vê-la relutante em deixar o convento. Merthin previra o medo dela da sentença de morte decretada pelo bispo Richard, ou a ansiedade sobre a permissão para renunciar a seus votos, mas não desconfiara de que ela poderia ter encontrado uma vida tão satisfatória no convento a ponto de agora hesitar em sair para se tornar sua esposa.

Estava irritado com Caris. Gostaria de ter dito: "Viajei quase 2 mil quilômetros para pedir que se case comigo... como pode dizer que não tem certeza?" Pensou em uma porção de comentários mordazes que poderia ter feito. Talvez fosse melhor que não lhe tivessem ocorrido na ocasião. A conversa terminara com Caris lhe pedindo tempo para superar o choque de seu súbito retorno e pensar sobre o que queria fazer. Ele consentira – não tinha alternativa –, mas isso o deixara suspenso em agonia, como um homem crucificado.

Afinal caiu num sono irrequieto.

Lolla o acordou cedo, como sempre. Desceram para comer um mingau. Merthin reprimiu o impulso de seguir direto para o hospital e falar de novo com Caris. Ela pedira tempo e não o ajudaria se começasse a assediá-la. Ocorreu-lhe que poderia haver mais choques à sua espera e que era melhor tentar descobrir tudo o que acontecera em Kingsbridge. Por isso, depois da primeira refeição, saiu à procura de Mark Webber.

A família Webber vivia na rua principal, numa casa grande comprada logo depois que Caris os pusera para trabalhar na fabricação de tecido. Merthin ainda podia se lembrar do tempo em que o casal e os quatro filhos viviam num único cômodo, que não era muito maior do que o tear em que Mark trabalhava. A nova casa tinha um andar térreo de pedra, usado como depósito e oficina. Os aposentos da família eram no andar superior, de madeira. Ele encontrou Madge na oficina, verificando o tecido escarlate que acabara de chegar numa carroça de um de seus teares fora da cidade. Ela estava com quase 40 anos agora e tinha fios brancos nos cabelos escuros. Era baixa e engordara bastante, com um busto proeminente e um vasto traseiro. Fazia Merthin pensar num pombo, mas um agressivo, por causa do queixo saliente e do comportamento decidido.

Com ela estavam dois jovens, uma linda moça em torno dos 17 anos e um rapaz robusto, dois ou três anos mais velho. Merthin se lembrava das duas crianças mais velhas – Dora, uma garota magricela num vestido esfarrapado, e John, um menino tímido – e compreendeu que eram os mesmos, só que crescidos. Agora, John levantava os rolos de tecido sem o menor esforço enquanto Dora os contava, fazendo entalhes numa pequena vara. Aquilo fez com que Merthin se sentisse velho. Estou com apenas 32 anos, pensou, mas parecia um velho quando olhava para John.

Madge soltou um grito de surpresa e prazer quando o viu. Abraçou-o e beijou as faces barbudas e depois fez a maior festa com Lolla.

– Pensei em trazê-la para brincar com suas crianças – disse Merthin, pesaroso. – Mas é claro que as crianças agora estão velhas demais para isso.

– Dennis e Noah estão na escola do priorado – disse Madge. – Eles têm 13 e 11 anos. Mas Dora pode ficar com Lolla, ela adora crianças.

A jovem pegou Lolla no colo.

– A gata na casa ao lado teve filhotes. Quer vê-los?

Lolla respondeu com um fluxo de italiano que Dora tomou como um sim. As duas saíram. Madge deixou John cuidando da descarga da carroça e subiu com Merthin.

– Mark foi a Melcombe. Devemos exportar uma parte do nosso tecido para a Bretanha e a Gasconha. Ele deve voltar ainda hoje ou, o mais tardar, amanhã.

Merthin sentou na sala e aceitou um copo de cerveja.

– Kingsbridge parece estar prosperando – comentou.

– O comércio de lã crua declinou por causa dos impostos para a guerra. Tudo tem de ser vendido por intermédio de um punhado de grandes mercadores, para que o rei possa cobrar sua parte. Ainda há uns poucos grandes vendedores aqui em Kingsbridge... Petranilla cuida dos negócios que Edmund deixou... mas já não é mais como antigamente. Por sorte, o comércio de tecido cresceu para substituir o de lã crua, pelo menos nesta cidade.

– Godwyn ainda é o prior?

– Ainda, infelizmente.

– E ainda cria dificuldades?

– Ele é muito conservador. Protesta contra qualquer mudança e veta todo progresso. Por exemplo, Mark propôs abrir o mercado também no sábado, além do domingo, para fazer uma experiência.

– Que possível objeção Godwyn pode ter a isso?

– Ele alegou que permitiria que as pessoas viessem ao mercado sem irem à igreja, o que seria uma coisa ruim.

– Algumas pessoas poderiam ir à igreja no sábado também.

– O copo de Godwyn está sempre meio vazio, nunca meio cheio.

– Mas a guilda da paróquia não se opõe a ele?

– Não com muita frequência. Elfric é o regedor agora. Ele e Alice ficaram com quase tudo que Edmund deixou.

– O regedor não precisa ser o homem mais rico da cidade.

– Mas geralmente é. Lembre-se que Elfric emprega muitos artesãos... carpinteiros, pedreiros, os que preparam argamassa, constroem andaimes... e compra de todo mundo que negocia com materiais de construção. A cidade tem muitas pessoas que se sentem mais ou menos na obrigação de apoiá-lo.

– E Elfric sempre foi ligado a Godwyn.

– Exatamente. Ele cuida de todas as obras do priorado... o que significa todo projeto público.

– E ele é um construtor tão medíocre!

– Estranho, não é mesmo? – disse Madge, pensativa. – Era de pensar que Godwyn quisesse o melhor homem para o trabalho. Mas não é o que acontece. Para ele, é tudo uma questão de quem será dócil, quem obedecerá a seus desejos sem questionar.

Merthin ficou um pouco deprimido. Nada mudara: seus inimigos ainda permaneciam no poder. Talvez fosse difícil para ele retomar sua antiga vida.

– Essas não são boas notícias para mim. – Ele se levantou. – É melhor eu dar uma olhada em minha ilha.

– Tenho certeza de que Mark vai procurá-lo assim que voltar de Melcombe.

Merthin foi buscar Lolla na casa vizinha, mas ela se divertia tanto que ele decidiu deixá-la com Dora. Cruzou a cidade até a beira do rio. Deu outra olhada nas rachaduras em sua ponte, mas não precisou estudá-las por muito tempo: a causa era óbvia. Depois, deu uma volta pela ilha dos Leprosos. Pouca coisa mudara: havia alguns cais e armazéns de pedra no lado oeste e apenas uma casa, a que emprestara para Jimmie, no lado leste, ao lado da estrada que levava de uma ponte a outra.

Ele tinha planos ambiciosos para desenvolver a ilha quando tomara posse do lugar. Nada fora feito, é claro, durante seu exílio. Agora, pensou Merthin, poderia fazer alguma coisa. Andou de um lado para outro, calculando medidas aproximadas e visualizando prédios e até mesmo ruas, até chegar a hora do almoço.

Foi buscar Lolla e voltou à Bell. Bessie serviu um saboroso ensopado de porco engrossado com cevada. A taverna tinha pouco movimento e Bessie sentou à mesa para comer com eles, trazendo um jarro do seu melhor vinho tinto. Depois de comerem, Bessie lhe serviu outro copo de vinho. Merthin falou de seus planos.

– A estrada através da ilha, de uma ponte a outra, é o lugar ideal para construir lojas – comentou.

– E tavernas – acrescentou Bessie. – A Bell e a Holly Bush são as estalagens de maior movimento na cidade apenas porque estão mais perto da catedral. Qualquer lugar por onde as pessoas sempre passem é muito bom para uma taverna.

– Se eu construísse uma taverna na ilha dos Leprosos, você poderia administrá-la.

Ela o encarou e sugeriu:

– Poderíamos administrar juntos.

Merthin sorriu. Sentia-se satisfeito com sua boa comida e o vinho e tinha certeza de que qualquer homem ficaria feliz em ir para sua cama e desfrutar daquele corpo macio e cheio de curvas; mas não podia acontecer com ele.

– Eu gostava muito de Silvia, minha esposa. Mas continuei a pensar em Caris durante todo o tempo que estive casado. E Silvia sabia disso.

Bessie desviou os olhos.

– É muito triste.

– Tem toda a razão. E nunca mais farei a mesma coisa com outra mulher. Não pretendo me casar de novo, a menos que seja com Caris. Não sou um bom homem, mas também não sou tão mau assim.

– Caris talvez nunca se case com você.

– Sei disso.

Bessie se levantou e pegou as tigelas.

– Você é um bom homem... bom demais. – Ela voltou para a cozinha.

Merthin pôs Lolla na cama para ela tirar um cochilo. Sentou-se num banco na frente da taverna. Olhava para a ilha dos Leprosos e desenhava numa lousa, aproveitando o sol de setembro. Não conseguiu fazer muita coisa, pois várias pessoas pararam para lhe dar boas-vindas por seu retorno a casa e perguntar o que fizera durante os últimos nove anos.

No final da tarde, ele avistou a figura maciça de Mark Webber subir pela encosta conduzindo uma carroça com um barril. Mark sempre fora um gigante, mas agora, Merthin notou, se tornara um gigante gordo. Merthin apertou sua mão enorme.

– Estive em Melcombe – disse Mark. – Vou até lá a intervalos de poucas semanas.

– O que tem no barril?

– Vinho de Bordeaux, direto do navio, que também trouxe notícias. Sabia que a princesa Joana estava a caminho da Espanha?

– Sabia.

Todas as pessoas bem informadas da Europa sabiam que a filha de 15 anos do rei Eduardo se casaria com o príncipe Pedro, herdeiro do trono de Castela. O casamento forjaria uma aliança entre a Inglaterra e o maior dos reinos ibéricos. Assim, Eduardo poderia se concentrar em sua interminável guerra contra a França sem se preocupar com qualquer intervenção vinda do sul.

– Mas Joana morreu da peste em Bordeaux.

Merthin ficou duplamente chocado: em parte porque a posição de Eduardo na França se tornara subitamente precária, mas também por saber que a peste já se espalhara até tão longe.

– A peste chegou a Bordeaux?

– Há corpos empilhados nas ruas, pelo que disseram os marujos franceses.

Merthin ficou nervoso. Pensara ter deixado *la moria grande* para trás.

Mas não poderia chegar à Inglaterra, não é mesmo? Não tinha medo por ele: ninguém jamais pegava a doença duas vezes, por isso estava seguro. Lolla, por sua vez, era uma das pessoas que por alguma razão não eram afetadas pela peste. Mas ele tinha medo por todos os outros... em especial e por Caris.

No entanto, Mark estava preocupado com outras coisas:

– Você voltou no momento certo. Alguns dos mercadores mais jovens estão cansados de aturar Elfric, o regedor. Na maioria das vezes ele é apenas um lacaio de Godwyn. Planejo desafiá-lo. E você pode ser influente. Há uma reunião da guilda da paróquia esta noite. Compareça e será admitido imediatamente.

– Não faz diferença que eu nunca tenha concluído o período de aprendizado?

– Depois de tudo o que construiu, aqui e no exterior? Claro que não.

– Está bem.

Merthin precisava ser um membro da guilda se quisesse desenvolver a ilha. As pessoas sempre encontravam razões para protestar contra novas construções e ele podia ter de apoiar a si mesmo. Mas não se sentia tão confiante de sua aceitação quanto Mark.

Mark levou o barril para casa e Merthin entrou para dar o jantar a Lolla. Ao pôr do sol, Mark voltou à Bell, e Merthin seguiu com ele pela rua principal enquanto a tarde quente se transformava numa noite fria.

A casa da guilda parecia um prédio espetacular para Merthin anos antes, quando entrara ali para apresentar seu projeto da ponte à guilda da paróquia. Agora, no entanto, parecia um prédio feio e acanhado, depois que conhecera os imponentes prédios públicos da Itália. Perguntou-se o que homens como Buonaventura Caroli e Loro Fiorentino deviam pensar de sua tosca cripta de pedra, onde ficavam a cozinha e a prisão, e do salão principal, com uma fileira irregular de colunas no centro sustentando o telhado.

Mark o apresentou a vários homens que haviam chegado a Kingsbridge ou se tornado proeminentes durante a ausência de Merthin. Mas a maioria dos rostos era familiar embora estivessem mais velhos. Merthin cumprimentou os poucos que ainda não havia encontrado durante os dois últimos dias. Um deles foi Elfric, usando um casaco de brocado ostentoso com fios de prata. Não demonstrou surpresa – era evidente que alguém já lhe dissera que Merthin voltara –, mas fitou-o com uma expressão irritada, uma indisfarçável hostilidade.

Também estavam presentes o prior Godwyn e o subprior, o irmão Philemon. Godwyn, aos 42 anos, parecia cada vez mais com o tio Anthony, observou Merthin, com sulcos de descontentamento e ressentimento descendo pelos lados da boca. Assumira uma farsa de afabilidade que poderia enganar alguém que não o conhecesse. Philemon também mudara. Já não era magro e desajeitado. Tornara-se corpulento, como um próspero mercador, e exibia um ar arrogante de segurança... embora Merthin imaginasse que ainda podia perceber, por trás da fachada, a ansiedade e o ódio de si mesmo do canalha bajulador. Philemon apertou a mão dele como se estivesse segurando uma cobra. Era deprimente compreender que os ódios antigos persistiam por tanto tempo.

Um rapaz bonito e de cabelos escuros fez o sinal da cruz quando viu Merthin, para depois revelar que era seu antigo protegido, Jimmie, agora conhecido como Jeremiah Builder. Merthin ficou satisfeito ao saber que Jimmie se saíra tão bem que agora pertencia à guilda da paróquia. Mas parecia ser ainda tão supersticioso quanto antes.

Mark deu a notícia sobre a princesa Joana para todas as pessoas com quem falou. Merthin respondeu a umas poucas perguntas ansiosas sobre a peste, mas os mercadores de Kingsbridge estavam mais preocupados com a possibilidade de que o colapso da aliança com Castela prolongasse a guerra francesa, o que seria péssimo para os negócios.

Elfric sentou na cadeira grande na frente da enorme balança para pesar sacos de lã e abriu a reunião. Mark propôs no mesmo instante que Merthin fosse admitido como membro. Elfric protestou, o que não chegava a ser surpresa.

– Ele nunca foi um membro da guilda porque nunca concluiu seu aprendizado.

– Não concluiu porque não quis se casar com sua filha – disse um dos homens.

Todos riram. Merthin levou um tempo para identificar quem falara: Bill Watkin, o construtor de casas, os cabelos pretos em torno do domo careca agora ficando grisalhos.

– Porque ele não é um artesão com o padrão exigido – insistiu Elfric, obstinado.

– Como pode dizer isso? – protestou Mark. – Ele construiu casas, igrejas, palácios...

– E a nossa ponte, que está rachando depois de apenas oito anos.

– Foi você quem a construiu, Elfric.

– Segui exatamente o projeto de Merthin. É evidente que as arcadas não são bastante fortes para suportarem o peso do leito da estrada e do tráfego em cima. As cintas de ferro que instalei não foram suficientes para evitar que as rachaduras se alargassem. Por isso, proponho reforçar as arcadas, nos dois lados da pilastra central, com uma segunda camada de alvenaria, dobrando sua espessura. Pensei que o assunto poderia ser discutido esta noite e por isso preparei estimativas de custo.

Elfric devia ter planejado aquele ataque no momento em que descobrira que Merthin estava na cidade. Sempre vira Merthin como um inimigo; nada mudara nesse ponto. Mas ele não fora capaz de compreender o problema com a ponte, o que oferecia uma oportunidade a Merthin. Este falou para Jeremiah em voz baixa:

– Poderia me fazer um favor?

– Depois de tudo o que fez por mim? Qualquer coisa!

– Corra até o priorado e peça para falar com a irmã Caris com urgência. Diga a ela para procurar o desenho original que fiz para a ponte. Deve estar na biblioteca do priorado. Traga para cá o mais depressa possível.

Jeremiah saiu, enquanto Elfric continuava a falar:

– Devo lhes dizer, homens da guilda, que já conversei a respeito com o prior Godwyn, que me disse que o priorado não tem condições de pagar esse reparo. Teremos de financiá-lo, como financiamos o custo original da construção da ponte, sendo reembolsados com os *pence* do pedágio.

Todos se lamentaram. Seguiu-se uma longa e irritada discussão sobre quanto dinheiro caberia a cada membro da guilda. Merthin podia sentir que aumentava a hostilidade contra ele. Fora essa, sem qualquer dúvida, a intenção de Elfric.

Merthin olhava para a porta a todo instante, torcendo para que Jeremiah voltasse logo. Bill Watkin disse:

– Talvez Merthin deva pagar os reparos, se a culpa é de seu projeto.

Merthin não podia fugir à discussão por mais tempo. Resolveu abandonar a cautela.

– Eu concordo.

Surpresos, todos silenciaram.

– Se meu projeto causou as rachaduras, farei os reparos na ponte à minha própria custa – acrescentou Merthin de modo temerário.

Pontes eram caras; se ele estivesse enganado sobre o problema, poderia lhe custar metade de sua fortuna.

– Uma decisão honrada – disse Bill.

– Mas antes uma coisa a dizer, se os homens da guilda me permitirem.

Merthin olhou para Elfric, que hesitou, obviamente pensando numa maneira de recusar. Mas Bill declarou:

– Deixem que fale.

Houve um coro de concordância. Elfric acenou com a cabeça, ainda relutante.

– Obrigado – disse Merthin. – Quando uma arcada é fraca, racha num padrão característico. As pedras por cima da arcada são pressionadas para baixo de tal maneira que as bordas inferiores se separam e surge uma rachadura no intradorso... a parte de baixo da arcada.

– É verdade – comentou Bill Watkin. – Já vi esse tipo de rachadura muitas vezes. Geralmente não provoca o colapso da estrutura.

– Esse não é o tipo de rachadura que estamos vendo na ponte – continuou Merthin. – Ao contrário do que Elfric disse, as arcadas são bastante fortes: a espessura da arcada é de um vigésimo de seu diâmetro na base, que é a proporção padrão em todos os países.

Os construtores na sala acenaram com a cabeça; todos conheciam essa proporção.

– A coroa está intacta. No entanto, há rachaduras horizontais no ponto onde nasce cada arcada, nos dois lados da pilastra central.

– Às vezes se vê isso nas abóbadas quadripartidas – comentou Bill Watkin.

– O que não é o caso da ponte – ressaltou Merthin. – As abóbadas são simples.

– Então o que está causando as rachaduras?

– Elfric não seguiu meu projeto original.

– Segui, sim!

– Especifiquei grandes pilhas de pedras soltas nas duas extremidades das pilastras.

– Uma pilha de pedras? – repetiu Elfric, sarcástico. – E você diz que era isso que mantinha sua ponte de pé?

– Exatamente.

Merthin percebeu que até os outros construtores partilhavam o ceticismo de Elfric. Mas nada sabiam sobre pontes, que eram diferentes de qualquer outro tipo de construção porque ficavam na água.

– As pilhas de pedras eram uma parte essencial do projeto – ressaltou.

– Não apareciam nos desenhos.

– Gostaria de nos mostrar meus desenhos, Elfric, para provar o que afirma?

– Os desenhos no chão há muito desapareceram.

– Fiz um desenho em pergaminho. Deve estar na biblioteca do priorado.

Elfric olhou para Godwyn. Com isso, a cumplicidade entre os dois ficou patente. Merthin torceu para que o resto da guilda também tivesse percebido.

– Pergaminhos são caros – reagiu Godwyn. – O desenho foi raspado e o pergaminho, usado em outra coisa há muito tempo.

Merthin assentiu com a cabeça, como se acreditasse em Godwyn. Ainda não havia sinal de Jeremiah. Poderia ter de vencer a discussão sem a ajuda do desenho original.

– As pedras teriam evitado o problema que agora causa as rachaduras – disse.

– Insiste em dizer isso, não é? – interveio Philemon. – Mas por que devemos acreditar em você? É apenas a sua palavra contra a de Elfric.

Merthin compreendeu que teria de se expor. Era tudo ou nada, pensou.

– Explicarei qual é o problema e provarei para todos, à luz do dia, se quiserem se encontrar na beira do rio amanhã ao amanhecer.

O rosto de Elfric demonstrava seu desejo de recusar o desafio, mas Bill Watkin declarou:

– Nada mais justo. Estaremos lá.

– Bill, pode levar dois rapazes sensatos, que sejam bons nadadores e mergulhadores?

– Claro.

Elfric perdera o controle da reunião. Godwyn decidiu interferir, demostrando ser o homem que controlava o fantoche.

– Que tipo de farsa está planejando? – indagou, furioso.

Mas era tarde demais. Todos estavam curiosos agora.

– Vamos deixá-lo fazer o que propõe – disse Bill. – Se for mesmo uma farsa, logo saberemos.

Foi nesse instante que Jeremiah voltou. Merthin ficou satisfeito ao observar que ele trazia uma armação de madeira com um pergaminho esticado. Elfric olhou para Jeremiah, aturdido. Godwyn empalideceu e perguntou:

– Quem lhe deu isso?

– Pergunta reveladora – comentou Merthin. – O prior não indaga o que o desenho mostra nem de onde vem... parece já saber. Apenas pergunta quem o entregou.

– Isso não importa – declarou Bill. – Mostre-nos o desenho, Jeremiah.

Jeremiah foi se postar na frente da balança. Virou a armação para que todos pudessem ver o desenho. E ali, nas extremidades das pilastras, estavam as pilhas de pedras a que Merthin se referira.

– Amanhã de manhã explicarei para que servem essas pedras – disse Merthin, levantando-se.

⌐

O verão se transformava em outono e fazia frio na margem do rio ao amanhecer. Espalhara-se a notícia de que alguma coisa muito importante aconteceria ali. Além dos membros da guilda da paróquia, havia duzentas a trezentas pessoas esperando para ver o desenlace do confronto entre Merthin e Elfric. Até mesmo Caris comparecera. Não era mais uma simples discussão sobre um problema de engenharia, compreendeu Merthin. Ele era o novilho desafiando a autoridade do velho touro, e o rebanho percebia isso.

Bill Watkin apresentou dois garotos de 12 ou 13 anos só com o calção de baixo, ambos tremendo de frio. Eram Dennis e Noah, os filhos mais novos de Mark Webber. Dennis, de 13 anos, era baixo e atarracado como a mãe. Tinha cabelos ruivo-castanhos, da cor das folhas no outono. Noah, com dois anos a menos, era mais alto e provavelmente cresceria para ser tão grande quanto Mark. Merthin se identificou com o ruivo baixo. Especulou se Dennis estava constrangido, como acontecia com ele naquela idade, por ter um irmão mais jovem maior e mais forte.

Merthin pensou que Elfric trataria de protestar pelo fato de os mergulhadores serem filhos de Mark, sob a alegação de que poderiam ter sido instruídos antes pelo pai sobre o que dizer. Mas Elfric não disse nada. Mark era de uma honestidade tão evidente que ninguém poderia desconfiar de que fosse capaz de participar de uma farsa. Talvez Elfric compreendesse isso... ou, o mais provável, Godwyn compreendesse. Merthin explicou aos garotos o que deveriam fazer:

– Nadem até a pilastra central e mergulhem quando chegarem lá. Descobrirão que a pilastra é lisa por uma longa extensão. Depois verão a fundação, uma grande massa de pedras mantidas juntas com argamassa. Quando alcançarem o leito do rio, tateiem por baixo da fundação. Provavelmente não poderão ver qualquer coisa... a água estará lamacenta demais. Mas prendam a respiração por tanto tempo quanto puderem e verifiquem com todo o cuidado em torno da base. Depois voltem à superfície e nos contem tudo que encontrarem. – Os dois pularam na água e começaram a nadar.

Merthin então se dirigiu às pessoas ao redor:

– O leito deste rio não é rochoso, mas lamacento. A correnteza turbilhona em torno das colunas de uma ponte e remove o lodo por baixo, deixando uma depressão que fica cheia só de água. Foi o que aconteceu com a velha ponte de madeira. As pilastras de carvalho não estavam mais fincadas no leito do rio, mas suspensas da superestrutura. Foi por isso que a ponte desabou. Para evitar que a mesma coisa acontecesse com a ponte nova, especifiquei pilhas de pedras grandes em torno da base das pilastras. Essas pedras seriam um obstáculo para a correnteza, tornando sua ação fraca e acidental. Mas as pilhas de pedras não foram instaladas, por isso as pilastras foram solapadas. Não estão mais sustentando a ponte, mas penduradas... e é por isso que as rachaduras aparecem nos pontos em que as pilastras se unem às arcadas.

Elfric soltou uma risada cética, mas os outros construtores se mostraram interessados. Os dois garotos alcançaram o meio do rio, tocaram na pilastra, inspiraram fundo e desapareceram. Merthin acrescentou:

– Quando voltarem, eles nos dirão que a pilastra não está fincada no leito do rio, mas suspensa sobre uma depressão cheia de água, grande o suficiente para um homem entrar ali. – Ele torcia para estar certo.

Os garotos permaneceram debaixo d'água por um tempo surpreendentemente longo. Merthin descobriu que começava a ficar sem fôlego, como que sintonizado com eles. Até que finalmente uma cabeça de cabelos ruivos aflorou à superfície, logo acompanhada por outra de cabelos castanhos. Conversaram por um instante, como se verificassem se ambos haviam encontrado a mesma coisa. Depois nadaram para a margem.

Merthin não tinha certeza absoluta de seu diagnóstico, mas não podia pensar em qualquer outra explicação para as rachaduras. E sentira a necessidade de demonstrar total confiança. Se agora fosse comprovado que se enganara, pareceria ainda mais tolo.

Os meninos se aproximaram da praia. Vadearam pelos últimos passos, ofegantes. Madge lhes entregou cobertores, que eles ajeitaram em torno dos ombros trêmulos. Merthin esperou um momento até que recuperassem o fôlego antes de perguntar:

– E então, o que encontraram?

– Nada – respondeu Dennis, o mais velho.

– Nada? Como assim?

– Não há nada lá, na base da pilastra.

Elfric assumiu uma expressão triunfante.

– Apenas o leito do rio, é claro.

– Não! – exclamou Dennis. – Nada de lama, apenas água.

– Há um buraco em que se pode entrar com a maior facilidade! – acrescentou Noah. – Aquela enorme pilastra está suspensa na água, sem nada por baixo.

Merthin fez um esforço para não parecer aliviado.

– Não há qualquer fundamento para garantir que uma pilha de pedras soltas teria resolvido o problema! – gritou Elfric.

Mas já ninguém prestava atenção a ele. Aos olhos da multidão, Merthin provara o que afirmara. Todos se reuniram ao seu redor, comentando, fazendo perguntas. Passado um tempo, Elfric se foi, sozinho.

Merthin sentiu uma momentânea pontada de compaixão. Mas depois recordou como Elfric o agredira, batendo com uma vara em seu rosto, quando ele era aprendiz, e a compaixão se evaporou no ar frio da manhã.

56

Um monge foi procurar Merthin na Bell na manhã seguinte. Quando tirou o capuz, Merthin não o reconheceu de imediato. Mas depois reparou que o braço esquerdo do monge terminava no cotovelo e compreendeu que era o irmão Thomas, agora na casa dos 40 anos, com a barba grisalha e rugas profundas em torno da boca e dos olhos. O segredo dele ainda seria perigoso depois de tantos anos?, especulou Merthin. A vida de Thomas ainda correria perigo, mesmo agora, se a verdade viesse à tona? Mas Thomas não viera falar sobre isso.

– Você tinha razão sobre a ponte – comentou ele.

Merthin anuiu com a cabeça. Havia uma amarga satisfação na questão, mas o prior Godwyn o despedira e, em consequência, sua ponte nunca seria perfeita.

– Eu quis explicar a importância das pedras soltas na ocasião da construção, mas sabia que Elfric e Godwyn nunca me dariam crédito. Por isso falei com Edmund Wooler. Mas ele morreu logo depois.

– Deveria ter me falado.

– Eu bem que gostaria de ter feito isso.

– Venha comigo até a catedral. Já que pode descobrir tantas coisas a partir de umas poucas rachaduras, eu gostaria de lhe mostrar um problema, se puder.

Ele levou Merthin para o transepto sul. Ali e na nave sul do coro, onde Elfric reconstruíra as arcadas depois do desabamento parcial onze anos antes, Merthin percebeu no mesmo instante o que preocupava Thomas: as rachaduras haviam reaparecido.

– Você disse que voltariam – comentou Thomas.

– A menos que se descobrisse antes a verdadeira causa do problema.

– Mas você tinha razão. Elfric errou duas vezes.

Merthin sentiu um lampejo de excitação. Se fosse necessário reconstruir a torre...

– Você compreende isso... mas será que Godwyn também compreende?

Thomas não respondeu à pergunta.

– A seu ver, qual é a causa básica?

Merthin se concentrou no problema imediato. Pensara a respeito volta e meia, ao longo dos anos.

– Esta não é a torre original, não é mesmo? Segundo o *Livro de Timothy*, foi reconstruída e ficou mais alta.

– Isso mesmo, há cerca de cem anos... quando o negócio de lã crua era mais próspero. Acha que fizeram uma torre alta demais?

– Depende das fundações.

O terreno da catedral tinha uma inclinação suave para o sul, na direção do rio, o que podia ser um fator. Merthin passou pela interseção, por baixo da torre, até o transepto norte. Parou junto do pilar maciço no canto nordeste da interseção. Olhou para a arcada que se estendia por cima de sua cabeça através da nave norte do coro e até a parede.

– É com a nave sul que estou preocupado – disse Thomas, um pouco impaciente. – Não há problemas aqui.

Merthin apontou.

– Há uma rachadura no lado inferior da arcada... – Merthin apontou – ... o intradorso... na coroa. Isso acontece numa ponte, quando as pilastras não têm as fundações apropriadas e começam a se deslocar.

– O que está querendo dizer... é que a torre está se afastando do transepto norte?

Merthin voltou à interseção e olhou para a arcada que se estendia para o lado sul.

– Aqui também há rachaduras, mas no lado superior, o extradorso... pode ver? A parede por cima também está rachada.

– Não são rachaduras muito grandes.

– Mas nos indicam o que está acontecendo. No lado norte, a arcada está esticada, enquanto no lado sul está sendo comprimida. Isso significa que a torre se inclina para o sul.

Thomas ergueu os olhos, cauteloso.

– Parece reta.

– Não dá para ver a olho nu. Mas, se subir na torre e largar um fio de prumo do alto de uma das colunas da interseção, logo abaixo do ponto onde nasce a arcada, vai descobrir que ao chegar ao chão estará vários centímetros afastado, para o sul. E, à medida que a torre se inclina, vai se afastando da parede do coro, o lugar em que os danos se mostram mais graves.

– O que se pode fazer?

Merthin teve vontade de dizer: Você tem de me contratar para construir uma torre nova. Mas isso seria prematuro.

– É preciso investigar mais antes de iniciar qualquer construção – disse, reprimindo a excitação. – Já determinamos que as rachaduras apareceram porque a torre está se inclinando... mas qual o motivo para isso?

– Como podemos descobrir?

– Cavando um buraco.

Por fim, Jeremiah cavou o buraco. Thomas não quis contratar Merthin diretamente. Já fora bastante difícil, explicou, arrancar de Godwyn o dinheiro para a investigação, pois o prior parecia nunca dispor de qualquer quantia sobrando. Mas ele também não podia entregar o trabalho a Elfric, que diria que não havia nada para investigar. Por isso, o meio-termo foi contratar o antigo aprendiz de Merthin.

Jeremiah aprendera com seu mestre e gostava de trabalhar depressa. No primeiro dia, levantou as pedras do piso do transepto sul. No dia seguinte, seus homens começaram a escavar a terra em torno do imenso pilar sudeste da interseção.

Quando o buraco se tornou mais fundo, Jeremiah instalou um guincho de madeira para retirar as cargas de terra. Na segunda semana, ele teve de construir escadas nos lados do buraco para que seus trabalhadores pudessem descer até o fundo.

Enquanto isso, a guilda da paróquia deu a Merthin o contrato para o reparo da ponte. Elfric foi contra, como não podia deixar de ser, mas não estava em condições de alegar que era o melhor homem para o serviço e por isso não se deu o trabalho de discutir.

Merthin começou a trabalhar com rapidez e energia. Construiu ensecadeiras em torno das duas pilastras problemáticas, esvaziou as represas e começou a encher os buracos por baixo das pilastras com pedras e argamassa. Em seguida, cercaria as pilastras com as pilhas de pedras soltas que projetara desde o início. Ao final, removeria as feias cintas de ferro de Elfric e encheria as rachaduras com argamassa. Se as fundações recuperadas permanecessem firmes, as rachaduras não reabririam.

Mas o trabalho que queria mesmo era a reconstrução da torre.

Não seria fácil. Teria de dar um jeito para que o projeto fosse aprovado pelo priorado e a guilda da paróquia, sob o comando de seus dois piores inimigos, Godwyn e Elfric. E Godwyn ainda teria de arrumar o dinheiro.

Como primeiro passo, Merthin encorajou Mark a se apresentar como candidato a regedor, para substituir Elfric. O regedor era eleito todos os anos, no Dia de Todos os Santos, 1º de novembro. Na prática, a maioria dos regedores era eleita sem oposição e permanecia na função até se aposentar ou morrer. O próprio Elfric apresentara sua candidatura quando Edmund Wooler ainda era vivo.

Mark não precisou de muito estímulo. Estava ansioso por acabar com a gestão de Elfric. Afinal, Elfric era tão ligado a Godwyn que não havia muito sentido em ter uma guilda da paróquia. A cidade era na verdade dirigida pelo priorado... tacanho, conservador, desconfiado de ideias novas, indiferente aos interesses dos habitantes.

Os dois candidatos começaram a buscar apoio. Elfric tinha seus seguidores, quase todos homens que empregava ou de quem comprava materiais de construção. Mas ele perdera muito prestígio na discussão sobre a ponte. Seus seguidores estavam desanimados. Os partidários de Mark, em contraste, estavam na maior animação.

Merthin visitava a catedral todos os dias e examinava as fundações das poderosas colunas à medida que eram expostas pela escavação de Jeremiah. As fundações eram feitas da mesma pedra que o resto da catedral. As pedras eram dispostas em fileiras com argamassa, mas desbastadas com menos cuidado, já que não ficariam visíveis. Cada fileira era um pouco maior que a de cima, num formato de pirâmide. À medida que a escavação se aprofundava, ele examinava cada camada à procura de fraquezas, sem encontrar nenhuma. Mas estava confiante em que acabaria encontrando.

Merthin não dizia a ninguém o que tinha em mente. Se suas suspeitas se confirmassem e a torre do século XIII fosse pesada demais para as fundações do século XII, a solução seria drástica: a torre teria de ser demolida... e uma nova, construída. E a nova torre poderia ser a mais alta da Inglaterra.

Um dia, em meados de outubro, Caris apareceu na escavação. Era o início da manhã e um sol de inverno brilhava através da grande janela leste. Ela parou na borda do buraco, o capuz envolvendo a cabeça como um halo. O coração de Merthin bateu mais depressa. Talvez Caris tivesse uma resposta para ele. Subiu a escada na maior ansiedade.

Ela estava linda como sempre, embora ao sol forte Merthin pudesse perceber as pequenas diferenças que nove anos haviam criado em seu rosto. A pele já não era tão lisa e havia agora pequenas rugas nos cantos dos lábios. Mas os olhos verdes ainda faiscavam com a inteligência alerta que ele tanto amava.

Foram andando juntos pela nave sul. Pararam perto do pilar que sempre o lembrava da maneira como outrora a acariciara ali.

– Fico contente em vê-la – disse. – Esteve se escondendo.

– Sou uma freira. Não devo me exibir por toda parte.

– Mas está pensando em renunciar a seus votos.

– Ainda não tomei uma decisão.

Merthin ficou desolado.

– De quanto tempo ainda precisa?

– Não sei.

Ele desviou os olhos. Não queria mostrar como se sentia magoado pela hesitação. Não disse nada. Poderia argumentar que ela estava sendo irracional, mas de que adiantaria?

– Imagino que vá visitar seus pais em Tench mais cedo ou mais tarde – disse Caris.

Merthin assentiu com a cabeça.

– Muito em breve. Eles gostarão de conhecer Lolla.

Ele também estava ansioso para rever os pais. Só protelara a visita por estar absorvido demais nos trabalhos na ponte e na torre.

– Nesse caso, eu gostaria que conversasse com seu irmão sobre a situação de Wulfric em Wigleigh.

Merthin queria falar sobre ele próprio e Caris, não sobre Wulfric e Gwenda. Sua reação foi fria:

– O que você quer que eu diga a Ralph?

– Wulfric está trabalhando sem ganhar qualquer dinheiro, apenas por comida... porque Ralph não lhe concede sequer um acre para cultivar.

Merthin deu de ombros.

– Wulfric quebrou o nariz de Ralph.

Ele pressentiu que a conversa começava a descambar para uma briga e se perguntou por que estava tão irritado. Caris não falava com ele há semanas, mas rompera o silêncio em defesa de Gwenda. No fundo, compreendeu, se ressentia do lugar de Gwenda no coração de Caris. O que era uma emoção indigna, disse a si mesmo, embora não fosse capaz de evitá-la. Caris ficou vermelha de fúria.

– Isso aconteceu há doze anos! Não é tempo de Ralph parar de puni-lo?

Merthin esquecera as discussões furiosas que costumava ter com Caris. Agora, reconheceu aquele atrito como algo familiar. E falou como se quisesse encerrar o assunto:

– Claro que ele deveria parar... na minha opinião. Mas é a opinião de Ralph que conta.

– Pois então tente fazê-lo mudar de ideia.

Merthin também se ressentiu da atitude imperiosa.

– Estou às suas ordens – murmurou ele, espirituoso.

– Por que a ironia?

– Porque não estou às suas ordens, mas você parece pensar o contrário. E me sinto um pouco idiota por concordar sempre.

– Ora, pelo amor de Deus! Sente-se ofendido porque eu lhe fiz um pedido?

Por alguma razão, Merthin teve certeza de que ela já tomara a decisão de rejeitá-lo e continuar no convento. Fez um esforço para controlar suas emoções.

– Se fôssemos um casal, você poderia me pedir qualquer coisa. Mas, enquanto mantém em aberto a opção de me rejeitar, parece um pouco de presunção de sua parte.

Ele sabia que parecia enfático, mas não pôde se conter. Desataria a chorar se revelasse seus verdadeiros sentimentos. Mas Caris estava envolvida demais em sua indignação para notar a aflição de Merthin.

– Mas não é por mim que estou pedindo! – protestou.

– Sei que é sua generosidade de espírito que a leva a fazer isso, mas ainda sinto que está me usando.

– Então não faça nada!

– Claro que farei.

Subitamente, Merthin não pôde mais se conter. Virou-se e se afastou. Tremia com alguma paixão que não podia identificar. Enquanto caminhava pela nave da vasta catedral, fez um novo esforço para se controlar. Aquilo era uma estupidez. Parou e olhou para trás. Caris havia desaparecido.

Foi até a borda do buraco e ficou olhando para o fundo, à espera de que a tempestade interior se dissipasse.

Após algum tempo, compreendeu que a escavação alcançara um ponto crucial. Dez metros abaixo, os homens haviam passado pela fundação de alvenaria e começavam a revelar o que existia por baixo. Não havia mais nada que ele pudesse fazer em relação a Caris naquele momento. Seria melhor se concentrar no trabalho. Respirou fundo, engoliu em seco e desceu pela escada.

Aquele era o momento da verdade. Sua angústia por Caris começou a se desvanecer enquanto observava os homens escavarem ainda mais. A lama pesada era removida, pazada após pazada. Merthin estudou a camada de terra que surgiu abaixo da fundação. Parecia uma mistura de areia e cascalho. Enquanto os homens removiam a lama, essa mistura caía no buraco.

Merthin ordenou que parassem de escavar. Ajoelhou-se e pegou um punhado do material arenoso. Não era nem um pouco parecido com o solo ao redor. Não era natural dali; portanto, devia ter sido posto pelos construtores. A excitação pela descoberta o dominou, prevalecendo sobre a angústia por Caris.

– Jeremiah! – chamou. – Procure o irmão Thomas e o traga até aqui o mais depressa que puder!

Mandou que os homens continuassem a cavar mas fizessem um buraco mais estreito: àquela altura, a escavação poderia se tornar perigosa para a estrutura. Passado algum tempo, Jeremiah voltou com Thomas. Os três ficaram observando enquanto os homens aprofundavam o buraco. A camada de areia finalmente terminou. A camada seguinte era da terra lamacenta local.

– Não sei o que é essa areia – comentou Thomas.

– Eu acho que sei.

Merthin fez um esforço para não parecer triunfante. Previra anos antes que os reparos de Elfric de nada adiantariam a menos que a causa do problema fosse descoberta. Acertara em cheio, mas nunca era sensato alegar "Eu não disse?".

Thomas e Jeremiah o encararam em expectativa. Merthin explicou:

– Quando se escava um buraco de fundação, cobre-se o fundo com uma mistura de cascalho e argamassa. Depois, assenta-se o trabalho de alvenaria por cima. É um sistema perfeito, desde que as fundações sejam proporcionais à construção por cima.

– Nós dois sabemos disso – retrucou Thomas, impaciente.

– O que aconteceu aqui foi que ergueram uma torre muito mais alta sobre fundações que não foram projetadas para isso. O peso extra, pressionando por uma centena de anos, esmagou essa camada de cascalho e argamassa, transformando-a em areia. A areia não tem coesão e, devido à pressão, se espalhou para os lados, pelo solo ao redor, permitindo que a alvenaria por cima afundasse. O efeito é pior no lado sul apenas porque o terreno tem uma inclinação natural nesse sentido.

Merthin sentia uma profunda satisfação por ter chegado a essa conclusão. Os outros ficaram pensativos. Após algum tempo, Thomas concluiu:

– Nesse caso, teremos de reforçar as fundações.

Jeremiah meneou a cabeça.

– Antes de acrescentarmos qualquer reforço por baixo do pilar, teríamos de retirar o material arenoso, o que deixaria as fundações sem apoio. A torre cairia.

Thomas ficou perplexo.

– Então o que podemos fazer?

Ambos olharam para Merthin, que respondeu:

– Construir um telhado provisório sobre a interseção, erguer andaimes e desmontar a torre, pedra por pedra, para depois reforçar as fundações.

– Nesse caso, teríamos de construir uma torre nova.

Era o que Merthin queria, mas ele não confirmou. Thomas poderia desconfiar que seu julgamento fora influenciado por seu desejo.

– Receio que sim – foi o que disse, fingindo tristeza.

– O prior Godwyn não vai gostar.

– Sei disso – declarou Merthin. – Mas acho que ele não tem opção.

No dia seguinte, Merthin deixou Kingsbridge com Lolla à sua frente na sela. Enquanto atravessavam a floresta, repassou obsessivamente seu atrito com Caris. Sabia que fora hostil. Uma atitude insensata, quando tentava reconquistar seu amor. O que dera nele? O pedido de Caris fora absolutamente razoável. Por que não podia prestar um pequeno serviço à mulher com quem queria se casar?

Mas Caris não concordara em se casar com ele. Ainda se reservava o direito de rejeitá-lo. Era essa a fonte de sua raiva. Caris exercia o direito de noiva sem assumir o compromisso. Ele podia compreender agora que fora mesquinharia de sua parte protestar sob essa alegação. Uma estupidez, convertendo em briga o que poderia ser um momento de maravilhosa intimidade.

Por outro lado, a causa latente de sua aflição era bastante real. Por quanto tempo Caris imaginava que ele esperaria por uma resposta? E por quanto tempo ele estava disposto a esperar? Não gostava de pensar a respeito.

De qualquer forma, ele se sentiria bem se conseguisse persuadir Ralph a deixar de perseguir o pobre Wulfric.

Tench ficava no outro lado do condado. No caminho, Merthin passou a noite em Wigleigh, onde ventava muito. Encontrou Wulfric e Gwenda muito magros, depois de um verão chuvoso e da segunda colheita ruim consecutiva. A cicatriz de Wulfric parecia sobressair ainda mais no rosto encovado. Os dois filhos pequenos estavam magros, narizes escorrendo, feridas nos lábios.

Merthin lhes deu um pernil de cordeiro, um barril pequeno de vinho e uma moeda de ouro fingindo serem presentes de Caris. Gwenda cozinhou o pernil. Estava dominada pela raiva e discorreu sobre a injustiça de que eram vítimas:

– Perkin explora quase a metade das terras da aldeia! Só consegue cuidar de tudo porque conta com Wulfric, que faz o trabalho de três homens. Mas ele sempre exige mais e nos mantém na pobreza.

– Lamento que Ralph ainda guarde ressentimento – disse Merthin.

– O próprio Ralph provocou aquela briga! – exclamou Gwenda. – Até mesmo lady Philippa disse isso.

– Brigas antigas... – murmurou Wulfric, filosófico.

– Tentarei fazer com que ele veja a luz da razão – prometeu Merthin. – Na hipótese improvável de que ele me escute, o que vocês querem dele?

– Ahn... – Wulfric exibia uma expressão sonhadora, o que era excepcional. – Rezo todos os domingos para recuperar as terras que meu pai cultivava.

– Isso nunca vai acontecer – garantiu Gwenda. – Perkin tem uma posição firme. E, se por acaso morrer, tem um filho e uma filha casada esperando para herdar, além de dois netos que ficam maiores a cada dia. Mas gostaríamos de ter nossa própria terra. Nos últimos onze anos, Wulfric tem trabalhado para alimentar os filhos de outros homens. É tempo de usufruir um benefício de seu próprio trabalho.

– Direi a meu irmão que já o puniu por tempo demais.

No dia seguinte, Merthin e Lolla seguiram de Wigleigh para Tench. Ele estava mais determinado do que nunca a fazer alguma coisa por Wulfric. Não era apenas porque queria agradar Caris e tomar uma iniciativa para expiar seu comportamento rabugento. Também estava triste e indignado porque duas pessoas honestas e trabalhadoras como Gwenda e Wulfric eram pobres e magras, seus filhos doentes, só por causa da sede de vingança de Ralph.

Seus pais moravam numa casa na aldeia, não em Tench Hall. Merthin ficou chocado ao descobrir quanto a mãe envelhecera, embora ela se mostrasse animada ao ver Lolla. O pai parecia melhor.

– Ralph é muito bom para nós – afirmou Gerald num tom defensivo que fez Merthin pensar que acontecia o oposto.

A casa era bastante aconchegante, mas era evidente que eles prefeririam viver no solar com Ralph. Merthin calculou que o irmão não queria que a mãe testemunhasse tudo o que ele fazia. Depois que lhe mostraram a casa, Gerald perguntou como estavam as coisas em Kingsbridge.

– A cidade continua a prosperar apesar dos efeitos da guerra francesa do rei – respondeu Merthin.

– Mas Eduardo deve lutar por seus direitos. Afinal, ele é o herdeiro legítimo do trono da França.

– Isso não passa de um sonho, pai. Não importa quantas vezes o rei invada a França, a nobreza francesa nunca aceitará um inglês como seu rei. E um rei não pode governar sem o apoio de seus condes.

– Mas temos de acabar com os ataques franceses aos portos da costa sul.

– Isso deixou de ser problema desde que destruímos a frota francesa na batalha de Sluys... que aconteceu há oito anos. Seja como for, queimar as colheitas dos camponeses não vai deter os piratas... e pode até aumentar seu número.

– Os franceses apoiam os escoceses, que continuam a invadir nossos condados do norte.

– Não acha que o rei poderia lidar melhor com as incursões escocesas se estivesse no Norte da Inglaterra em vez de ir para o Norte da França?

Gerald parecia aturdido. Provavelmente nunca lhe ocorrera questionar a sabedoria da guerra.

– Ralph foi elevado a cavaleiro – disse. – E trouxe para sua mãe um castiçal de prata de Calais.

Isso dizia tudo, pensou Merthin. A verdadeira razão para a guerra era a conquista de glória e de despojos.

Seguiram a pé para o solar. Ralph havia saído para uma caçada, em companhia de Alan Fernhill. Havia no salão uma enorme cadeira toda esculpida, obviamente usada pelo lorde. Merthin viu uma jovem grávida que presumiu ser uma camponesa. Ficou consternado quando ela lhe foi apresentada como a esposa de Ralph, Tilly. Ela foi até a cozinha para buscar vinho.

– Que idade ela tem? – perguntou Merthin à mãe durante sua ausência.

– Quatorze anos.

Não era incomum que jovens engravidassem aos 14 anos, mas mesmo assim Merthin achava que pessoas decentes se comportavam de maneira diferente. Esse tipo de gravidez precoce costumava ocorrer nas famílias reais, em que havia uma pressão intensa para produzir herdeiros, e entre as classes mais baixas e os camponeses ignorantes, que não tinham normas de comportamento. As classes médias mantinham padrões superiores.

– Não acha que ela é um pouco jovem? – indagou ele em voz baixa.

– Todos pedimos a Ralph para esperar, mas ele não quis – respondeu Maud, deixando evidente que também desaprovava.

Tilly voltou com uma serva trazendo um jarro de vinho e uma tigela com maçãs. Ela poderia ser bonita, pensou Merthin, se não parecesse tão esgotada. O pai se dirigiu a ela com uma alegria forçada:

– Ânimo, Tilly! Seu marido deve chegar em casa a qualquer momento e não vai querer recebê-lo com essa cara triste.

– Estou cansada dessa gravidez. Gostaria que o bebê nascesse o mais depressa possível.

– Não deve demorar muito agora – disse Maud. – Três ou quatro semanas, no máximo.

– Parece uma eternidade.

Ouviram o barulho de cavalos lá fora.

– Deve ser Ralph – disse Maud.

À espera do irmão que não via há nove anos, Merthin tinha sentimentos contraditórios, como sempre. Sua afeição pelo irmão era sempre contaminada pelo conhecimento de todo o mal que Ralph fizera. O estupro de Annet fora apenas o começo. Durante seus dias como fora da lei, Ralph assassinara homens, mulheres e crianças inocentes. Merthin ouvira relatos, enquanto viajava pela Normandia, das atrocidades cometidas pelo exército do rei Eduardo. Embora não soubesse expressamente o que Ralph fizera, seria insensatez imaginar que ele permanecera alheio à orgia de estupros, incêndios criminosos, saques e matanças. No entanto, Ralph era seu irmão.

Ralph também tinha sentimentos contraditórios, pensou Merthin. Poderia não ter perdoado Merthin por revelar seu esconderijo quando era um fora da lei. E, embora Merthin tivesse exigido de Thomas a promessa de não matar Ralph, era de esperar que o irmão fosse enforcado ao ser capturado. E ele não podia esquecer as últimas palavras que Ralph lhe dissera, na cadeia no porão da casa da guilda em Kingsbridge: "Você me traiu."

Ralph entrou acompanhado por Alan, ambos todos enlameados da caçada. Merthin ficou chocado ao descobrir que ele claudicava. Ralph demorou um pouco para reconhecer Merthin, mas depois deu um sorriso alegre e exclamou, efusivo:

– Meu irmão grande!

Era uma piada antiga: Merthin era o mais velho, mas há muito era o menor.

Os dois se abraçaram. Merthin sentiu um ímpeto de afeto, apesar de tudo. Pelo menos os dois continuavam vivos, pensou, apesar da guerra e da peste. Quando se separaram, ele tinha dúvidas de se algum dia tornariam a se encontrar. Ralph se jogou em sua enorme cadeira.

– Traga cerveja – disse a Tilly. – Estamos morrendo de sede.

Não haveria recriminações, concluiu Merthin.

Estudou o irmão. Ralph mudara desde aquele dia em 1339 em que partira para a guerra. Perdera alguns dedos da mão esquerda, presumivelmente em batalha. Tinha uma aparência dissoluta: o rosto com veias saltadas, de beber, a pele seca e flácida.

– Teve uma boa caçada? – perguntou Merthin.

– Trouxemos uma corça tão gorda quanto uma vaca – respondeu Ralph, na maior satisfação. – Comerá seu fígado hoje.

Merthin perguntou sobre os combates no exército do rei e Ralph relatou alguns dos pontos altos da guerra. O pai se mostrou entusiasmado e declarou:

– Um cavaleiro inglês vale dez franceses! A batalha de Crécy provou isso!

A resposta de Ralph, surpreendentemente, foi comedida:

– Um cavaleiro inglês não é muito diferente de um cavaleiro francês, em minha opinião. Mas os franceses ainda não compreenderam nossa formação de combate, com arqueiros nos dois lados de homens de armas e cavaleiros desmontados. Ainda desfecham ataques suicidas, e isso pode continuar por mais algum tempo. Mas um dia vão tirar conclusões sobre o combate nessas circunstâncias e mudar sua tática. Enquanto isso, somos quase invencíveis na defesa. Infelizmente, porém, a formação em forcado é irrelevante para o ataque, por isso acabamos sem ganhar quase nada.

Merthin ficou impressionado ao constatar como o irmão amadurecera. A guerra lhe proporcionara uma profundidade e uma sutileza que não possuía antes.

Por sua vez, Merthin falou sobre Florença: o incrível tamanho da cidade, a riqueza dos mercadores, as igrejas e palácios. Ralph demonstrou um fascínio especial pela existência de escravas.

A escuridão caiu. Os servos trouxeram lampiões e velas, depois o jantar. Ralph bebeu muito. Merthin notou que ele mal falava com Tilly. O que talvez não fosse surpreendente. Ralph era um soldado de 31 anos que passara a metade da vida adulta no exército, enquanto Tilly era uma garota de 14 anos criada num convento. Sobre o que os dois poderiam conversar?

Mais tarde, depois que Gerald e Maud voltaram para sua casa e Tilly foi se deitar, Merthin decidiu abordar o assunto do pedido de Caris. Estava mais otimista do que antes, porque Ralph apresentava sinais de maturidade. Perdoara Merthin pelo que acontecera em 1339, e sua análise objetiva das táticas dos ingleses e franceses não tinha o ranço do chauvinismo tribal.

– Passei a noite em Wigleigh na vinda para cá.

– Aquele moinho de pisoar continua em atividade.

– O tecido escarlate se transformou num bom negócio para Kingsbridge.

Ralph deu de ombros.

– Mark Webber paga o arrendamento pontualmente.

Estava abaixo da dignidade dos nobres conversar sobre negócios.

– Estive com Gwenda e Wulfric. Você sabe que Gwenda é amiga de Caris desde a infância.

– Ainda me lembro daquele dia em que nos encontramos com sir Thomas Langley na floresta.

Merthin lançou um olhar rápido para Alan Fernhill. Todos haviam mantido o juramento da infância e não haviam falado a ninguém sobre o incidente. Merthin queria que o sigilo persistisse, pois sentia que era importante para Thomas, embora não tivesse a menor ideia do motivo. Mas Alan não teve a menor reação: bebera muito vinho e não tinha ouvidos para insinuações. Mesmo assim, Merthin se apressou em acrescentar:

– Caris me pediu para falar com você sobre Wulfric. Ela acha que você já o puniu o suficiente por aquela briga. E eu concordo.

– Ele quebrou meu nariz!

– Já esqueceu que eu estava presente? Não se pode dizer que você foi inocente na briga. – Merthin tentou tratar do assunto de maneira jovial: – Acariciou sua noiva... Como era mesmo o nome dela?

– Annet.

– Se os peitos dela não valiam um nariz quebrado, você é o único culpado.

Alan riu, mas Ralph não achou a menor graça.

– Wulfric quase conseguiu fazer com que lorde William me enforcasse, depois que Annet alegou que eu a estuprei.

– Mas você não foi enforcado. E cortou o rosto de Wulfric com a espada quando fugiu do tribunal. Foi um ferimento terrível... dava para ver os dentes dele. Ele nunca perderá a cicatriz.

– Ainda bem.

– Há onze anos você pune Wulfric. Sua esposa emagreceu muito e as crianças estão doentes. Não acha que já foi o suficiente, Ralph?

– Não.

– Como assim?

– Não é suficiente.

– Por quê? – indagou Merthin, na maior frustração. – Não consigo compreendê-lo.

– Continuarei a punir Wulfric e impedir que ele melhore de vida. Faço questão de humilhar Wulfric e suas mulheres.

Merthin ficou surpreso com a franqueza de Ralph.

– Pelo amor de Deus, com que finalidade?

– Normalmente eu não responderia a essa pergunta. Aprendi que quase nunca adianta dar explicações. Mas você é meu irmão mais velho e desde a infância sempre precisei de sua aprovação.

No fundo, compreendeu Merthin, Ralph realmente não mudara, mas apenas parecia conhecer e compreender a si mesmo de uma maneira que jamais ocorrera quando era mais jovem.

– A razão é simples – continuou Ralph. – Wulfric não tem medo de mim. Não se assustou naquele dia na Feira do Velocino e ainda não me teme, apesar de tudo o que fiz com ele. É por isso que ele deve continuar a sofrer.

Merthin ficou horrorizado.

– Isso é uma sentença perpétua!

– No dia em que eu perceber o medo em seus olhos quando me fitar, Wulfric terá qualquer coisa que quiser.

– É tão importante assim para você? – indagou Merthin, incrédulo. – Que as pessoas tenham medo de você?

– É a coisa mais importante do mundo.

57

O retorno de Merthin afetou toda a cidade. Caris observou as mudanças com espanto e admiração. Começaram com sua vitória sobre Elfric na guilda da paróquia. As pessoas compreenderam que a cidade poderia ter perdido sua ponte por causa da incompetência de Elfric e isso provocou um choque que as tirou da apatia. Mas todos sabiam que Elfric era um instrumento de Godwyn, por isso o priorado se tornou o alvo supremo do ressentimento.

E a atitude das pessoas em relação ao priorado começou a mudar. Havia um clima de desafio. Caris estava otimista. Mark Webber tinha boas possibilidades de vencer a eleição, marcada para o primeiro dia de novembro, e se tornar o regedor. Se isso acontecesse, o prior Godwyn não poderia mais fazer tudo à sua maneira. Talvez assim a cidade pudesse começar a crescer: mercados nos sábados, novos moinhos, tribunais independentes em que os mercadores poderiam acreditar.

Mas ela passava a maior parte do tempo pensando na própria situação. A volta de Merthin fora um terremoto que sacudira as fundações de sua vida. Sua reação inicial fora de horror pela perspectiva de abandonar tudo aquilo por que trabalhara durante os últimos nove anos: sua posição na hierarquia do convento; a maternal Cecilia, a afetuosa Mair; a enferma Velha Julie; e acima de tudo seu hospital, muito mais limpo, eficiente e acolhedor do que era antes.

Mas, à medida que os dias se tornaram mais frios e mais curtos, enquanto Merthin fazia os reparos na sua ponte e abria a rua em que pretendia construir novos prédios na ilha dos Leprosos, começou a enfraquecer a determinação de Caris de permanecer freira. As restrições da vida monástica, que deixara de notar depois de algum tempo, passaram a afligi-la de novo. A devoção de Mair, que fora uma diversão romântica agradável, agora se tornava irritante. E ela começou a pensar no tipo de vida que poderia levar como esposa de Merthin.

Pensava muito em Lolla e na criança de Merthin que poderia ter tido. Lolla tinha olhos escuros e cabelos pretos, presumivelmente como a mãe italiana. A filha de Caris poderia ter os olhos verdes da família Wooler. A ideia de renunciar a tudo para cuidar da filha de outra mulher deixara Caris consternada em teoria, mas, assim que conhecera a menina, ela suavizou sua atitude.

Não podia conversar com ninguém no priorado a respeito, é claro. Madre Cecilia lhe diria que devia cumprir seus votos; Mair suplicaria para que ela ficasse. Por isso ela se angustiava sozinha à noite.

Sua discussão com Merthin por causa de Wulfric a levara ao desespero. Depois que ele se afastou, Caris foi para a farmácia e chorou. Por que as coisas eram tão difíceis? Ela queria apenas fazer a coisa certa.

Enquanto Merthin estava em Tench, ela confidenciou tudo a Madge Webber. Dois dias depois da partida de Merthin, Madge entrou no hospital logo depois do amanhecer, quando Caris e Mair faziam a ronda.

– Estou preocupada com meu Mark – disse ela.

Mair informou a Caris:

– Fui vê-lo ontem. Ele foi a Melcombe e voltou com febre e dor na barriga. Não falei nada porque achei que não era grave.

– Agora ele está tossindo muito e cuspindo sangue – explicou Madge.

– Vou vê-lo – decidiu Caris.

Os Webbers eram amigos antigos; ela preferia cuidar de Mark pessoalmente. Pegou uma sacola com alguns medicamentos básicos e acompanhou Madge até sua casa, na rua principal.

A área residencial era no segundo andar, por cima da loja. Os três filhos de Mark esperavam ansiosos na sala de refeições. Madge levou Caris para um quarto que tinha um cheiro horrível. Caris já se acostumara ao odor de um quarto de doente, uma mistura de suor, vômito e dejetos humanos. Mark estava deitado num colchão de palha, suando. A imensa barriga estufada, cheia de ar, dava a impressão de gravidez. A filha, Dora, estava ao pé a seu lado. Caris se ajoelhou junto de Mark e perguntou:

– Como se sente?

– Muito mal – murmurou Mark, a voz rouca. – Pode me dar alguma coisa para beber?

Dora entregou um copo de vinho a Caris, que o levou aos lábios de Mark. Achou estranho ver um homem tão grande em tamanho desamparo. Ele sempre parecera invulnerável. Era angustiante, como encontrar um carvalho que estivera ali durante toda a sua vida mas fora subitamente derrubado por um raio.

Tocou a testa de Mark. Ele ardia em febre: não era de admirar que sentisse tanta sede.

– Deixem que ele beba tanto quanto quiser – recomendou Caris. – Uma cerveja fraca é melhor do que vinho.

Ela não disse a Madge que estava perplexa e preocupada com a doença de Mark. A febre e a dor na barriga eram sintomas rotineiros, mas a tosse com sangue era um sinal perigoso. Tirou um frasco com água de rosas da bolsa, encharcou um pedaço de tecido de lã e lavou o rosto e o pescoço de Mark. Serviu para acalmá-lo no mesmo instante. A água esfriava o rosto quente e o perfume de rosa disfarçava os cheiros ruins do quarto.

– Eu lhe darei um pouco de água de rosas de minha farmácia – disse a Madge. – Os médicos receitam para cérebro inflamado. A febre é quente e úmida, enquanto as rosas são frias e secas, alegam os monges. Qualquer que seja a razão, servirá para aliviá-lo um pouco.

– Obrigada.

Mas Caris não conhecia nenhum tratamento eficaz para catarro com sangue. Os monges médicos diagnosticariam excesso de sangue e recomendariam uma sangria, mas era o que receitavam para quase tudo, e Caris não acreditava na eficiência disso.

Ao lavar o pescoço de Mark, ela notou um sintoma que Madge não mencionara. Havia erupções púrpura escuras no pescoço e no peito de Mark.

Era uma doença que ela nunca observara antes, o que a deixou aturdida. Mas decidiu não dizer nada a Madge.

– Venha comigo para pegar a água de rosas.

O sol começava a subir no céu quando seguiram para o hospital.

– Você tem sido muito boa com a minha família – comentou Madge. – Éramos as pessoas mais pobres da cidade até que você começou a fabricar o escarlate.

– O sucesso foi uma consequência da energia e dedicação de vocês.

Madge assentiu com a cabeça. Sabia o que fizera.

– Mesmo assim, não teria acontecido sem você.

Num súbito impulso, Caris decidiu levar Madge pelo claustro das freiras até a farmácia, a fim de poderem conversar em particular. Leigos não tinham normalmente permissão para entrar ali, mas havia exceções; e Caris tinha agora a autoridade necessária para saber quando podia ignorar as regras.

Ficaram sozinhas na sala apertada. Caris encheu um jarro com água de rosas e cobrou 6 *pence* de Madge, para depois comentar:

– Estou pensando em renunciar a meus votos.

Madge acenou com a cabeça, sem demonstrar qualquer surpresa.

– Todo mundo quer saber o que você vai fazer.

Caris ficou chocada ao descobrir que as pessoas especulavam a seu respeito.

– Como sabem de meu dilema?

– Não é preciso ser clarividente. Você só entrou no convento para escapar de uma sentença de morte por bruxaria. E, depois do trabalho que realizou aqui, deve merecer perdão. Você e Merthin eram apaixonados e sempre pareceram certos um para o outro. Agora, ele voltou. É natural supor que você pense pelo menos em se casar com Merthin.

– Eu só não sei como seria a minha vida se eu fosse esposa de alguém.

Madge deu de ombros.

– Talvez um pouco parecida com a minha. Mark e eu cuidamos juntos do negócio dos tecidos. Tenho também de cuidar da casa, todos os maridos contam com isso, mas não é tão difícil assim, ainda mais quando se tem dinheiro para pagar empregados. E as crianças sempre serão uma responsabilidade da mãe, não do pai. Mas dou um jeito em tudo... e tenho certeza de que você faria a mesma coisa.

– Da maneira como você fala, não parece muito excitante.

Madge sorriu.

– Presumo que você já sabe das partes boas: sentir que é amada e adorada; saber que há uma pessoa no mundo que estará sempre ao seu lado; ir para a cama todas as noites com alguém forte e terno, que quer fazer sexo com você... isso é felicidade para mim.

As palavras simples de Madge descreviam uma imagem muito nítida e Caris foi dominada de repente por um anseio que era quase insuportável. Sentiu que mal podia esperar pelo momento de deixar a vida fria, dura e sem amor do priorado, em que o maior pecado era ter contato físico com outro ser humano. Se Merthin entrasse na farmácia naquele instante, ela arrancaria suas roupas e o possuiria ali mesmo, no chão.

Percebeu que Madge a observava com um ligeiro sorriso, lendo seus pensamentos. E não pôde deixar de corar.

– Não se preocupe. Eu compreendo. – Madge pôs 6 *pence* de prata na bancada e pegou o jarro. – É melhor eu voltar logo para casa e cuidar do meu homem.

Caris recuperou o controle.

– Tente mantê-lo confortável e venha me chamar imediatamente se houver alguma mudança em seu estado.

– Obrigada, irmã – disse Madge. – Não sei o que faria sem a sua ajuda.

⁓

Merthin permaneceu pensativo durante a viagem de volta para Kingsbridge. Nem mesmo a conversa animada e sem nexo de Lolla conseguiu tirá-lo de seu estado de espírito. Ralph aprendera muita coisa, mas no fundo não mudara. Ainda era um homem cruel. Negligenciava a esposa criança, mal tolerava os pais e era vingativo ao ponto da obsessão. Gostava de ser um lorde, mas sentia pouca ou nenhuma obrigação de cuidar dos camponeses sob seu domínio. Via tudo a seu redor, inclusive as pessoas, como existindo apenas para sua gratificação.

Merthin, no entanto, estava otimista em relação a Kingsbridge. Tudo indicava que Mark seria eleito regedor no Dia de Todos os Santos, e isso poderia ser o início de um surto de prosperidade.

Merthin voltou para a cidade no último dia de outubro, a véspera do Dia de Todos os Santos. Era uma sexta-feira naquele ano, por isso não havia o fluxo de multidões que iam para Kingsbridge quando a noite dos espíritos do mal caía num sábado, como acontecera quando Merthin tinha 11 anos e conhecera Caris, com 10. Mesmo assim, as pessoas estavam nervosas. Todo mundo planejava ir se deitar antes do escurecer. Na rua principal, ele encontrou o filho mais velho de Mark Webber, John.

– Meu pai foi para o hospital – informou o rapaz. – Está com febre.

– É uma péssima ocasião para cair doente – comentou Merthin.

– Um dia fatídico.

– Não falei por causa da data. Mark deve estar presente na reunião da guilda da paróquia amanhã. Um regedor não pode ser eleito se estiver ausente.

– Acho que ele não terá condições de ir a qualquer reunião amanhã.

O que era preocupante. Merthin levou os cavalos para a Bell e deixou Lolla aos cuidados de Bessie.

Ao entrar no terreno do priorado, deparou com Godwyn e sua mãe. Calculou que haviam jantado juntos e agora Godwyn a acompanhava até o portão. Estavam absortos numa conversa ansiosa e Merthin refletiu que deviam estar preocupados com a possibilidade de seu lacaio Elfric perder a eleição para regedor. Pararam abruptamente quando o viram. Petranilla disse, untuosa:

– Lamento saber que Mark não está passando bem.

Com um esforço para se mostrar cortês, Merthin comentou:

– É apenas uma febre.

– Vamos orar para que ele se recupere depressa.

– Obrigado.

Merthin entrou no hospital. Encontrou Madge transtornada.

– Ele não para de tossir sangue. E não consigo saciar sua sede.

Ela levou um copo de cerveja aos lábios do marido. Mark tinha erupções roxas no rosto e nos braços. Suava muito e o nariz sangrava.

– Não se sente muito bem hoje, Mark? – perguntou Merthin.

Mark deu a impressão de que não o ouvira. Apenas balbuciou:

– Tenho muita sede.

Madge tornou a levar o copo a seus lábios enquanto dizia:

– Por mais que ele beba, está sempre com sede.

Ela falou num tom de pânico que Merthin nunca ouvira antes em sua voz. Merthin sentiu um medo súbito e intenso. Mark fazia viagens frequentes a Melcombe, onde tinha contato com marujos procedentes de Bordeaux, uma cidade infestada pela peste.

A reunião da guilda da paróquia no dia seguinte era agora a menor das preocupações de Mark. E a menor das de Merthin também.

O primeiro impulso de Merthin foi o de anunciar para todo mundo que um perigo mortal ameaçava a cidade. Mas tratou de ficar de boca fechada. Ninguém daria atenção a um homem em pânico e, além do mais, ainda não tinha certeza. Assim que estivesse convencido, conversaria a sós com Caris, de forma calma e lógica. Mas teria de ser o mais depressa possível.

Caris banhava o rosto de Mark com um líquido de cheiro agradável. Exibia uma expressão impassível, que Merthin reconheceu: ela ocultava seus sentimentos. Era evidente que tinha noção da gravidade da doença de Mark.

Mark agarrava uma coisa que parecia um pedaço de pergaminho. Merthin calculou que tinha uma oração escrita, ou um versículo da Bíblia, talvez mesmo um encantamento mágico. Devia ser ideia de Madge, pois Caris não tinha a menor fé em textos escritos para ajudar na cura.

O prior Godwyn entrou no hospital nesse momento, acompanhado, como sempre, por Philemon.

– Fiquem longe da cama! – exclamou Philemon no mesmo instante. – Como o homem vai melhorar se não puder ver o altar?

Merthin e as duas mulheres recuaram. Godwyn se inclinou sobre o paciente. Tocou na testa e no pescoço de Mark, depois sentiu seu pulso.

– Mostrem-me a urina – pediu.

Os monges médicos davam a maior importância ao exame da urina do paciente. O hospital tinha recipientes de vidro apropriados para isso, chamados de urinóis. Caris entregou um urinol a Godwyn. Não era preciso ser um especialista para constatar que havia sangue na urina de Mark. Godwyn devolveu o urinol.

– Este homem está sofrendo de sangue superaquecido. Deve sofrer uma sangria e depois ser alimentado com maçãs azedas e tripas.

Merthin sabia, por sua experiência da peste em Florença, que Godwyn dissera uma besteira, mas não fez qualquer comentário. Em sua mente, não havia muito espaço mais para dúvidas sobre a doença de Mark. As erupções na pele, o sangue, a sede: era a doença que ele próprio tivera em Florença, a que matara Silvia e toda a sua família. Era mesmo *la moria grande*.

A peste chegara a Kingsbridge.

⌒

Enquanto a escuridão aumentava, na véspera do Dia de Todos os Santos, a respiração de Mark Webber foi se tornando mais e mais difícil. Caris o observava enfraquecer. Sentia a impotência furiosa que a dominava sempre que se descobria incapaz de ajudar um paciente. Mark passou a um estado de inconsciência perturbada. Suava e ofegava muito, os olhos fechados, sem qualquer sinal de percepção. A uma sugestão discreta de Merthin, Caris tateou as axilas de Mark e encontrou enormes caroços, parecidos com furúnculos. Não perguntou a Merthin o significado daquilo; deixaria para interrogá-lo mais tarde. As freiras rezavam e entoavam hinos, enquanto Madge e os quatro filhos permaneciam em volta, desesperados e desamparados.

Por fim, Mark teve convulsões e o sangue esguichou de sua boca num súbito fluxo. Depois, ele caiu para trás, ficou imóvel e parou de respirar.

Dora soltou um gemido alto. Os três filhos estavam atordoados, fazendo esforço para conter as lágrimas, porque chorar não era coisa de homem. Madge chorava com amargura.

– Ele era o melhor homem do mundo – balbuciou para Caris. – Por que Deus tinha de levá-lo?

Caris precisou reprimir sua dor. A perda que experimentava não era nada em comparação com a deles. Não entendia por que Deus, com tanta frequência, levava as melhores pessoas, e deixava as iníquas para continuarem a fazer maldades. Toda a ideia de uma divindade benevolente, velando por todos, parecia inacreditável em momentos como aquele. Os padres diziam que a doença era uma punição pelo pecado. Mark e Madge amavam um ao outro, se dedicavam aos filhos e trabalhavam com afinco; por que deveriam ser punidos?

Não havia respostas para as questões religiosas, mas Caris tinha algumas indagações práticas urgentes a fazer. Sentia enorme preocupação com a doença de Mark e não tinha a menor dúvida de que Merthin sabia algo a respeito. Ela reprimiu as lágrimas.

Primeiro, mandou Madge e os filhos descansar em casa e determinou às freiras que preparassem o corpo para o sepultamento. Depois, disse para Merthin:

– Quero conversar com você.

– E eu com você.

Ela notou que Merthin parecia assustado. O que era raro. Seu medo cresceu.

– Vamos para a catedral. Lá poderemos conversar em particular.

Um vento de inverno soprava pelo pátio gramado. Era uma noite clara e eles podiam ver o caminho à luz das estrelas. No coro, os monges se preparavam para o serviço da madrugada do Dia de Todos os Santos. Caris e Merthin foram para o canto noroeste, longe dos monges, para que ninguém pudesse ouvi-los. Caris estremeceu e se aconchegou no hábito enquanto perguntava:

– Você sabe o que matou Mark?

Merthin respirou fundo, tremendo.

– Foi a peste. *La moria grande.*

Caris anuiu com a cabeça. Era o que receava. Mesmo assim, tratou de contestá-lo:

– Como sabe?

– Mark ia a Melcombe e conversava com marujos de Bordeaux, onde os corpos são empilhados nas ruas.

– Ele acaba de voltar. – Ela não queria acreditar em Merthin. – Como pode ter certeza de que é a peste?

– Os sintomas são os mesmos: febre, manchas púrpura escuras, hemorragia, bubos nas axilas e, acima de tudo, a sede. Lembro muito bem, por Cristo, porque fui um dos poucos que se recuperaram. Quase todos morrem em cinco dias, às vezes até menos.

Caris sentiu-se como se o Dia do Juízo Final tivesse chegado. Ouvira histórias terríveis sobre a Itália e o Sul da França: famílias inteiras exterminadas, corpos apodrecendo sem enterro em palácios vazios, crianças pequenas órfãs vagando em lágrimas pelas ruas, gado morrendo por falta de cuidados em aldeias fantasmas. Isso aconteceria também em Kingsbridge?

– O que os médicos italianos faziam?

– Rezavam, cantavam hinos, tiravam sangue, prescreviam suas panaceias prediletas e cobravam uma fortuna. Tudo que tentaram foi inútil.

Os dois estavam bem juntos, falando em voz baixa. Caris podia ver o rosto dele à tênue claridade das velas distantes dos monges. Merthin a fitava com estranha intensidade. Ela podia perceber que ele estava profundamente comovido, mas não parecia ser de dor pela perda de Mark. Era por causa dela.

– Como são os médicos italianos em comparação com os ingleses?

– Depois dos muçulmanos, os médicos italianos são considerados os mais competentes do mundo. Até retalham os cadáveres para saberem mais sobre as doenças. Mas nunca conseguiram curar um único paciente com peste.

Caris se recusava a aceitar o desespero total.

– Não podemos ficar absolutamente impotentes.

– Tem razão. Não podemos curar ninguém com peste, mas algumas pessoas acham que podem escapar.

– Como? – indagou Caris, ansiosa.

– Parece que a peste é transmitida de uma pessoa para outra.

Caris acenou com a cabeça em concordância.

– É o que acontece com muitas doenças.

– Em geral, quando uma pessoa pega a peste, toda a sua família também pega. A proximidade é o fator fundamental.

– Faz sentido. Alguns dizem que você cai doente ao olhar para pessoas doentes.

– Em Florença, as freiras nos aconselhavam a permanecer em casa tanto quanto possível, evitar as reuniões sociais, os mercados, as assembleias de guildas e conselhos.

– E as missas?

– Elas não diziam nada a respeito, mas muitas pessoas deixaram de frequentar as igrejas.

Isso combinava com o que Caris vinha pensando havia anos. Talvez seus métodos pudessem prevenir a peste.

– O que me diz das freiras e dos médicos, as pessoas que tinham de ver e tocar nos doentes?

– Os padres se recusavam a ouvir as confissões sussurradas, para não terem de chegar muito perto. As freiras usavam máscaras de linho sobre a boca e o nariz, a fim de não respirarem o mesmo ar. Algumas lavavam as mãos com vinagre cada vez que tocavam num paciente. Os sacerdotes médicos diziam que nada disso adiantava, mas a maioria preferiu deixar a cidade.

– E essas precauções ajudaram?

– É difícil dizer. Nada disso foi feito até que a peste se espalhasse por toda a cidade. E não era sistemático... todos tentavam coisas diferentes.

– Mesmo assim, devemos fazer um esforço.

Depois de uma pausa, Merthin disse:

– Mas há uma precaução que é segura.

– Qual?

– Fugir da cidade.

Era isso que ele esperava para dizer, compreendeu Caris. Merthin acrescentou:

– O ditado é o seguinte: "Saia cedo, para bem longe, e se mantenha distante por muito tempo." As pessoas que fizeram isso escaparam da peste.

– Não podemos fazer isso.

– Por que não?

– Pense um pouco. Há 6 mil ou 7 mil pessoas em Kingsbridge, não é possível que todos deixem a cidade. Para onde iriam?

– Não estou falando dos outros... apenas de você. Pode ou não ter pegado a peste de Mark. Madge e os filhos certamente devem ter pegado, mas você passou menos tempo com ele. Se ainda está bem, podemos escapar. Partiríamos hoje mesmo, você, eu e Lolla.

Caris estava atordoada pela maneira como ele presumia que a peste já se espalhara àquela altura. Ela já estaria condenada?

– Mas... para onde iríamos?

– Gales ou Irlanda. Precisamos encontrar uma aldeia remota onde não aparecem estranhos a não ser a intervalos de mais de um ano.

– Você teve a doença. E me disse que as pessoas não pegam duas vezes.

– Nunca. E algumas pessoas não pegam nem a primeira vez. Lolla deve ser assim. Se ela não pegou da mãe, não é provável que pegue de qualquer outra pessoa.

– Então por que você quer ir para Gales?

Merthin a encarou com a mesma intensidade que exibira antes e Caris compreendeu que o medo que ele sentia era por ela. Merthin estava apavorado com a ideia de que ela pudesse morrer. Caris recordou as palavras de Madge: "Saber que há uma pessoa no mundo que estará sempre ao seu lado." Merthin tentava cuidar dela, não importava o que ela fizesse. Caris pensou na pobre Madge, atormentada pela dor de ter perdido o homem que sempre estivera ao seu lado. Como ela, Caris, podia pensar em rejeitar Merthin? Mas foi o que fez.

– Não posso deixar Kingsbridge. Em qualquer outro momento seria possível, menos agora. As pessoas contam comigo se caírem doentes. Quando a peste se espalhar, todos vão me procurar em busca de ajuda. Se eu fugisse... ora, não sei explicar.

– Creio que compreendo. Seria como um soldado que foge quando a primeira flecha é disparada. E se sentiria uma covarde.

– Isso mesmo... e também seria uma fraude, depois de tantos anos como freira dizendo que vivo para servir os outros.

– Eu sabia que se sentiria assim, Caris. Mas tinha de tentar. – A tristeza na voz de Merthin quase partiu o coração de Caris enquanto ele acrescentava: – E suponho que isso signifique que não renunciará a seus votos em um futuro previsível.

– Não posso fazer isso. O hospital é o lugar para onde as pessoas vêm em busca de ajuda. Tenho de estar aqui, no priorado, para desempenhar meu papel. Tenho de ser uma freira.

– Está bem.

– Não fique tão desolado.

Com um pesar irônico, ele perguntou:

– E por que eu não deveria ficar?

– Não disse que a peste matou metade da população de Florença?

– Mais ou menos isso.

– Portanto, metade das pessoas não pegou a doença.

– Como Lolla. Ninguém sabe por quê. Talvez tenham alguma força especial. Ou talvez a peste ataque ao acaso, como as flechas disparadas contra as fileiras inimigas, matando alguns, poupando outros.

– De qualquer forma, há uma boa possibilidade de que eu escape da doença.

– Uma chance em duas.

– Como jogar uma moeda para o alto.

– Cara ou coroa – disse Merthin. – Vida ou morte.

58

Centenas de pessoas compareceram ao funeral de Mark Webber. Ele fora um dos cidadãos mais eminentes da cidade, mas era mais do que isso. Tecelões pobres vieram das aldeias das redondezas, alguns tendo de caminhar por horas. Ele foi um homem muito amado, refletiu Merthin. A combinação do corpo de gigante com o temperamento gentil projetava um encantamento especial.

Era um dia chuvoso e as cabeças descobertas de ricos e pobres estavam encharcadas enquanto se postavam em torno da sepultura. A chuva fria se misturava com as lágrimas quentes nos rostos de todos. Madge mantinha os braços estendidos sobre os ombros dos filhos mais novos, Dennis e Noah. Eram flanqueados pelo filho mais velho, John, e pela filha, Dora, ambos muito mais altos que a mãe. Até pareciam os pais das três pessoas mais baixas no meio.

Merthin pensou, sombrio, se a próxima a morrer seria Madge ou uma das crianças.

Seis homens fortes bufaram com o esforço de baixar o caixão muito pesado para a sepultura. Madge chorava, desesperada, enquanto os monges entoavam o último hino. Depois os coveiros começaram a jogar a terra encharcada na sepultura. A multidão se dispersou.

O irmão Thomas se aproximou de Merthin, com o capuz levantado para se proteger da chuva.

– O priorado não tem dinheiro para reconstruir a torre – informou. – Godwyn contratou Elfric para demolir a torre antiga e apenas fazer um telhado sobre a interseção.

Merthin afastou a mente dos pensamentos apocalípticos da peste.

– Como Godwyn pagará a Elfric por isso?

– As freiras darão o dinheiro.

– Pensei que elas odiavam Godwyn.

– A irmã Elizabeth é a tesoureira. Godwyn tem cuidado de ser gentil com a família dela, que trabalha em terras do priorado. Quase todas as outras freiras o odeiam, é verdade... mas precisam da catedral.

Merthin não desistira da esperança de reconstruir a torre, mais alta do que antes.

– Se eu conseguisse levantar o dinheiro, o priorado construiria uma nova torre?

Thomas deu de ombros.

– É difícil dizer.

Naquela tarde, Elfric foi reeleito regedor da guilda da paróquia. Encerrada a sessão, Merthin procurou Bill Watkin, o maior construtor da cidade depois de Elfric.

– Depois que as fundações da torre forem reparadas, seria possível reconstruí-la ainda mais alta do que antes – afirmou.

– Não vejo por que não – concordou Bill. – Mas qual seria o sentido?

– Para que pudesse ser vista de Mudeford Crossing. Muitos viajantes... peregrinos, mercadores e outros... não percebem a entrada para Kingsbridge e seguem direto para Shiring. A cidade perde muitos negócios dessa maneira.

– Godwyn dirá que não tem condições de pagar.

– Pense no seguinte: a nova torre não poderia ser construída da mesma maneira que a ponte? Os mercadores da cidade adiantariam o dinheiro e seriam pagos com o pedágio da ponte.

Bill coçou a franja de cabelos grisalhos igual à de um monge. Era um conceito insólito.

– Mas a torre não tem nada a ver com a ponte.

– Isso importa?

– Acho que não.

– Os pedágios da ponte seriam apenas uma maneira de garantir o pagamento do empréstimo.

Bill considerou seus interesses pessoais.

– Eu seria contratado para fazer parte do trabalho?

– É um projeto grande... todos os construtores da cidade teriam de participar.

– Seria ótimo.

– Se eu projetasse uma torre grande, você me apoiaria na próxima reunião da guilda da paróquia?

Bill pareceu em dúvida.

– Não é provável que os membros da guilda apoiem uma extravagância como essa.

– A torre não precisa ser extravagante, apenas alta. Se fizermos um domo sobre a interseção, posso construir sem precisar de um cimbre.

– Um domo? É uma ideia nova.

– Vi vários domos na Itália.

– Tem razão. Isso economizaria dinheiro.

– E a torre pode ser encimada por uma agulha fina de madeira, o que também pouparia dinheiro, além de ficar maravilhoso.

– Já tinha pensado em tudo, não é?

– Na verdade, não. Mas a ideia se mantém no fundo da minha mente desde que voltei de Florença.

– Parece muito bom... bom para os negócios, bom para a cidade.

– E bom para nossas almas eternas.

– Farei o melhor que puder para ajudá-lo.

– Obrigado.

Merthin refletia muito sobre o projeto da torre enquanto cuidava de outros trabalhos, como o conserto da ponte e a construção das novas casas na ilha dos Leprosos. Isso o ajudava a desviar a mente das visões angustiantes e obsessivas de Caris doente com a peste. Pensava com frequência na torre sul de Chartres. Era uma obra-prima, embora um pouco antiquada, construída há cerca de duzentos anos.

O que Merthin mais apreciara nela, ele podia recordar com nitidez, era a transição da torre quadrada para a octogonal por cima. No topo da torre, em cada um dos quatro cantos, havia pináculos virados em diagonal para fora. No mesmo nível, em pontos intermediários de cada lado do quadrado, havia águas-furtadas similares na forma aos pináculos. Essas oito estruturas se harmonizavam com os oito lados inclinados da torre que se erguiam por trás, de tal forma que o olho mal notava a mudança de forma quadrada para a octogonal.

Chartres, no entanto, era desnecessariamente atarracada para os padrões do século XIV. A torre de Merthin teria colunas mais esguias e enormes aberturas de janelas, para atenuar o peso sobre os pilares por baixo e também para reduzir a tensão, ao permitir a passagem do vento.

Ele fez um chão de traçado de projetos em sua oficina na ilha. Gostava de planejar os detalhes, dobrando e quadruplicando as arcadas pontiagudas da velha catedral, modernizando os conjuntos de colunas e capitéis.

Hesitava quanto à altura. Não tinha como calcular quão alta precisaria ser para se tornar visível de Mudeford Crossing. Isso só poderia ser determinado na prática. Quando acabasse a torre de pedra, teria de erguer uma agulha provisória e depois ir até Mudeford num dia claro, para verificar se poderia avistá-la. A catedral fora construída numa elevação, e em Mudeford a estrada subia por uma encosta, pouco antes de descer para a travessia do rio. O instinto lhe dizia que, se fizesse a torre um pouco mais alta que a de Chartres – acima de 120 metros –, isso seria suficiente.

A torre da Catedral de Salisbury tinha 123 metros.

Merthin planejava erguer a sua até a altura de 124 metros.

Enquanto se inclinava sobre o chão de traçado, desenhando os pináculos da torre, Bill Watkin apareceu.

– O que você acha? – perguntou Merthin. – A torre precisa de uma cruz por cima, apontada para o céu? Ou de um anjo, velando por nós?

– Nenhuma das duas coisas – disse Bill. – A torre não será construída.

Merthin se empertigou, uma régua na mão esquerda e uma agulha de ferro para desenhar na direita.

– O que o faz dizer isso?

– Recebi uma visita do irmão Philemon. Ele queria me dar um conselho, para meu próprio bem. Disse que não seria sensato da minha parte apoiar qualquer plano de uma torre projetada por você.

– Por que não?

– Porque isso irritaria o prior Godwyn, que não vai aprovar seus planos, independentemente de qualquer coisa.

Merthin não se surpreendeu. Se Mark Webber tivesse sido eleito regedor, o equilíbrio de poder na cidade teria mudado e Merthin poderia ter recebido a incumbência de construir a nova torre. Mas a morte de Mark invertera a situação contra ele. Mesmo assim, se apegara à esperança. Agora, sentia um profundo desapontamento.

– Devo supor que ele vai contratar Elfric?

– Foi essa a insinuação.

– Será que Godwyn nunca vai aprender?

– Quando um homem é orgulhoso, isso conta mais do que o bom senso.

– A guilda da paróquia pagará uma torre baixa e atarracada construída por Elfric?

– Provavelmente. Os mercadores podem não ficar muito satisfeitos, mas arrumarão o dinheiro. Orgulham-se de sua catedral, apesar de tudo.

– A incompetência de Elfric quase lhes custou a ponte! – bradou Merthin, indignado.

– Eles sabem disso.

Merthin permitiu que sua mágoa aflorasse:

– Se eu não tivesse diagnosticado o problema, a torre teria desabado. E talvez derrubasse toda a catedral.

– Eles também sabem disso. Mas não querem brigar com o prior só porque ele é injusto com você.

– É claro...

Merthin falou como se pensasse que isso era perfeitamente razoável, mas estava escondendo sua amargura. Fizera mais por Kingsbridge do que Godwyn e estava magoado porque os moradores da cidade não lutavam por ele. Mas também sabia que a maioria das pessoas, na maior parte do tempo, agia de acordo com seus interesses pessoais imediatos.

– As pessoas são ingratas – comentou Bill. – Sinto muito.

– Não se preocupe.

Merthin encarou Bill, depois desviou os olhos, largou seus instrumentos de desenho e deixou a oficina.

Durante o serviço de Laudes, antes do amanhecer, Caris ficou surpresa ao olhar pela nave e avistar uma mulher no lado norte, na frente de um quadro na parede com Cristo Ressuscitado. Havia uma vela ao seu lado; à luz da chama, Caris reconheceu o corpo roliço e o queixo projetado de Madge Webber.

Madge permaneceu ali ao longo de todo o serviço, sem prestar qualquer atenção aos salmos, aparentemente absorta em oração. Talvez estivesse pedindo a Deus que perdoasse os pecados de Mark e que o deixasse descansar em paz. Não que Mark tivesse cometido muitos pecados até onde Caris sabia. Era mais provável que Madge estivesse pedindo a Mark para lhe enviar boa sorte do mundo dos espíritos. Madge continuaria a cuidar do negócio de tecido escarlate, com a ajuda dos dois filhos mais velhos. Era o que costumava acontecer quando um mercador morria deixando viúva e um empreendimento próspero. Mesmo assim, não podia haver a menor dúvida de que ela sentia necessidade da bênção do marido morto para seus esforços.

Mas essa explicação não chegava a ser satisfatória para Caris. Havia certa intensidade na postura de Madge, alguma coisa em sua imobilidade que sugeria profundo fervor, como se estivesse suplicando aos céus que lhe concedessem uma dádiva da maior importância.

Quando o serviço terminou e os monges e freiras começaram a sair da catedral, Caris se desligou da procissão e seguiu pela escuridão da nave até o brilho distante da vela.

Madge se levantou ao ouvir o som de passos. Quando reconheceu Caris, disse, em tom de acusação:

– Mark morreu de peste, não é?

Então era isso.

– Acho que sim.

– Você não me disse.

– Não tinha certeza, e não queria assustá-la, para não mencionar toda a cidade com base num palpite.

– Ouvi dizer que a peste chegou a Bristol.

Então as pessoas da cidade já começavam a falar a respeito.

– E a Londres – acrescentou Caris, que recebera essa informação de um peregrino.

– O que acontecerá com todos nós?

A tristeza confrangeu o coração de Caris.

– Não sei – mentiu.

– Ouvi dizer que a peste se espalha de uma pessoa para outra.

– É o que acontece com muitas doenças.

A agressividade desapareceu do rosto de Madge, substituída por uma expressão suplicante que partiu o coração de Caris. Num quase sussurro, ela perguntou:

– Meus filhos morrerão?

– A esposa de Merthin pegou a peste. Ela morreu, assim como toda a sua família. Mas Merthin se recuperou, e Lolla nem a contraiu.

– Quer dizer que meus filhos ficarão bem?

Não fora isso que Caris quisera dizer.

– Podem ficar. Ou alguns podem pegar e outros podem escapar.

Isso não satisfez Madge. Como a maioria dos pacientes, ela queria certezas, não possibilidades.

– O que posso fazer para protegê-los?

Caris olhou para a imagem de Cristo.

– Você está fazendo tudo que pode – disse, e começou a perder o controle. Quando um soluço subiu por sua garganta, virou-se para esconder seus sentimentos e deixou a catedral às pressas.

Sentou-se no claustro das freiras por alguns minutos, recuperando o controle. Depois foi para o hospital, como sempre fazia àquela hora. Mair não estava ali. Devia ter saído para cuidar de algum doente na cidade. Caris assumiu o comando, supervisionando a distribuição da primeira refeição para hóspedes e pacientes, providenciando a limpeza, examinando os doentes. O trabalho atenuou sua aflição por Madge. Leu um salmo para a Velha Julie. Depois de cumpridas todas as tarefas, como Mair ainda não tivesse aparecido, Caris deixou o hospital para procurá-la.

Encontrou-a no dormitório, estendida na cama, de barriga para baixo. O coração de Caris disparou.

– Mair! Você está bem?

Mair rolou na cama. Estava pálida e suava. Tossiu, mas não disse nada. Caris se ajoelhou a seu lado e pôs a mão em sua testa.

– Você está com febre – disse, reprimindo o medo que aflorou em sua barriga, como uma náusea. – Quando começou?

– Eu estava tossindo ontem. Mas dormi bem e me levantei esta manhã sem sentir nada. Depois, quando desci para comer, senti de repente que ia vomitar. Fui até a latrina, voltei para o dormitório e deitei. Acho que dormi... Que horas são?

– O sino para a terça está prestes a tocar. Mas você está dispensada.

Podia ser apenas uma doença comum, disse Caris a si mesma. Tocou no pescoço de Mair e depois baixou o capuz de seu hábito. Mair lhe deu um sorriso desanimado.

– Está tentando ver meu peito?

– Isso mesmo.

– Vocês, freiras, são todas iguais.

Não havia erupções, até onde Caris pôde perceber. Talvez fosse só um resfriado.

– Alguma dor?

– Há um ponto extremamente sensível em minha axila.

Isso não dizia muita coisa a Caris. Os inchaços dolorosos nas axilas e na virilha eram característicos também de outras doenças, não apenas da peste.

– Vamos descer para o hospital.

Quando Mair levantou a cabeça, Caris viu manchas de sangue no travesseiro.

Sentiu o choque como se fosse um golpe físico. Mark Webber tossira sangue. E Mair fora a primeira pessoa a cuidar de Mark, no início de sua doença... fora até a casa dele um dia antes de Caris.

Caris ocultou seu medo e ajudou Mair a se levantar. Lágrimas afloraram a seus olhos, mas ela se controlou. Mair passou o braço pela cintura de Caris e encostou a cabeça em seu ombro, como se precisasse de amparo para andar. Caris passou o braço pelos ombros de Mair. Juntas, desceram a escada e atravessaram o claustro das freiras até o hospital.

Caris levou Mair para um colchão perto do altar. Foi buscar um copo de água fresca da fonte no claustro. Mair bebeu com sofreguidão. Caris lavou o rosto e pescoço dela com água de rosas. Passado algum tempo, Mair pareceu adormecer.

O sino para a terça tocou. Normalmente, Caris era dispensada desse serviço; mas agora ela sentia necessidade do isolamento. Ingressou na procissão de freiras e entrou na catedral. As velhas pedras cinzentas pareciam frias e inóspitas hoje. Ela entoou os hinos de forma automática enquanto uma tempestade agitava seu coração.

Mair estava com a peste. Não havia erupções, mas ela tinha febre, sentia muita sede e tossira sangue. Provavelmente morreria.

Caris foi dominada por um terrível sentimento de culpa. Mair a amara com devoção. Caris nunca fora capaz de retribuir o amor de Mair, não da maneira que Mair desejava. Agora, Mair estava morrendo. Caris desejou que pudesse ter sido diferente. Devia ter sido capaz de fazer Mair feliz. Deveria ser capaz de salvar sua vida. Ela chorou enquanto entoava o salmo, confiando em que, se alguém reparasse nas lágrimas, pensasse que era um êxtase religioso.

Ao final do serviço, uma noviça a esperava ansiosa fora da porta do transepto sul.

– Há alguém no hospital pedindo para falar com você com urgência.

Caris encontrou Madge Webber ali, o rosto branco de medo.

Caris não precisava perguntar o que Madge queria. Pegou a bolsa de medicamentos e as duas saíram apressadas. Atravessaram o pátio gramado da catedral num instante, sob o vento gelado de novembro, rumo à casa dos Webbers, na rua principal. Lá em cima, os filhos de Madge esperavam na sala. Os dois mais velhos sentavam à mesa, parecendo assustados; os meninos estavam deitados no chão.

Caris os examinou rapidamente. Todos os quatro estavam febris. A garota sangrava pelo nariz. Os três meninos tossiam.

Todos tinham manchas púrpura nos ombros e no pescoço. Madge disse:

– É a mesma coisa, não é? Foi disso que Mark morreu. Eles estão com a peste.

Caris acenou com a cabeça em confirmação.

– Sinto muito.

– Espero morrer também – disse Madge. – Assim poderemos ficar juntos no céu.

59

No hospital, Caris adotou as precauções de que Merthin lhe falara. Cortou tiras de linho para as freiras cobrirem a boca e o nariz enquanto cuidavam de pessoas que tinham a peste. E as obrigou a lavarem as mãos com vinagre e água sempre que tocavam em um paciente. Todas as freiras ficaram com as mãos esfoladas.

Madge levou os quatro filhos para o hospital e depois também caiu doente. A Velha Julie, que estivera deitada perto de Mark Webber enquanto ele morria, também sucumbiu. Havia bem pouco que Caris pudesse fazer por qualquer paciente. Lavava seus rostos para baixar a febre, dava-lhes água fresca da fonte no claustro para beberem, limpava o vômito ensanguentado e esperava enquanto morriam.

Estava ocupada demais para pensar na própria morte. Percebia certa admiração assustada nos olhos dos habitantes da cidade quando a viam afagar os rostos das vítimas infecciosas da peste, mas não se sentia uma mártir altruísta. Considerava-se apenas como o tipo de pessoa que detestava ficar remoendo e preferia agir. Como todos os outros, estava obcecada pela indagação: Quem será o próximo? Mas, com toda a firmeza, afastava o pensamento de sua mente.

O prior Godwyn foi examinar os pacientes. Recusou-se a usar a máscara no rosto alegando que isso não passava de bobagem de mulher. Fez o mesmo diagnóstico de antes, sangue superaquecido, e prescreveu sangria e dieta com maçãs azedas e tripas de carneiro.

Não importava muito o que os pacientes comiam, já que eles vomitavam tudo a seguir, porém Caris tinha certeza de que tirar o sangue fazia com que a doença piorasse. Já sangravam demais: tossiam e cuspiam sangue, vomitavam sangue, urinavam sangue. Mas os monges eram os médicos treinados, por isso tinha de seguir suas instruções. Não tinha tempo para ficar furiosa sempre que via um monge ou uma freira ajoelhados ao lado de um paciente, mantendo um braço esticado, cortando a veia com uma pequena faca afiada e mantendo o braço erguido enquanto meio litro ou mais de sangue precioso escorria para uma bacia no chão.

Caris se sentou ao lado de Mair no final, segurando sua mão, sem se importar se alguém pudesse desaprovar. Para atenuar seu tormento, deu-lhe uma pequena quantidade da droga eufórica que Mattie lhe ensinara a fazer com papoulas. Mair ainda tossia, mas já não doía tanto. Depois de um acesso, sua respiração se tornou mais fácil por algum tempo e ela conseguiu falar.

– Obrigada por aquela noite em Calais – sussurrou. – Sei que você não gostou muito, mas foi o paraíso para mim.

Caris teve de fazer um esforço para não chorar.

– Lamento muito não ter podido ser o que você queria.

– Mas você me amou à sua maneira. Sei disso.

Ela tossiu de novo. Quando o acesso acabou, Caris limpou o sangue dos lábios de Mair.

– Eu amo você – balbuciou Mair, antes de fechar os olhos.

Caris deixou que as lágrimas escorressem, sem se importar com quem visse nem com o que as pessoas pudessem pensar. Ficou fitando Mair através das lágrimas e a viu se tornar mais e mais pálida, a respiração cada vez mais superficial até cessar por completo.

Caris permaneceu onde estava, no chão, ao lado do colchão, segurando a mão do cadáver. Mair ainda era linda, mesmo branca, imóvel para sempre. Ocorreu a Caris que apenas outra pessoa a amava tanto quanto Mair, e essa pessoa era Merthin. Como era estranho que ela também tivesse rejeitado o amor dele. Havia alguma coisa errada com ela, pensou, alguma deformação da alma que a impedia de ser como as outras mulheres e aceitar o amor com a maior alegria.

Mais tarde, naquela noite, os quatro filhos de Mark Webber morreram e Velha Julie também.

Caris estava perturbada. Não havia nada que ela pudesse fazer? A peste se espalhava depressa e matava todo mundo. Era como viver numa prisão e imaginar qual dos presos seria o próximo a ir para a forca. Kingsbridge estava condenada a ser como Florença e Bordeaux, com corpos empilhados nas ruas? No domingo seguinte haveria mercado no pátio gramado junto da catedral. Centenas de pessoas das aldeias vizinhas viriam comprar e vender, confraternizar com os moradores da cidade nas igrejas e tavernas. Quantas voltariam para casa com a doença fatal? Ao sentir isso, angustiadamente impotente contra forças terríveis, Caris compreendeu por que as pessoas erguiam as mãos e diziam que tudo era controlado pelo mundo dos espíritos. Mas ela nunca fora assim.

Quando alguém do priorado morria, sempre havia um serviço fúnebre especial, com a participação de todos os monges e freiras e orações extras pela partida do falecido. Tanto Mair quanto Velha Julie eram muito amadas: Julie, por seu coração gentil; Mair, por sua beleza. Muitas freiras choraram. Os filhos de Madge foram incluídos no serviço fúnebre, por isso várias centenas de moradores da cidade compareceram. Madge estava doente demais para deixar o hospital.

Todos se reuniram no cemitério, sob um céu cor de chumbo. Caris teve a impressão de sentir o cheiro de neve no vento frio que soprava do norte. O irmão Joseph disse as orações à beira dos túmulos e seis caixões foram baixados para as sepulturas. Uma voz na multidão fez a pergunta que dominava a mente dos presentes:

– Vamos todos morrer, irmão Joseph?

Joseph era o mais popular dos monges médicos. Agora perto dos 60 anos, era um intelectual, mas tinha um comportamento afetuoso à cabeceira de um doente.

– Vamos todos morrer, meu amigo, mas nenhum de nós sabe quando – respondeu. – É por isso que devemos estar sempre preparados para o encontro com Deus.

Betty Baxter interveio, sempre inquisitiva, querendo chegar à verdade:

– O que podemos fazer contra a peste... porque é a peste, não é mesmo?

– A melhor proteção é a oração – declarou Joseph. – E, caso Deus tenha decidido levá-la, deve ir logo à igreja para confessar seus pecados.

Betty não deixava para trás um assunto com tanta facilidade:

– Merthin disse que em Florença as pessoas permaneciam em casa para evitar o contato com os doentes. Isso é uma boa ideia?

– Não creio. Os florentinos escaparam da peste?

Todos olharam para Merthin, que estava com Lolla no colo.

– Não, não escaparam – respondeu ele. – Mas talvez muitos mais tivessem morrido se houvessem agido de outra forma.

Joseph sacudiu a cabeça.

– Se você ficar em casa, não pode ir à igreja. E a santidade é o melhor remédio.

Caris não pôde mais se manter calada.

– A peste passa de uma pessoa para outra – disse ela, furiosa. – Se você ficar longe das outras pessoas, tem mais chance de escapar da infecção.

O prior Godwyn interveio:

– Então as mulheres são médicas agora?

Caris o ignorou:

– Devemos cancelar o mercado. Pouparia muitas vidas.

– Cancelar o mercado!? – exclamou Godwyn, desdenhoso. – E como faríamos isso? Mandaríamos mensageiros a todas as aldeias?

– Basta fechar os portões da cidade – retrucou Caris. – Bloquear a ponte. Manter todos os estranhos fora da cidade...

– Mas já há pessoas doentes na cidade.

– ... Fechar todas as tavernas. Cancelar as reuniões de todas as guildas. Proibir convidados nos casamentos.

– Em Florença, eles suspenderam até as reuniões do conselho da cidade – informou Merthin.

– Então como as pessoas farão negócios? – indagou Elfric.

– Se fizer negócios, você morre – redarguiu Caris. – E matará também sua esposa e seus filhos. A decisão é sua.

– Não quero fechar minha loja... perderia muito dinheiro – declarou Betty Baxter. – Mas farei isso para salvar minha vida.

Caris sentiu-se mais esperançosa, mas logo Betty acrescentou:

– O que dizem os médicos? Eles sabem mais do que todo mundo.

Caris soltou um sonoro gemido. O prior Godwyn disse:

– A peste foi enviada por Deus para nos punir por nossos pecados. O mundo se tornou iníquo. Heresia, lascívia e desrespeito vicejam por toda parte. Os homens questionam a autoridade, as mulheres exibem seus corpos, as crianças desobedecem aos pais. Deus está furioso e sua ira é terrível. Não tentem fugir de sua justiça. Ela haverá de encontrá-los, não importa onde se escondam.

– O que devemos fazer?

– Se querem viver, devem ir à igreja, confessar seus pecados, orar e levar uma vida melhor.

Caris sabia que era inútil argumentar, mas mesmo assim ainda tentou:

– Um homem faminto deve ir à igreja, mas deve também comer.

Madre Cecilia interveio:

– Irmã Caris, não precisa dizer mais nada.

– Mas podemos salvar tantas...

– Já chega.

– É uma questão de vida ou morte!

Cecilia baixou a voz:

– Mas ninguém dá atenção ao que você diz. É melhor se calar.

Caris sabia que Cecilia tinha razão. Por mais que argumentasse, as pessoas acreditariam nos monges, não nela. Caris mordeu o lábio e se calou.

Carlus Cego começou a entoar um hino e os monges voltaram em procissão para a catedral. As freiras foram atrás. A multidão se dispersou.

Quando passavam da catedral para o claustro, madre Cecilia espirrou.

⌒

Todas as noites, Merthin punha Lolla na cama, em seu quarto na Bell. Cantava para ela, recitava poemas ou contava histórias. Era o momento em que a filha conversava com ele, fazendo perguntas estranhamente inesperadas para uma criança de 3 anos, algumas profundas, algumas hilariantes.

Naquela noite, enquanto ele cantava um acalanto, Lolla desatou a chorar. Merthin perguntou qual era o problema.

– Por que Dora morreu?

Então era isso. A filha de Madge, Dora, adorava Lolla. Passavam bastante tempo juntas, brincando e trançando os cabelos uma da outra.

– Ela pegou a peste – respondeu Merthin.

– Mamãe teve a peste. – Lolla passou para o italiano, que não esquecera por completo: – *La moria grande.*

– Eu também tive, mas fiquei bom.

– Aconteceu o mesmo com a Libia.

Libia era a boneca de madeira que ela trouxera de Florença.

– Libia também?

– Também. Ela espirrou, ficou quente e teve manchas, mas uma freira fez Libia ficar boa.

– Fico contente. Isso quer dizer que ela está segura. Ninguém pega a peste duas vezes.

– Você está seguro, não é?

– Estou. – Parecia um momento propício para encerrar a conversa. – Trate de dormir agora.

– Boa-noite.

Merthin se encaminhou para a porta.

– Bessie está segura? – perguntou a filha.

– Durma agora.

– Eu amo Bessie.

– Isso é ótimo. Boa-noite.

Merthin fechou a porta. Lá embaixo, a taverna estava vazia. As pessoas ficavam apreensivas com aglomerações. Apesar do que Godwyn dissera, a mensagem de Caris surtira efeito. Ele sentiu o cheiro apetitoso de uma sopa. Foi até a cozinha. Bessie mexia uma panela no fogo.

– Sopa de vagem com ervilha – informou ela.

Merthin sentou à mesa com o pai dela, Paul, um homem enorme, na casa dos 50 anos. Cortou uma fatia de pão e encheu sua caneca com cerveja. Bessie serviu a sopa.

Bessie e Lolla gostavam cada vez mais uma da outra, pensou Merthin. Ele contratara uma babá para tomar conta de Lolla durante o dia, mas Bessie muitas vezes ficava com a menina à noite. Lolla preferia Bessie.

Merthin tinha uma casa na ilha dos Leprosos, mas era pequena, ainda mais se comparada com o *palagetto* em Florença a que se acostumara. Estava feliz porque a Bell era aconchegante e limpa e havia sempre muita comida e boa bebida. Ele pagava a conta todos os sábados, mas, sob outros aspectos, era tratado como uma pessoa da família. Não tinha pressa em se mudar para sua casa.

Por outro lado, também não podia viver ali para sempre. E, quando saísse, Lolla podia estranhar por se afastar de Bessie. Muitas pessoas em sua vida já haviam desaparecido. Ela precisava de estabilidade. Talvez fosse melhor se mudar agora, antes que Lolla ficasse afeiçoada demais a Bessie.

Depois que comeram, Paul foi se deitar. Bessie serviu mais cerveja para Merthin. Sentaram-se ao lado do fogo.

– Quantas pessoas morreram em Florença? – perguntou ela.

– Milhares. Provavelmente dezenas de milhares. Ninguém conseguiu contar.

– Eu me pergunto quem será o próximo em Kingsbridge.

– Penso nisso o tempo todo.

– Talvez seja eu.

– Infelizmente, é possível.

– Eu gostaria de deitar com um homem mais uma vez, antes de morrer.

Merthin sorriu, mas não disse nada.

– Não tenho um homem desde que meu Richard morreu. Já tem mais de um ano.

– Sente saudade dele.

– E você? Há quanto tempo não tem uma mulher?

Merthin não fazia sexo desde que Silvia caíra doente. Ao lembrar dela, sentiu uma pontada de pesar. Não fora grato como deveria pelo amor de Silvia.

– Mais ou menos o mesmo tempo.

– Foi com sua esposa?

– Foi... Que a alma dela descanse em paz.

– É muito tempo para passar sem amar.

– É.

– Mas você não é do tipo que vai para a cama com qualquer mulher. Quer alguém para amar.

– Acho que tem razão.

– Também sou assim. É maravilhoso deitar com um homem, a melhor coisa do mundo, mas apenas se amarem um ao outro de verdade. Só tive um homem, meu marido. Nunca fui para a cama com nenhum outro.

Merthin imaginou se isso seria mesmo verdade. Não podia ter certeza. Bessie parecia sincera. Mas era o tipo de coisa que uma mulher diria de qualquer maneira.

– E você? Quantas mulheres teve?

– Três.

– Sua esposa, Caris antes e... quem mais? Ah, lembrei agora... Griselda.

– Não falei quem foram.

– Não precisa se preocupar. Todo mundo sabe.

Merthin sorriu, pesaroso. Claro que todos sabiam. Talvez não tivessem certeza, mas adivinhavam, e em geral as pessoas adivinhavam certo.

– Quantos anos tem o pequeno Merthin de Griselda agora, 7... 8?

– Dez.

– Tenho joelhos gordos. – Bessie levantou a saia para mostrar. – Sempre detestei meus joelhos, mas Richard gostava.

Merthin olhou. Os joelhos eram roliços e tinham covinhas. Ele podia ver as coxas brancas.

– Richard sempre beijava meus joelhos. Era um homem doce.

Bessie ajeitou o vestido, como se o esticasse, mas o ergueu e, por um momento, Merthin pôde ver a mancha escura convidativa entre as coxas.

– Às vezes ele me beijava toda, especialmente depois do banho. Eu gostava disso. Gostava de tudo. Um homem pode fazer o que quiser com a mulher que vive com ele. Não concorda?

Aquilo já fora longe demais. Merthin se levantou.

– Acho que provavelmente você tem razão. Mas esse tipo de conversa só leva para um caminho, e prefiro ir para a cama antes de cometer um pecado.

Bessie deu um sorriso triste.

– Durma bem. E, se por acaso se sentir solitário, estarei aqui, ao lado do fogo.

– Não esquecerei.

⁓

Puseram madre Cecilia numa cama, não num simples colchão, junto do altar, o lugar mais sagrado do hospital. As freiras entoavam hinos e rezavam em torno da cama durante todo o dia e toda a noite, em turnos. Havia sempre alguém para lavar seu rosto com água de rosas fresca, sempre um copo com água fresca da fonte ao seu lado. Nada disso fez qualquer diferença. Ela declinou tão depressa quanto as outras pessoas, sangrando pelo nariz e a vagina, a respiração mais e mais entrecortada, a sede insaciável.

Na quarta noite, depois de espirrar mais uma vez, ela mandou chamar Caris.

Caris estava mergulhada no sono. Seus dias eram extenuantes, com o hospital superlotado. Sonhava que todas as crianças em Kingsbridge tinham a peste. Enquanto corria pelo hospital tentando cuidar de todas, descobriu de súbito que também pegara a doença. Uma das crianças puxava sua manga, mas ela ignorava, enquanto tentava imaginar, desesperada, como poderia lidar com todos os pacientes se estivesse doente... e foi nesse instante que percebeu que alguém sacudia seu ombro com crescente urgência, dizendo:

– Acorde, irmã, por favor! A madre prioresa precisa de sua ajuda!

Caris despertou. Viu a noviça ajoelhada ao lado da cama com uma vela na mão.

– Como ela está?

– Piorando mais e mais, mas ainda consegue falar, e pediu para chamá-la.

Caris se levantou. Calçou as sandálias. Era uma noite de frio intenso. Ela vestia o hábito de freira e pegou o cobertor para se agasalhar. Desceu correndo a escada de pedra.

O hospital estava repleto de pessoas morrendo. Os colchões no chão haviam sido dispostos como espinhas de peixe, para que os pacientes capazes de se sentar pudessem ver o altar. Famílias se agrupavam em torno dos colchões. Havia um cheiro forte de sangue. Caris pegou uma tira limpa de linho de um cesto ao lado da porta e a prendeu para cobrir a boca e o nariz.

Quatro freiras estavam ajoelhadas ao redor da cama de Cecilia, cantando. Cecilia mantinha os olhos fechados, e Caris receou a princípio ter chegado tarde demais. Mas depois a velha prioresa pareceu sentir sua presença. Virou a cabeça e abriu os olhos.

Caris sentou na beira da cama. Mergulhou um pano numa tigela de água de rosas e limpou uma mancha de sangue do lábio superior de Cecilia. A respiração de Cecilia era torturada. Num intervalo entre os ofegos, ela balbuciou:

– Alguém sobreviveu a essa terrível doença?

– Só Madge Webber.

– A que não queria viver.

– Todos os seus filhos morreram.

– Também morrerei em breve.

– Não diga isso.

– Você esqueceu que as freiras não têm medo da morte. Durante toda nossa vida ansiamos pela união com Jesus no paraíso. E, quando a morte chega, devemos acolhê-la com satisfação.

O longo discurso a deixou extenuada. Teve uma tosse convulsiva. Caris limpou o sangue de seu queixo.

– É verdade, madre prioresa. Mas as pessoas que ficam aqui podem chorar.

As lágrimas afloraram aos olhos de Caris. Perdera Mair e a Velha Julie e agora estava prestes a perder Cecilia também.

– Não chore. Isso é para as outras. Você tem de ser forte.

– Não sei por quê.

– Acho que Deus tem você em mente para assumir meu lugar como a nova prioresa.

Nesse caso, ele fez uma estranha opção, pensou Caris. Deus em geral escolhe pessoas cujas opiniões a seu respeito são mais ortodoxas. Mas ela aprendera há muito que não fazia sentido em dizer essas coisas.

– Se as irmãs me escolherem, farei o melhor que puder.

– Acho que elas vão escolher você.

– Tenho certeza de que a irmã Elizabeth vai querer ser considerada.

– Elizabeth é inteligente, mas você é afetuosa.

Caris baixou a cabeça. Cecilia provavelmente tinha razão. Elizabeth seria rigorosa demais. Caris era a mais indicada para dirigir o convento, muito embora fosse cética sobre a utilidade de passar a vida em orações e canto de hinos. Mas acreditava na escola e no hospital. Seria terrível se Elizabeth dirigisse o hospital.

– Há mais uma coisa. – Cecilia baixara a voz e Caris teve de se inclinar ainda mais. – Algo que o prior Anthony me contou quando estava morrendo. Ele guardou o segredo até o final e agora tenho de revelá-lo também.

Caris não tinha certeza se queria arcar com o fardo de um segredo. Mas os últimos momentos de uma pessoa pareceram prevalecer sobre seus escrúpulos.

– O velho rei não morreu de uma queda – murmurou Cecilia.

Caris ficou chocada. Acontecera há mais de vinte anos, mas ela ainda se lembrava dos rumores. Matar um rei era o pior crime que se podia imaginar, uma dupla atrocidade, combinando assassinato com traição, dois crimes capitais. Até mesmo saber de algo assim era um perigo. Não era de admirar que Anthony tivesse mantido isso em segredo.

– A rainha e seu amante, Mortimer, queriam tirar Eduardo II do caminho – continuou Cecilia. – O herdeiro do trono era um menino. Mortimer se tornaria rei para todos os efeitos, menos no nome. Por fim, não demorou tanto tempo quanto ele devia esperar, pois o jovem Eduardo III cresceu muito depressa.

Ela tossiu de novo, ainda mais fraca.

– Mortimer foi executado quando eu era adolescente.

– Mas o próprio Eduardo não queria que ninguém soubesse o que acontecera com seu pai. Por isso o segredo foi guardado.

Caris ficou apavorada. A rainha Isabella ainda vivia, em condições suntuosas, em Norfolk, a mãe reverenciada do rei. Se as pessoas descobrissem que tinha o sangue do marido nas mãos, haveria um terremoto político. Caris sentiu-se culpada só por saber.

– Quer dizer que ele foi assassinado? – perguntou.

Cecilia não respondeu. Caris a fitou atentamente. A prioresa permanecia imóvel, os olhos abertos fixados no teto. Estava morta.

60

No dia seguinte à morte de Cecilia, Godwyn convidou a irmã Elizabeth a almoçar com ele.

Aquele era um momento perigoso. A morte de Cecilia desequilibrara a estrutura de poder. Godwyn precisava do convento, porque o mosteiro sozinho não era viável: ele nunca tivera êxito em suas tentativas de melhorar as finanças. Mas a maioria das freiras estava agora furiosa por causa do dinheiro que ele tirara de seu tesouro, exibindo uma hostilidade amarga. Se caíssem sob o controle de uma prioresa empenhada em vingança – Caris, por exemplo –, isso poderia acarretar o fim do mosteiro.

Ele também se sentia apavorado com a peste. E se a pegasse? E se Philemon morresse? Esses lampejos de pesadelo o deixavam angustiado, mas sempre dava um jeito de relegá-los para o fundo da mente. Estava determinado a não permitir que a peste o desviasse de seu propósito a longo prazo.

A eleição da prioresa era um perigo imediato. Godwyn teve visões do mosteiro fechado, ele próprio deixando Kingsbridge em desgraça, obrigado a se tornar um simples monge em outro lugar, subordinado a um prior que o disciplinaria e humilharia. Se isso acontecesse, pensou, poderia até se matar.

Por outro lado, havia ali uma oportunidade, não apenas uma ameaça. Se manipulasse a situação com todo o cuidado, poderia ter uma prioresa simpática a ele, que ficaria contente em deixá-lo assumir o comando. E Elizabeth era sua melhor aposta.

Ela seria uma líder autoritária, alguém que saberia resguardar sua dignidade. Mas Godwyn poderia trabalhar com ela. Elizabeth era pragmática: demonstrara isso na ocasião em que o alertara de que Caris pretendia fazer uma auditoria no tesouro. E seria sua aliada.

Elizabeth entrou na sala de cabeça erguida. Sabia que se tornara subitamente importante, e gostava dessa circunstância, compreendeu Godwyn. Ele se perguntou, ansioso, se Elizabeth concordaria com o plano que ia propor. Talvez precisasse manipulá-la com todo o cuidado. Ela correu os olhos pelo salão de jantar e comentou:

– Construiu um esplêndido palácio.

Era um lembrete de que o ajudara a conseguir o dinheiro. Elizabeth nunca estivera ali antes, embora o palácio já se encontrasse pronto há mais de um ano.

Ele preferia evitar a presença de mulheres na parte do priorado reservada aos monges. Só Petranilla e Cecilia haviam sido admitidas ali até agora.

– Obrigado. Creio que nos faz merecer o respeito dos nobres e poderosos. Já recebemos aqui o arcebispo de Monmouth.

Godwyn usara os últimos florins das freiras para comprar tapeçarias com cenas das vidas dos profetas. Ela estudou uma imagem de Daniel na cova dos leões.

– É muito boa.

– Veio de Arras.

Elizabeth ergueu uma sobrancelha.

– É seu gato que está debaixo do aparador?

Godwyn soltou um som próprio para agradar gatos e mentiu:

– Não consigo me livrar dele.

Ele afugentou o gato para fora da sala. Os monges não deveriam ter animais de estimação, mas ele achava que a presença do gato era tranquilizante.

Sentaram-se à cabeceira de uma longa mesa de jantar. Godwyn detestava ter uma mulher ali para comer, como se fosse tão boa quanto um homem, mas disfarçou seu desconforto.

Encomendara um prato requintado, porco cozido com gengibre e maçãs. Philemon serviu um vinho da Gasconha. Elizabeth provou o porco e comentou:

– Uma delícia.

Godwyn não se interessava por comida, exceto como um meio de impressionar as pessoas, mas Philemon se pôs a comer com voracidade. Godwyn decidiu tratar logo dos negócios:

– Como planeja ganhar a eleição?

– Creio que sou melhor candidata do que a irmã Caris.

Godwyn percebeu a emoção reprimida com que ela pronunciou o nome. Era evidente que ainda se sentia furiosa por Merthin tê-la rejeitado em favor de Caris. Agora, ela estava prestes a entrar em outra competição com sua antiga rival. Seria capaz de matar para ganhar dessa vez, pensou ele.

O que era ótimo.

– Por que acha que é melhor? – perguntou Philemon.

– Sou mais velha do que Caris. Sou freira há mais tempo e ocupo um cargo superior no priorado. Além disso, nasci e fui criada numa família profundamente religiosa.

Philemon balançou a cabeça, desdenhoso.

– Nada disso fará qualquer diferença.

Elizabeth ergueu as sobrancelhas, surpresa com a franqueza brusca. Godwyn torceu para que Philemon não se mostrasse brutal demais. Precisamos que ela se mantenha dócil, teve vontade de sussurrar. Não a faça desistir. Mas Philemon continuou, implacável:

– Você só tem um ano de experiência a mais do que Caris. E seu pai, o bispo, que sua alma descanse em paz, contará contra você. Afinal, os bispos não deveriam ter filhos.

Ela corou.

– Os priores não deveriam ter gatos.

– Não estamos discutindo o prior – disse Philemon, impaciente.

Seu comportamento era insolente, e Godwyn estremeceu. Godwyn era eficiente ao disfarçar sua hostilidade e exibir uma fachada de charme cordial, mas Philemon nunca aprendera essa arte. Elizabeth, no entanto, reagiu com frieza:

– Portanto, me convidaram para almoçar só para me dizer que não posso vencer? – Ela olhou para Godwyn. – Sei que não é de cozinhar com o dispendioso gengibre apenas pelo prazer.

– Tem toda a razão – declarou Godwyn. – Queremos que se torne prioresa e faremos tudo que estiver ao nosso alcance para ajudá-la.

Philemon interveio:

– E vamos começar por uma avaliação realista de suas perspectivas. Caris é apreciada por todos... freiras, monges, mercadores e nobres. Seu trabalho é uma grande vantagem para ela. A maioria dos monges e freiras, além de centenas de habitantes da cidade, estiveram no hospital, com diversas enfermidades, e receberam sua ajuda. Em contraste, quase ninguém vê você. É a tesoureira, considerada fria e calculista.

– Agradeço sua franqueza – disse Elizabeth. – Talvez eu devesse desistir agora.

Godwyn não pôde precisar se ela estava sendo irônica.

– Você não pode vencer – declarou Philemon. – Mas ela pode perder.

– Não seja enigmático, pois acaba se tornando cansativo – protestou ela, ríspida. – Basta me dizer em palavras simples o que estão planejando.

Dá para entender por que ela não é popular, pensou Godwyn. Philemon fingiu não notar o tom de irritação.

– Sua tarefa nas próximas semanas será destruir Caris. Tem de transformá-la, na mente das freiras, de uma irmã simpática, trabalhadora e compadecida num autêntico monstro.

Um brilho de ansiedade surgiu nos olhos de Elizabeth.

– Isso é possível?

– Com a nossa ajuda, é, sim.

– Continue.

– Ela ainda está ordenando que as freiras usem máscaras de linho no hospital?

– Está.

– E que lavem as mãos?

– Também.

– Não há base para essas práticas em Galeno ou qualquer outra autoridade médica, muito menos na Bíblia. Parece uma mera superstição.

Elizabeth deu de ombros.

– Aparentemente os médicos italianos acreditam que a peste se espalha pelo ar. Pega-se ao olhar para pessoas doentes, tocar nelas ou respirar sua respiração. Não sei como...

– E de onde os italianos tiraram essa ideia?

– Talvez apenas da observação dos pacientes.

– Soube que Merthin comentou que os médicos italianos são os melhores depois dos árabes.

Elizabeth acenou com a cabeça.

– Também ouvi.

– Portanto, todo esse negócio de usar máscaras provavelmente venha dos muçulmanos.

– É possível.

– Em outras palavras, é uma prática pagã.

– Creio que sim.

Philemon se recostou, como se tivesse provado um argumento. Elizabeth ainda não havia entendido.

– Portanto, podemos tramar para eliminar Caris da disputa ao dizer que ela introduziu uma superstição pagã no convento?

– Não exatamente – disse Philemon, com um sorriso astuto. – Vamos dizer que ela está praticando bruxaria.

Elizabeth compreendeu tudo.

– Mas é claro! Eu quase tinha esquecido.

– Você testemunhou contra ela no julgamento!

– Aconteceu há tanto tempo.

– Era de esperar que você jamais esquecesse que sua inimiga fora outrora acusada desse crime – comentou Philemon.

O próprio Philemon certamente nunca esquecia essas coisas, refletiu Godwyn. Sua especialidade era conhecer as fraquezas das pessoas e explorá-las sem o menor escrúpulo. Godwyn às vezes se sentia culpado pela profundeza da maldade de Philemon. Mas essa maldade era tão útil para Godwyn que ele sempre reprimia as apreensões. Quem mais poderia ter imaginado aquela maneira de envenenar as mentes das freiras contra a amada Caris?

Um noviço trouxe maçãs e queijo. Philemon serviu mais vinho. Elizabeth disse:

– Tudo isso faz sentido. Já pensaram em detalhes como devemos abordar a questão?

– É importante preparar o terreno – disse Philemon. – Você nunca deve fazer uma acusação como essa formalmente, até que haja muitas pessoas que acreditem.

Philemon era muito competente nessas coisas, pensou Godwyn, com admiração.

– E como sugere que consigamos isso? – perguntou Elizabeth.

– Ações são melhores que palavras. Recuse-se pessoalmente a usar a máscara. Quando perguntarem, diga calmamente que ouviu falar que é uma prática muçulmana e que prefere os meios cristãos de proteção. Estimule suas amigas a também recusarem a máscara, como um sinal de apoio a você. E também não lave as mãos com frequência. Quando notar pessoas seguindo as recomendações de Caris, pode franzir o rosto em desaprovação... mas não diga nada.

Godwyn acenou com a cabeça em concordância. A astúcia de Philemon beirava o nível da genialidade.

– Não devemos sequer mencionar heresia?

– Fale tanto quanto quiser, mas não a ligue diretamente a Caris. Diga que ouviu falar de uma herege que foi executada em outra cidade, ou uma adoradora do diabo que depravou um convento inteiro, talvez na França.

– Eu não gostaria de dizer qualquer coisa que não fosse verdade – ressaltou Elizabeth, tensa.

Philemon às vezes esquecia que nem todos eram tão inescrupulosos quanto ele. Godwyn se apressou em interferir:

– Claro que não... Philemon apenas quis dizer que você deve repetir essas histórias se e quando ouvi-las, para lembrar as freiras do perigo permanente.

– Está bem. – O sino para a Nona tocou e Elizabeth se levantou. – Não devo perder o serviço. Não quero que alguém note a minha ausência e descubra que estive aqui.

– Tem toda a razão – concordou Godwyn. – De qualquer forma, já combinamos nosso plano.

Elizabeth assentiu com a cabeça.

– Nada de máscaras.

Godwyn percebeu que ela ainda acalentava uma dúvida.

– Não imagina que sejam eficazes, não é?

– Claro que não. Como poderiam ser?

– É isso mesmo.

– Obrigada pelo jantar.

Ela saiu. Aquele encontro correra bem, refletiu Godwyn, mas ele ainda estava preocupado. Ansioso, comentou com Philemon:

– Elizabeth sozinha pode não conseguir convencer as pessoas de que Caris ainda é uma bruxa.

– Concordo. Mas podemos ajudar no processo.

– Talvez com um sermão?

– Exatamente.

– Falarei sobre a peste do púlpito da catedral.

Philemon ficou pensativo.

– Talvez seja perigoso atacar Caris diretamente. Pode ter um efeito contrário ao desejado.

Godwyn concordou. Se houvesse uma luta aberta entre Caris e ele, era provável que os moradores de Kingsbridge a apoiassem.

– Não mencionarei seu nome.

– Apenas lance as sementes da dúvida e deixe as pessoas tirarem as próprias conclusões.

– Culparei a heresia, a adoração do diabo e as práticas pagãs.

A mãe de Godwyn, Petranilla, entrou nesse instante. Estava bastante encurvada e só andava com a ajuda de duas bengalas, mas a cabeça grande ainda se projetava para a frente, numa postura agressiva, sobre os ombros ossudos.

– Como foi o encontro? – perguntou. Petranilla recomendara a Godwyn que atacasse Caris e aprovou o plano de Philemon.

– Elizabeth fará exatamente o que desejamos.

Godwyn ficou satisfeito, pois gostava de dar boas notícias à mãe.

– Isso é ótimo. Agora quero conversar sobre outra coisa. – Ela olhou para Philemon. – Não precisamos de você.

Por um momento, Philemon mostrou-se magoado, como uma criança que leva uma palmada inesperada. Podia ser de uma agressividade brutal, porém se magoava com facilidade. Mas sempre se recuperava depressa, e fingiu não ficar perturbado, mas um pouco divertido, com a arrogância de Petranilla.

– Claro, madame – disse ele, com uma deferência exagerada.

– Pode dirigir a Nona por mim? – pediu Godwyn.

– Claro.

Depois que ele se retirou, Petranilla sentou à grande mesa e comentou:

– Sei que fui eu quem recomendou que estimulasse os talentos desse rapaz, mas tenho de admitir que hoje em dia ele me deixa toda arrepiada.

– Ele é mais útil do que nunca.

– Nunca se pode confiar por completo num homem implacável. Se ele trai os outros, por que não trairia você também?

– Eu me lembrarei disso. – Godwyn achava que estava tão ligado a Philemon agora que seria difícil operar sem ele. Mas não queria dizer isso à mãe. E decidiu mudar de assunto: – Gostaria de tomar um copo de vinho?

Ela sacudiu a cabeça em negativa.

– Já tenho propensão para cair mesmo sem tomar vinho. Sente e me escute.

– Está bem, mãe.

Godwyn se sentou ao lado dela.

– Quero que você deixe Kingsbridge antes que a peste se torne ainda pior.

– Não posso partir agora. Mas você deveria...

– Não se preocupe comigo. Morrerei em breve, de qualquer maneira.

O pensamento deixou Godwyn em pânico.

– Não diga isso!

– Não seja estúpido. Tenho 60 anos. Olhe para mim, não consigo nem me manter em pé. Chegou o meu tempo. Mas você só tem 42 anos... e tem muita coisa pela frente! Pode se tornar bispo, arcebispo, até mesmo cardeal.

Como sempre, a ambição ilimitada da mãe para ele deixou Godwyn atordoado. Ele seria mesmo capaz de se tornar um cardeal? Ou era apenas cegueira de mãe? Ele não sabia.

– Não quero que você morra de peste antes de alcançar seu destino.

– Mãe, você não vai morrer.

– Esqueça o que pode acontecer comigo! – exclamou ela, furiosa.

– Não posso deixar a cidade. Preciso ter certeza de que as freiras não escolherão Caris para prioresa.

– Pois então dê um jeito para que elas façam a eleição o mais depressa possível. Se não conseguir, saia da cidade de qualquer maneira e deixe a eleição nas mãos de Deus.

Godwyn tinha pavor da peste, mas também temia o fracasso.

– Eu poderia perder tudo se elas elegerem Caris.

A voz de Petranilla se abrandou:

– Preste atenção, Godwyn. Só tenho um filho, que é você. Não suportaria perdê-lo.

A súbita mudança de tom o chocou e o fez se calar.

– Por favor, eu suplico, saia desta cidade e vá para algum lugar onde a peste não poderá alcançá-lo – acrescentou a mãe.

Ele nunca a ouvira suplicar. Era angustiante. Deixou-o apavorado. Só para detê-la, Godwyn disse:

– Deixe-me pensar a respeito.

– Essa peste é como um lobo na floresta. Quando você o vê, não pensa duas vezes, trata de fugir.

⟿

Godwyn fez o sermão no domingo antes do Natal.

Era um dia seco, com nuvens altas e claras cobrindo a abóbada do céu. A torre central da catedral parecia um ninho de ave, com os andaimes e cordas que Elfric usava para demoli-la de cima para baixo. No mercado, no pátio gramado, os mercadores, tremendo, faziam poucos negócios, com uns poucos fregueses preocupados. Além do mercado, a relva congelada do cemitério estava marcada pelos retângulos marrons de mais de uma centena de sepulturas recentes.

Mas a catedral estava lotada. A geada que Godwyn notara nas paredes internas durante a prima já havia sido dissolvida pelo calor de milhares de corpos quando ele entrou na catedral para o serviço de Natal. Todos se mantinham juntos, em seus casacos e mantos cor de terra, parecendo gado num curral. Ali estavam por causa da peste, ele sabia. A congregação de milhares de habitantes da cidade fora aumentada por outras centenas de moradores dos campos ao redor, todos em busca da proteção de Deus contra uma doença que já atacara pelo menos uma família em cada rua da cidade e aldeia rural. Godwyn estava compadecido. E até vinha rezando com mais fervor ultimamente.

Em circunstâncias normais, apenas as pessoas na frente acompanhavam o serviço. Os que ficavam mais atrás conversavam com os amigos e vizinhos, enquanto os jovens se divertiam nos fundos. Mas hoje havia pouco barulho na catedral. Todas as cabeças estavam voltadas para os monges e freiras, com uma atenção excepcional, enquanto executavam os rituais. A multidão murmurava os responsos com o maior cuidado, todos desesperados para adquirir o máximo possível de santidade protetora. Godwyn estudou os rostos, lendo as expressões. E o que viu em todos foi o medo. Como ele, todos especulavam apavorados quem seria o próximo a espirrar, a pôr sangue pelo nariz ou a exibir manchas púrpura.

Bem na frente, ele viu o conde William com a esposa, Philippa, os dois filhos mais velhos, Roland e Richard, e a filha muito mais jovem, Odila, de 14 anos.

William comandava o condado no mesmo estilo do pai, Roland, com ordem e justiça e mão firme que podia às vezes se tornar cruel. Parecia preocupado: uma erupção de peste em seu condado era uma coisa que não podia controlar, por mais rigoroso que fosse. Philippa passava o braço em torno da menina, como se a protegesse.

Ao lado deles estava sir Ralph, lorde de Tench. Ralph nunca fora capaz de ocultar seus sentimentos e agora se mostrava apavorado. A esposa criança tinha no colo o filho, ainda bebê. Godwyn batizara o menino, há pouco tempo, com o nome de Gerald, em homenagem ao avô, parado ali próximo com a avó, Maud.

Os olhos de Godwyn se deslocaram para o irmão de Ralph, Merthin. Quando Merthin voltara de Florença, Godwyn torcera para que Caris renunciasse a seus votos e deixasse o convento. Achava que ela poderia ser um estorvo menor como mera esposa de um cidadão. Mas isso não acontecera. Merthin segurava a mão de sua pequena filha italiana. Ao lado, estava Bessie, da Bell Inn. O pai de Bessie, Paul Bell, sucumbira à peste.

Não muito longe estava a família que Merthin rejeitara: Elfric, com a filha, Griselda, o menino que recebera o nome de Merthin – agora com 10 anos – e Harry Mason, o homem com quem Griselda se casara depois de perder as esperanças de ficar com o Merthin original. Ao lado de Elfric estava sua segunda esposa, Alice, prima de Godwyn. Elfric olhava para cima a todo instante. Construíra um teto provisório sobre a interseção enquanto demolia a torre e admirava sua obra... ou se preocupava a respeito.

Uma ausência notada era a do bispo de Shiring, Henri de Mons. O bispo normalmente fazia o sermão do Dia de Natal. Mas ele não viera. Tantos clérigos haviam morrido da peste que o bispo andava muito ocupado com visitas frenéticas a paróquias, em busca de substitutos. Já se falava em reduzir as exigências para sacerdotes, em ordenar homens com menos de 25 anos, até mesmo em aceitar filhos ilegítimos.

Godwyn se adiantou para falar. Tinha uma tarefa delicada. Precisava atiçar o medo e o ódio contra a pessoa mais popular em Kingsbridge, e tinha de fazer isso sem mencionar seu nome; mais do que isso, sem sequer deixar as pessoas perceberem que era hostil a ela. Deviam voltar sua fúria contra ela, mas, quando isso acontecesse, precisariam acreditar que a ideia era delas, não uma sugestão sua.

Nem todos os serviços tinham um sermão. Só nas grandes solenidades, com a presença de uma enorme multidão, é que ele se dirigia à congregação; e nem sempre era uma pregação. Com bastante frequência, havia apenas comunicados, mensagens do arcebispo ou do rei sobre eventos de importância nacional... vitórias militares, tributos, nascimentos e mortes na família real. Mas hoje era um dia especial.

– O que é a doença? – indagou.

Já havia silêncio na catedral, mas então a congregação ficou imóvel. Ele fizera a indagação que se encontrava na mente de todos.

– Por que Deus manda doenças e pestes para nos atormentar e matar?

Seus olhos se fixaram na mãe, parada atrás de Elfric e Alice, e ele se lembrou subitamente da previsão de Petranilla de que morreria em breve. Por um momento, ficou paralisado pelo medo, incapaz de falar. Os fiéis mudaram de posição, irrequietos, em expectativa. Como viu que perdia a atenção das pessoas, Godwyn entrou em pânico, o que tornou a paralisia ainda pior. Mas o momento logo passou.

– A doença é uma punição para o pecado – continuou.

Ao longo dos anos, Godwyn desenvolvera um estilo de pregação. Não era pomposo, como frei Murdo. Falava mais em tom de conversa, como um homem racional em vez de um demagogo. Não sabia até que ponto isso seria apropriado para atiçar o tipo de ódio que queria que as pessoas sentissem. Mas Philemon dizia que isso fazia que parecesse mais convincente.

– A peste é uma doença especial, por isso sabemos que Deus está nos infligindo uma punição especial.

Levantou-se um som baixo coletivo da multidão, entre um murmúrio e um gemido. Era isso que eles queriam ouvir. Godwyn ficou entusiasmado.

– Devemos nos perguntar que pecados cometemos para merecer tal punição.

Ao dizer isso, ele notou Madge Webber, sozinha. Na última vez em que viera à catedral, tinha um marido e quatro filhos. Godwyn pensou em dizer que ela enriquecera usando tinturas criadas por bruxaria, mas decidiu que não era uma boa tática. Madge era muito apreciada e respeitada.

– Digo a vocês que Deus está nos punindo pela heresia. Há pessoas no mundo... nesta cidade... até mesmo nesta catedral hoje... que questionam a autoridade da santa Igreja de Deus e de seus ministros. Duvidam que o sacramento transforme o pão no verdadeiro corpo de Cristo, negam a eficácia das missas para os mortos, alegam que é idolatria rezar diante das estátuas de santos.

Essas eram as heresias habituais, debatidas pelos estudantes de teologia em Oxford. Poucas pessoas em Kingsbridge se importavam com essas discussões, e Godwyn percebeu o desapontamento e o tédio nos rostos da multidão. Sentiu que as perdia de novo e seu pânico aumentou. Desesperado, acrescentou:

– Há pessoas nesta cidade que praticam bruxaria.

Isso atraiu outra vez as atenções. Houve um murmúrio coletivo de espanto.

– Devemos estar vigilantes contra a falsa religião. Lembrem-se de que só Deus pode curar a doença. Oração, confissão, comunhão, penitência... esses são os remédios sancionados pelo cristianismo. – Elevou um pouco a voz: – Todo o resto é blasfêmia!

Godwyn decidiu que isso não era bastante claro. Precisava ser mais específico.

– Pois, se Deus nos manda uma punição e tentamos escapar, não estamos desafiando sua vontade? Devemos rezar para que ele nos perdoe. E talvez, em sua sabedoria, ele cure nossa doença. Mas as curas heréticas só servirão para agravar a situação.

A audiência estava fascinada, e Godwyn se entusiasmou:

– Eu advirto! Os encantamentos mágicos, os apelos a duendes e fadas, as exortações não cristãs e, especialmente, as práticas pagãs... tudo isso é bruxaria, tudo isso é proibido pela santa Igreja de Deus.

Sua verdadeira audiência naquele dia era formada pelas 32 freiras atrás dele, no coro da catedral. Até agora, apenas umas poucas haviam manifestado sua oposição a Caris e apoio a Elizabeth, recusando-se a usar a máscara contra a peste. Nas circunstâncias atuais, Caris ganharia facilmente a eleição na próxima semana. Ele precisava transmitir às freiras a mensagem clara de que as ideias médicas de Caris eram heréticas.

– Qualquer pessoa que seja culpada dessas práticas... – fez uma pausa, para aumentar o efeito; inclinou-se para a frente, correndo os olhos pela congregação –... qualquer pessoa nesta cidade... – Godwyn olhou para trás, na direção dos monges e freiras no coro –... ou mesmo no priorado... – tornou a se virar – ... qualquer pessoa culpada dessas práticas deve ser escorraçada.

Outra pausa, para causar efeito.

– E que Deus tenha misericórdia de sua alma.

61

Paul Bell foi enterrado três dias antes do Natal. Todos os que se postaram à beira de sua sepultura, no frio de dezembro, foram convidados a tomar um drinque na Bell em sua memória. A filha, Bessie, era agora a dona da taverna. Não queria lamentar sozinha, por isso serviu generosamente a sua melhor cerveja. Lennie Fiddler tocou melodias tristes em seu instrumento de cinco cordas. Os convidados foram se tornando mais lacrimosos e sentimentais à medida que se embriagavam.

Merthin sentou no canto com Lolla. Comprara no mercado, no dia anterior, passas de Corinto... um luxo dispendioso. Partilhava-as com Lolla ao mesmo tempo que lhe ensinava os números. Contou nove passas para si mesmo, mas, quando contou as passas para Lolla, começou a saltar os números:

– Um, três, cinco, sete, nove.

– Não! – exclamou Lolla. – Isso não está certo! – A menina riu, sabendo que era apenas brincadeira do pai.

– Mas eu contei nove para cada um – protestou Merthin.

– Mas você ficou com mais!

– E como isso aconteceu?

– Não contou direito, seu bobo.

– Nesse caso, você pode contar, para ver se consegue fazer melhor.

Bessie veio sentar com eles. Usava seu melhor vestido, que estava um pouco justo.

– Posso comer algumas passas? – perguntou.

– Pode, sim – respondeu Lolla. – Mas não deixe papai contá-las.

– Não se preocupe – declarou Bessie. – Conheço os truques dele.

– Tome aqui – disse Merthin a Bessie. – Uma, três, nove, treze... mas treze é demais! Preciso tirar algumas. – Tirou três passas. – Doze, onze, dez. Pronto, agora você tem dez passas.

Lolla estava achando a brincadeira muito engraçada.

– Mas ela só tem uma!

– Contei errado de novo?

– Contou! – A menina olhou para Bessie. – Conhecemos os truques dele.

– Então conte você.

A porta foi aberta, deixando passar uma lufada de ar gelado. Caris entrou, envolta em um grosso manto. Merthin sorriu. Cada vez que a via, ficava contente por ela ainda estar viva. Bessie a fitou com uma expressão cautelosa, mas lhe deu as boas-vindas.

– Olá, irmã. É muito gentil de sua parte ter se lembrado de meu pai.

– Lamento muito que você o tenha perdido. Era um bom homem.

Caris também mantinha uma polidez formal. Merthin compreendeu que as duas se consideravam rivais em sua afeição. Não sabia o que fizera para merecer tanta devoção.

– Obrigada – disse Bessie a Caris. – Quer tomar um copo de cerveja?

– É muita gentileza sua, mas não vou beber. Preciso conversar com Merthin.

Bessie olhou para Lolla.

– Vamos assar algumas castanhas no fogo?

– Claro!

Bessie se afastou com Lolla.

– Elas se dão muito bem – comentou Caris. Merthin anuiu com a cabeça.

– Bessie tem um coração afetuoso e não teve filhos.

Caris fez uma cara de triste.

– Também não tenho filhos... mas talvez eu não tenha um coração afetuoso.

Merthin tocou em sua mão.

– Sei que não é bem assim. Seu coração é tão afetuoso que você cuida não apenas de uma ou duas crianças, mas de dezenas de pessoas.

– É gentileza sua pensar assim.

– É a pura verdade, mais nada. Como estão as coisas no hospital?

– Insuportáveis. O hospital está cheio de pessoas doentes e não posso fazer nada, a não ser enterrá-las.

Merthin sentiu um ímpeto de compaixão. Caris era sempre tão competente, tão confiável, mas a tensão cobrava seu tributo. Agora ela estava disposta a se abrir com ele, embora com ninguém mais.

– Você parece cansada.

– Deus sabe quanto me sinto exausta.

– Suponho que também se preocupe com a eleição.

– Vim pedir sua ajuda nisso.

Merthin hesitou. Estava dividido entre sentimentos contraditórios. Por um lado, queria que Caris realizasse sua ambição e se tornasse prioresa. Mas, nesse caso, ela poderia algum dia vir a ser sua esposa? Por isso, ele acalentava a esperança, vergonhosamente egoísta, de que Caris perdesse a eleição e renunciasse a seus votos. Mesmo assim, queria proporcionar qualquer ajuda que ela pedisse, apenas porque a amava.

– Está bem.

– O sermão de Godwyn ontem me incomodou bastante.

– Será que nunca vai se livrar da velha acusação de bruxaria? É tão absurda!

– As pessoas são estúpidas. O sermão teve grande impacto sobre as freiras.

– Como era o objetivo dele, com toda a certeza.

– Não tenho dúvida quanto a isso. Poucas acreditaram em Elizabeth quando disse que minhas máscaras de linho eram pagãs. As únicas que descartaram as máscaras foram as suas amigas: Cressie, Elaine, Jeannie, Rosie e Simone. Mas a situação mudou quando as outras ouviram a mensagem do púlpito da catedral. As irmãs mais impressionáveis também descartaram as máscaras. Umas poucas evitam demonstrar sua escolha, mas também não vão ao hospital. Só algumas ainda as usam: eu e mais quatro a quem sou muito ligada.

– Eu já receava que isso acontecesse.

– Agora que madre Cecilia, Mair e a Velha Julie morreram, há apenas 32 freiras com direito a voto. – Dezessete votos eram tudo o que se precisava para vencer. – Elizabeth tinha no início apenas cinco partidárias comprometidas. O sermão lhe deu mais onze votos. Com o próprio voto, ela chega a dezessete. Só tenho cinco votos garantidos. E, mesmo que todas as indecisas viessem para o meu lado, ainda assim eu perderia.

Merthin ficou furioso por ela. Devia ser angustiante ser rejeitada daquela maneira, depois de tudo o que Caris fizera pelo convento.

– O que posso fazer?

– O bispo é minha última esperança. Se ele se manifestar contra Elizabeth e anunciar que não ratificará sua eleição, algumas de suas partidárias podem mudar de ideia. Com isso, eu teria uma chance.

– Como você poderia influenciá-lo?

– Eu não posso, mas você poderia... ou pelo menos a guilda da paróquia.

– É possível.

– Há uma reunião esta noite. Imagino que você vá comparecer.

– Vou.

– Pense a respeito. Godwyn já mantém a cidade estrangulada. É muito ligado a Elizabeth... a família dela é arrendatária de terras do priorado. Godwyn sempre teve o cuidado de favorecer esses parentes. Se ela se tornar prioresa, será tão dócil quanto Elfric. Godwyn não enfrentará oposição, dentro ou fora do priorado. Será a morte de Kingsbridge.

– Tem toda a razão. Mas não sei se os homens da guilda concordarão em interceder junto ao bispo...

Caris pareceu de repente muito desanimada.

– Apenas tente. Se eles o rejeitarem, que seja.

O desespero de Caris o deixou comovido. Desejou poder ser mais otimista.

– Claro que tentarei.

– Obrigada. – Ela se levantou. – Você deve ter sentimentos conflitantes a respeito. Obrigada por ser um amigo de verdade.

Merthin sorriu, amargurado. Queria ser o marido, não um amigo. Mas aproveitaria o que pudesse obter.

Ela saiu para a noite fria. Merthin se juntou a Bessie e Lolla à beira do fogo. Provou as castanhas assadas. Estava preocupado. A influência de Godwyn era maligna, mas mesmo assim seu poder não parava de crescer. Por que isso acontecia? Talvez porque ele fosse um homem ambicioso e sem consciência... uma combinação poderosa.

Enquanto a escuridão se aprofundava, ele levou Lolla para a cama. Pagou à filha de um vizinho para tomar conta da menina. Bessie deixou Sairy, a empregada, tomando conta da taverna. Os dois, usando mantos pesados, subiram juntos pela rua principal até a casa da guilda. Era a noite da reunião do meio do inverno da guilda da paróquia.

No fundo da sala comprida havia um barril de cerveja para os membros. O clima de festa parecia ser compulsivo naquele Natal, pensou Merthin. Muitos haviam bebido bastante no velório de Paul Bell e alguns dos que entraram junto com Merthin se apressaram em encher suas canecas, como se não tomassem cerveja há uma semana. Talvez bebessem assim para não pensar na peste.

Bessie estava entre os quatro novos membros da guilda. Os outros três eram os filhos mais velhos de eminentes mercadores que haviam morrido. Godwyn, como suserano dos habitantes da cidade, devia estar satisfeito com o aumento de seus rendimentos através do *heriot*, refletiu Merthin. Depois de tratados os assuntos de rotina, Merthin levantou a questão da eleição da nova prioresa.

– Isso não é da nossa conta – declarou Elfric no mesmo instante.

– Acontece justamente o contrário, porque o resultado afetará o comércio em nossa cidade por muitos anos, talvez por décadas – argumentou Merthin. – A prioresa é uma das pessoas mais ricas e poderosas de Kingsbridge e devemos fazer tudo que pudermos para eleger alguém que não fará nada para restringir os negócios.

– Mas não há nada que possamos fazer, não temos direito a voto.

– Temos influência. Podemos fazer uma petição ao bispo.

– Nunca foi feita antes.

– Isso não chega a ser um argumento.

– Quem são as candidatas? – interveio Bill Watkin.

– Desculpem – disse Merthin. – Pensei que soubessem. A irmã Caris e a irmã Elizabeth. Acho que devemos apoiar Caris.

– Claro que você a apoia – declarou Elfric. – E todo mundo sabe por quê!

Houve uma onda de risadas. Todos sabiam da antiga e duradoura paixão entre Merthin e Caris. Merthin sorriu.

– Continuem a rir... não me importo. Mas não esqueçam que Caris foi criada no negócio de lã e ajudava o pai. Por isso ela compreende os problemas e desafios que os mercadores enfrentam... enquanto sua rival é filha de um bispo e provavelmente simpatiza com o prior.

O rosto de Elfric estava vermelho... em parte por causa da cerveja que tomara, pensou Merthin, mas, acima de tudo, de raiva.

– Por que você me odeia, Merthin? – indagou ele.

Merthin ficou surpreso.

– Pensei que era o contrário.

– Você seduziu minha filha e depois se recusou a casar com ela. Tentou me impedir de construir a ponte. Pensei que havíamos nos livrado de você, mas voltou e me humilhou por causa das rachaduras na ponte. Só estava aqui há poucos dias quando tentou me derrubar do cargo de regedor e pôr seu amigo Mark no meu lugar. Até insinuou que as rachaduras na catedral eram culpa minha, embora ela tenha sido construída antes mesmo do meu nascimento. Repito: por que você me odeia?

Merthin não soube o que dizer. Como Elfric podia deixar de saber o que fizera com ele? Mas Merthin não queria entrar nessa discussão diante da guilda da paróquia. Parecia infantil.

– Não o odeio, Elfric. Foi um mestre cruel quando eu era seu aprendiz e é um construtor desleixado, além de ser um bajulador de Godwyn. Mesmo assim, não o odeio.

Um dos novos membros, Joseph Blacksmith, perguntou:

– É isso que fazemos na guilda da paróquia, temos discussões estúpidas?

Merthin sentiu-se atingido. Não fora ele quem introduzira a questão pessoal. Mas dizer isso seria considerado uma continuação da discussão. Por isso preferiu ficar calado, mas concluiu que Elfric era sempre astucioso.

– Joe tem razão – declarou Bill Watkin. – Não viemos até aqui para escutar uma discussão entre Elfric e Merthin.

Merthin ficou perturbado pela disposição de Bill de situá-lo no mesmo nível de Elfric. De modo geral, os homens da guilda gostavam dele e demonstravam alguma hostilidade a Elfric desde a disputa sobre as rachaduras na ponte. Na verdade, teriam derrubado Elfric se Mark não tivesse morrido. Mas alguma coisa mudara.

– Podemos voltar à questão em discussão – disse Merthin –, que é a petição ao bispo a favor de Caris como prioresa?

– Sou contra – declarou Elfric. – O prior Godwyn quer Elizabeth.

Uma nova voz se manifestou:

– Estou com Elfric. Não podemos brigar com o prior.

Era Marcel Chandler, que tinha o contrato de fornecimento de velas de cera para o priorado. Godwyn era seu maior cliente. Merthin não se surpreendeu. Mas a intervenção do orador seguinte o deixou chocado. Era Jeremiah Builder, que disse:

– Acho que não devemos favorecer uma pessoa que foi acusada de heresia.

Ele cuspiu no chão duas vezes, à esquerda e à direita, para depois fazer o sinal da cruz. Merthin ficou surpreso demais para reagir. Jeremiah sempre fora supersticioso ao extremo, mas Merthin nunca imaginara que isso o levaria a trair seu mentor. Coube a Bessie defender Caris.

– Essa acusação sempre foi absurda – disse ela.

– Mas nunca foi desmentida – insistiu Jeremiah.

Merthin se voltou para ele, mas Jeremiah evitou encará-lo.

– O que deu em você, Jimmie? – indagou Merthin.

– Não quero morrer da peste. Ouviu o sermão. Toda prática de tratamentos pagãos deve ser proibida. Estamos falando em pedir ao bispo para fazê-la prioresa... isso não é escorraçá-la!

Houve murmúrios de concordância e Merthin compreendeu que a maré de opinião mudara. Os outros não eram tão crédulos quanto Jeremiah, mas partilhavam seu medo. A peste assustara a todos, afetando a racionalidade. O sermão de Godwyn fora mais eficaz do que Merthin imaginara. Ele já estava prestes a desistir... até que pensou em Caris, como ela parecia cansada e desmoralizada, e resolveu fazer mais uma tentativa:

– Já passei por tudo isso em Florença. E devo adverti-los: padres e monges não salvarão ninguém da peste. Entregarão a cidade a Godwyn numa bandeja a troco de nada.

– Isso parece horrivelmente próximo da blasfêmia – comentou Jeremiah. Merthin olhou ao redor. Os outros concordavam com Jeremiah. Estavam assustados demais para pensar direito. Não havia mais nada que ele pudesse fazer.

A guilda decidiu que não teria qualquer participação na eleição para prioresa.

A reunião foi encerrada pouco depois, num clima de mau humor. Os membros pegaram tições em brasa para iluminar o caminho de volta para casa.

Merthin decidiu que era tarde demais para comunicar o resultado da reunião a Caris: as freiras, como os monges, se deitavam ao anoitecer e se levantavam ainda de madrugada. Mas deparou com um vulto envolto por um enorme manto à sua espera nas proximidades da casa da guilda. Para sua surpresa, a tocha em sua mão iluminou o rosto preocupado de Caris.

– O que aconteceu? – perguntou ela, ansiosa.

– Fracassei. Sinto muito.

À luz da tocha, ela pareceu magoada.

– E o que eles disseram?

– Não querem interferir. Acreditaram no sermão.

– Idiotas!

Juntos, seguiram pela rua principal. Quando alcançaram o portão do priorado, Merthin disse:

– Deixe o convento, Caris. Não por mim, mas por você. Não pode trabalhar sob o comando de Elizabeth. Ela a odeia e vai se opor a tudo que quiser fazer.

– Ela ainda não venceu.

– Mas vai vencer... Você mesma disse isso. Renuncie a seus votos e case comigo.

– O casamento é um voto. Se eu quebrar meu voto a Deus, por que confiaria em mim para manter minha promessa a você?

Merthin sorriu.

– Correrei o risco.

– Deixe-me pensar a respeito.

– Vem pensando a respeito há meses – disse Merthin, ressentido. – Se não sair agora, nunca mais sairá.

– Não posso sair agora. As pessoas precisam de mim mais do que nunca.

Ele começou a se irritar.

– Não continuarei a pedir para sempre.

– Sei disso.

– Para ser franco, não pedirei de novo, depois desta noite.

Caris começou a chorar.

– Sinto muito, mas não posso abandonar o hospital no meio de uma peste.

– O hospital...

– E as pessoas da cidade.

– Mas o que me diz de você?

A chama da tocha fazia as lágrimas de Caris faiscarem.

– As pessoas precisam desesperadamente de mim.

– São ingratas, todas elas... freiras, monges, os moradores da cidade. E, por Deus, sei do que estou falando.

– Não faz diferença.

Merthin assentiu, aceitando a decisão de Caris e reprimindo sua raiva egoísta.

– Se é assim que você se sente, deve cumprir seu dever.

– Obrigada por compreender.

– Eu gostaria que o resultado fosse diferente.

– Eu também.

– É melhor você levar a tocha.

– Obrigada. – Ela pegou a tocha e se afastou.

Merthin a observou, pensando: É assim que termina? Isso é tudo? Caris seguia à sua maneira característica, com passos determinados e confiantes, mas mantinha a cabeça baixa. Passou pelo portão e desapareceu.

As luzes da Bell brilhavam alegremente através das aberturas nas janelas e na porta. Ele entrou. Os últimos clientes se despediam, meio embriagados. Sairy recolhia as canecas e limpava as mesas. Merthin foi ver Lolla, que estava mergulhada no sono. Pagou a garota que ficara tomando conta dela. Pensou em se deitar, mas sabia que não conseguiria dormir. Estava transtornado demais. Por que perdera a paciência logo naquela noite, não em qualquer outra ocasião? Ficara furioso. Mas sua raiva vinha do medo, compreendeu enquanto se acalmava. Por trás disso havia o pavor de que Caris pegasse a peste e morresse.

Sentou num banco da taverna e tirou as botas. Permaneceu ali, olhando para o fogo, especulando por que não podia ter a coisa que mais queria na vida.

Bessie também voltou e pendurou seu manto. Sairy foi embora. Bessie trancou tudo. Foi sentar na frente de Merthin, ocupando a cadeira grande que seu pai sempre usava.

– Lamento muito pelo que aconteceu na guilda – disse ela. – Não tenho certeza de quem está certo, mas sei que você ficou desapontado.

– De qualquer forma, obrigado por me apoiar.

– Sempre o apoiarei.

– Talvez seja tempo de eu parar de lutar as batalhas de Caris.

– Concordo. Mas posso ver que isso o deixa triste.

– Triste e furioso. Tenho a sensação de que desperdicei metade de minha vida esperando por ela.

– O amor nunca é desperdiçado.

Ele ergueu os olhos, surpreso. Após um momento, disse:

– Você é uma pessoa sensata.

– Não há mais ninguém aqui além de Lolla. Todos os hóspedes do Natal já foram embora. – Bessie se levantou e se ajoelhou na frente dele. – Eu gostaria de confortá-lo... de qualquer maneira que puder.

Merthin contemplou seu rosto redondo e cordial. Sentiu que o próprio corpo se agitava em resposta. Havia muito tempo não tinha em seus braços o corpo macio de uma mulher. Mas balançou a cabeça.

– Não quero usá-la.

Ela sorriu.

– Não estou pedindo para casar comigo. Nem mesmo estou pedindo para me amar. Acabei de enterrar meu pai ao passo que você ficou desapontado com Caris. Ambos precisamos de alguém para nos consolar.

– Para atenuar a dor, como um jarro de vinho.

Bessie pegou a mão de Merthin e beijou sua palma.

– Melhor do que vinho...

Ela comprimiu a mão dele contra o seio grande e macio. Merthin suspirou enquanto o acariciava. Bessie ergueu o rosto, ele se inclinou e a beijou nos lábios. Ela soltou um gemido de prazer. Foi um beijo delicioso, como uma bebida gelada num dia quente, e ele não quis mais parar.

Bessie acabou recuando, ofegante. Levantou-se e tirou o vestido de lã pela cabeça. O corpo nu parecia rosado à luz do fogo. Ela era toda feita de curvas: quadris redondos, barriga redonda, seios redondos. Ainda sentado, Merthin pôs as mãos em sua cintura e a puxou. Beijou a pele quente da barriga, depois as pontas rosadas dos seios. Ergueu os olhos para o rosto corado de Bessie.

– Não quer subir? – disse ele.

– Não – respondeu ela, ofegante. – Não posso esperar tanto tempo.

62

A eleição para prioresa foi realizada no dia seguinte ao Natal. Naquela manhã, Caris estava tão deprimida que mal foi capaz de sair da cama. Quando soou o sino para as Matinas, de madrugada, ela sentiu a forte tentação de enfiar a cabeça sob as cobertas e alegar que não se sentia bem. Mas não podia se omitir quando tantas pessoas estavam morrendo. Por fim, fez um esforço para se levantar.

Arrastou-se pelas geladas lajes de pedra do claustro ao lado de Elizabeth, as duas à frente da procissão para a igreja. Esse protocolo fora combinado porque nenhuma das duas estava disposta a dar precedência à outra enquanto estivessem disputando na eleição. Mas Caris não se importava. O resultado era inevitável. Ela bocejou e tremeu de frio no coro, durante os salmos e as leituras. Estava furiosa. Mais tarde, naquele dia, Elizabeth seria eleita prioresa. Caris nutria ressentimento contra as freiras por rejeitá-la, odiava Godwyn por sua hostilidade e desprezava os mercadores da cidade por se recusarem a interferir.

Experimentava a sensação de que sua vida fora um fracasso. Não construíra o novo hospital com que sonhara e agora nunca mais o faria.

Também se ressentia de Merthin, por fazer uma oferta que ela não podia aceitar. Ele não era capaz de compreender. Para Merthin, o casamento seria só um complemento de sua vida de arquiteto e construtor. Para ela, seria substituir por outro o trabalho a que se dedicara. Fora por isso que ela vacilara durante tantos anos. Não porque não o desejasse. Ansiava por ele com uma fome que mal conseguia suportar.

Ela murmurou os últimos responsos e depois deixou a catedral em passos mecânicos, à frente das freiras. Ao contornarem de novo o claustro, alguém por trás dela espirrou. Estava desanimada demais para ao menos olhar e descobrir quem fora.

As freiras subiram a escada para o dormitório. Ao entrar ali, Caris ouviu uma respiração pesada e compreendeu que alguém ficara no dormitório. Sua vela revelou a mestra das noviças, a irmã Simone, uma mulher melancólica de meia-idade normalmente meticulosa que nunca se fingia de doente para se esquivar dos serviços. Caris prendeu uma máscara de linho no rosto e foi se ajoelhar ao lado de Simone, que suava bastante e exibia uma expressão assustada.

– Como se sente? – perguntou Caris.

– Horrível... – balbuciou Simone. – Tive sonhos estranhos.

Caris tocou em sua testa. Ela ardia em febre.

– Posso beber alguma coisa? – perguntou Simone.

– Claro.

– Espero que seja apenas um resfriado.

– Está com febre.

– Mas não peguei a peste, não é? Não me sinto tão mal assim.

– Seja como for, vamos levá-la para o hospital. Pode andar?

Simone fez esforço para se levantar. Caris pegou um cobertor na cama e o ajeitou em torno dos ombros de Simone. Enquanto se encaminhavam para a porta, Caris ouviu um espirro. Dessa vez pôde constatar que era de irmã Rosie, a gorda matriculária. Caris olhou atentamente para Rosie, que parecia assustada. Caris escolheu outra freira ao acaso.

– Irmã Cressie, leve Simone para o hospital enquanto examino Rosie.

Cressie pegou Simone pelo braço e desceu com ela. Caris aproximou sua vela do rosto de Rosie. Ela também suava. Caris puxou para baixo a gola do hábito. Havia uma erupção de pequenas manchas púrpura nos ombros e nos seios.

– Não... – balbuciou Rosie. – Não, por favor!

– Pode não ser nada grave – mentiu Caris.

– Não quero morrer da peste! – exclamou Rosie, a voz trêmula.

– Fique calma e venha comigo – disse Caris em voz baixa.

Caris pegou firme o braço de Rosie, que resistiu.

– Não! Ficarei bem aqui!

– Tente fazer uma oração. Ave Maria...

Rosie começou a rezar. Pouco depois, Caris conseguiu levá-la sem resistência.

O hospital estava apinhado, com pessoas morrendo e suas famílias, a maioria acordada, apesar da hora. Havia um forte odor de corpos suados, vômito e sangue. A iluminação, de lampiões de sebo e velas no altar, era difusa. Diversas freiras cuidavam dos pacientes, servindo água e limpando tudo. Algumas usavam máscara; outras, não.

Lá estava o irmão Joseph, o mais velho dos monges médicos e o mais respeitado. Estava dando a extrema-unção a Rick Silvers, o chefe da guilda dos joalheiros. Inclinava a cabeça para ouvir a confissão sussurrada, os dois cercados pelos filhos e netos de Rick.

Caris arrumou um lugar para Rosie e a persuadiu a se deitar. Uma das freiras lhe trouxe um copo de água fresca da fonte. Rosie ficou imóvel, mas os olhos se moviam angustiados para um lado e outro. Conhecia seu destino agora e estava com medo.

– O irmão Joseph virá examiná-la daqui a pouco – prometeu Caris.

– Você estava certa, irmã Caris – murmurou Rosie.

– Como assim?

– Simone e eu estávamos entre as amigas originais de irmã Elizabeth que se recusaram a usar máscara... e veja o que aconteceu conosco.

Caris não pensara nisso. A prova de que estava certa seria a morte terrível das pessoas que haviam discordado? Ela preferia estar errada. Foi examinar Simone, que, deitada, segurava a mão de Cressie. Simone era mais velha e mais calma do que Rosie, mas havia medo em seus olhos e ela apertava a mão de Cressie com toda a força.

Caris olhou para Cressie. Havia uma mancha escura por cima do lábio dela. Caris estendeu o braço e a limpou com a manga. Cressie também pertencia ao grupo original que abandonara a máscara. Ela olhou para a marca na manga.

– O que é isso?

– Sangue – respondeu Caris.

⁓

A eleição foi realizada no refeitório, uma hora antes do momento de servir o almoço. Caris e Elizabeth sentaram lado a lado por trás de uma mesa numa extremidade da sala, com as freiras sentadas em fileiras de bancos à frente.

Tudo mudara. Simone, Rosie e Cressie continuavam no hospital, acometidas pela peste. Ali no refeitório, as outras duas que recusaram desde o início a máscara, Elaine e Jeannie, exibiam os primeiros sintomas. Elaine espirrava a todo momento e Jeannie suava muito. O irmão Joseph, que vinha cuidando das vítimas da peste sempre sem máscara, finalmente sucumbira. Todas as outras freiras haviam retomado o uso das máscaras no hospital. Se a máscara ainda era um sinal de apoio a Caris, ela vencera.

Todas estavam tensas e agitadas. A irmã Beth, antiga tesoureira e agora a freira mais velha, leu uma oração para abrir a reunião. Quase antes mesmo que ela acabasse, várias freiras falaram ao mesmo tempo. A voz que prevaleceu, entre todas, foi a da irmã Margaret, a antiga despenseira:

– Caris estava certa e Elizabeth, errada! As que se recusaram a usar máscaras estão agora morrendo!

Houve um murmúrio coletivo de concordância.

– Eu gostaria que fosse diferente – declarou Caris. – Preferia que Rosie, Simone e Cressie estivessem sentadas aqui neste momento, votando contra mim.

Ela falava sério. Cansara de ver pessoas morrendo. Isso a fazia pensar em como todas as outras coisas eram triviais. Elizabeth se levantou.

– Proponho que adiemos a eleição. Três freiras já morreram e mais três se encontram no hospital. Devemos esperar até que a peste termine.

A proposta pegou Caris de surpresa. Pensara que não havia nada que Elizabeth pudesse fazer para evitar a derrota... mas se enganara. Ninguém votaria agora em Elizabeth, mas suas partidárias poderiam optar por não escolher ninguém.

A apatia de Caris desapareceu. Recordou subitamente todas as razões pelas quais queria ser prioresa: melhorar o hospital, ensinar mais meninas a ler e escrever, ajudar a cidade a prosperar. Seria uma catástrofe se Elizabeth fosse eleita em vez dela. Mas Elizabeth recebeu o apoio imediato da velha irmã Beth:

– Não devemos realizar a eleição numa situação de pânico e fazer uma escolha de que poderemos nos arrepender mais tarde, quando as coisas se acalmarem.

Sua declaração parecia ensaiada: era evidente que Elizabeth planejara aquilo. Mas o argumento não era absurdo, pensou Caris com alguma apreensão. Margaret protestou, indignada:

– Beth, você só diz isso porque sabe que Elizabeth vai perder.

Caris se absteve de falar, com medo de ouvir o mesmo argumento contra ela. A irmã Naomi, que não tinha compromisso com qualquer dos lados, interveio nesse instante:

– O problema é que não temos uma líder. Madre Cecilia, que sua alma descanse em paz, nunca designou uma subprioresa depois que Natalie morreu.

– Isso é tão ruim assim? – indagou Elizabeth.

– É, sim! – exclamou Margaret. – Não conseguimos sequer tomar uma decisão sobre quem deve ser a primeira na procissão!

Caris decidiu correr o risco de abordar um problema prático:

– Há uma longa lista de decisões que precisam ser tomadas, especialmente sobre a herança de propriedades do convento cujos ocupantes morreram da peste. Seria difícil continuar por muito mais tempo sem uma prioresa.

A irmã Elaine, uma das cinco amigas originais de Elizabeth, argumentou então contra o adiamento:

– Detesto eleições. – Ela espirrou, mas logo continuou: – Jogam irmã contra irmã e causam hostilidades. Quero acabar logo com isto, para que possamos nos unir diante desta terrível peste.

Isso provocou um coro de apoio.

Elizabeth olhou furiosa para Elaine, que a fitou e acrescentou:

– Como podem ver, não posso sequer fazer um comentário pacífico como esse sem que Elizabeth olhe para mim como se eu a tivesse traído.

Elizabeth baixou os olhos. Margaret disse:

– Vamos votar. Quem é a favor de Elizabeth, diga "Sim".

Por um momento, ninguém se pronunciou. Então Beth exclamou:

– Sim.

Caris esperou que mais alguém falasse, mas Beth foi a única.

O coração de Caris bateu mais depressa. Estaria prestes a realizar sua ambição?

– Quem é a favor de Caris? – indagou Margaret.

A resposta foi imediata. Houve um grito quase coletivo de "Sim!". Caris teve a impressão de que todas as freiras votavam a seu favor.

Consegui, pensou. Sou a prioresa. Agora podemos realmente começar.

– Nesse caso... – disse Margaret, mas não pôde continuar, porque uma voz de homem a interrompeu:

– Esperem!

Várias freiras soltaram murmúrios de espanto e uma delas gritou. Todas olharam para a porta. Philemon estava parado ali. Ele devia estar escutando do outro lado da porta, refletiu Caris.

– Antes de continuarem...

Caris não podia permitir aquilo. Levantou-se, furiosa.

– Como ousa entrar no convento? Você não tem permissão e não é bem-vindo aqui! Fora!

– Fui enviado pelo padre prior...

– Ele não tem o direito...

– É o religioso mais graduado em Kingsbridge e tem autoridade sobre as freiras na ausência de uma prioresa ou subprioresa.

– Não estamos mais sem uma prioresa, irmão Philemon. – Caris avançou na direção dele. – Acabo de ser eleita.

As freiras odiavam Philemon e todas aplaudiram.

– O padre Godwyn se recusa a permitir essa eleição – insistiu Philemon.

– Tarde demais. Diga a ele que madre Caris está agora no comando do convento... e que ela o expulsou.

Philemon recuou.

– Você não é a prioresa até que a eleição seja ratificada pelo bispo!

– Fora! – exclamou Caris.

As freiras entoaram em coro:

– Fora! Fora! Fora!

Philemon ficou intimidado. Não estava acostumado a ser desafiado. Caris deu outro passo adiante e ele deu outro passo para trás. Parecia espantado com o que estava acontecendo. O coro se tornava mais e mais alto. Abruptamente, ele se virou e saiu correndo. As freiras riram e aplaudiram. Mas Caris percebeu que o comentário final de Philemon era procedente. A eleição teria de ser ratificada pelo bispo Henri.

E Godwyn faria tudo para impedir que isso ocorresse.

Uma equipe de voluntários da cidade abrira uma clareira de 1 acre na mata no outro lado do rio e Godwyn iniciou o processo de consagrar a terra do novo cemitério. Todos os cemitérios de igrejas dentro das muralhas da cidade já estavam plenamente ocupados e quase não restava espaço no cemitério da catedral.

Godwyn caminhava pelos limites do terreno, sob um vento gelado, salpicando água benta, que congelava ao bater no chão, enquanto monges e freiras marchavam em sua esteira cantando um salmo. Embora o serviço ainda não tivesse terminado, os coveiros já haviam começado a trabalhar. Havia montes de terra ao lado de buracos com os lados retos, tão próximos uns dos outros quanto possível, para poupar espaço. Mas 1 acre não seria suficiente por muito tempo e já havia homens trabalhando para abrir outro espaço na mata.

Em momentos assim Godwyn tinha de fazer o maior esforço para manter o controle. A peste era como uma vasta onda submergindo a todos em sua passagem, incontrolável. Os monges haviam enterrado uma centena de pessoas na semana antes do Natal e os números continuavam a subir. O irmão Joseph morrera no dia anterior, e mais dois monges estavam doentes. Onde acabaria isso? Todas as pessoas no mundo morreriam? O próprio Godwyn morreria?

Ele estava tão assustado que parou de repente, olhando aturdido para o aspersório de ouro com que salpicava a água benta, sem ter a menor ideia de como fora parar em sua mão. Por um momento, o pânico que sentia o dominou e ele não foi capaz de se mexer. Até que Philemon, à frente da procissão, o empurrou delicadamente por trás. Godwyn cambaleou para a frente e reiniciou a marcha. Tinha de afastar da mente aqueles pensamentos assustadores.

Concentrou o cérebro no problema da eleição das freiras. A reação ao sermão fora tão favorável que pensara que a vitória de Elizabeth estava garantida. A maré virara com uma rapidez chocante, e a irritante recuperação da popularidade de Caris o pegara de surpresa. A intervenção de Philemon no último minuto fora uma medida desesperada, mas tomada tarde demais. Quando pensava a respeito, Godwyn tinha vontade de gritar.

Mas ainda não acabara. Caris escarnecera de Philemon, mas a verdade é que ela não podia considerar sua posição segura até a aprovação do bispo Henri. Infelizmente, Godwyn ainda não tivera uma oportunidade de se insinuar nas boas graças de Henri. O novo bispo, que não falava inglês, visitara Kingsbridge apenas uma vez. Como ele era novo no cargo, Philemon ainda não descobrira se tinha uma fraqueza fatal. Mas era um homem e um sacerdote, por isso deveria ficar do lado de Godwyn contra Caris.

Godwyn escrevera para Henri dizendo que Caris enfeitiçara as freiras, levando--as a pensar que poderia salvá-las da peste. Detalhara a história de Caris: a acusação de heresia, o julgamento e a condenação há oito anos, o resgate por Cecilia. Esperava que Henri chegasse a Kingsbridge com um forte preconceito contra Caris.

Mas quando Henri viria? Era extraordinário para o bispo perder o serviço de Natal na catedral. Uma carta do eficiente e pouco imaginativo arquidiácono Lloyd explicara que Henri estava ocupado designando clérigos para substituir os que haviam morrido da peste. Lloyd podia ser contra Godwyn: era um homem do conde William, devendo seu cargo ao falecido irmão de William, Richard; e o pai de William e Richard, o conde Roland, odiava Godwyn. Só que a decisão não seria de Lloyd, mas sim de Henri. Era difícil prever o que poderia acontecer. Godwyn sentia que perdera o controle. Sua carreira era ameaçada por Caris e sua vida, pela peste inexorável.

Uma pequena nevasca começou a cair quando a cerimônia de consagração se aproximava do fim. Pouco além do terreno, sete procissões fúnebres esperavam que o cemitério ficasse disponível. A um sinal de Godwyn, todas se adiantaram. O primeiro corpo estava num caixão, mas os outros vinham em mortalhas ou em estrados de madeira. Mesmo nas melhores ocasiões, os caixões eram um luxo para os mais prósperos, mas, agora que a madeira se tornara muito cara e os fabricantes tinham excesso de trabalho, só os muito ricos podiam ser enterrados num caixa de madeira.

À frente da primeira procissão vinha Merthin, com flocos de neve nos cabelos e barba avermelhados. Trazia a filha pequena no colo. A pessoa rica dentro do caixão devia ser Bessie Bell, deduziu Godwyn. Bessie morrera sem parentes e deixara a taverna para Merthin. O dinheiro gruda nesse homem como folhas úmidas, pensou Godwyn com amargura. Merthin já tinha a ilha dos Leprosos e a fortuna que ganhara em Florença. Agora possuía também a taverna mais movimentada de Kingsbridge.

Godwyn conhecia o testamento de Bessie porque o priorado tinha direito a um *heriot* e recebera uma considerável porcentagem sobre o valor da propriedade. Merthin pagara em florins de ouro, sem a menor hesitação.

A única boa consequência da peste era o fato de a tesouraria do priorado estar agora cheia de dinheiro.

Godwyn conduziu o serviço fúnebre de todos os sete corpos. Essa era a norma agora: um funeral pela manhã e outro à tarde, qualquer que fosse o número de mortos. Não havia padres suficientes em Kingsbridge para enterrar cada pessoa em separado.

Esse pensamento renovou o sentimento de apreensão de Godwyn. Ele se atrapalhou nas últimas palavras do serviço, imaginando-se em uma das sepulturas, mas logo conseguiu se controlar e chegou ao final sem maiores tropeços.

Concluído o serviço, ele levou a procissão de monges e freiras de volta à catedral. Entraram e desfizeram a formação. Os monges retornaram a seus deveres normais. Uma noviça se aproximou de Godwyn bastante nervosa e disse:

– Padre prior, pode fazer o favor de ir até o hospital?

Godwyn não gostava de receber recados autoritários por intermédio de noviças.

– Para quê? – indagou com rispidez.

– Desculpe, padre, mas não sei... só me mandaram vir chamá-lo.

– Irei assim que puder – resmungou Godwyn, irritado.

Ele não tinha nada de urgente para fazer, mas se demorou na catedral falando com o irmão Eli sobre os hábitos dos monges, só para marcar sua posição.

Poucos minutos depois, atravessou o claustro e entrou no hospital.

Havia freiras agrupadas em torno de uma cama que fora instalada diante do altar. Deve ser um paciente importante, pensou Godwyn. E se perguntou quem seria. Uma das freiras se voltou para ele. Usava uma máscara de linho sobre o nariz e a boca, mas ele reconheceu os olhos verdes com manchas douradas que toda a sua família partilhava: era Caris. Embora pudesse ver bem pouco de seu rosto, percebeu uma estranha expressão em seu olhar. Esperava aversão e desprezo, mas, em vez disso, viu compaixão.

Aproximou-se da cama com um sentimento de apreensão. As outras freiras, ao vê-lo, logo se afastaram, deferentes. No instante seguinte, ele viu a pessoa deitada na cama.

Era sua mãe.

A cabeça grande de Petranilla repousava sobre um travesseiro branco. Ela suava bastante. Um filete de sangue escorria de seu nariz. Uma freira limpou o sangue, mas o fluxo logo voltou. Outra freira ofereceu à paciente um copo com água. Havia uma fileira de manchas roxas na pele enrugada do pescoço de Petranilla.

Godwyn soltou um grito, como se tivesse sido golpeado. Ficou olhando, dominado pelo horror. A mãe o fitou com uma expressão de sofrimento. Não havia a menor dúvida: ela se tornara uma vítima da peste.

– Não! – gritou ele. – Não! Não!

Sentiu uma dor insuportável no peito, como se tivesse sido apunhalado. Ouviu Philemon, ao seu lado, dizer com voz assustada:

– Tente permanecer calmo, padre prior.

Mas Godwyn não podia se conter. Abriu a boca para gritar, mas nenhum som saiu. Sentiu-se de repente desligado do próprio corpo, sem controle sobre seus movimentos. E depois uma névoa preta se elevou do chão e o engolfou, subindo por seu corpo até cobrir o nariz e a boca, a tal ponto que não conseguia respirar, e alcançou os olhos, deixando-o cego. Por fim, ele perdeu os sentidos.

⌐

Godwyn passou cinco dias de cama. Não comia nada e só bebia quando Philemon levava um copo a seus lábios. Não conseguia pensar direito. Não podia se mexer, pois parecia que não era capaz de decidir o que fazer. Chorava e dormia, para depois acordar e chorar de novo. Teve uma vaga noção de um monge pondo a mão em sua testa, recolhendo uma amostra de urina, diagnosticando febre cerebral e fazendo uma sangria.

E depois, no último dia de dezembro, o apavorado Philemon trouxe a notícia de que sua mãe havia morrido.

Godwyn se levantou, fez a barba, vestiu um hábito novo e seguiu para o hospital.

As freiras haviam lavado e vestido o corpo. Os cabelos estavam escovados e Petranilla usava um caro vestido de lã italiana. Ao vê-la daquela maneira, com a palidez da morte no rosto e os olhos fechados para sempre, Godwyn sentiu retornar o pânico que o dominara, mas dessa vez ele conseguiu reprimi-lo.

– Levem o corpo para a catedral – ordenou.

Normalmente, a honra de um velório na catedral era reservada a monges, freiras, clérigos importantes e à aristocracia, mas Godwyn sabia que ninguém ousaria contestá-lo.

Depois que o corpo foi levado para a catedral e posto diante do altar, Godwyn se ajoelhou ao lado e rezou. A oração ajudou a acalmar seu terror. Pouco a pouco, decidiu o que fazer. Quando ficou de pé, ordenou que Philemon convocasse uma reunião imediata na casa do capítulo.

Estava abalado, mas sabia que tinha de se controlar. Sempre fora abençoado com o poder da persuasão. Agora teria de aproveitá-lo ao máximo.

Assim que os monges se reuniram, Godwyn leu para eles o Livro do Gênesis:

– Depois que essas coisas aconteceram, Deus tentou Abraão. Chamou-o: Abraão. E Abraão respondeu: Eis-me aqui, Senhor. E Deus disse: pegue seu filho Isaque, seu único filho, a quem tanto ama, e leve-o para a terra de Moriá. Ali, deve oferecê-lo em holocausto numa montanha que indicarei. E Abraão se levantou bem cedo, selou seu jumento e partiu, levando seu filho Isaque e dois servos. Rachou lenha para o sacrifício e subiu a montanha até o local que Deus lhe indicara.

Godwyn ergueu os olhos da Bíblia. Os monges o observavam atentamente. Todos conheciam a história de Abraão e Isaque. Estavam mais interessados nele, Godwyn. E permaneciam alertas, cautelosos, imaginando o que viria em seguida.

– O que a história de Abraão e Isaque nos ensina? – indagou ele, retórico. – Deus diz a Abraão para matar seu filho... não apenas o filho mais velho, mas o único filho, nascido quando ele tinha 100 anos. Abraão protestou? Suplicou por misericórdia? Argumentou com Deus? Ressaltou que matar Isaque seria assassinato, infanticídio, um terrível pecado?

Godwyn deixou as perguntas pairarem no ar por um momento antes de baixar os olhos para a Bíblia e ler:

– E Abraão se levantou bem cedo, selou seu jumento...

Ele tornou a erguer os olhos.

– Deus também pode nos tentar. Ele pode nos ordenar que façamos uma coisa que pareça errada. Talvez nos diga para fazer uma coisa que pode parecer um pecado. Quando isso acontece, devemos nos lembrar de Abraão.

Godwyn falava no que sabia ser o seu estilo de pregação mais persuasivo: ritmado, mas coloquial. Dava para perceber que tinha a atenção extasiada de todos, no silêncio da casa octogonal do capítulo; ninguém se mexia, sussurrava ou arrastava os pés.

– Não devemos questionar. Não devemos argumentar. Quando Deus nos leva, devemos segui-lo... por mais insensatos, pecaminosos ou cruéis que seus desejos possam parecer a nossas débeis mentes humanas. Somos fracos e humildes. Nossa compreensão é falha. Não nos é dado tomar decisões ou fazer opções. Nosso dever é simples. É obedecer.

Depois ele disse aos monges o que tinham de fazer.

⤴

O bispo chegou noite alta. Era quase meia-noite quando a comitiva entrou no priorado, depois de cavalgar à luz de velas. Quase todos no priorado já estavam deitados havia horas. Mas havia um grupo de freiras trabalhando no hospital e uma delas foi acordar Caris.

– O bispo chegou – anunciou ela.

– Por que ele quer falar comigo? – perguntou Caris, sonolenta.

– Não sei, madre prioresa.

Claro que ela não sabia. Caris se levantou e pôs um manto. Parou por um instante no claustro, bebeu água e respirou fundo o ar frio da noite, limpando a mente dos resquícios do sono. Queria causar boa impressão ao bispo, para que não houvesse qualquer problema na ratificação de sua eleição para prioresa.

O arquidiácono Lloyd a aguardava no hospital, com ar cansado, a ponta do nariz comprido vermelha do frio.

– Venha cumprimentar seu bispo – disse, irritado, como se ela tivesse a obrigação de ficar acordada para esperar.

Caris o seguiu. Um servo esperava do lado de fora da porta, com uma tocha acesa. Atravessaram o pátio até o local em que o bispo se encontrava, ainda em seu cavalo.

Era um homem pequeno, usava um chapéu enorme e parecia irritado. Caris disse, em francês normando:

– Seja bem-vindo ao priorado de Kingsbridge, milorde bispo.

– Quem é você? – perguntou Henri, impaciente.

Caris já o vira antes, mas nunca falara com ele.

– Sou a irmã Caris, a prioresa eleita.

– A bruxa.

Caris sentiu um aperto no coração. Godwyn já devia ter tentado envenenar a mente de Henri contra ela. O que a deixou indignada.

– Não, milorde bispo. Não há bruxas aqui. – Ela falou com mais amargura do que prudência. – Apenas um grupo de freiras comuns fazendo o melhor que podem por uma cidade que foi atacada pela peste.

Ele ignorou o comentário.

– Onde está o prior Godwyn?

– Em seu palácio.

– Não está, não.

O arquidiácono Lloyd explicou:

– Já estivemos lá. O prédio está vazio.

– É mesmo?

– É, sim – confirmou o arquidiácono, irritado.

Nesse momento, Caris avistou o gato de Godwyn, com a ponta branca do rabo. Os noviços o chamavam de Arcebispo. Atravessou a fachada oeste da catedral e olhou para os espaços entre os pilares, como se procurasse seu dono. Caris ficou consternada.

– Que coisa estranha... Talvez Godwyn tenha decidido passar a noite no dormitório com os outros monges.

– E por que faria isso? Espero que não esteja ocorrendo nenhuma impropriedade.

Caris meneou a cabeça descartando essa possibilidade. O bispo desconfiava de falta de castidade, mas Godwyn não era propenso a esse tipo de pecado.

– Ele reagiu muito mal quando a mãe pegou a peste. Teve alguma espécie de colapso e desmaiou. Ela morreu hoje.

– Se ele se sentia indisposto, ainda mais razão para dormir na própria cama.

Qualquer coisa poderia ter acontecido. Godwyn ficara bastante perturbado com a doença de Petranilla.

– Milorde bispo não gostaria de conversar com um dos seus assistentes? – perguntou Caris.

Henri respondeu com crescente irritação:

– Se puder encontrar algum, claro que sim!

– Eu poderia levar o arquidiácono Lloyd até o dormitório...

– Agora mesmo!

Lloyd pegou a tocha que um servo segurava. Caris o conduziu através da catedral até o claustro dos monges. O lugar estava silencioso, como costumava acontecer com os mosteiros àquela hora da noite. Chegaram ao pé da escada que levava ao dormitório. Caris parou.

– É melhor subir sozinho – disse a Lloyd. – Uma freira não deve ver monges na cama.

– Tem toda a razão.

O arquidiácono subiu com a tocha, deixando-a na escuridão. Ela esperou, curiosa. Ouviu-o gritar:

– Olá?

O estranho silêncio persistiu. Pouco depois, Lloyd a chamou num tom diferente:

– Irmã?

– Pois não?

– Pode subir.

Aturdida, Caris subiu a escada e entrou no dormitório. Parou ao lado de Lloyd e olhou ao redor, à luz trêmula da tocha. Os colchões de palha dos monges estavam em seus lugares, nos dois lados do dormitório... todos desocupados.

– Não há ninguém aqui – disse Caris.

– Nem uma única alma. O que pode ter acontecido?

– Não sei, mas posso adivinhar.

– Então me esclareça, por favor.

– Não é óbvio? Eles fugiram.

PARTE VI

JANEIRO DE 1349
A JANEIRO DE 1351

63

Quando Godwyn partiu, levou todos os bens valiosos do tesouro dos monges e todos os cartulários, incluindo os das freiras, que elas nunca haviam conseguido retirar de sua arca trancada. Levou também as relíquias sagradas, inclusive os ossos de Santo Adolfo, em seu relicário de valor inestimável.

Caris descobriu isso na manhã seguinte, o primeiro dia de janeiro, a Festa da Circuncisão de Cristo. Foi com o bispo Henri e a irmã Elizabeth até a tesouraria, junto do transepto sul. A atitude de Henri em relação a ela era de total formalidade, o que a preocupava, mas, como se tratava de um homem rabugento, talvez ele fosse assim com todas as pessoas.

A pele esfolada de Gilbert de Hereford continuava pregada na porta, pouco a pouco mais dura e amarelada, ainda exalando um cheiro inconfundível, embora fraco, de podridão. Mas a porta não estava trancada.

Eles entraram. Caris não estivera ali desde que o prior Godwyn roubara as 150 libras das freiras para erguer seu palácio. Depois disso, as freiras haviam construído a própria tesouraria.

Ficou evidente no mesmo instante o que havia acontecido. As pedras que cobriam os cofres no chão haviam sido removidas e deixadas fora do lugar. A tampa da arca reforçada com ferro continuava aberta. Os cofres e a arca estavam vazios.

Caris sentiu nesse instante que todo seu desprezo por Godwyn era justificado. Um médico preparado, sacerdote e líder dos monges, ele fugira no momento em que o povo mais precisava de sua ajuda. Agora, sem a menor sombra de dúvida, todos compreenderiam sua verdadeira natureza. O arquidiácono Lloyd ficou indignado.

– Ele levou tudo!

Caris declarou para Henri:

– E esse é o homem que queria anular minha eleição.

O bispo Henri soltou um resmungo evasivo. Desesperada, Elizabeth tentou encontrar uma desculpa para o comportamento de Godwyn:

– Tenho certeza que o padre prior levou as coisas de valor para guardar em lugar seguro.

O comentário irritou o bispo, que comentou, em tom cortante:

– Isso é bobagem. Se um servo esvazia sua bolsa e desaparece sem avisar, não é para guardar o dinheiro num lugar seguro, mas sim para roubá-lo.

Elizabeth tentou uma abordagem diferente:

– Creio que a ideia foi de Philemon.

– O subprior? – Henri assumiu uma expressão desdenhosa. – É Godwyn quem tem o comando, não Philemon. Godwyn é o responsável.

Elizabeth não disse mais nada.

Godwyn devia ter se recuperado da morte da mãe, pelo menos temporariamente, pensou Caris. Fora um feito e tanto persuadir todos os monges a acompanhá-lo. Tentou imaginar para onde teriam ido. O bispo Henri pensava a mesma coisa, porque indagou:

– Para onde os covardes miseráveis foram?

Caris recordou que Merthin tentara persuadi-la a partir. Para Gales ou Irlanda, dissera ele. Uma aldeia remota onde só apareça um estranho de ano a ano. Ela disse ao bispo:

– Eles foram se esconder em algum lugar isolado ao qual ninguém jamais vai.

– Descubra para onde exatamente.

Caris compreendeu que toda a oposição à sua eleição desaparecera com Godwyn. Estava triunfante e teve de fazer esforço para não parecer muito satisfeita.

– Farei algumas indagações na cidade. Alguém deve tê-los visto quando partiram.

– Faça isso – disse o bispo. – Seja como for, acho que eles não voltarão tão cedo. Portanto, você terá de cuidar de tudo sem a participação dos homens. Continue os serviços com as freiras da maneira mais normal possível. Chame um padre paroquial para celebrar as missas na catedral, se puder encontrar algum ainda vivo. As freiras não podem celebrar missas, mas podem ouvir confissões... Há uma autorização especial do arcebispo devido à morte de tantos sacerdotes.

Caris não podia deixar passar a oportunidade de tratar de sua eleição:

– Está me confirmando como prioresa?

– Claro – respondeu Henri, irritado.

– Nesse caso, antes que eu aceite a honra...

– Não tem que tomar decisão nenhuma, madre prioresa – declarou ele, indignado. – É seu dever me obedecer.

Ela queria o posto desesperadamente, mas resolveu fingir o contrário. Tinha de fechar um acordo difícil.

– Vivemos em tempos estranhos, não é mesmo? As freiras recebem autorização para ouvir confissões. Abreviaram o período de preparação dos padres, mas já me disseram que isso não foi suficiente para compensar as perdas causadas pela peste.

– Sua intenção é explorar as dificuldades que a Igreja enfrenta para promover algum objetivo pessoal?

– Não. Mas há uma coisa que precisa fazer para que eu possa cumprir suas instruções.

Henri suspirou. Era evidente que não gostava de ser pressionado dessa maneira. Mas, como Caris desconfiara, o bispo precisava dela mais do que o inverso.

– Está bem. O que é?

– Quero que convoque um tribunal eclesiástico especial e reabra meu julgamento por heresia.

– Pelos céus, por quê?

– Para me declarar inocente, é claro. Até que isso aconteça, pode ser difícil para mim exercer a autoridade. Qualquer pessoa que discordar de minhas decisões pode muito bem alegar que eu continuo a ser uma mulher condenada.

A mente meticulosa do arquidiácono Lloyd gostou dessa ideia.

– Seria ótimo se essa questão fosse resolvida de uma vez por todas, milorde bispo.

– Então tudo bem.

– Obrigada. – Caris sentiu um fluxo de prazer e alívio. Baixou a cabeça, com medo de que o triunfo transparecesse em seu rosto. – Farei o melhor que puder para honrar minhas obrigações como prioresa de Kingsbridge.

– Não perca tempo para descobrir o paradeiro de Godwyn. Eu gostaria de ter uma resposta antes de deixar a cidade.

– O regedor da guilda da paróquia é amigo de Godwyn. Se alguém sabe para onde os monges foram, deve ser ele. Vou procurá-lo.

– Imediatamente, por favor.

Caris se retirou. O bispo Henri era sisudo, mas parecia competente. Caris concluiu que poderia trabalhar com ele. Talvez fosse o tipo de líder que tomava decisões com base nos méritos de cada caso em vez de ficar do lado de quem percebesse como aliado. O que seria uma mudança agradável.

Ao passar pela Bell, ela ficou tentada a entrar e dar a boa notícia a Merthin. Mas pensou que era melhor falar com Elfric primeiro.

Na rua, em frente à Holly Bush, ela avistou Duncan Dyer estendido no chão. Sua esposa, Winnie, se achava sentada no banco diante da taverna, chorando. Caris pensou que o homem estivesse ferido, mas Winnie explicou:

– Ele está bêbado.

Caris ficou chocada.

– Ainda nem é hora do almoço!

– O tio dele, Peter Dyer, pegou a peste e morreu. A esposa e os filhos também morreram. Duncan herdou o dinheiro, mas gasta tudo em vinho. Não sei o que fazer.

– Vamos levá-lo para casa – propôs Caris. – Eu a ajudarei.

Cada uma pegou um braço de Duncan e conseguiram levantá-lo. Meio o amparando, meio o arrastando, desceram a rua até sua casa. Elas o deitaram no chão e estenderam um cobertor por cima. Winnie disse:

– Ele fica assim todos os dias. Diz que não vale a pena trabalhar porque vamos todos morrer da peste. O que devo fazer?

Caris pensou por um momento.

– Enterre o dinheiro no jardim agora, enquanto ele dorme. E, quando Duncan acordar, diga que ele perdeu tudo no jogo para um mascate que já deixou a cidade.

– Farei isso – disse Winnie.

Caris atravessou a rua rumo à casa de Elfric e entrou. Encontrou a irmã, Alice, sentada na cozinha costurando meias. Não eram muito ligadas desde que Alice casara com Elfric. O pouco que restava do relacionamento fora destruído pelo testemunho de Elfric contra Caris no julgamento por heresia. Forçada a optar entre a irmã e o marido, Alice fora leal a Elfric. Caris podia compreender, mas com isso a irmã acabara se tornando uma estranha para ela. Quando a viu, Alice largou a costura e se levantou.

– O que veio fazer aqui?

– Todos os monges desapareceram – disse Caris. – Devem ter partido durante a noite.

– Então foi isso! – exclamou Alice.

– Você os viu?

– Não, mas ouvi um bando de homens e cavalos. Não faziam barulho... na verdade, agora que penso a respeito, pareciam se esforçar para manter silêncio. Mas não se pode manter cavalos em silêncio e homens fazem barulho só de andar pela rua. Eu acordei, mas não me levantei para ver... fazia muito frio. Foi por isso que você entrou na minha casa pela primeira vez em dez anos?

– Não sabe para onde eles fugiram?

– Foi isso que eles fizeram... fugiram? Por causa da peste?

– Presumo que sim.

– Não pode ter sido. De que adianta ter médicos que fogem da doença? – Alice se mostrava perturbada pelo comportamento protetor de seu marido. – Não posso entender.

– Fico imaginando se Elfric sabe alguma coisa a respeito.

– Se sabe, não me contou.

– Onde posso encontrá-lo?

– Em Saint Peter. Rick Silvers deixou algum dinheiro para a igreja e o padre decidiu revestir o chão da nave com um piso de pedra.

– Vou perguntar a ele. – Caris se perguntou se deveria tentar ser cortês. Alice não tinha filhos seus, mas tinha uma enteada. – Como está Griselda?

– Muito bem e feliz.

Havia um tom de desafio na voz de Alice, como se ela pensasse que Caris pudesse preferir o contrário.

– E seu neto?

Caris não foi capaz de usar o nome do menino, que era Merthin.

– Adorável. E há outro neto a caminho.

– Fico satisfeita por ela.

– Ainda bem que ela não casou com seu Merthin, pelo que aconteceu depois.

Caris se recusou a ser atraída para uma discussão.

– Vou falar com Elfric.

A igreja de Saint Peter ficava na parte oeste da cidade. Ao se encaminhar para lá, pelas ruas sinuosas, Caris encontrou dois homens brigando. Gritavam impropérios um contra o outro e se esmurravam com a maior violência. Duas mulheres, que deviam ser as esposas, gritavam insultos, enquanto os vizinhos assistiam. A porta da casa mais próxima fora arrombada. No chão, ali perto, havia uma gaiola feita de gravetos e juncos com três galinhas vivas. Caris se interpôs entre os dois homens.

– Parem com isso agora mesmo. Eu ordeno, em nome de Deus.

Não foi necessária muita persuasão. Era bem provável que os homens já tivessem descarregado sua ira com os primeiros golpes e poderiam até se sentir gratos por um pretexto para interromperem a briga. Recuaram e baixaram os braços.

– O que aconteceu? – perguntou Caris.

Os dois se puseram a falar ao mesmo tempo, junto com as esposas.

– Um de cada vez! – exclamou Caris.

Ela apontou para o maior dos dois, um homem de cabelos escuros cuja boa aparência estava desfigurada pelo olho inchado.

– Você não é Joe Blacksmith? Explique.

– Peguei Toby Peterson roubando as galinhas de Jack Marrow. Ele arrombou a porta.

Toby era menor, mas tinha a arrogância de um galo de briga. Falou através dos lábios sangrando:

– Jack Marrow me devia 5 xelins... tenho direito a essas galinhas!

Joe protestou:

– Jack e toda a sua família morreram da peste há duas semanas. Venho alimentando suas galinhas desde então. Estariam mortas se não fosse por mim. Se alguém deve ficar com elas, esse alguém sou eu.

– Ambos têm direito às galinhas, não é? Toby por causa da dívida e Joe porque as manteve vivas à própria custa.

Os dois pareceram atordoados perante a ideia de que ambos podiam estar certos.

– Joseph, tire uma galinha da gaiola – ordenou Caris.

– Ei, espere um pouco... – insurgiu-se Toby.

– Confie em mim, Toby – disse Caris. – Sabe que eu não seria injusta com você, não é?

– Não posso negar isso...

Joe abriu a gaiola e pegou pelos pés uma galinha magricela de penas marrons. A galinha olhava para um lado e outro, como se estivesse espantada por ver o mundo de cabeça para baixo.

– Agora entregue a galinha à esposa de Toby.

– O quê?

– Acha que eu o enganaria, Joseph?

Relutante, Joe entregou a galinha à esposa de Toby, uma morena bonita e mal-humorada.

– Aí está, Jane.

Jane pegou a galinha com a maior satisfação. Caris lhe disse:

– Agora agradeça a Joe.

Jane exibiu uma expressão petulante, mas disse:

– Obrigada, Joseph Blacksmith.

– Agora, Toby, entregue uma galinha a Ellie Blacksmith – ordenou Caris.

Toby obedeceu, com um sorriso envergonhado. A esposa de Joe, Ellie, com uma enorme barriga de gravidez, também sorriu e disse:

– Obrigada, Toby Peterson.

Começavam a voltar ao normal, compreendendo a insensatez do que haviam feito.

– E a terceira galinha? – perguntou Jane.

– Já vou chegar nela. – Caris olhou para os espectadores e apontou para uma menina de 11 ou 12 anos que parecia bastante sensata. – Qual é o seu nome?

– Sou Jesca, madre prioresa... a filha de John Constable.

– Leve a outra galinha para a igreja de Saint Peter e entregue ao padre Michael. Diga que Toby e Joe vão procurá-lo para pedir perdão pelo pecado da cobiça.

– Está bem, irmã.

Jesca pegou a terceira galinha e se afastou. A esposa de Joe, Ellie, disse:

– Deve se lembrar, madre Caris, que ajudou a irmã caçula de meu marido, Minnie, quando ela queimou o braço na forja.

– Claro que lembro. – Fora uma queimadura terrível. – Ela está bem?

– Tão bem quanto a chuva, por sua causa e pela graça de Deus.

– Fico contente em saber disso.

– Não gostaria de entrar em minha casa para tomar uma cerveja, madre prioresa?

– Eu adoraria, mas tenho pressa. – Caris se voltou para os homens. – Deus os abençoe, e não briguem mais.

– Obrigado – murmurou Joe.

Caris se afastou.

– Obrigado, madre – gritou Toby.

Ela acenou, sem olhar para trás.

Notou pelo caminho que havia várias outras casas com a porta arrombada. Presumiu que haviam sido saqueadas depois da morte dos ocupantes. Alguém devia tomar providências, pensou. Mas, com Elfric como regedor e um prior desaparecido, não havia ninguém para tomar a iniciativa.

Ela chegou a Saint Peter e encontrou Elfric na nave, com vários calceteiros e seus aprendizes. Havia blocos de pedra empilhados por toda parte. Os homens preparavam a área, espalhando areia e a alisando com galhos. Elfric verificava se o terreno estava plano usando um dispositivo complicado, uma estrutura de madeira com um cordão pendendo, tendo um peso de chumbo pendurado na extremidade. Parecia uma forca em miniatura e lembrou a Caris que Elfric tentara promover seu enforcamento dez anos antes. Ficou surpresa ao descobrir que não sentia qualquer ódio por ele. Era um homem muito mesquinho e tacanho para merecer seu ódio. Ao fitá-lo, ela não sentiu nada além de desprezo. Esperou que ele acabasse sua verificação antes de perguntar de supetão:

– Sabia que Godwyn e todos os monges fugiram?

Ela tencionava surpreendê-lo e teve certeza, por sua cara de espanto, que ele não tinha conhecimento prévio.

– Por que eles...? Quando...? Ahn... na noite passada?

– Você não os viu.

– Ouvi alguma coisa.

– Mas eu os vi – disse um calceteiro. Ele se apoiou na pá. – Eu saía da Holly Bush. Estava escuro, mas eles tinham tochas. O prior ia a cavalo, mas os outros seguiam a pé. Levavam muita bagagem: barris de vinho e rodas de queijo, não sei mais o quê.

Caris já sabia que Godwyn esvaziara as despensas dos monges. Não tentara levar os suprimentos das freiras, que eram guardados em separado.

– A que horas foi isso?

– Não era muito tarde... nove ou dez horas.

– Falou com eles?

– Apenas para dizer boa-noite.

– Alguma ideia do lugar para onde podem ter ido?

O calceteiro sacudiu a cabeça.

– Eles passaram pela ponte, mas não vi para que lado seguiram em Gallows Cross.

Caris se virou para Elfric.

– Tente lembrar dos últimos dias. Godwyn disse algo que possa ter alguma relação com isso, em retrospectiva? Mencionou lugares... Monmouth, York, Antuérpia, Bremen?

– Não tenho a menor ideia. – Elfric parecia furioso por não ter sido avisado com antecedência, o que levou Caris a pensar que ele dizia a verdade.

Se Elfric estava surpreso, era improvável que qualquer outra pessoa tivesse conhecimento do que o prior planejava. Godwyn fugia da peste e era evidente que não queria que ninguém o seguisse, levando a doença. Saia cedo, para bem longe, e fique longe por muito tempo, dissera Merthin. Godwyn poderia estar em qualquer lugar.

– Se tiver notícias dele ou de qualquer dos monges, me avise, por favor – pediu.

Elfric não disse nada. Caris elevou a voz, para que todos ouvissem, ao acrescentar:

– Godwyn roubou todos os ornamentos preciosos da catedral.

Houve murmúrios de indignação. Os homens se sentiam como coproprietários dos ornamentos da catedral; afinal, os artesãos mais ricos haviam ajudado a pagar alguns.

– O bispo quer os ornamentos de volta – continuou. – Qualquer um que ajudar Godwyn, mesmo que seja apenas ocultando informações sobre seu paradeiro, é culpado de sacrilégio.

Elfric estava aturdido. Baseara sua vida em se insinuar nas boas graças de Godwyn. Agora, seu protetor desaparecera.

– Pode haver uma explicação absolutamente inocente...

– Se há, por que Godwyn não contou a ninguém? Nem sequer deixou uma carta?

Elfric não pôde pensar em nada para dizer.

Caris compreendeu que teria de falar com todos os principais mercadores da cidade; e quanto mais cedo, melhor. Ela olhou para Elfric.

– Eu gostaria que você convocasse uma reunião. – Ela pensou numa maneira mais persuasiva de fazer o pedido e acrescentou: – O bispo quer que a guilda da paróquia se reúna hoje, depois do almoço. Por favor, comunique aos membros.

– Está bem.

Todos compareceriam, pensou Caris, levados pela curiosidade.

Ela deixou Saint Peter e voltou ao priorado. Ao passar pela taverna White Horse, viu uma coisa que a fez parar. Uma garota conversava com um homem mais velho e havia algo na interação entre eles que a deixou toda arrepiada. Caris sempre sentia com a maior intensidade a vulnerabilidade das meninas... talvez porque se lembrasse de si mesma quando adolescente, talvez por causa da filha que nunca tivera. Ela recuou para um vão de porta e ficou observando.

O homem estava malvestido, exceto por um dispendioso gorro de pele. Caris não o conhecia, mas calculou que era um trabalhador e que herdara o gorro. Tantas pessoas tinham morrido que havia uma sobra de trajes de luxo. Por isso uma cena estranha como aquela se tornara bastante comum. A garota, com corpo de adolescente, devia ter em torno de 14 anos e era bastante bonita. Ela tentava ser coquete, notou Caris com desaprovação, embora não se mostrasse muito convincente. O homem tirou algum dinheiro da bolsa e os dois pareceram negociar algo. Pouco depois, ele acariciou o seio pequeno da garota.

Caris já vira o suficiente. Avançou para os dois. O homem lançou um olhar para o hábito de freira e saiu às pressas. A garota parecia ao mesmo tempo culpada e ressentida.

– O que está fazendo, quer vender seu corpo? – indagou Caris.

– Não, madre.

– Diga a verdade! Por que deixou que ele acariciasse seu seio?

– Não sei mais o que fazer. Não tenho nada para comer e agora você o afugentou.

Ela desatou a chorar. Caris podia acreditar que a garota estava faminta, de tão magra e pálida.

– Venha comigo – disse Caris. – Eu lhe darei alguma coisa para comer. – Pegou a garota pelo braço e começou a levá-la para o priorado.

– Qual é o seu nome?

– Ismay.

– E a sua idade?

– Treze anos.

Chegando ao priorado, Caris levou Ismay para a cozinha. O almoço das freiras estava sendo preparado sob a supervisão de uma noviça chamada Oonagh. A cozinheira, Josephine, fora vitimada pela peste.

– Dê um pouco de pão com manteiga a esta criança – disse Caris a Oonagh.

Ela sentou e observou a garota comer. Era evidente que Ismay não se alimentava havia dias. Comeu quase a metade de um pão de 2 quilos antes de se saciar. Caris lhe serviu um copo de sidra.

– Por que estava passando fome?

– Toda a minha família morreu da peste.

– O que seu pai fazia?

– Era alfaiate. Sei costurar muito bem, mas ninguém está comprando roupas... as pessoas podem pegar o que quiserem nas casas dos mortos.

– Então é por isso que você tentava se prostituir.

A garota baixou os olhos.

– Sinto muito, madre prioresa. Eu estava morrendo de fome.

– Foi a primeira vez que você tentou?

Ismay balançou a cabeça e não quis olhar para Caris. Lágrimas de raiva afloraram nos olhos dela. Que tipo de homem seria capaz de ter uma união sexual com uma garota faminta de 13 anos? Que tipo de Deus levaria uma garota a tamanho desespero?

– Você gostaria de ficar aqui, com as freiras, e trabalhar na cozinha? Teria o suficiente para comer.

A garota ergueu os olhos, na maior ansiedade.

– Ah, madre, eu gostaria muito!

– Pois então pode ficar. E comece por ajudar a preparar o almoço das frciras. Oonagh, aqui tem uma nova ajudante para a cozinha.

– Obrigada, madre Caris. Preciso mesmo de toda ajuda que puder obter.

Caris deixou a cozinha e seguiu pensativa para o serviço da Sexta na catedral.

A peste não era apenas uma doença física, ela começava a compreender. Ismay escapara da doença, mas sua alma estivera em perigo.

O bispo Henri conduziu o serviço, deixando Caris livre para pensar. E decidiu que na reunião da guilda da paróquia não se limitaria a falar sobre a fuga dos monges. Era tempo de organizar a cidade para lidar com os efeitos da peste. Mas como?

Ela refletiu sobre todos os problemas durante o almoço. Por todos os tipos de razões, aquele era o momento para tomar grandes decisões. Com o bispo ali para apoiar sua autoridade, poderia impor medidas que de outra forma sofreriam grande oposição.

Aquele era também um bom momento para conseguir o que quisesse do bispo. O que era um pensamento com muitas perspectivas...

Após o almoço ela foi conversar com o bispo na casa do prior, onde ele se instalara. Henri se achava à mesa com o arquidiácono Lloyd. Haviam sido alimentados pela cozinha das freiras. Agora tomavam vinho, enquanto um servo do priorado tirava a mesa.

– Espero que tenha gostado de seu almoço, milorde bispo – disse ela, formal.

Ele pareceu um pouco menos rabugento do que o habitual:

– Estava ótimo, obrigado, madre Caris... um lúcio muito saboroso. Alguma notícia do prior fugitivo?

– Ele parece ter tomado o cuidado de não deixar qualquer pista sobre seu destino.

– O que é desapontador.

– Enquanto percorria a cidade fazendo indagações, testemunhei vários incidentes que me perturbaram: uma menina de 13 anos se prostituindo; dois cidadãos que costumam respeitar as leis brigando por causa da propriedade de um morto; um homem completamente embriagado ao meio-dia.

– São os efeitos da peste. Vêm acontecendo por toda parte.

– Creio que devemos agir para combater esses efeitos.

O bispo ergueu uma sobrancelha. Parecia que não pensara em entrar em ação.

– Como?

– O prior é o suserano de Kingsbridge. Ele é quem deve tomar a iniciativa.

– Mas o prior desapareceu.

– Como bispo, é tecnicamente nosso abade. Acho que deve ficar em Kingsbridge e assumir o comando da cidade.

Na verdade, essa era a última coisa que Caris queria. Por sorte, havia bem pouca possibilidade de o bispo concordar: ele tinha muita coisa para fazer em outros lugares. Ela apenas tentava acuá-lo no canto.

Henri hesitou. Por um instante, Caris se preocupou, achando que poderia ter feito um juízo errado e que ele poderia aceitar sua sugestão. Mas pouco depois o bispo disse:

– Isso é impossível. Todas as cidades da diocese enfrentam os mesmos problemas. A situação em Shiring é ainda pior. Tenho de tentar manter a estrutura do cristianismo por toda parte, enquanto meus padres estão morrendo. Não tenho tempo para me preocupar com bêbados e prostitutas.

– Mas alguém deve agir como prior de Kingsbridge. A cidade precisa de um líder moral.

O arquidiácono Lloyd interveio:

– Milorde bispo, há também a questão de quem vai receber as quantias devidas ao priorado, manter a catedral e outros prédios, administrar as terras e os servos...

– Terá de fazer tudo isso, madre Caris – declarou Henri.

Ela fingiu considerar a sugestão, como se já não tivesse pensado a respeito.

– Eu poderia cuidar de todas as tarefas menos importantes... administrar o dinheiro dos monges e suas terras... mas não seria capaz de fazer a mesma coisa que o senhor, milorde bispo. Não poderia ministrar os sagrados sacramentos.

– Já conversamos sobre isso – declarou ele, impaciente. – Estou formando novos padres tão depressa quanto posso. Mas você pode fazer todo o resto.

– Quase parece que está me pedindo para agir como prior em exercício de Kingsbridge.

– É exatamente o que eu quero.

Caris teve o cuidado de não demonstrar seu júbilo. Parecia bom demais para ser verdade. Seria como o prior de Kingsbridge para todos os propósitos, exceto por aqueles pelos quais não se importava. Haveria empecilhos ocultos em que ela não pensara?

– É melhor me deixar escrever uma carta para esse efeito, caso ela precise impor sua autoridade – propôs o arquidiácono Lloyd.

– Se quer que a cidade acate seus desejos, talvez seja necessário demonstrar a todos que é sua decisão pessoal – disse Caris. – Uma reunião da guilda da paróquia está prestes a começar. Se estiver disposto, milorde bispo, eu gostaria que comparecesse e fizesse o comunicado.

– Está bem. Vamos embora.

Deixaram o palácio de Godwyn e seguiram pela rua principal até a casa da guilda. Todos os membros esperavam para saber o que acontecera com os monges. Caris começou pelo relato do que sabia. Várias pessoas haviam visto ou ouvido o êxodo no dia anterior, depois do escurecer, embora ninguém percebesse ou nem sequer desconfiasse de que todos os monges estavam partindo.

Ela pediu que todos se mantivessem alertas a informações de viajantes sobre um grupo grande de monges na estrada, levando muita bagagem.

– Mas temos de aceitar a probabilidade de que os monges não voltarão tão cedo. E, em relação a isso, milorde bispo tem um comunicado a fazer.

Ela queria que o aviso viesse direto do bispo. Henri limpou a garganta.

– Confirmei a eleição de Caris como prioresa e também a designei prior em exercício. Peço que todos, por favor, a tratem como minha representante e suserana de vocês em todas as questões, exceto as reservadas a padres ordenados.

Caris observava os rostos. Elfric ficou furioso. Merthin sorriu, adivinhando que ela manobrara para alcançar aquela situação. Mostrou-se satisfeito, por ela e pela cidade, mas a contração pesarosa dos lábios indicava que também sabia que isso a manteria longe de seus braços. Todos os outros pareciam contentes. Eles a conheciam e confiavam nela, e Caris conquistara ainda mais lealdade ao permanecer em Kingsbridge, enquanto Godwyn fugia. Caris decidiu que devia tirar o máximo proveito da situação.

– Há três problemas que eu quero enfrentar logo no meu primeiro dia como prior em exercício – declarou. – Primeiro, a embriaguez. Hoje vi Duncan Dyer caído na rua, inconsciente, antes da hora do almoço. Creio que isso contribui para o clima de devassidão na cidade, que é a última coisa de que precisamos durante esta crise terrível.

Houve murmúrios altos de aprovação. A guilda da paróquia era dominada pelos mercadores mais velhos e mais conservadores da cidade. Se alguma vez eles bebiam pela manhã, era em casa, onde ninguém podia vê-los. Caris continuou:

– Quero providenciar um ajudante extra para John Constable e instruí-lo a prender qualquer bêbado que encontre à luz do dia. Ele poderá metê-los na cadeia até que voltem a ficar sóbrios.

Até mesmo Elfric acenou com a cabeça em concordância.

– O segundo problema é a questão das pessoas que morrem sem deixar herdeiros. Esta manhã encontrei Joseph Blacksmith e Toby Peterson brigando por causa de três galinhas que pertenciam a Jack Marrow.

Houve risos à ideia de homens adultos brigando por causa de coisas tão insignificantes. Caris já pensara numa solução para o problema.

– Em princípio, essas propriedades revertem para o senhor do solar, que, no caso dos moradores de Kingsbridge, significa o priorado. Mas não quero que os prédios do mosteiro fiquem abarrotados de roupas velhas. Em vez disso, os dois vizinhos mais próximos devem trancar a casa, para se ter a garantia de que nada será tirado; em seguida, o padre da paróquia fará um inventário dos bens e também ouvirá as reivindicações de possíveis credores. Onde não houver padre, poderão me procurar. Depois que as dívidas forem pagas, os bens pessoais do falecido, roupas, móveis, alimentos, bebidas, serão divididos entre os vizinhos. Qualquer dinheiro será entregue à igreja da paróquia.

Houve também aprovação geral para essa proposta, a maioria das pessoas acenando com a cabeça e murmurando em concordância.

– Finalmente, encontrei uma órfã de 13 anos que tentava vender seu corpo diante da White Horse. Seu nome é Ismay e ela fez isso porque não tinha nada para comer. – Caris correu os olhos pela sala com uma expressão desafiadora. – Alguém pode me dizer como é possível que isso aconteça numa cidade cristã? Toda a família da garota morreu, mas eles não tinham amigos ou vizinhos? Quem permite que uma criança passe fome?

Edward Butcher interveio, em voz baixa:

– Ismay Taylor é uma menina malcomportada.

Caris não aceitaria qualquer desculpa.

– Ela tem 13 anos!

– Só estou querendo dizer que podem ter oferecido ajuda e ela recusou.

– Desde quando permitimos que crianças tomem decisões por si mesmas? Se uma criança é órfã, todos temos o dever de cuidar dela. O que a religião de vocês significa que não isso?

Todos pareciam envergonhados.

– No futuro, sempre que uma criança ficar órfã, quero que os dois vizinhos mais próximos a levem para mim. As que não puderem ir para a casa de uma família amiga ficarão no priorado. As meninas podem viver com as freiras e o dormitório dos monges será o lugar para os meninos. Eles terão aulas de manhã e um trabalho apropriado à tarde.

Houve aprovação geral para isso também. Elfric indagou:

– Já acabou, madre Caris?

– Acho que sim, a menos que alguém queira discutir os detalhes do que acabei de sugerir.

Ninguém disse nada. Os membros da guilda começaram a se remexer em seus assentos, como se a reunião estivesse encerrada. Mas Elfric tornou a se manifestar:

– Alguns dos homens aqui podem se lembrar que foi a mim que elegeram regedor da guilda. – Sua voz transbordava de ressentimento. Todos se remexeram ainda mais, impacientes. Ele continuou: – Temos agora o prior de Kingsbridge acusado de roubo e condenado sem julgamento.

O comentário pegou muito mal. Houve protestos de discordância. Ninguém achava que Godwyn era inocente. Mas Elfric ignorou o clima na sala:

– E sentamos aqui como escravos, deixando que uma mulher determine as leis da cidade. Pela autoridade de quem os bêbados devem ser presos? Dela. Quem será o supremo juiz das heranças aqui? Ela. Quem decidirá o que fazer com os órfãos da cidade? Será ela. O que vocês se tornaram? Não são mais homens?

– Não – disse Betty Baxter. Os homens riram.

Caris decidiu não interferir. Era desnecessário. Ela lançou um olhar para o bispo, especulando se ele falaria contra Elfric. Mas percebeu que ele se recostava, de boca fechada: era evidente que o bispo também compreendera que Elfric travava uma batalha perdida. Elfric elevou a voz:

– Digo que devemos rejeitar uma mulher como prior, mesmo que seja apenas como prior em exercício. E também devemos negar à prioresa o direito de comparecer às reuniões da guilda da paróquia e nos dar ordens!

Vários resmungaram palavras de revolta. Dois ou três se levantaram, como se estivessem prestes a sair, demonstrando repulsa. Alguém gritou:

– Já chega, Elfric!

Mas Elfric insistiu:

– E ainda por cima é uma mulher que foi julgada por bruxaria e condenada à morte!

Com isso, todos os homens se levantaram. Um deles se dirigiu para a porta e saiu.

– Volte! – berrou Elfric. – Ainda não encerrei a reunião!

Ninguém lhe prestou mais qualquer atenção.

Caris se juntou ao grupo na porta. Seguiu o bispo e o arquidiácono. Foi a última a se retirar. Virou-se na saída e olhou para Elfric. Ele permanecia sentado, sozinho, na sala.

Ela se foi.

64

Doze anos haviam se passado desde a visita de Godwyn e Philemon à célula de St.-John-in-the-Forest. Godwyn se lembrava de ter ficado impressionado com os campos bem cuidados, as sebes aparadas, as valas limpas, as macieiras em linhas retas no pomar. Era a mesma coisa agora. Obviamente, Saul Whitehead também não mudara.

Godwyn e sua caravana cruzaram um tabuleiro de campos congelados a caminho do conjunto de prédios do mosteiro. Ao se aproximarem, Godwyn constatou que havia muitas coisas diferentes. Doze anos antes, a pequena igreja de pedra, com seu claustro e o dormitório, era cercada por algumas pequenas estruturas de madeira: cozinha, estábulo, leiteria, padaria. Agora, os frágeis anexos de madeira haviam desaparecido, enquanto o complexo de construções de pedra ligadas à igreja havia crescido de maneira considerável.

– Este lugar está mais seguro do que antes – comentou Godwyn.

– Creio que é por causa do aumento dos bandos de fora da lei, formados por soldados que voltaram das guerras francesas – sugeriu Philemon.

Godwyn franziu o cenho.

– Não recordo de terem pedido minha permissão para o programa de construção.

– Porque ninguém pediu.

– Ahn...

Infelizmente, ele não podia se queixar. Alguém poderia indagar como era possível que Saul tivesse realizado aquele programa sem o conhecimento de Godwyn... a não ser que Godwyn tivesse negligenciado seu dever de supervisão. Além do mais, convinha a seus propósitos agora que o lugar pudesse ser fechado a intrusos.

A viagem de dois dias o acalmara um pouco. A morte da mãe o lançara num frenesi de medo. Tinha certeza de que morreria a cada hora que permanecia em Kingsbridge. Fora por pouco que conseguira controlar suas emoções para falar na reunião na casa do capítulo e organizar o êxodo. Apesar de sua eloquência, uns poucos monges demonstraram apreensão com a fuga. Felizmente, todos haviam feito o juramento de obediência e prevalecera o hábito de fazer o que era mandado. Mesmo assim, Godwyn só começara a se sentir seguro depois que o grupo atravessara a ponte dupla, tochas acesas, afastando-se pela noite.

Ainda estava com os nervos à flor da pele. De vez em quando remoía algum problema e decidia pedir a opinião de Petranilla, só para lembrar em seguida que nunca mais ouviria seus conselhos. Nessas ocasiões, o pânico subia como bílis por sua garganta.

Estava fugindo da peste, mas deveria ter feito isso três meses antes quando Mark Webber morrera. Seria tarde demais agora? Fez esforço para reprimir o terror. Não se sentiria seguro enquanto não estivesse totalmente isolado do mundo.

Forçou os pensamentos a voltarem ao presente. Não havia ninguém nos campos naquela época do ano, mas num pátio de terra batida, na frente do mosteiro, avistou um punhado de monges trabalhando: um ferrava um cavalo, outro consertava um arado e um pequeno grupo virava a alavanca de uma prensa de sidra.

Todos pararam o que faziam e ficaram olhando, atônitos, para a multidão de visitantes que se aproximava: vinte monges, meia dúzia de noviços, quatro carroças e dez cavalos de carga. Godwyn não deixara ninguém para trás, exceto os servos do priorado.

Um dos homens na prensa de sidra se desligou do grupo e se adiantou. Godwyn reconheceu Saul Whitehead. Haviam se encontrado nas visitas anuais de Saul a Kingsbridge, mas Godwyn notou agora, pela primeira vez, os toques de cinza nos cabelos louros quase brancos.

Vinte anos antes haviam estudado juntos em Oxford. Saul era o astro entre os discípulos, rápido para aprender e ágil nos argumentos. Também era o que tinha mais devoção religiosa entre todos. Poderia ter se tornado prior de Kingsbridge se fosse menos espiritual e pensasse em sua carreira em termos estratégicos em vez de deixar essas questões para Deus. Por esse motivo, quando o prior Anthony morreu e a eleição foi realizada, Godwyn conseguira engambelar Saul com a maior facilidade.

Apesar disso, Saul não era um fraco. Tinha uma veia de integridade obstinada que Godwyn temia. Aceitaria agora, obediente, o plano de Godwyn ou criaria problemas? Mais uma vez, Godwyn fez esforço para reprimir o pânico e manter a calma.

Estudou com todo o cuidado o rosto de Saul. O prior de Saint John estava surpreso ao vê-lo... e visivelmente insatisfeito. Sua expressão controlada era de recepção polida, mas não havia qualquer sorriso.

Durante a campanha da eleição, Godwyn fizera todos acreditarem que ele próprio não queria o cargo, mas eliminara um a um todos os outros candidatos razoáveis, inclusive Saul. Será que Saul desconfiava de que fora enganado?

– Bom dia, padre prior – disse Saul ao chegar perto. – Esta é uma bênção inesperada.

Portanto, sua hostilidade não seria ostensiva. Não podia haver a menor dúvida de que pensaria que esse comportamento conflitava com seu voto de obediência. Godwyn ficou aliviado.

– Deus o abençoe, meu filho. Já faz muito tempo desde que visitei minhas crianças em Saint John.

Saul olhou para os monges, os cavalos, as carroças abarrotadas de suprimentos.

– Parece ser mais do que uma simples visita.

Ele não se ofereceu para ajudar Godwyn a descer do cavalo. Era como se quisesse uma explicação antes de convidá-los a entrar... o que era um absurdo: ele não tinha o direito de rejeitar seu superior. Mesmo assim, Godwyn se descobriu explicando:

– Já ouviu falar sobre a peste?

– Apenas rumores. Há poucos visitantes para nos trazer notícias.

O que era ótimo. Fora a falta de visitantes que atraíra Godwyn a Saint John.

– A doença matou centenas de pessoas em Kingsbridge. Temi que pudesse exterminar todo o priorado. Foi por isso que trouxe os monges para cá. Pode ser a única maneira de garantir nossa sobrevivência.

– É bem-vindo aqui, qualquer que seja a razão para a visita.

– Nem precisava dizer.

Godwyn ficou furioso por ter sido pressionado a oferecer uma justificativa. Saul estava pensativo.

– Não sei onde todos dormirão...

– Eu decidirei – declarou Godwyn, asseverando sua autoridade. – Pode me mostrar tudo enquanto a cozinha prepara nosso jantar.

Ele desmontou sem ajuda e entrou no mosteiro. Saul viu-se obrigado a segui-lo.

Tudo ali era limpo mas despojado, mostrando como Saul levava a sério o voto monacal de pobreza. Mas hoje Godwyn estava mais interessado em verificar como o lugar poderia ser fechado a forasteiros. Por sorte, a fé de Saul na ordem e no controle o levara a projetar prédios com poucas entradas. Havia apenas três acessos ao priorado: através da cozinha, do estábulo ou da igreja. Cada entrada tinha uma porta resistente, que podia ser trancada com barras.

O dormitório era pequeno, com espaço para abrigar apenas oito ou nove monges. Não havia quarto separado para o prior. A única maneira de acomodar mais vinte monges era deixar que dormissem na igreja.

Godwyn pensou em se apropriar do dormitório, mas não havia espaço ali para esconder os tesouros da catedral, e ele queria mantê-los perto. Por sorte, a igreja tinha uma pequena capela lateral que podia ser isolada. Godwyn decidiu que ali seria seu quarto. Os outros monges de Kingsbridge espalhariam palha sobre o chão de terra batida e tratariam de se acomodar da melhor forma possível.

A comida e o vinho foram para a cozinha e a adega, mas Philemon levou os ornamentos para a capela-quarto de Godwyn. Antes, Philemon estivera conversando com os monges de Saint John.

– Saul tem sua maneira típica de dirigir o mosteiro – informou ele. – Exige obediência rigorosa a Deus e à regra de São Bento. Mas dizem que ele não se põe num pedestal. Dorme no dormitório, come a mesma coisa que os outros. De modo geral, não reivindica privilégios. É desnecessário dizer que gostam dele por isso. Mas há um monge que é punido com frequência... o irmão Jonquil.

– Lembro-me dele.

Jonquil sempre tivera problemas quando era noviço em Kingsbridge – por atraso, desleixo, preguiça e ganância. Não tinha o menor autocontrole e provavelmente fora atraído para a vida monástica como forma de arrumar alguém que lhe exigisse o cumprimento do comedimento que era incapaz de impor a si mesmo.

– Duvido que ele vá ser de alguma utilidade para nós – disse Godwyn.

– Ele não hesitará em mudar de lado se tiver meia oportunidade – garantiu Philemon. – Mas não tem qualquer autoridade, portanto ninguém o seguirá.

– E eles não têm queixas contra Saul? Ele não dorme tarde, não se esquiva das tarefas desagradáveis nem fica com o melhor vinho?

– Aparentemente não.

– Hum...

Saul continuava tão íntegro quanto antes. Godwyn ficou desapontado, mas não muito surpreso.

Durante as vésperas, Godwyn notou como os homens de Saint John eram solenes e disciplinados. Ao longo dos anos, ele sempre mandara para Saint John os monges problemáticos: os rebeldes, os que tinham doenças mentais, os que eram propensos a questionar os ensinamentos da Igreja e se interessar por ideias heréticas. Saul nunca se queixara, nunca mandara ninguém de volta. Parecia que era capaz de transformar esses homens em monges exemplares.

Depois do serviço, Godwyn mandou a maior parte dos homens de Kingsbridge jantar no refeitório, ficando apenas com Philemon e dois monges jovens e fortes. Assim que ficaram a sós na igreja, ele disse a Philemon para ficar de guarda na porta de acesso ao claustro e depois ordenou aos jovens que deslocassem para o lado o altar de madeira todo esculpido e cavassem um buraco debaixo de sua posição normal.

Quando o buraco se tornou bastante profundo, Godwyn trouxe os ornamentos da catedral, que guardara na capela, para serem enterrados por baixo do altar. Mas, antes que o trabalho fosse concluído, Saul apareceu na porta da igreja. Godwyn ouviu Philemon dizer:

– O padre prior deseja ficar sozinho.

A voz de Saul soou em seguida:

– Então ele pode me dizer isso pessoalmente.

– O prior me pediu para dizer.

Saul elevou a voz:

– Não serei impedido de entrar em minha igreja... muito menos por você!

– Vai usar de violência contra mim, o subprior de Kingsbridge?

– Eu o jogarei na fonte se continuar a barrar minha passagem.

Godwyn interveio. Teria preferido manter Saul na ignorância, mas isso não era mais possível.

– Deixe-o entrar, Philemon.

Philemon se afastou para o lado e Saul entrou na igreja. Viu a bagagem. Sem pedir permissão, abriu um saco e espiou o que havia dentro.

– Por minha alma! – exclamou, tirando uma galheta de altar feita de ouro e prata. – O que é tudo isso?

Godwyn ficou tentado a lhe dizer para não interrogar seus superiores. Saul poderia até aceitar a repreensão: acreditava na humildade, pelo menos em princípio. Mas Godwyn não queria deixar o fermento da suspeita crescer na mente de Saul.

– Eu trouxe comigo os tesouros da catedral.

Saul fez uma careta de desagrado.

– Sei que essas coisas são consideradas apropriadas numa grande catedral, mas ficarão deslocadas numa humilde célula na floresta.

– Não terá de vê-las, pois tudo ficará escondido. Não há mal em você saber onde, embora eu pretendesse poupá-lo do fardo desse conhecimento.

Saul parecia desconfiado.

– Por que trouxe tudo?

– Para guardar em segurança.

Saul não se deixava persuadir com facilidade.

– Estou surpreso que o bispo estivesse disposto a permitir que você trouxesse tudo.

O bispo não fora consultado, é claro, mas Godwyn não disse isso.

– No momento, a situação é tão crítica em Kingsbridge que não temos certeza se os ornamentos estariam seguros até mesmo no priorado.

– Mas não estariam mais seguros do que aqui? Afinal, estamos cercados por bandidos, como sabe. Graças a Deus não os encontrou na estrada.

– Deus vela por nós.

– E pelas joias que você trouxe, eu espero.

A atitude de Saul equivalia quase a insubordinação, mas Godwyn não o censurou, temendo que uma reação exagerada sugerisse culpa. Porém observou que a humildade de Saul tinha limites. Talvez, no final das contas, Saul soubesse que fora enganado há doze anos. Então Godwyn disse:

– Por favor, peça a todos os monges para permanecerem no refeitório depois do jantar. Falarei com eles assim que terminar aqui.

Saul aceitou ser dispensado e saiu. Godwyn enterrou os ornamentos, os cartulários do priorado, as relíquias do santo e quase todo o dinheiro. Os monges taparam o buraco, calcaram a terra e puseram o altar de volta no lugar. Restava um pouco de terra solta, que eles levaram para fora e espalharam.

Depois foram para o refeitório. A pequena sala estava lotada agora, com o acréscimo dos homens de Kingsbridge. Havia um monge no pódio, lendo uma passagem do Evangelho de São Marcos, mas ele se calou quando Godwyn entrou. Godwyn gesticulou para que o leitor sentasse e tomou seu lugar.

– Este é um refúgio sagrado. Deus nos mandou essa terrível peste para nos punir por nossos pecados. Viemos para cá para expiar esses pecados bem longe da influência corruptora da cidade.

Godwyn não tencionava provocar uma discussão, mas Saul indagou:

– Que pecados em particular, padre Godwyn?

Godwyn tratou de improvisar:

– Os homens têm desafiado a autoridade da santa Igreja de Deus; as mulheres se tornaram lascivas; os monges não conseguiram se afastar por completo da sociedade feminina; as freiras estão recorrendo a heresia e bruxaria.

– E quanto tempo levará para expiar esses pecados?

– Saberemos que triunfamos quando a peste desaparecer.

Outro monge de Saint John se manifestou. Godwyn o reconheceu: Jonquil, um homem grande e sem coordenação motora, com um brilho insano no olhar.

– Como fará para expiar os seus?

Godwyn ficou surpreso ao constatar que os monges ali tinham liberdade para interrogar seus superiores.

– Com oração, meditação e jejum.

– O jejum é uma boa ideia – disse Jonquil. – Não temos muita comida de sobra.

Houve alguns risos devido ao comentário. Godwyn ficou preocupado com a possibilidade de perder o controle da audiência. Bateu no pódio para pedir silêncio.

– Doravante, qualquer pessoa do mundo exterior que vier até aqui será um perigo para nós. Quero que todas as portas permaneçam trancadas por dentro, dia e noite. Nenhum monge poderá sair sem a minha permissão pessoal, que só será concedida em emergências. Todos os visitantes serão repelidos. Vamos ficar isolados até que essa terrível peste acabe.

– Mas o que acontece se...

Godwyn não deixou Jonquil continuar:

– Não pedi comentários, irmão. – Ele correu os olhos pela sala, intimidando todos a se calarem. – Vocês são monges e têm o dever de obedecer. E, agora, vamos rezar.

A crise chegou no dia seguinte.

Godwyn sentiu que suas ordens haviam sido aceitas por Saul e os outros monges em caráter provisório. Todos haviam sido apanhados de surpresa e não foram capazes de pensar em grandes objeções naquela situação inesperada, e assim, na falta de uma razão forte para rebelião, obedeceram instintivamente a seu superior. Mas Godwyn sabia que chegaria o momento em que teriam de tomar uma decisão concreta. Só que não esperava que fosse tão cedo.

Cantavam o ofício da prima. Fazia um frio enregelante na pequena igreja. Godwyn estava com o corpo todo dolorido de uma noite desconfortável. Sentia saudade de seu palácio, com suas lareiras e camas macias. A claridade cinzenta de um amanhecer de inverno despontava nas janelas quando soaram batidas fortes à porta oeste da igreja.

Godwyn ficou tenso. Gostaria de ter mais um dia ou dois para consolidar sua posição. Sinalizou para que os monges ignorassem as batidas e continuassem com o serviço. As batidas passaram a ser acompanhadas por gritos. Saul se levantou para ir até a porta, mas Godwyn fez sinais com as mãos para que ele sentasse. Após um momento de hesitação, Saul obedeceu. Godwyn estava determinado a fazer com que todos continuassem sentados. Se os monges nada fizessem, era provável que os intrusos fossem embora.

Mas Godwyn começou a compreender que persuadir as pessoas a não fazerem nada era extremamente difícil.

Os monges logo ficaram perturbados demais para se concentrarem no salmo. Passaram a sussurrar uns para os outros e a olhar para a porta oeste. O canto foi se tornando irregular e descoordenado, até que definhou, restando apenas a voz de Godwyn.

Ele ficou irritado. Se acompanhassem sua orientação, poderiam ignorar o distúrbio. Enfurecido pela fraqueza dos outros, Godwyn finalmente saiu de seu lugar e atravessou a curta nave até a porta, que estava trancada com uma barra.

– Quem está aí? – gritou.

– Deixem-nos entrar! – foi a resposta abafada.

– Vocês não podem entrar! – gritou Godwyn em resposta. – Vão embora!

Saul apareceu a seu lado.

– Está mandando embora pessoas que procuram a igreja? – indagou, horrorizado.

– Já disse que não haverá visitantes – declarou Godwyn. As batidas recomeçaram.

– Deixem-nos entrar!

– Quem são vocês? – gritou Saul. Houve uma pausa antes da resposta:

– Somos homens da floresta.

– Bandidos – comentou Philemon.

– Pecadores como nós e também filhos de Deus – protestou Saul.

– Não há razão para deixar que eles nos matem.

– Talvez seja melhor descobrir se eles são mesmo o que alegam.

Saul foi até a janela à direita da porta. A igreja era um prédio baixo, com o peitoril das janelas logo abaixo do nível do olho. Nenhuma tinha vidro. Eram fechadas contra o frio por telas translúcidas de linho. Saul levantou a tela e ficou na ponta dos pés para olhar.

– Por que vieram até aqui?

Godwyn ouviu a resposta:

– Um dos nossos está doente.

– Eu falarei com eles – disse Godwyn a Saul, que o fitou com irritação.

– Afaste-se da janela – acrescentou Godwyn. Relutante, Saul obedeceu. Godwyn gritou: – Não podemos deixá-los entrar! Vão embora!

A expressão de Saul era de total incredulidade.

– Vai mandar embora um homem doente? Somos monges e médicos!

– Se o homem estiver com a peste, não há nada que possamos fazer para ajudá-lo. E, se o deixarmos entrar, estaremos nos matando.

– Isso está nas mãos de Deus.

– Deus não permite que cometamos suicídio.

– Não sabe o que há de errado com o homem. Ele pode ter quebrado um braço.

Godwyn abriu a janela correspondente no lado esquerdo da porta e olhou para fora. Avistou um grupo de seis homens rudes, parados em torno de uma padiola que haviam largado no chão, diante da porta da igreja. As roupas eram caras, mas sujas, como se eles tivessem dormido com os melhores trajes dominicais. Isso era típico dos bandidos, que roubavam boas roupas dos viajantes e logo faziam com que parecessem velhas e ensebadas. Os homens estavam bem armados, alguns com espadas de boa qualidade, adagas e arcos, o que sugeria que podiam ser soldados desmobilizados.

Na padiola havia um homem, suando muito – embora fosse uma manhã gelada de janeiro – e sangrando pelo nariz. Subitamente, sem desejar, Godwyn viu em sua imaginação a cena no hospital: a mãe agonizante, o filete de sangue no lábio superior que sempre voltava, por mais que a freira o enxugasse. O pensamento de que poderia morrer daquele jeito o deixou tão transtornado que teve vontade de se jogar do telhado da catedral de Kingsbridge. Seria muito melhor morrer num breve instante de dor insuportável em vez de sofrer ao longo de três, quatro ou cinco dias de delírio enlouquecido e sede alucinante.

– Esse homem tem a peste! – Godwyn percebeu um tom de histeria na própria voz. Um dos bandidos se adiantou.

– Conheço você. É o prior de Kingsbridge.

Godwyn fez esforço para se controlar. Olhou com medo e raiva para o homem que era obviamente o líder. Tinha porte arrogante, como um nobre; devia ter sido bonito, mas sua aparência fora desfigurada por anos de vida árdua.

– E quem é você – perguntou Godwyn –, que bate na porta de uma igreja no momento em que os monges cantam os salmos para Deus?

– Alguns me chamam de Tam Hiding.

Soaram murmúrios de espanto dos monges. Tam Hiding era uma lenda viva. O irmão Jonquil gritou:

– Eles vão matar todos nós!

Saul se virou para Jonquil.

– Fique calado. Todos nós morreremos quando Deus quiser, mas não antes.

– Está bem, padre.

Saul tornou a se voltar para a janela e disse:

– Vocês roubaram nossas galinhas no ano passado.

– Sinto muito, padre – respondeu Tam –, mas estávamos famintos.

– E agora vêm pedir minha ajuda.

– Porque sempre prega que Deus perdoa.

– Deixe que eu cuido disso – interveio Godwyn, decidido.

A luta interna de Saul era evidente em seu rosto, alternadamente envergonhado e rebelde. Mas ele acabou baixando a cabeça.

– Deus perdoa aqueles que verdadeiramente se arrependem – disse Godwyn a Tam.

– O nome desse homem é Win Forester e ele se arrepende sinceramente de todos os seus muitos pecados. Gostaria de entrar na igreja para rezar pela cura... ou, se isso não for possível, para morrer num lugar sagrado.

Um dos outros bandidos espirrou.

Saul veio de sua janela e parou encarando Godwyn, mãos nos quadris.

– Não podemos impedi-lo de entrar!

Godwyn se esforçou para manter a calma.

– Ouviu aquele espirro... não compreende o que significa? – Ele se virou para o resto dos monges, pois queria ter certeza de que ouviriam o que diria em seguida: – Todos eles estão com a peste!

Houve um murmúrio coletivo de medo. Godwyn queria mesmo assustá-los, pois assim o apoiariam, caso Saul decidisse desafiá-lo.

– Mas devemos ajudá-los, mesmo que tenham a peste – insistiu Saul. – Nossas vidas não nos pertencem, para serem protegidas como ouro escondido debaixo da terra. Nós nos entregamos a Deus para que nos usasse como quisesse, e Ele encerrará nossas vidas quando for conveniente para seus sagrados propósitos.

– Deixar esses bandidos entrarem aqui seria suicídio. Eles matarão todos nós!

– Somos homens de Deus. Para nós, a morte é o feliz reencontro com Cristo. O que temos a temer, padre prior?

Godwyn compreendeu que parecia assustado, enquanto Saul falava de maneira racional. Então se forçou a parecer calmo e filosófico:

– É um pecado procurar a própria morte.

– Mas, se a morte vem ao nosso encontro no curso de nosso sagrado dever, nós a aceitamos com alegria.

Godwyn compreendeu que poderia debater o dia inteiro com Saul sem chegar a qualquer lugar. Não era a maneira de impor sua autoridade. Ele fechou a janela.

– Feche a sua janela, irmão Saul, e venha até aqui.

Após um momento de hesitação, Saul obedeceu. Godwyn perguntou:

– Quais são os seus três votos, irmão?

Houve uma pausa. Saul sabia o que estava acontecendo. Godwyn se recusava a tratá-lo como um igual. A princípio, Saul deu a impressão de que poderia se recusar a responder, mas seu treinamento prevaleceu.

– Pobreza, castidade, obediência.

– E a quem deve obedecer?

– A Deus, à regra de São Bento e a meu prior.

– E seu prior se encontra agora na sua frente. Você me reconhece?

– Reconheço.

– Pode dizer "Reconheço, padre prior".

– Reconheço, padre prior.

– Agora, direi o que deve fazer e você obedecerá.

Godwyn olhou ao redor.

– Todos vocês, voltem a seus lugares.

Houve um momento de silêncio e imobilidade. Ninguém se mexia, ninguém falava. Podiam seguir para qualquer lado, refletiu Godwyn: obediência ou motim, ordem ou anarquia, vitória ou derrota. Ele prendeu a respiração.

Por fim, Saul se mexeu. Baixou a cabeça e se virou. Percorreu a curta nave e retomou sua posição, de frente para o altar.

Todos os outros fizeram o mesmo.

Soaram mais alguns gritos lá fora, mas pareciam gritos de pessoas se afastando. Talvez os bandidos tivessem compreendido que não poderiam obrigar um médico a tratar de seu companheiro doente.

Godwyn também retornou ao altar e se voltou para os monges.

– Vamos terminar o salmo interrompido – disse, recomeçando a cantar.

Glória ao Pai
E ao Filho
E ao Espírito Santo.

O canto ainda era irregular. Os monges estavam excitados demais para adotarem a atitude apropriada. Mesmo assim, haviam retornado a seus lugares e seguiam a rotina. Godwyn prevalecera.

Como foi no princípio,
É agora
E sempre será
Um mundo sem fim.
Amém.

– Amém – repetiu Godwyn.

Um dos monges espirrou.

65

Pouco depois da fuga de Godwyn, Elfric morreu da peste.

Caris lamentou por Alice, sua viúva, mas, afora isso, mal podia deixar de se regozijar. Elfric oprimira os fracos e bajulara os fortes, e as mentiras que dissera em seu julgamento quase a haviam levado à forca. O mundo era um lugar melhor sem ele. Até mesmo seu negócio de construção seria mais bem dirigido pelo genro, Harold Mason.

A guilda da paróquia elegeu Merthin regedor no lugar de Elfric. E Merthin comentou que era como assumir o comando de um navio afundando.

À medida que as mortes continuavam, as pessoas enterrando seus parentes, vizinhos, amigos, clientes e empregados, o constante horror começou a brutalizar muitas pessoas, até que nenhuma violência ou crueldade parecia chocante. Pessoas que pensavam estar prestes a morrer perdiam todo e qualquer comedimento e passavam a seguir seus impulsos, sem se preocupar com as consequências.

Juntos, Merthin e Caris se empenhavam em preservar alguma coisa parecida com a vida normal em Kingsbridge. O orfanato foi a parte mais bem-sucedida do programa de Caris. As crianças sentiam-se gratas pela segurança do convento depois da provação de perderem os pais para a peste. Cuidar delas e ensinar a ler e a cantar os hinos despertaram os instintos maternais há muito reprimidos de algumas freiras. Havia comida de sobra, com menos pessoas disputando as reservas para o inverno. E o priorado de Kingsbridge foi povoado pelos sons das crianças.

Na cidade, as coisas eram mais difíceis. Persistiam as disputas violentas pelos bens dos mortos. As pessoas simplesmente entravam nas casas vazias e pegavam o que queriam. Crianças que herdavam dinheiro ou depósitos abarrotados com tecidos ou trigo eram às vezes adotadas por vizinhos inescrupulosos, impelidos pela ganância de se apoderarem dos legados. A perspectiva de obter alguma coisa por nada trazia à tona o pior das pessoas, pensava Caris, desesperada.

Caris e Merthin tiveram apenas um êxito parcial na luta contra o declínio do comportamento público. Caris ficou desapontada com os resultados da ação repressiva de John Constable contra a embriaguez. Havia muitos viúvos e viúvas recentes ansiosos por encontrar novos parceiros, por isso não era incomum ver pessoas de meia-idade absorvidas em abraços ou carícias, nas tavernas ou num vão de porta. Caris não tinha grandes objeções a esse tipo de coisa por si mesma, mas descobriu que a embriaguez e a licenciosidade pública levavam a brigas com frequência. Só que Merthin e a guilda da paróquia não conseguiam conter esse comportamento.

E, no momento em que os habitantes da cidade precisavam fortalecer sua determinação, a fuga dos monges causara o efeito oposto. Desmoralizara todo mundo. Os representantes de Deus haviam partido; o Todo-Poderoso abandonara a cidade. Alguns diziam que as relíquias do santo sempre haviam trazido sorte e, agora que os ossos não se encontravam mais ali, ela acabara. A falta de crucifixos e castiçais preciosos nos serviços dominicais era um lembrete de que os monges haviam considerado que Kingsbridge estava condenada. Então por que não se embriagar e fornicar na rua?

De uma população aproximada de 7 mil pessoas, Kingsbridge perdera pelo menos mil até meados de janeiro. Outras cidades sofriam a mesma coisa. Apesar das máscaras propostas por Caris, o número de mortes era mais alto entre as freiras, sem dúvida porque elas mantinham contato constante com as vítimas da peste. Havia antes 35 freiras, que agora estavam reduzidas a vinte. Mas ouviam falar de lugares em que quase todos os monges e freiras haviam morrido, deixando uns poucos ou apenas uma pessoa para continuar o trabalho; por isso elas se consideravam afortunadas. Caris decidiu abreviar o noviciado e intensificar o treinamento, para contar com mais ajuda no hospital.

Merthin contratara o atendente da Holly Bush e lhe entregara o comando da Bell. E também uma jovem de boa índole, de 17 anos, Martina, para cuidar de Lolla.

Até que a peste pareceu definhar. Depois de enterrar cem pessoas numa semana, na altura do Natal, Caris viu o número cair para cinquenta em janeiro e depois vinte em fevereiro. E se permitiu acalentar a esperança de que o pesadelo se aproximava do fim.

Uma das pessoas desafortunadas que caíram doentes durante esse período foi um homem de cabelos escuros, na casa dos 30 anos, que outrora devia ter sido bonito. Era um visitante de Kingsbridge.

– Pensei ontem que tinha um resfriado – disse ele ao passar pela porta. – Mas agora o nariz começou a sangrar e não para mais.

Ele segurava um pano ensanguentado contra as narinas.

– Arrumarei um lugar para você deitar – disse Caris através da máscara de linho.

– É a peste, não é? – Caris ficou surpresa ao ouvir a resignação calma em sua voz em vez do pânico habitual, enquanto ele acrescentava: – Pode fazer algo para me curar?

– Podemos deixá-lo confortável e rezar por você.

– Isso não vai adiantar. Mesmo que não acredite, posso garantir.

Ela ficou chocada com a facilidade com que ele desvendava seu coração.

– Não sabe o que está dizendo – protestou ela, sem muita disposição. – Sou uma freira. Devo acreditar.

– Pode me dizer a verdade. Em quanto tempo morrerei?

Caris o encarou. O homem sorria, um sorriso encantador, que ela imaginou que já devia ter derretido muitos corações femininos.

– Por que não está com medo? – perguntou ela. – Todo mundo fica apavorado.

– Não acredito no que me dizem os padres. – Ele sorriu, astuto. – E desconfio que você também não acredita.

Caris não tinha a menor intenção de entrar nesse tipo de discussão com um estranho, por mais encantador que ele fosse.

– Quase todo mundo que pega a peste morre no prazo de três a cinco dias – disse ela bruscamente. – Umas poucas pessoas sobrevivem, ninguém sabe por quê.

Ele aceitou sem revolta.

– Como eu pensei.

– Pode deitar aqui.

O homem ofereceu de novo seu sorriso de menino levado.

– Deitar-me vai adiantar alguma coisa?

– Se não deitar logo, acabará caindo.

– Está bem.

Ele se deitou no colchão de palha indicado. Caris lhe deu um cobertor.

– Qual é o seu nome?

– Tam.

Ela estudou o rosto. Apesar do charme, podia sentir uma veia de crueldade. Era um homem que podia seduzir as mulheres, pensou Caris, mas também era capaz de estuprá-las se não conseguisse nada com a conversa. A pele era curtida pela vida ao ar livre e tinha o nariz vermelho de um beberrão. As roupas eram caras, mas sujas.

– Sei quem você é – disse ela. – Não tem medo de ser punido por seus pecados?

– Se eu acreditasse nisso, não os teria cometido. E você... tem medo de arder no inferno?

Era uma questão de que ela normalmente se esquivava, mas sentiu que aquele bandido agonizante merecia uma resposta sincera.

– Acredito que tudo aquilo que eu faço se torna parte de mim. Quando sou corajosa e forte, cuido das crianças, dos doentes e pobres e me torno uma pessoa melhor. E quando sou cruel, covarde, digo mentiras ou me embriago, viro uma pessoa menos digna e não posso me respeitar. É essa a retribuição divina em que acredito.

Tam a fitou com uma expressão pensativa.

– Eu gostaria de tê-la conhecido há vinte anos.

Ela soltou um grunhido depreciativo.

– Eu teria 12 anos.

O homem ergueu uma sobrancelha, sugestivo.

Já era demais, decidiu Caris. Ele começava a flertar e ela começava a gostar. Virou-se.

– É uma mulher corajosa para fazer esse trabalho. Provavelmente vai matá-la.

– Sei disso. – Caris se voltou para fitá-lo de novo. – Mas esse é o meu destino. Não posso fugir das pessoas que precisam de mim.

– Seu prior não parece pensar assim.

– Ele desapareceu.

– As pessoas não podem desaparecer.

– O que estou querendo dizer é que ninguém sabe para onde foram o prior Godwyn e os monges.

– Eu sei.

⌣

O tempo ao final de fevereiro era ensolarado e ameno. Caris deixou Kingsbridge num pônei alazão, a caminho de St.-John-in-the-Forest. Merthin a acompanhava, montando um cavalo preto. Em circunstâncias normais, as pessoas estranhariam o fato de uma freira partir em viagem em companhia apenas de um homem. Mas aqueles eram tempos estranhos.

O perigo dos bandidos quase havia cessado. Muitos tinham morrido da peste, informara Tam Hiding antes de falecer. Além disso, a súbita queda na população proporcionara um excesso de alimentos, vinho e roupas... todas as coisas que os bandidos costumavam roubar. Os malfeitores que haviam sobrevivido à peste podiam entrar em cidades fantasmas e aldeias abandonadas para pegar qualquer coisa que quisessem.

Caris a princípio ficara frustrada ao saber que Godwyn não se afastara de Kingsbridge por uma distância maior que dois dias de viagem. Ela o imaginara num lugar tão distante que nunca mais voltaria. Mas também ficara contente pela oportunidade de recuperar o dinheiro e os objetos valiosos do priorado, em particular os cartulários do convento, vitais sempre que havia uma disputa sobre propriedade ou direitos.

Quando e se fosse capaz de confrontar Godwyn, exigiria a devolução do patrimônio do priorado, em nome do bispo. Tinha uma carta de Henri para apoiá-la. Se ainda assim Godwyn recusasse, isso provaria acima e além de qualquer dúvida que ele estava roubando, em vez de guardar tudo aquilo em lugar seguro. O bispo poderia então iniciar uma ação judicial para recuperar tudo ou simplesmente seguir para Saint John com uma força de homens de armas.

Embora desapontada porque Godwyn ainda não saíra para sempre de sua vida, Caris apreciava a perspectiva de confrontá-lo com sua covardia e desonestidade.

Ao deixar a cidade, ela recordou que sua última longa viagem fora para a França, com Mair – uma aventura de verdade, em todos os sentidos. Sentia-se desconsolada ao pensar em Mair. Entre todas as pessoas que haviam morrido da peste, era de Mair que ela sentia mais saudade: o rosto lindo, o coração gentil, seu amor.

Mas era uma alegria ter Merthin só para ela durante dois dias inteiros. Seguindo pela estrada através da floresta, lado a lado em seus cavalos, conversavam sobre qualquer coisa que aflorava a suas mentes, como acontecia no tempo em que eram adolescentes.

Merthin, como sempre, continuava a ter muitas ideias brilhantes. Apesar da peste, vinha construindo lojas e tavernas na ilha dos Leprosos. Contou que planejava demolir a taverna que herdara de Bessie Bell e reconstruí-la duas vezes maior.

Caris achava que ele e Bessie haviam sido amantes. Por que outro motivo ela teria lhe deixado sua propriedade? Mas Caris sabia que era a única culpada por isso. Era a única mulher que Merthin realmente queria, com Bessie em segundo lugar. As duas sabiam disso. Mesmo assim, Caris sentia ciúme e raiva quando pensava em Merthin na cama com aquela taverneira roliça.

Pararam ao meio-dia e descansaram à beira de um córrego. Comeram pão, queijo e maçãs, os alimentos que todos os viajantes levavam, exceto os mais ricos. Deram alguns cereais aos cavalos: pastar não era suficiente para uma montaria que tinha de transportar um homem ou uma mulher o dia inteiro. Depois de comerem, deitaram-se ao sol por alguns minutos. Mas o terreno estava muito frio e úmido para o sono e eles logo se levantaram e seguiram viagem.

Retomaram num instante a intimidade afetuosa da juventude. Merthin sempre fora capaz de fazê-la rir, e ela bem que precisava se animar, com pessoas morrendo todos os dias no hospital. Logo ela esqueceu a raiva por causa de Bessie.

Aquele caminho era percorrido pelos monges de Kingsbridge há centenas de anos. Passaram a noite no ponto intermediário do percurso, a taverna Red Cow, na pequena cidade de Lordsborough. Jantaram rosbife, acompanhado de uma cerveja forte.

A essa altura, Caris já ansiava por ele. Os últimos dez anos pareciam ter desaparecido da memória e tinha vontade de abraçá-lo e fazer amor, como acontecia no passado. Mas isso não aconteceria. A Red Cow tinha dois quartos, um para os homens, outro para as mulheres... e sem dúvida era por isso que os monges sempre a escolhiam para passar a noite. Caris e Merthin se separaram no patamar. Caris ficou acordada, escutando os roncos da esposa de um cavaleiro e a respiração chiada de uma vendedora de condimentos, acariciando-se e desejando que a mão entre suas coxas fosse a de Merthin.

Acordou cansada e desanimada. Comeu automaticamente o mingau que era servido pela manhã. Mas Merthin se mostrava tão feliz por sua companhia que ela logo se reanimou. Ao partirem de Lordsborough estavam outra vez conversando e rindo, tão alegres quanto no dia anterior.

A viagem no segundo foi através de uma floresta densa. Não encontraram outros viajantes durante toda a manhã. A conversa foi se tornando mais pessoal. Caris soube mais sobre a vida que ele levara em Florença, como conhecera Silvia, o tipo de pessoa que ela era. Caris queria perguntar: Como era fazer amor com ela? Era diferente de mim? De que maneira? Mas se conteve, sentindo que essas perguntas violariam a privacidade de Silvia, embora ela já tivesse morrido. Mas podia adivinhar muita coisa pelo tom de voz de Merthin. Ele fora feliz na cama com Silvia, dava para perceber, mesmo que o relacionamento não tivesse a intensidade de sua ligação com Caris.

As horas a cavalo a que não estava acostumada a deixavam dolorida, por isso ela ficou aliviada quando desmontou do pônei ao pararem para almoçar. Depois de comerem, sentaram no chão, encostados no tronco largo de uma árvore, para descansar e deixar a comida assentar antes do recomeço da viagem.

Caris pensou em Godwyn e no que encontraria em St.-John-in-the-Forest, e compreendeu subitamente que ela e Merthin estavam prestes a fazer amor. Não podia explicar como sabia – nem sequer se tocavam –, mas não tinha a menor dúvida. Virou-se para fitá-lo e percebeu que ele também sentia a mesma coisa. Merthin sorriu, triste, e em seus olhos ela viu dez anos de esperanças, pesares, angústias e lágrimas.

Merthin pegou a mão de Caris e beijou a palma, depois levou aos lábios a parte interna e macia do pulso, fechando os olhos.

– Posso sentir sua pulsação – disse ele suavemente.

– Não dá para descobrir muita coisa através da pulsação – balbuciou Caris. – Terá de fazer um exame mais meticuloso.

Ele a beijou na testa, nas pálpebras, no nariz.

– Espero que não se sinta constrangida por eu ver seu corpo nu.

– Não fique zangado... mas não vou tirar as roupas com esse frio.

Os dois riram.

– Talvez queira fazer a gentileza de levantar a saia para que eu possa continuar o exame.

Caris estendeu as mãos e pegou a bainha do hábito. Usava meias que subiam até os joelhos. Levantou o hábito devagar, deixando à mostra os tornozelos, os joelhos, a pele branca das coxas. Sentia-se alegre, mas no fundo de sua mente especulava se ele perceberia as mudanças que haviam ocorrido em seu corpo nos últimos dez anos. Estava mais magra, mas sua bunda se expandira. A pele se tornara um pouco menos lisa e flexível. Os seios já não eram mais tão firmes e empinados. O que Merthin pensaria? Ela reprimiu a preocupação e se absorveu no jogo.

– Isto é suficiente para os propósitos médicos?

– Ainda não.

– Mas não estou usando roupas de baixo... tais luxos são considerados impróprios para freiras.

– Nós, médicos, somos obrigados a ser meticulosos, não importa quantas coisas desagradáveis possamos encontrar.

– Ah, que pena! – Ela sorriu. – Nesse caso...

Sem desviar os olhos do rosto de Merthin, ela levantou o hábito até a cintura. Ele contemplou seu corpo com a respiração pesada, ela pôde perceber.

– Ora, ora... é um caso muito grave. Na verdade... – Ele ergueu os olhos para fitá-la, engoliu em seco e disse: – Não posso mais brincar.

Caris o cingiu com os braços e puxou seu corpo, apertando com toda a força, como se ele a estivesse salvando de um afogamento.

– Faça amor comigo, Merthin... agora... depressa...

⤸

O priorado de St.-John-in-the-Forest parecia tranquilo à luz da tarde... um sinal seguro de que havia alguma coisa errada, pensou Caris. A pequena célula era tradicionalmente autossuficiente em alimentos, cercada por campos úmidos da chuva, precisando ser arados e rastelados. Mas não havia ninguém trabalhando ali.

Ao chegarem mais perto, viram que o pequeno cemitério ao lado da igreja tinha uma fileira de sepulturas recentes.

– Parece que a peste já chegou bem longe – comentou Merthin.

Caris assentiu com a cabeça.

– Portanto, o covarde plano de fuga de Godwyn fracassou – disse ela, não podendo conter um frêmito de satisfação pela vingança.

– E me pergunto se ele próprio se tornou vítima – disse Merthin.

Caris se descobriu a torcer para que isso tivesse acontecido, mas ficou envergonhada demais para admitir.

Ela e Merthin contornaram a cavalo o mosteiro silencioso até o que era obviamente o pátio do estábulo. A porta estava aberta. Os cavalos haviam sido soltos e pastavam numa campina próxima, em torno de um pequeno lago. Mas ninguém apareceu para ajudar os visitantes a desencilharem os cavalos.

Passaram pelas baias vazias, em meio a um estranho silêncio. Caris especulou se todos os monges teriam morrido. Encontraram uma cozinha, que Caris achou que não estava tão limpa quanto deveria. O forno da padaria permanecia frio. Seus passos ecoaram pelas arcadas cinzentas e frias do claustro. Ao se aproximarem da entrada da igreja, depararam com irmão Thomas.

– Vocês nos encontraram! – exclamou ele. – Graças a Deus!

Caris o abraçou. Sabia que os corpos das mulheres não representavam uma tentação para Thomas.

– Fico contente que ainda esteja vivo.

– Caí doente, mas me recuperei.

– Não são muitos os que sobrevivem.

– Sei disso.

– Conte-nos o que aconteceu.

– Godwyn e Philemon planejaram tudo muito bem. Não houve qualquer aviso prévio. Godwyn falou no capítulo e relatou a história de Abraão e Isaque para demonstrar que Deus às vezes nos pede para fazer coisas que parecem erradas. E depois nos disse que partiríamos naquela noite. A maioria dos monges ficou contente por escapar da peste e os que tinham dúvidas foram exortados a se lembrarem de seus votos de obediência.

Caris meneou a cabeça.

– Posso imaginar. Não é difícil obedecer a ordens que parecem nos beneficiar.

– Não me orgulho do que fiz.

Caris tocou no coto do braço esquerdo dele.

– Não foi minha intenção censurá-lo, Thomas.

– Seja como for, estou surpreso porque ninguém revelou o destino – disse Merthin.

– Porque Godwyn não nos disse para onde íamos. A maioria não sabia mesmo depois que chegamos... tivemos de perguntar aos monges locais que lugar era este.

– Mas mesmo assim a peste os alcançou.

– Viram o cemitério? Todos os monges de Saint John estão ali, com exceção do prior Saul, que foi enterrado na igreja. Quase todos os homens de Kingsbridge também morreram. Uns poucos fugiram depois que a doença irrompeu aqui. Só Deus sabe o que aconteceu com eles.

Caris recordou que Thomas sempre fora muito ligado a um monge em particular, um homem de natureza meiga alguns anos mais jovem. Hesitante, ela perguntou:

– E o irmão Matthias?

– Também morreu – falou Thomas em tom brusco. As lágrimas afloraram a seus olhos e ele virou o rosto, constrangido. Caris pôs a mão em seu ombro.

– Sinto muito.

– Muitas pessoas sofreram perdas.

Caris decidiu que seria mais gentil não continuar a falar de Matthias.

– O que aconteceu com Godwyn e Philemon?

– Philemon fugiu. Godwyn está vivo e bem, não pegou a doença.

– Tenho uma mensagem do bispo para Godwyn.

– Posso imaginar.

– É melhor me levar até ele.

– Godwyn está na igreja. Instalou uma cama numa capela lateral. Ficou convencido de que foi por isso que não caiu doente. Venham comigo.

Atravessaram o claustro e entraram na pequena igreja. Cheirava mais como um dormitório. O quadro na parede leste, mostrando o Dia do Juízo Final, parecia sombriamente apropriado agora. Havia colchões de palha e cobertores na nave, como se uma multidão dormisse ali. Mas a única pessoa presente era Godwyn. Estava deitado de barriga para baixo no chão de terra, diante do altar, os braços estendidos para os lados. Por um momento, Caris pensou que ele havia morrido, mas depois compreendeu que era apenas uma posição de extrema penitência.

– Tem visitantes, padre prior – anunciou Thomas.

Godwyn permaneceu na mesma posição. Caris teria presumido que aquilo não passava de exibição, mas alguma coisa em sua imobilidade a levou a pensar que ele procurava sinceramente pelo perdão.

Depois, Godwyn se levantou devagar e se virou. Estava pálido e magro, parecia abatido e ansioso.

– Você...

– Foi descoberto, Godwyn.

Caris não tinha a menor intenção de chamá-lo de padre. Era um homem desonesto e ela o desmascarara. E por isso sentia uma profunda satisfação.

– Suponho que Tam Hiding me denunciou – disse Godwyn.

Ele continua tão perceptivo quanto antes, pensou Caris.

– Você tentou escapar da justiça, mas fracassou.

– Nada tenho a temer da justiça – declarou ele em tom de desafio. – Vim para cá na esperança de salvar as vidas de meus monges. Meu erro foi partir tarde demais.

– Um homem inocente não foge às escondidas na calada da noite.

– Tinha de manter meu destino em segredo. Frustraria meu propósito se permitisse que alguém nos seguisse até aqui.

– Não precisava roubar os ornamentos da catedral.

– Não roubei. Eu os trouxe para que ficassem guardados em segurança aqui. Vou devolvê-los ao lugar a que pertencem assim que for seguro.

– Então por que não avisou a ninguém que ia levá-los?

– Mas avisei. Escrevi para o bispo Henri. Ele não recebeu minha carta?

Caris começou a experimentar um crescente senso de desânimo. Godwyn não podia escapar impune, não é?

– Claro que não. Nenhuma carta foi recebida e não creio que tenha sido enviada.

– Talvez o mensageiro tenha morrido da peste antes de entregá-la.

– E qual era o nome desse mensageiro desaparecido?

– Eu nunca soube. Foi Philemon quem o contratou.

– E Philemon não está mais aqui, muito conveniente – comentou Caris, sarcástica. – Bom, pode dizer o que quiser, mas o bispo Henri o acusa de roubar o tesouro. Mandou-me até aqui para exigir sua devolução. Tenho uma carta ordenando que me entregue tudo imediatamente.

– Isto não será necessário. Eu mesmo levarei tudo para o bispo.

– Não é isso que seu bispo ordena que faça.

– Serei o juiz do que é melhor.

– Sua recusa é prova do roubo.

– Tenho certeza de que posso persuadir o bispo Henri a ver as coisas de maneira diferente.

O problema, pensou Caris, desesperada, era que Godwyn podia muito bem fazer isso. Conseguia ser bastante plausível, e Henri, como a maioria dos bispos, preferia em geral evitar uma confrontação, sempre que possível. Caris tinha a sensação de que o troféu da vitória escapulia de seus dedos.

Godwyn sentiu que invertera a posição contra ela e se permitiu um pequeno sorriso de satisfação. Isso a enfureceu, mas não tinha mais o que dizer. Tudo o que podia fazer agora era voltar e relatar ao bispo o que acontecera.

Ela mal podia acreditar. Godwyn voltaria mesmo a Kingsbridge para retomar seu posto de prior? Como poderia manter a cabeça erguida na catedral de Kingsbridge? Depois de todos os danos que causara ao priorado, à cidade e à Igreja? Mesmo que o bispo o aceitasse, os habitantes da cidade se revoltariam, não é mesmo? A perspectiva era horrível, mas coisas mais estranhas já haviam acontecido. Onde estava a justiça?

Ela o encarou. A expressão de triunfo de Godwyn, pensou, devia encontrar uma equivalência em sua expressão de derrota.

E foi nesse instante que ela percebeu uma coisa que outra vez inverteu a situação.

No lábio superior de Godwyn, logo abaixo da narina esquerda, havia um filete de sangue.

⁓

Na manhã seguinte, Godwyn não saiu da cama.

Caris pôs a máscara de linho e foi cuidar dele. Lavou seu rosto com água de rosas e deu vinho diluído sempre que ele pedia para beber. E, depois que o tocava, sempre lavava as mãos com vinagre.

Além de Godwyn e Thomas, só restavam dois monges, ambos noviços de Kingsbridge. Também estavam morrendo da peste; por isso ela os trouxe do dormitório para a igreja e cuidou deles também. Circulava pela nave mal iluminada como uma sombra, enquanto ia de um homem agonizante para outro.

Perguntou a Godwyn onde estavam os tesouros da catedral, mas ele se recusou a responder. Merthin e Thomas revistaram o priorado. Procuraram debaixo do altar em primeiro lugar. Alguma coisa fora enterrada ali há pouco tempo, como se podia perceber pelo fato de a terra não estar compacta. Mas, quando abriram um buraco – Thomas cavava surpreendentemente bem com uma só mão –, nada encontraram. Qualquer coisa que tivesse sido enterrada ali já havia sido removida.

Verificaram em todos os cômodos do mosteiro deserto, até mesmo no forno frio da padaria e nos tanques secos da cervejaria, mas não acharam as joias, relíquias e cartulários.

Depois da primeira noite, Thomas se retirou discretamente do dormitório – sem que lhe fosse pedido –, deixando Merthin e Caris a dormirem sozinhos ali. Não fez qualquer comentário, não cutucou Merthin sugestivamente nem sequer deu uma piscadela. Agradecidos por sua discreta conivência, eles se aconchegaram sob uma pilha de cobertores e fizeram amor. Depois, Caris permaneceu acordada. Uma coruja vivia em algum lugar do telhado e ela ouviu seus pios noturnos; de vez em quando, ouvia também os gritos de um animal pequeno apanhado por suas garras. Caris especulou se ficaria grávida. Não queria renunciar à sua vocação... mas também não podia resistir à tentação de se deitar nos braços de Merthin. Por isso, apenas se recusou a pensar no futuro.

No terceiro dia, enquanto Caris, Merthin e Thomas almoçavam no refeitório, Thomas sugeriu:

– Quando Godwyn pedir para beber, recuse qualquer coisa até que ele conte onde escondeu o tesouro.

Caris pensou a respeito. Nada mais justo. Mas também seria o equivalente a uma tortura.

– Não posso fazer isso. Sei que ele merece, mas mesmo assim não posso fazer. Se um homem doente pede para beber, tenho de dar. Isso é mais importante do que todos os ornamentos cobertos de pedras preciosas da cristandade.

– Você não lhe deve compaixão... ele nunca demonstrou nenhuma por você.

– Transformei a igreja num hospital, mas não deixarei que se torne uma câmara de torturas.

Thomas deu a impressão de que poderia continuar a argumentar, mas Merthin o dissuadiu com um aceno de cabeça.

– Pense um pouco, Thomas – disse ele. – Quando viu as coisas pela última vez?

– Na noite em que chegamos. Estavam em bolsas de couro e caixas, em dois cavalos. O tesouro foi descarregado ao mesmo tempo que as outras coisas e acho que foi levado para a igreja.

– O que aconteceu depois?

– Nunca mais tornei a ver nada. Mas depois das vésperas, quando todos fomos jantar, notei que Godwyn e Philemon ficaram na igreja com dois outros monges, Juley e John.

– Pelos meus cálculos, Juley e John eram jovens e fortes – sugeriu Caris.

– Isso mesmo.

– Portanto, essa deve ter sido a ocasião em que enterraram o tesouro por baixo do altar. Mas quando eles tornaram a abrir o buraco?

– Tinha de ser quando não havia ninguém na igreja, e só podiam ter essa certeza na hora das refeições.

– Eles se ausentaram de outras refeições?

– De várias, provavelmente. Godwyn e Philemon sempre agiam como se as regras não se aplicassem a eles. As ausências em refeições e missas eram tão frequentes que não posso me lembrar de casos específicos.

– Lembra se Juley e John também se ausentaram em outra ocasião? – indagou Caris. – Godwyn e Philemon poderiam precisar de ajuda outra vez.

– Não necessariamente – disse Merthin. – É muito mais fácil reescavar um terreno que já foi afofado. Godwyn tem 43 anos, e Philemon, apenas 34. Poderiam ter feito tudo sem ajuda se quisessem.

Naquela noite, Godwyn começou a delirar. Algumas vezes citava a Bíblia, às vezes fazia uma pregação ou apresentava desculpas. Caris ficou atenta, à espera de pistas.

– A Grande Babilônia caiu e todas as nações beberam da ira de sua fornicação; e do trono saíram fogo e trovoadas; e todos os mercadores do mundo haverão de chorar. Arrependam-se, todos vocês, arrependam-se todos os que cometeram fornicação com a mãe das rameiras! Tudo será feito para um propósito superior, tudo será feito pela glória de Deus, porque o fim justifica os meios. Dê-me alguma coisa para beber, pelo amor de Deus.

O tom apocalíptico do delírio era provavelmente sugerido pelo quadro na parede, com sua descrição vigorosa das torturas no inferno. Caris levou um copo à sua boca.

– Onde estão os ornamentos da catedral, Godwyn?

– Vi sete castiçais de ouro, todos cobertos com pérolas e pedras preciosas, envoltos pelo melhor linho, púrpura e escarlate, numa arca feita de cedro, sândalo e prata. Vi uma mulher montada numa besta escarlate, com sete cabeças e dez chifres, com todos os nomes de blasfêmia.

A nave ressoava com o som de sua voz. Os dois noviços morreram no dia seguinte. Naquela tarde, Thomas e Merthin os enterraram no cemitério ao norte do priorado. Era um dia frio e úmido, mas os dois ficaram suados do esforço de escavar. Thomas celebrou os serviços fúnebres. Caris se postou ao lado de Merthin. Quando todo o resto desmoronava, os rituais ajudavam a manter um arremedo de normalidade. As sepulturas de todos os outros monges se espalhavam ao redor, exceto as de Godwyn e Saul. O corpo de Saul fora enterrado no pequeno coro da igreja, uma honra reservada apenas aos priores mais respeitados.

Depois, Caris voltou à igreja e ficou olhando para a sepultura de Saul no coro. Aquela parte da igreja estava coberta por lajes de pedra. Era evidente que as lajes haviam sido removidas para que a sepultura pudesse ser escavada. Ao ser posta de volta, junto com as outras pedras, uma delas fora polida e recebera uma inscrição.

Era difícil se concentrar com Godwyn delirando no canto com bestas de sete cabeças. Merthin notou a expressão pensativa e acompanhou seu olhar. Adivinhou no mesmo instante o que ela pensava e disse, horrorizado:

– Não é possível que Godwyn tenha escondido o tesouro no caixão de Saul Whitehead, não é?

– É difícil imaginar monges profanando uma sepultura. Por outro lado, os ornamentos não teriam de deixar a igreja.

– Saul morreu uma semana antes da chegada de vocês – informou Thomas. – Philemon desapareceu dois dias depois.

– Portanto, Philemon pode ter ajudado Godwyn a escavar a sepultura.

– É possível.

Os três trocaram olhares, tentando ignorar os murmúrios alucinados de Godwyn.

– Só há uma maneira de descobrir – declarou Merthin.

Merthin e Thomas pegaram suas pás de madeira. Levantaram a laje memorial e as outras pedras ao redor. Começaram a cavar.

Thomas desenvolvera uma técnica para usar uma só mão. Empurrava a pá na terra com o braço bom, inclinava-a, depois descia a mão pelo cabo até quase a base e levantava. O braço direito se tornara bastante musculoso em decorrência desse tipo de adaptação.

Mesmo assim, levou bastante tempo. Muitas sepulturas eram rasas hoje em dia, mas para o prior Saul haviam cavado sete palmos completos. A noite caía lá fora e Caris acendeu velas. Os demônios no quadro da parede pareciam se movimentar à luz das chamas oscilantes. Tanto Thomas quanto Merthin estavam dentro do buraco, com apenas as cabeças acima do chão da igreja.

– Espere – disse Merthin. – Tem alguma coisa aqui.

Caris viu um material branco enlameado que parecia com o linho oleado às vezes usado em mortalhas.

– Vocês encontraram o corpo – disse.

– Mas onde está o caixão? – indagou Thomas.

– Ele foi enterrado num caixão?

Os caixões eram apenas para a elite: os pobres eram enterrados em mortalhas.

– Saul foi enterrado num caixão, eu vi – respondeu Thomas. – Há muita madeira aqui, no meio da floresta. Todos os monges foram enterrados em caixões até que o irmão Silas caiu doente. Ele era o carpinteiro.

– Esperem um pouco – disse Merthin.

Ele empurrou a pá além dos pés da mortalha e removeu a terra. Bateu com a ponta da pá na terra. Caris ouviu o baque surdo de madeira em madeira.

– Aqui está o caixão, por baixo da mortalha.

– Como o corpo saiu? – perguntou Thomas.

Caris sentiu um calafrio de medo. No canto, Godwyn elevou a voz:

– E ele será atormentado com fogo e enxofre, à vista dos santos anjos, e a fumaça de seu tormento se elevará para todo o sempre.

Thomas olhou para Caris.

– Não pode fazer com que ele fique calado?

– Não trouxe as drogas necessárias.

– Não há nada de sobrenatural aqui – garantiu Merthin. – Meu palpite é que Godwyn e Philemon tiraram o corpo... e encheram o caixão com os tesouros roubados.

Thomas recuperou o controle.

– Nesse caso, é melhor examinarmos o caixão.

Primeiro, tinham de remover o corpo amortalhado. Merthin e Thomas se abaixaram, agarraram o cadáver pelos ombros e joelhos e o ergueram. Quando o ergueram até o nível dos ombros, só puderam ir mais longe jogando-o no chão. Caiu com um baque surdo. Os dois ficaram assustados. Até mesmo Caris, que não acreditava muito no que diziam sobre o mundo dos espíritos, ficou apreensiva pelo que eles faziam. Descobriu-se a olhar para trás, muito nervosa, esquadrinhando os cantos escuros da igreja.

Merthin removeu a terra de cima do caixão enquanto Thomas foi buscar uma barra de ferro. Levantaram a tampa do caixão.

Caris estendeu duas velas sobre a sepultura, para que eles pudessem ver melhor.

Havia outro corpo amortalhado dentro do caixão.

– Mas isto é muito estranho! – exclamou Thomas, com voz trêmula.

– Vamos pensar nisso de maneira objetiva. – Merthin parecia calmo e controlado, mas Caris, que o conhecia muito bem, podia perceber que essa compostura exigia enorme esforço. – Quem está no caixão? Vamos descobrir.

Ele se abaixou, pegou a mortalha com as duas mãos e a abriu ao longo da costura na cabeça. A pessoa estava morta havia uma semana. Exalava um cheiro horrível, mas não se deteriorara muito na terra fria sob a igreja sem aquecimento. Mesmo à luz precária das velas que Caris segurava sobre a sepultura, não podia haver a menor dúvida sobre a identidade do morto: a cabeça era orlada pelos cabelos louros quase brancos característicos.

– É Saul Whitehead – disse Thomas.

– Em seu legítimo caixão – murmurou Merthin.

– Então de quem é o outro corpo? – indagou Caris.

Merthin fechou a mortalha em torno da cabeça de Saul e tornou a tapar o caixão.

Caris se ajoelhou ao lado do outro corpo. Já lidara com muitos cadáveres, mas nunca tirara nenhum da sepultura. Suas mãos tremiam. Mesmo assim, abriu a mortalha e expôs o rosto. Para seu horror, os olhos estavam abertos e pareciam fitá-la. Forçou-se a fechar as pálpebras frias.

Era um monge jovem e grande que ela não reconheceu. Thomas se ergueu na ponta dos pés, ainda dentro da sepultura, para dar uma olhada.

– É o irmão Jonquil. Ele morreu um dia depois do prior Saul.

– E foi enterrado...? – murmurou Caris.

– No cemitério, pelo menos foi o que pensamos.

– Num caixão?

– Isso mesmo.

– Só que ele está aqui.

– Seu caixão era bastante pesado. Ajudei a carregá-lo...

– Posso imaginar o que aconteceu – declarou Merthin. – Jonquil ficou aqui na igreja, em seu caixão, antes do enterro. Enquanto os outros monges almoçavam, Godwyn e Philemon abriram o caixão e tiraram o corpo. Cavaram o túmulo de Saul e jogaram o corpo de Jonquil em cima do caixão. Taparam a sepultura. Puseram os tesouros da catedral dentro do caixão e o fecharam.

– Agora, temos de cavar a sepultura de Jonquil.

Caris ergueu os olhos para as janelas da igreja. Estavam escuras. A noite caíra enquanto abriam o túmulo de Saul.

– Podemos deixar para amanhã.

Os dois homens ficaram em silêncio por um bom tempo até que Thomas disse:

– Vamos acabar logo com isso.

Caris foi até a cozinha e pegou duas achas na pilha de lenha. Acendeu-as no fogo e voltou à igreja. Ao saírem, os três ouviram Godwyn dizer:

– E o lagar da ira de Deus foi pisoteado fora da cidade, e das uvas saiu sangue, e a terra foi inundada até a altura das rédeas dos cavalos.

Caris estremeceu. Era uma imagem assustadora da Revelação de São João, o Divino, que a deixou angustiada. Ela tentou removê-la de sua mente.

Seguiram a passos largos para o cemitério, à claridade avermelhada das tochas. Caris sentiu alívio por ficar longe do quadro na parede, sem ouvir os delírios alucinados de Godwyn. Encontraram a lápide de Jonquil e começaram a cavar.

Os dois homens já haviam aberto duas covas para os noviços e tornado a sepultar Saul. Era a quarta vez que escavavam a terra desde a hora do almoço. Merthin parecia cansado e Thomas suava muito. Mas trabalharam com determinação. Pouco a pouco, o buraco foi se tornando mais profundo e a pilha de terra ao lado, mais alta. Até que finalmente uma pá bateu em madeira.

Caris entregou a alavanca de ferro a Merthin e se ajoelhou à beira do buraco, segurando as duas tochas. Merthin removeu a tampa do caixão e a jogou para fora da cova.

Não havia nenhum cadáver ali.

Em vez disso, havia caixas e sacos de couro. Merthin abriu um saco e tirou um crucifixo cravejado de pedras preciosas.

– Aleluia – disse, exausto.

Thomas abriu uma caixa que revelou rolos de pergaminho, bem apertados como peixes num caixote: os cartulários. Caris sentiu que um enorme peso de preocupação era removido de seus ombros. Recuperara os cartulários do convento.

Thomas enfiou a mão em outro saco. E tirou um crânio. Soltou um grito de medo e o largou.

– Santo Adolfo – disse Merthin, muito calmo. – Peregrinos viajam centenas de quilômetros só para tocar no relicário que guarda seus ossos.

Ele pegou o crânio, tornou a guardá-lo no saco e acrescentou:

– Sorte nossa.

– Posso fazer uma sugestão? – indagou Caris. – Temos de levar essas coisas para Kingsbridge numa carroça. Por que não deixamos no caixão? Já está tudo arrumado, e o caixão pode servir para assustar os assaltantes.

– Boa ideia – concordou Merthin. – Basta tirar o caixão da sepultura.

Thomas foi ao priorado para buscar cordas. Tiraram o caixão da cova. Puseram a tampa de volta e amarraram cordas em torno, a fim de arrastá-lo pelo chão até a igreja.

Já iam partir quando ouviram um berro. Caris soltou um grito de medo.

Todos olharam na direção da igreja. Um vulto corria para eles, o olhar fixo, sangue escorrendo pela boca. Caris sofreu um momento de absoluto terror ao acreditar subitamente nas superstições insensatas que sempre ouvira sobre o mundo dos espíritos. Mas depois compreendeu que olhava para Godwyn. De alguma forma, ele encontrara forças para se levantar de seu leito de moribundo. Deixara a igreja cambaleando, vira as tochas e agora, em sua loucura, corria em direção a eles.

Ficaram a observá-lo, paralisados.

Ele parou, olhou para o caixão, depois para a sepultura vazia. Caris percebeu um vislumbre de compreensão no rosto todo contraído. Ele pareceu perder as forças e arriou. Caiu sobre o monte de terra ao lado do túmulo vazio de Jonquil e rolou para a cova aberta.

Os três se adiantaram para ver.

Godwyn estava estendido de costas, a fitá-los com olhos abertos que já nada viam.

66

Logo depois que voltou a Kingsbridge, Caris decidiu viajar de novo. A imagem de St.-John-in-the-Forest que permanecia em sua mente não era a do cemitério nem dos cadáveres que Merthin e Thomas desenterraram, mas a dos campos sem ninguém para cuidá-los. Enquanto voltava a cavalo, com Merthin a seu lado e Thomas conduzindo a carroça, observara muitas terras na mesma situação e previra uma crise.

Os monges e as freiras recebiam a maior parte de seus rendimentos da ocupação das terras. Os servos mantinham plantações e criavam animais nas terras que pertenciam ao priorado; em vez de pagarem a um cavaleiro ou a um conde pelo privilégio, pagavam ao prior ou à prioresa. Tradicionalmente, levavam uma parte de sua colheita para a catedral – uma dúzia de sacos de farinha de trigo, três ovelhas, um bezerro, uma carroça cheia de cebolas –, mas agora a maioria pagava em dinheiro.

Se ninguém cultivasse a terra, ninguém pagaria o arrendamento, é claro. E, nesse caso, o que as freiras comeriam?

Os ornamentos da catedral, o dinheiro e os cartulários recuperados em St.John-in-the-Forest foram guardados em segurança na tesouraria nova e secreta que madre Cecilia incumbira Jeremiah de construir, num lugar que ninguém poderia encontrar com facilidade. Todos os ornamentos haviam sido encontrados, menos um, o castiçal de ouro doado pela guilda dos fabricantes de velas de Kingsbridge. Esse desaparecera.

Caris realizou uma missa dominical triunfal, apresentando os ossos resgatados do santo. Pôs Thomas no comando dos meninos no orfanato; alguns já eram bastante crescidos para exigirem uma forte presença masculina. Mudou-se para o palácio do prior, pensando com prazer que o falecido Godwyn ficaria transtornado se soubesse que ele seria ocupado por uma mulher. Depois, assim que acertou todos esses detalhes, partiu para Outhenby.

O vale do Outhen era fértil, com um solo argiloso, e ficava a um dia de viagem de Kingsbridge. Fora dado às freiras há cem anos por um velho cavaleiro iníquo que fizera uma última tentativa de conquistar o perdão para uma vida inteira de pecados. Havia cinco aldeias, a intervalos, ao longo das margens do rio Outhen. Nos dois lados, viam-se extensos campos cultivados até as encostas das colinas.

Os campos eram divididos em faixas, aos cuidados de diferentes famílias.

Como ela receara, muitos não estavam sendo cultivados. A peste mudara tudo, mas ninguém tivera a sagacidade – ou talvez a coragem – de reorganizar o cultivo à luz das novas circunstâncias. A própria Caris teria de fazer isso. Tinha uma ideia aproximada do que era necessário e definiria os detalhes ao longo do caminho.

Era acompanhada pela irmã Joan, uma freira ainda jovem que saíra há pouco do noviciado. Joan era inteligente e fazia Caris se lembrar de si mesma dez anos antes – não na aparência, pois tinha cabelos pretos e olhos azuis, mas na mente inquisitiva e no permanente ceticismo.

Seguiram direto para a maior das aldeias, Outhenby. O bailio para todo o vale, Will, vivia ali, numa enorme casa de madeira ao lado da igreja. Ele não estava em casa, mas o encontraram no campo mais distante, semeando aveia; era um homem enorme, de movimentos lentos. A faixa seguinte estava alqueivada, com relva e ervas daninhas aflorando da terra e umas poucas ovelhas pastando.

Will Bailio visitava o priorado várias vezes por ano, em geral para levar os rendimentos das aldeias, por isso conhecia Caris. Mas ficou desconcertado ao ser procurado em seu território.

– Irmã Caris! – exclamou ao reconhecê-la. – O que a trouxe até aqui?

– Sou madre Caris agora, Will, e vim verificar se as terras das freiras estão sendo devidamente cuidadas.

– Ahn... – Ele balançou a cabeça. – Fazemos o melhor possível, mas perdemos tantos homens que é muito difícil.

Os bailios sempre diziam que os momentos eram difíceis, mas naquele caso era verdade. Caris saltou.

– Venha andando comigo e me fale a respeito.

A poucas centenas de metros de distância, na suave encosta de uma colina, ela avistou um camponês arando a terra com a ajuda de oito bois. Ele parou para observá-la, curioso. Caris resolveu seguir em sua direção. Will já começava a recuperar o controle. Sempre a acompanhá-la, ele disse:

– Não se pode esperar que uma mulher de Deus saiba muito sobre os cuidados com a terra, e farei tudo o que puder para esclarecer os pontos mais delicados.

– Agradeço a gentileza.

Caris já se acostumara a ser tratada com condescendência por homens do tipo de Will. Descobrira que era melhor não desafiá-los, mas sim atraí-los para um falso sentimento de segurança. Dessa maneira ela podia descobrir mais.

– Quantos homens perdeu para a peste?

– Muitos.

– Quantos?

– Deixe-me pensar... William Jones e seus dois filhos... Richard Carpenter e a esposa...

– Não preciso saber dos nomes – protestou Caris, contendo a irritação. – Quantos, em termos aproximados?

– Eu teria de pensar a respeito.

Alcançaram o arado. Conduzir um grupo de oito bois exigia habilidade, e os homens que faziam isso costumavam se situar entre os aldeões mais inteligentes. Caris se dirigiu ao jovem homem e lhe perguntou:

– Quantas pessoas em Outhenby morreram da peste?

– Cerca de duzentas, eu diria.

Caris o estudou. Era baixo mas musculoso e tinha uma barba loura. E também uma expressão arrogante, como os jovens exibem com frequência.

– Quem é você?

– Meu nome é Harry e meu pai era Richard, santa irmã.

– Sou madre Caris. Como chegou a esse total de duzentas mortes?

– Há 42 mortos aqui em Outhenby, pelos meus cálculos. A situação foi igualmente ruim em Ham e Shortacre, o que dá cerca de 120. Longwater escapou por completo, mas todos em Oldchurch morreram, com exceção do velho Roger Breton; cerca de 80 pessoas, o que eleva o total para 200 mortes.

Caris se voltou para Will.

– Entre quantas pessoas, em todo o vale?

– Deixe-me pensar...

– Quase mil, antes da peste – disse Harry Ploughman.

– É por isso que me vê semeando em minha faixa de terra, o que deveria ser feito por trabalhadores, mas não tenho mais nenhum – disse Will. – Todos morreram.

– Ou foram trabalhar em outros lugares, por salários mais altos – comentou Harry.

Caris ficou atenta.

– É mesmo? E quem paga os salários mais altos?

– Alguns dos camponeses mais ricos do vale seguinte – informou Will, indignado. – A nobreza paga 1 *penny* por dia, que é quanto os trabalhadores sempre receberam e devem receber. Mas há algumas pessoas que pensam que podem fazer o que quiserem.

– Mas suponho que eles conseguem fazer com que suas colheitas sejam semeadas.

– Mas há o certo e o errado, madre Caris – insistiu Will.

Caris apontou para a faixa de terreno alqueivado em que as ovelhas pastavam.

– E o que me diz daquela terra? Por que não foi arada?

– Pertencia a William Jones – respondeu Will. – Ele e os filhos morreram. A esposa foi morar com a irmã em Shiring.

– Já procurou um novo arrendatário?

– Não consigo encontrar nenhum, madre.

– Pelo menos não nos antigos termos – voltou a interferir Harry.

Will lhe lançou um olhar furioso, mas Caris perguntou:

– Como assim?

– Os preços caíram, embora seja primavera, quando costumam estar altos.

Caris assentiu com a cabeça. Era assim que os mercados funcionavam, todos sabiam: se havia menos compradores, os preços caíam.

– Mas as pessoas devem viver de alguma forma – observou.

– Não querem mais cultivar trigo, cevada e aveia... mas devem cultivar o que mandam, pelo menos neste vale. Por isso um homem à procura de terra prefere ir para outro lugar.

– E o que conseguiria em outro lugar?

Will interrompeu de novo, ainda mais furioso:

– Querem fazer o que lhes agrada.

– Querem ser arrendatários livres – respondeu Harry à pergunta de Caris –, pagando o arrendamento em dinheiro, em vez de servos que trabalham um dia por semana na terra do senhor; e querem ter liberdade para cultivar coisas diferentes.

– Que coisas?

– Cânhamo, linho, maçãs ou peras... coisas que sabem que podem vender no mercado. Talvez uma coisa diferente a cada ano. Mas isso nunca foi permitido em Outhenby. – Harry pareceu se lembrar de quem eram as pessoas com quem falava e se apressou a acrescentar: – Sem ofensa para sua sagrada ordem, madre prioresa, nem para Will Bailio, um homem honesto, como todo mundo sabe.

Caris compreendeu a situação. Os bailios eram sempre conservadores. Nos bons tempos, não tinha muita importância: os velhos costumes bastavam. Mas agora enfrentavam uma crise. Ela assumiu sua atitude de autoridade:

– Muito bem. Quero que me escute com toda a atenção, Will, pois vou lhe dizer o que deve fazer. – Will ficou surpreso: pensava que seria consultado, não que receberia ordens. Caris prosseguiu: – Em primeiro lugar, deve parar de arar as encostas. Não faz sentido, quando temos boa terra plana sem ser cultivada.

– Mas...

– Fique calado e escute. Ofereça a cada arrendatário uma troca, acre por acre, de terra boa no fundo do vale em lugar de terrenos nas encostas.

– E o que faremos com as encostas?

– Converta em pastagens, bois pastando nas partes mais baixas e ovelhas nas mais altas. Não precisa de muitos homens para isso. Bastam alguns meninos para tomar conta dos rebanhos.

– Hum...

Era evidente que Will queria argumentar, mas não pôde pensar de imediato numa objeção válida. Caris continuou:

– Depois, qualquer terra que sobrar no fundo do vale deve ser oferecida como um arrendamento livre, com pagamento só em dinheiro, para quem quiser ocupá-la.

Um arrendamento livre significava que o ocupante não era um servo e não tinha de trabalhar na terra do senhor nem de obter sua permissão para casar ou construir uma casa. E tudo o que tinha a fazer era pagar o arrendamento.

– Está se afastando de todos os costumes antigos.

Caris tornou a apontar para a faixa de terreno abandonada.

– Os antigos costumes estão deixando minhas terras abandonadas. Pode pensar em outra maneira de evitar que isso aconteça?

– Bom...

Após uma longa pausa, Will sacudiu a cabeça, sem dizer mais nada.

– Em terceiro lugar, ofereça salários de 2 *pence* por dia a qualquer um que trabalhe na terra.

– Dois *pence* por dia?

Caris sentiu que não podia confiar em Will para pôr em prática as mudanças com o devido vigor. Ele resistiria e inventaria desculpas. Ela se virou para o arrogante jovem do arado. Faria com que ele se tornasse o defensor de suas reformas.

– Harry, quero que visite todos os mercados do condado durante as próximas semanas. Espalhe a notícia de que qualquer um disposto a mudar pode se dar bem em Outhenby. Se há trabalhadores à procura de bons salários, quero que venham para cá.

Harry sorriu e anuiu com a cabeça. Will ainda parecia um pouco atordoado.

– Quero que providencie para que toda esta boa terra esteja plantada neste verão – ordenou Caris a ele. – Fui clara?

– Foi – respondeu Will. – Obrigado, madre prioresa.

Caris examinou todos os cartulários com a irmã Joan, anotando a data e o assunto de cada um. Decidira mandar copiá-los, um a um... a ideia que Godwyn propusera, embora apenas fingisse fazer as cópias, usando isso como um pretexto para mantê-los longe das freiras. Mas era uma boa iniciativa. Quanto mais cópias existissem, mais difícil seria o desaparecimento de um documento valioso.

Ela ficou intrigada com um documento de 1327 que concedia aos monges uma grande propriedade perto de Lynn, em Norfolk, denominada Lynn Grange. A doação fora feita com a condição de que o priorado aceitasse, como monge noviço, um cavaleiro chamado sir Thomas Langley.

Caris foi levada de volta à infância, ao dia em que se aventurara pela floresta com Merthin, Ralph e Gwenda, quando viram Thomas sofrer o ferimento que causara a perda de seu braço. Ela mostrou o cartulário a Joan, que deu de ombros e comentou:

– É comum fazer doações quando alguém de uma família rica se torna monge.

– Mas veja quem é a doadora.

Joan deu outra olhada.

– A rainha Isabella! – Isabella era a viúva de Eduardo II e a mãe de Eduardo III.

– Qual o interesse dela em Kingsbridge?

– Ou em Thomas?

Poucos dias depois, Caris teve uma oportunidade de descobrir. O bailio de Lynn Grange, Andrew, foi a Kingsbridge em uma de suas duas visitas anuais. Nascido em Norfolk, com mais de 50 anos, ele cuidava da propriedade desde que esta fora doada ao priorado. Estava agora tinha cabelos brancos, porém estava gordo, o que levou Caris a acreditar que a Grange continuava a prosperar, apesar da peste. Como Norfolk ficava a dias de viagem, a propriedade sempre pagava o que devia ao priorado em dinheiro em vez de conduzir gado e carroças com produtos por um longo percurso. Andrew trouxe o dinheiro em nobres de ouro, a moeda nova, que valia um terço de libra, com a imagem do rei Eduardo no convés de um navio. Depois de contar o dinheiro e entregar a Joan para guardar na nova tesouraria, Caris perguntou a Andrew:

– Sabe por que a rainha Isabella nos entregou essa propriedade há 22 anos?

Para sua surpresa, o rosto rosado de Andrew ficou branco. Ele fez várias tentativas para responder, até que conseguiu balbuciar:

– Não cabe a mim questionar as decisões de Sua Majestade.

– Tem razão – disse Caris, tranquilizadora. – Só estou curiosa sobre o motivo.

– Ela é uma santa mulher que fez muitos atos de caridade.

Como assassinar o marido, pensou Caris; no entanto, ela disse:

– Mas deve haver uma razão para que ela fizesse isso em benefício de Thomas.

– Ele solicitou um favor à rainha, como centenas de outros, e ela generosamente o atendeu, como as grandes damas às vezes fazem.

– Em geral quando têm uma ligação com o solicitante.

– Tenho certeza de que não há nenhuma ligação.

A ansiedade de Andrew deixou Caris com a certeza de que ele mentia e que jamais lhe contaria a verdade. Por isso, abandonou o assunto e mandou Andrew jantar no hospital.

Na manhã seguinte, foi abordada no claustro pelo irmão Thomas, o único monge que restava no mosteiro. Irritado, ele perguntou:

– Por que interrogou Andrew Lynn?

– Porque estava curiosa – respondeu ela, surpresa.

– O que está tentando fazer?

– Não estou tentando fazer nada.

Caris ficou ofendida com a atitude agressiva, mas não queria discutir. Para atenuar a tensão, sentou no muro baixo na beira da galeria. Um sol de primavera brilhava no pátio. Ela perguntou em tom coloquial:

– Afinal, qual é o problema?

– Por que está me investigando?

– Não estou. Trate de se acalmar. Apenas examinava os cartulários, para relacioná-los e copiá-los, e encontrei um que me deixou perplexa.

– Está se envolvendo em problemas que não são da sua conta.

Ela se empertigou.

– Sou a prioresa de Kingsbridge e o prior em exercício... nada aqui pode ser secreto para mim.

– Se começar a remexer em coisas antigas, posso garantir que vai se arrepender.

Parecia uma ameaça, mas Caris decidiu não pressioná-lo. Tentou uma abordagem diferente.

– Sempre pensei que éramos amigos, Thomas. Você não tem o direito de me proibir de fazer qualquer coisa e me sinto desapontada que tenha tentado. Não confia em mim?

– Não sabe em que está se envolvendo.

– Pois então me esclareça. O que a rainha Isabella tem a ver com você, comigo ou com Kingsbridge?

– Nada. Ela é uma velha agora, vivendo em isolamento.

– Ela tem 53 anos. Depôs um rei e talvez possa depor outro, se assim quiser. E tem uma antiga ligação secreta com meu priorado, que você está decidido a esconder de mim.

– Para o seu próprio bem.

Caris ignorou o comentário.

– Alguém tentou matá-lo há 22 anos. Foi a mesma pessoa que, depois de não conseguir eliminá-lo, pagou o seu ingresso no mosteiro?

– Andrew voltará para Lynn e contará a Isabella que você fez todas essas perguntas... compreende isso?

– Por que ela se importaria? Por que as pessoas têm tanto medo de você, Thomas?

– Tudo será esclarecido quando eu morrer. Nada mais vai importar depois.

Ele se virou e se afastou. O sino para o almoço tocou. Caris foi para o palácio, absorta em pensamentos. O gato de Godwyn, Arcebispo, estava sentado na porta. Ela o afugentou, apesar do olhar furioso do gato. Não admitia que ele entrasse no palácio.

Adquirira o hábito de almoçar todos os dias com Merthin. Tradicionalmente, o prior almoçava com o regedor, embora fosse excepcional fazê-lo todos os dias... mas aqueles eram tempos excepcionais. Isso, de qualquer forma, seria uma desculpa, se alguém a questionasse, mas ninguém o fazia. Os dois aguardavam ansiosos por uma desculpa para fazerem outra viagem, a fim de poderem ficar a sós de novo.

Ele chegou enlameado das obras na ilha dos Leprosos. Parara de pedir a Caris que renunciasse a seus votos e deixasse o priorado. Parecia se contentar, pelo menos por enquanto, em vê-la todos os dias e torcer por oportunidades futuras de mais intimidade.

Um empregado do priorado serviu ensopado de presunto com vagens. Depois que ele se retirou, Caris contou sobre o cartulário e a reação de Thomas.

– Ele conhece um segredo que pode prejudicar a velha rainha se vazar.

– Acho que deve ser isso mesmo – disse Merthin, pensativo.

– No Dia de Todos os Santos, em 1327, depois que fugi, ele pegou você, não é?

– É verdade. Ele me fez ajudá-lo a enterrar uma carta. Tive de jurar que guardaria segredo até sua morte. Depois, deveria desenterrar a carta e entregá-la a um padre.

– Thomas me disse que todas as minhas perguntas seriam respondidas quando ele morresse.

– Creio que a carta é a ameaça que ele mantém contra seus inimigos. Devem saber que o conteúdo será revelado quando ele morrer. Por isso temem matá-lo. Mais do que isso, cuidaram para que ele permanecesse vivo e bem ao ajudá-lo a se tornar um monge em Kingsbridge.

– Ainda é importante?

– Dez anos depois que enterramos a carta, comentei que nunca revelara o segredo a ninguém e ele disse: "Se tivesse contado, estaria morto." Isso me deixou mais assustado do que o juramento.

– Madre Cecilia me disse que Eduardo II não teve morte natural.

– Como ela poderia saber?

– Meu tio Anthony lhe contou. Presumo que o segredo é o fato de que a rainha Isabella mandou assassinar o marido.

– Metade do país acredita nisso. Mas se houvesse uma prova... Cecilia contou como ele foi morto?

Caris fez esforço para se lembrar.

– Não. E, agora que penso a respeito, lembro que ela disse apenas: "O velho rei não morreu de uma queda." Perguntei se ele fora assassinado... mas ela morreu sem responder.

– Seja como for, por que inventar uma falsa história sobre a morte dele se não fosse para encobrir um crime?

– E a carta de Thomas deve mesmo provar que houve um crime e a rainha estava envolvida.

Terminaram o almoço num silêncio pensativo. No dia do mosteiro, a hora depois do almoço era para descanso ou leitura. Caris e Merthin costumavam prolongar a conversa por mais algum tempo. Naquele dia, no entanto, Merthin estava preocupado com a instalação do telhado da nova taverna, The Bridge, que estava construindo na ilha dos Leprosos. Beijaram-se, famintos, mas ele se desvencilhou para voltar à obra. Desapontada, Caris abriu um livro intitulado *Ars Medica*, uma tradução para o latim de uma obra do antigo médico grego Galeno. Era a pedra fundamental da medicina ensinada nas universidades, e Caris decidira ler para descobrir o que os sacerdotes aprendiam em Oxford e Paris, embora tivesse encontrado muito pouco que pudesse ajudá-la. O empregado veio tirar a mesa.

– Peça ao irmão Thomas para vir falar comigo, por favor – disse Caris. Ela queria se certificar de que ainda eram amigos, apesar da cáustica conversa que haviam tido.

Antes da chegada de Thomas, houve uma agitação lá fora. Ela ouviu vários cavalos e gritos do tipo que indicavam que um nobre queria atenção. Momentos depois a porta foi aberta e sir Ralph Fitzgerald, senhor de Tench, entrou no palácio. Ele parecia furioso, mas Caris fingiu não notar.

– Olá, Ralph – disse ela, tão jovial quanto podia. – É um prazer inesperado. Seja bem-vindo a Kingsbridge.

– Não perca tempo com isso – resmungou Ralph. Ele se avizinhou do lugar em que Caris estava sentada. Permaneceu de pé, numa proximidade agressiva. – Já pensou que está estragando os camponeses de todo o condado?

Outro homem entrou no palácio, mas parou na porta. Era grande, com a cabeça pequena, e Caris reconheceu o antigo comparsa de Ralph, Alan Fernhill. Os dois estavam armados com espadas e adagas. Caris lembrou que estava sozinha no palácio. Tentou acalmar a situação:

– Não quer um pouco de presunto, Ralph? Acabei de almoçar.

Ralph não se deixaria desviar.

– Está me roubando!

– Roubando ou arroubando?

Alan Fernhill riu do trocadilho.

Ralph ficou vermelho e pareceu ainda mais perigoso. Caris desejou não ter feito a brincadeira.

– Se quer se divertir à minha custa, juro que vai se arrepender – declarou Ralph.

Caris serviu cerveja num copo.

– Não estou rindo de você. Diga exatamente qual é o problema.

Ela ofereceu a cerveja. Sua mão trêmula traía o medo. Mas Ralph ignorou o copo e brandiu um dedo para ela.

– Os trabalhadores estão desaparecendo das minhas aldeias... e, quando pergunto, descubro que foram para aldeias que pertencem a você, onde recebem salários mais altos.

Caris assentiu com a cabeça.

– Se você estivesse vendendo um cavalo e dois homens quisessem comprá-lo, não o venderia a quem oferecesse o melhor preço?

– Não é a mesma coisa.

– Acho que é. Tome a cerveja.

Com um movimento brusco, ele derrubou o copo da mão de Caris e este caiu no chão, a cerveja se derramando pela palha.

– Eles são meus trabalhadores.

Caris sentiu a mão machucada, mas tentou ignorar a dor. Abaixou-se, pegou o copo e o pôs no aparador.

– Não é bem assim. Se eles são trabalhadores, isso significa que você nunca lhes deu qualquer terra. Portanto, os homens têm o direito de ir para outros lugares.

– Mas ainda sou o senhor deles! E tem mais! Ofereci um arrendamento a um homem livre outro dia e ele recusou, alegando que podia conseguir uma oferta muito melhor do priorado de Kingsbridge!

– A mesma coisa, Ralph. Preciso de todas as pessoas que puder obter, por isso estou dando o que querem.

– Você é mulher e não pensa direito. Não percebe que tudo isso acabará com todos pagando mais pelos mesmos camponeses.

– Não necessariamente. Salários maiores podem atrair alguns dos que não trabalham no momento... como os bandidos, por exemplo, ou os vagabundos que erram por aí vivendo do que encontram nas aldeias esvaziadas pela peste. E alguns que são agora trabalhadores podem se tornar arrendatários e trabalhar mais porque cultivam a própria terra.

Ele bateu na mesa com o punho, e Caris piscou ao súbito estrondo.

– Você não tem o direito de mudar os antigos costumes!

– Acho que tenho.

Ralph a agarrou pela frente do hábito.

– Não vou admitir!

– Tire as mãos de mim, seu idiota!

Foi nesse momento que o irmão Thomas entrou no palácio.

– Mandou me chamar... mas o que está acontecendo aqui?

Ele atravessou a sala a passos largos. Ralph largou o hábito de Caris como se ele tivesse pegado fogo de repente. Thomas não estava armado e só tinha um braço, mas já predominara sobre Ralph uma vez antes e ele tinha medo dele.

Ralph deu um passo para trás e depois compreendeu que revelara seu medo, o que o deixou envergonhado.

– Já acabamos aqui! – gritou, virando-se para a porta.

– O que estou fazendo em Outhenby e em outros lugares é absolutamente legítimo, Ralph – declarou Caris.

– É uma interferência na ordem natural!

– Não há lei contra isso.

Alan abriu a porta para seu amo.

– Espere e verá! – exclamou Ralph antes de sair.

67

Em março daquele ano, 1349, Gwenda e Wulfric foram com Nathan Reeve ao mercado do meio da semana na pequena cidade de Northwood.

Trabalhavam para sir Ralph agora. Gwenda e Wulfric haviam escapado da peste até então, mas vários trabalhadores de Ralph haviam morrido. Por isso ele precisava de ajuda. Nate, o bailio de Wigleigh, propôs contratá-los. Podia pagar os salários normais, enquanto Perkin os punha para trabalhar apenas pela comida.

Assim que eles anunciaram que iam trabalhar para Ralph, Perkin descobriu que agora podia lhes pagar salários normais... mas era tarde demais.

Naquele dia, eles levavam uma carroça de toras da floresta de Ralph para vender em Northwood, uma cidade que tinha um mercado de madeira desde tempos imemoriais. Os meninos, Sam e David, os acompanhavam: não havia mais ninguém para cuidar deles. Gwenda não confiava no pai e a mãe morrera dois anos antes. Os pais de Wulfric há muito estavam mortos.

Havia várias outras pessoas de Wigleigh no mercado. O padre Gaspard fora comprar sementes para sua horta, enquanto Joby, o pai de Gwenda, queria vender os coelhos que matara pouco antes.

Nate, o bailio, um homem pequeno com um problema nas costas, não podia levantar as toras. Negociava com os clientes, enquanto Wulfric e Gwenda se encarregavam de carregar tudo. Ao meio-dia, ele lhes deu 1 *penny* para pagar o almoço na Old Oak, uma das tavernas em torno da praça. Compraram bacon cozido com alho-poró e partilharam com os meninos. David, com 8 anos, ainda tinha o apetite de uma criança, mas Sam, com 10 em fase de crescimento, estava sempre com fome.

Enquanto comiam, ouviram uma conversa que atraiu a atenção de Gwenda.

Havia um grupo de jovens de pé num canto tomando cerveja em enormes canecas. Todos estavam malvestidos, exceto um, com uma barba loura cerrada, que usava as roupas superiores de um camponês próspero ou um artesão de aldeia: calça de couro, botas de boa qualidade, chapéu novo. A frase que atraiu a atenção de Gwenda foi a seguinte:

– Pagamos 2 *pence* por dia para os trabalhadores em Outhenby.

Ela ficou ouvindo, na tentativa de descobrir mais, mas só conseguiu captar algumas palavras esparsas. Ouvira que alguns empregadores estavam oferecendo mais do que o tradicional *penny* diário por causa da escassez de trabalhadores provocada pela peste. Hesitara em acreditar nessas histórias, que pareciam boas demais para serem verdadeiras.

Não disse nada no momento a Wulfric, que não ouvira as palavras mágicas, mas seu coração passou a bater mais depressa. Ela e a família haviam sofrido muitos anos de pobreza. Seria possível que a vida pudesse melhorar para eles? Tinha de descobrir mais.

Depois que comeram, os dois sentaram num banco lá fora, observando os meninos e algumas outras crianças correrem em torno do tronco enorme do carvalho que dava o nome à taverna.

– Wulfric, o que aconteceria se pudéssemos ganhar 2 *pence* por dia... cada um?

– Como?

– Indo para Outhenby.

Gwenda relatou o que ouvira e arrematou:

– Pode ser o começo de uma vida nova para nós.

– Quer dizer que nunca vou recuperar as terras que pertenceram a meu pai?

Ela teve vontade de agredi-lo com um pedaço de pau. Será que Wulfric ainda pensava mesmo que isso seria possível? Como ele podia ser tão tolo? Gwenda tentou tornar a voz tão gentil quanto podia:

– Já se passaram doze anos desde que você foi deserdado. Durante esse tempo, Ralph se tornou mais e mais poderoso. E nunca houve o menor sinal de que ele poderia ter abrandado sua atitude em relação a você. Quais você acha que são suas chances?

Wulfric não respondeu a essa pergunta.

– Onde viveríamos?

– Deve haver casas em Outhenby.

– Mas Ralph nos deixará partir?

– Ele não pode impedir. Somos trabalhadores, não servos. Você sabe disso.

– Mas será que Ralph sabe?

– Não vamos dar a ele a chance de levantar objeções.

– Como poderíamos fazer isso?

– Bom... – Gwenda não havia pensado nisso, mas refletiu agora que deveriam ser rápidos. – Podemos partir hoje, daqui.

Era uma perspectiva assustadora. Ambos haviam passado suas vidas inteiras em Wigleigh. Wulfric nunca sequer mudara de casa. E agora cogitavam viver numa aldeia que nunca tinham visto, sem sequer voltarem para se despedir.

Mas Wulfric se preocupava com outra coisa. Apontou para o bailio corcunda, que atravessava a praça na direção da loja do fabricante de velas.

– O que Nathan diria?

– Não vamos contar a ele o que estamos planejando. Inventaremos alguma história. Por exemplo, queremos passar a noite aqui, por alguma razão, e só voltar para casa amanhã. Assim ninguém saberá onde estamos. E nunca mais voltaremos a Wigleigh.

– Nunca mais voltaremos – repetiu Wulfric, desolado.

Gwenda controlou sua impaciência. Conhecia o marido. Depois que Wulfric assumia um curso determinado, não havia mais como detê-lo, mas ele sempre demorava um pouco para se decidir. Mais cedo ou mais tarde, aceitaria a ideia. Não tinha a mente fechada, apenas era cauteloso e ponderado. Detestava tomar decisões às pressas... enquanto Gwenda achava que essa era a única maneira.

O jovem de barba loura saiu da Old Oak. Gwenda olhou ao redor. Não havia ninguém de Wigleigh à vista. Ela se levantou e abordou o homem.

– Ouvi você dizer alguma coisa sobre 2 *pence* por dia para trabalhadores?

– É isso mesmo, senhora. No vale de Outhenby, a apenas meio dia de viagem para sudoeste. Precisamos de todos que quiserem trabalhar.

– Quem é você?

– Sou o arador da aldeia de Outhenby. Meu nome é Harry.

Outhenby devia ser grande e próspera para ter seu próprio arador, raciocinou Gwenda. A maioria dos aradores trabalhava para um grupo de várias aldeias.

– E quem é o senhor do solar?

– A prioresa de Kingsbridge.

– Caris!

Era uma notícia maravilhosa. Caris merecia toda a confiança. Gwenda ficou na maior animação.

– Isso mesmo. Ela é a atual prioresa. Uma mulher muito determinada.

– Sei disso.

– Ela quer que os campos sejam cultivados para poder alimentar as irmãs e não aceita desculpas.

– Vocês têm casas em Outhenby para trabalhadores morarem com suas famílias?

– Várias, infelizmente. Perdemos muitas pessoas para a peste.

– Você disse que ficava a sudoeste daqui.

– Pegue a estrada para o sul até Badford, depois siga o rio Outhen correnteza acima.

Gwenda recuperou a cautela.

– Eu não vou.

– Claro.

Era evidente que Harry não acreditava nela.

– Só perguntei pensando num amigo.

– Diga a seu amigo para ir o mais depressa que puder... ainda temos de terminar a aradura e a semeadura da primavera.

– Está bem.

Ela ficou um pouco tonta, como se tivesse bebido um vinho forte. Dois *pence* por dia – trabalhando para Caris – e a quilômetros de distância de Ralph, Perkin e da leviana Annet! Era um sonho. Foi sentar de novo ao lado de Wulfric.

– Ouviu tudo o que ele disse?

– Ouvi. – Wulfric apontou para alguém parado na porta da taverna. – E ele também.

Gwenda olhou. Era seu pai.

                            ↪

– Pode atrelar o cavalo – disse Nathan para Wulfric no meio da tarde. – Está na hora de voltar para casa.

– Vamos precisar de nossos salários da semana até agora – declarou Wulfric.

– Receberão no sábado, como sempre – respondeu Nathan, desdenhoso. – Atrele logo o cavalo.

Wulfric não se mexeu.

– Tem de pagar hoje. Sei que tem o dinheiro, porque vendeu toda aquela madeira.

Nate se virou para encará-lo e perguntou, irritado:

– Por que acha que deve receber antes do tempo?

– Porque não voltarei com você para Wigleigh esta noite.

Nate ficou aturdido.

– Por que não?

– Vamos para Melcombe – explicou Gwenda.

– O quê? – Nate estava indignado. – Pessoas como vocês não têm o que fazer em Melcombe!

– Conhecemos um pescador que precisa de tripulantes a 2 *pence* por dia. – Gwenda inventara essa história para despistar. Wulfric acrescentou:

– Transmita nossos respeitos a sir Ralph e que Deus possa estar com ele no futuro.

– Mas esperamos não vê-lo nunca mais – arrematou Gwenda.

Ela disse isso só para ouvir o doce som das palavras: nunca mais ver Ralph. Nathan protestou, indignado:

– Ele pode não querer que vocês partam!

– Não somos servos, não temos terra. Ralph não pode nos proibir.

– Você é o filho de um servo – insistiu Nate.

– Mas Ralph negou minha herança. Não pode agora exigir minha fidelidade de vassalo.

– É sempre perigoso para um pobre defender seus direitos.

– É verdade – admitiu Wulfric. – Mas farei isso assim mesmo.

Nate se sentiu derrotado.

– A coisa não vai parar aqui.

– Gostaria que eu atrelasse o cavalo à carroça?

Nate amarrou a cara. Não poderia fazê-lo pessoalmente. Por causa das costas, tinha dificuldades com as tarefas físicas mais complicadas; além disso, o cavalo era mais alto do que ele.

– Claro que quero.

– Terei o maior prazer. Mas pode fazer a gentileza de nos pagar primeiro?

Furioso, Nate pegou a bolsa. Contou 6 *pence* de prata.

Gwenda pegou o dinheiro e Wulfric atrelou o cavalo. Nate foi embora sem dizer mais nada.

– Pronto, está feito!

Gwenda olhou para Wulfric. Ele exibia um largo sorriso. Ela perguntou:

– O que foi?

– Não sei. Mas tenho a sensação de que usava uma canga há anos e agora ela foi subitamente tirada.

– Isso é ótimo. – Era assim que Gwenda queria que o marido se sentisse. – E agora vamos procurar um lugar para passar a noite.

A Old Oak ocupava uma posição privilegiada na praça do mercado e cobrava preços altos. Circularam pela cidade à procura de um lugar mais barato. Foram parar na Gate House, onde Gwenda negociou acomodações para os quatro – com jantar, um colchão no chão e a primeira refeição – por 1 *penny*. Os meninos precisariam de uma boa noite de sono para poderem caminhar toda a manhã seguinte.

Gwenda mal conseguiu dormir de tanta excitação. E também porque estava preocupada. O que fizera com sua família? Tinha apenas a palavra de um homem, um estranho, sobre o que encontrariam quando chegassem a Outhenby. Devia ter procurado uma confirmação antes de se comprometer.

Mas ela e Wulfric eram prisioneiros num buraco há dez anos e Harry Ploughman, de Outhenby, fora a primeira pessoa a oferecer uma saída.

A primeira refeição da manhã foi mínima: um mingau ralo e sidra aguada. Gwenda comprou um pão grande para comerem na estrada e Wulfric encheu o cantil de couro com água fresca de um poço. Passaram pelo portão da cidade uma hora depois que o sol nasceu e seguiram a estrada para o sul.

Enquanto andavam, Gwenda pensou em Joby, seu pai. Assim que soubesse que ela não voltara para Wigleigh, ele se lembraria da conversa que ouvira e adivinharia que a filha fora para Outhenby. Não se deixaria enganar pela história sobre Melcombe: era um mentiroso consumado, experiente demais para se iludir com uma artimanha tão simples. Mas alguém pensaria em perguntar a ele para onde Gwenda fora? Todos sabiam que ela nunca falava com o pai. E, se perguntassem, ele contaria sobre sua desconfiança? Ou algum vestígio de sentimento paternal o levaria a protegê-la?

No entanto, não havia nada que ela pudesse fazer a respeito, por isso tratou de tirar Joby de seus pensamentos.

Fazia um bom tempo para viajar. O solo estava macio, devido à chuva recente, e não havia poeira; mas era um dia seco, com o sol aparecendo a intervalos, nem quente nem frio. Os meninos cansaram depressa, especialmente David, o mais jovem, mas Wulfric era bom em distraí-los com cantigas, perguntas sobre nomes de árvores e plantas, jogos de números, histórias.

Gwenda mal podia acreditar no que haviam feito. Àquela mesma hora, no dia anterior, parecia que a vida deles nunca mudaria: trabalho duro, pobreza e aspirações frustradas: esse seria seu destino para sempre. Agora estavam a caminho de uma nova vida.

Ela pensou na casa em que vivera com Wulfric por dez anos. Não deixara muita coisa para trás: umas poucas panelas, uma pilha de lenha recém-cortada, meio pernil e quatro cobertores. Ela não tinha outras roupas além das que usava e o mesmo acontecia com Wulfric e os meninos. Não tinha joias, fitas, luvas ou pentes. Dez anos antes, Wulfric tinha galinhas e porcos em seu quintal, mas pouco a pouco haviam vendido tudo, ao longo dos anos de penúria. Seus bens escassos poderiam ser repostos com os salários de uma semana prometidos por Outhenby.

De acordo com as instruções de Harry, eles foram pela estrada para o sul até o vau lamacento do Outhen, depois viraram para oeste e seguiram rio acima. À medida que avançavam, o rio foi se estreitando, até que a terra se tornou um funil entre duas serras.

– Solo fértil – comentou Wulfric. – Mas precisará ser bem arado.

Ao meio-dia, alcançaram uma aldeia grande, com uma igreja de pedra. Foram para o solar de madeira ao lado da igreja. Com a maior apreensão, Gwenda bateu à porta. Estava prestes a ser informada de que Harry Ploughman não sabia o que dizia e que não havia trabalho ali? Obrigara sua família a caminhar durante metade de um dia por nada? Seria humilhante ter de retornar a Wigleigh e suplicar a Nate Reeve que os aceitasse de volta.

Uma mulher de cabelos grisalhos abriu a porta. Fitou Gwenda com o olhar furioso e desconfiado que os aldeões por toda parte dispensavam aos estranhos.

– O que vocês querem?

– Bom dia, senhora – disse Gwenda. – Aqui é Outhenby?

– É, sim.

– Somos trabalhadores à procura de trabalho. Harry Ploughman nos disse para vir até aqui.

– Ele disse isso?

Havia alguma coisa errada, especulou Gwenda, ou aquela mulher era apenas uma velha rabugenta? Ela quase fez a pergunta em voz alta, mas se conteve a tempo.

– Harry mora nesta casa?

– Claro que não. Ele é apenas um arador. Esta é a casa do bailio.

Havia algum conflito entre o bailio e o arador, imaginou Gwenda.

– Nesse caso, seria melhor conversar com o bailio.

– Ele não está em casa.

Paciente, Gwenda pediu:

– Poderia fazer a gentileza de nos dizer onde podemos encontrá-lo?

A mulher apontou para o vale.

– North Field.

Gwenda se voltou para olhar na direção indicada. Quando tornou a se virar, a mulher havia desaparecido dentro da casa. Wulfric comentou:

– Ela não pareceu muito satisfeita em nos ver.

– As mulheres mais velhas detestam mudanças – explicou Gwenda. – Vamos procurar esse bailio.

– Os meninos estão cansados.

– Logo poderão descansar.

Partiram através dos campos. Havia muita atividade nas faixas de terra. Crianças tiravam pedras dos campos arados, mulheres espalhavam sementes e homens levavam estrume em carroças. Gwenda avistou os bois a distância, oito animais poderosos pacientemente arrastando o arado pelo solo úmido e rico.

Aproximaram-se de um grupo de homens e mulheres que tentavam mover uma grade puxada por cavalo que ficara entalada numa vala. Gwenda e Wulfric foram ajudar. As costas largas de Wulfric fizeram a diferença e logo a grade se soltou.

Todos os aldeões se viraram para Wulfric. Um homem alto, com uma antiga marca de queimadura desfigurando um lado do rosto, declarou, cordial:

– É um homem útil... Quem é você?

– Sou Wulfric e esta é minha esposa, Gwenda. Somos trabalhadores à procura de trabalho.

– Você é justamente a pessoa de quem precisamos, Wulfric. Sou Carl Shaftesbury. – Ele estendeu a mão para um aperto. – Seja bem-vindo a Outhenby.

⌐

Ralph apareceu oito dias depois.

Wulfric e Gwenda haviam se instalado numa casa pequena mas bem construída, com uma chaminé de pedra e um quarto em cima, onde podiam dormir separados dos meninos. Tiveram uma recepção cautelosa por parte dos aldeões mais velhos e mais conservadores, em particular de Will Bailiff e sua esposa, Vi, que fora grosseira no dia em que chegaram. Mas Harry Ploughman e os mais jovens se mostravam animados com as mudanças e contentes por mais ajuda nos campos.

Receberiam 2 *pence* por dia, como prometido, e Gwenda aguardava ansiosa o final da primeira semana completa, quando cada um receberia 12 *pence* – 1 xelim! –, o dobro da quantia mais alta que já haviam recebido. O que fariam com tanto dinheiro?

Nem Wulfric nem Gwenda jamais haviam trabalhado em qualquer outro lugar que não Wigleigh e ficaram surpresos ao descobrirem que nem todas as aldeias eram iguais. A suprema autoridade ali era a prioresa de Kingsbridge, e isso fazia diferença. As normas de Ralph eram pessoais e arbitrárias: apelar para ele era sempre um risco. Em contraste, os moradores de Outhenby pareciam saber o que a prioresa haveria de querer e podiam resolver as disputas ao imaginarem o que ela diria se fosse instada a decidir.

Uma pequena disputa desse tipo estava acontecendo quando Ralph apareceu.

Voltavam dos campos ao pôr do sol, os adultos cansados do trabalho, as crianças correndo na frente e Harry Ploughman na retaguarda com os bois desatrelados. Carl Shaftesbury, o homem do rosto queimado, um recém-chegado como Gwenda e Wulfric, pegara três enguias ao amanhecer para o jantar de sua família, já que era sexta-feira. A discussão se dava para determinar se os trabalhadores tinham os mesmos direitos dos arrendatários de pegar peixes no rio Outhen para o dia do jejum. Harry Ploughman disse que o privilégio se estendia a todos os residentes de Outhenby. Vi Bailio argumentou que os arrendatários deviam pagar taxas ao senhor, o que não acontecia com os trabalhadores, portanto quem tinha deveres extras também deveria ter privilégios extras.

Will Bailio foi chamado a resolver a disputa e decidiu contra a esposa.

– Acho que a madre prioresa diria que, se a Igreja deseja que as pessoas comam peixe, então se deve fornecer peixe para que possam comer.

Todos aceitaram sua decisão. Ao voltar o olhar para a aldeia, Gwenda avistou dois cavaleiros.

Houve uma súbita rajada de vento frio.

Os visitantes estavam a pouco menos de um quilômetro de distância, seguindo para a aldeia em ângulo com o curso dos aldeões. Dava para perceber que eram homens de armas. Montavam cavalos enormes e as roupas eram volumosas, homens acostumados à violência em geral usavam casacos reforçados. Ela cutucou Wulfric.

– Já os vi – murmurou ele, sombrio.

Homens assim não apareciam em aldeias por acaso. Desprezavam as pessoas que cultivavam a terra e cuidavam dos animais. Em circunstâncias normais, só visitavam as aldeias para tirarem dos camponeses as coisas que eram orgulhosos demais para proverem para si mesmos, como pão, carne e bebida. Sua opinião sobre as coisas a que tinham direito, ou quanto deveriam pagar, sempre diferia da dos camponeses, por isso invariavelmente havia problemas.

Nos dois ou três minutos seguintes, todos os trabalhadores os viram, e pararam de falar. Gwenda notou que Harry mudara um pouco o rumo dos bois e os levava na direção da outra extremidade da aldeia, embora não pudesse atinar de imediato com o motivo.

Gwenda teve certeza de que haviam vindo à procura de trabalhadores fugidos. Descobriu-se a rezar para que fossem os ex-empregadores de Carl Shaftesbury ou de um dos outros recém-chegados. Mas, quando os aldeões chegaram mais perto dos cavaleiros, ela reconheceu Ralph Fitzgerald e Alan Fernhill. Sentiu um frio no coração.

Aquele era o momento que temera. Já sabia que havia uma chance de Ralph descobrir para onde eles haviam ido: o pai podia dar um bom palpite, e era impossível confiar que ele ficaria de boca fechada. E, embora não tivesse o direito de levá-los de volta, Ralph era um cavaleiro e um nobre, e os homens assim costumavam fazer o que bem queriam.

Era tarde demais para fugir. O grupo seguia por uma trilha entre os campos arados; se alguns se afastassem e fugissem, Ralph e Alan os veriam no mesmo instante e partiriam em perseguição e, além disso, Gwenda e sua família perderiam toda e qualquer proteção que pudessem obter da companhia dos outros aldeões. Estavam acuados em campo aberto. Ela chamou os meninos.

– Sam! David! Venham para cá!

Eles não ouviram, ou não quiseram ouvir, e saíram correndo. Gwenda correu atrás, mas eles pensaram que era uma brincadeira e se distanciaram ainda mais. Encontravam-se quase na aldeia agora e ela descobriu que estava cansada demais para alcançá-los. Quase em lágrimas, gritou:

– Voltem!

Wulfric assumiu a perseguição. Passou correndo por ela e alcançou David com alguma facilidade, suspendendo-o nos braços. Mas era tarde demais para alcançar Sam, que corria rindo entre as casas esparsas.

Os cavaleiros haviam parado junto da igreja. Quando Sam se aproximou, Ralph levou seu cavalo para a frente, abaixou-se da sela e pegou o menino pela camisa. Sam soltou um grito de medo. Gwenda também gritou.

Ralph sentou o menino no cavalo, à sua frente. Wulfric, carregando David, parou diante de Ralph.

– Seu filho, eu suponho – disse Ralph.

Gwenda estava consternada. Tinha medo pelo filho. Seria abaixo da dignidade de Ralph agredir uma criança, mas podia haver um acidente. E havia outro perigo.

Ao ver Ralph e Sam juntos, Wulfric podia compreender que eram pai e filho. Sam ainda era um menino, é claro, com o rosto e o corpo de uma criança, mas tinha os cabelos densos e os olhos escuros de Ralph e os ombros ossudos eram largos e quadrados.

Gwenda olhou para o marido. A expressão de Wulfric não oferecia nenhuma indicação do que era óbvio para ela, que observou os rostos dos outros aldeões. Pareciam alheios à verdade evidente... exceto por Vi Bailio, que fitava Gwenda com um olhar fixo. A velha megera podia ter percebido, mas ninguém mais o fizera... ainda. Will adiantou-se e saudou os visitantes:

– Bom dia, senhores. Sou Will, o bailio de Outhenby. Posso perguntar...

– Cale a boca, bailio. – Ralph apontou para Wulfric. – O que ele faz aqui?

Gwenda sentiu que a tensão dos outros aldeões diminuía um pouco ao compreenderem que não eram o alvo da ira do senhor.

– Milorde, ele é um trabalhador contratado pela autoridade da prioresa de Kingsbridge – respondeu Will.

– Ele é um fugitivo e tem de voltar para casa – declarou Ralph.

Will se calou, assustado. Carl Shaftesbury perguntou:

– E com que autoridade faz essa reivindicação?

Ralph o encarou atentamente, como se quisesse memorizar seu rosto.

– Tome cuidado com a língua ou vou desfigurar o outro lado de seu rosto.

Will interveio, nervoso:

– Não queremos ver sangue derramado.

– Muito sensato, bailio – comentou Ralph. – Quem é esse camponês insolente?

– Não importa quem eu sou, cavaleiro – disse Carl, grosseiro. – Sei quem você é, Ralph Fitzgerald. Vi quando foi declarado culpado de estupro e condenado à morte no tribunal de Shiring.

– Mas não estou morto, não é?

– Deveria estar. E não tem direitos feudais sobre os trabalhadores. Se tentar usar a força, aprenderá uma dura lição.

Várias pessoas deixaram escapar exclamações de espanto. Era uma maneira temerária de falar com um cavaleiro armado.

– Fique quieto, Carl – disse Wulfric. – Não quero que seja morto por minha causa.

– Não é por sua causa – respondeu Carl. – Se permitirmos que esse celerado o leve, alguém virá à minha procura. Temos de ficar unidos. Não estamos desamparados.

Carl era grande, mais alto que Wulfric, e quase tão largo. Gwenda compreendeu que ele falava sério. Ficou apavorada. Se começassem a lutar, haveria uma terrível violência... e seu Sam continuava sentado no cavalo com Ralph.

– Iremos com Ralph – disse ela, frenética. – Será melhor.

– Não será, não – protestou Carl. – Vou impedi-lo de levar vocês, quer queira ou não. Farei isso por mim.

Houve murmúrios de concordância. Gwenda olhou ao redor. A maioria dos homens carregava pás ou enxadas e muitos pareciam dispostos a usá-las, embora também estivessem apavorados. Wulfric virou as costas a Ralph e disse, em voz baixa e urgente:

– Vocês, mulheres, levem as crianças para a igreja... depressa!

Várias mulheres pegaram as crianças pequenas no colo e seguraram as mais velhas pelo braço. Gwenda permaneceu onde estava, assim como algumas das mulheres mais jovens. Os aldeões se agruparam num impulso instintivo, ombro a ombro.

Ralph e Alan pareciam desconcertados. Não esperavam enfrentar uma multidão de cinquenta ou mais camponeses beligerantes. Mas, como estavam a cavalo, poderiam escapar a qualquer momento que quisessem.

– Talvez eu leve apenas este garoto para Wigleigh – sugeriu Ralph. Gwenda soltou um grito de horror. Ralph acrescentou: – Assim, se os pais o quiserem de volta, poderão retornar ao lugar a que pertencem.

Gwenda estava fora de si. Ralph segurava Sam e poderia se afastar a qualquer momento. Ela se esforçou para reprimir um grito histérico. Se Ralph virasse o cavalo, decidiu Gwenda, trataria de se jogar em cima dele, para tentar derrubá-lo da sela. Ela deu um passo à frente.

E foi nesse instante que ela viu os bois aparecerem por trás de Ralph e Alan. Harry Ploughman os conduzia através da aldeia, vindo do outro lado. Os oito animais maciços pararam diante da igreja, olhando ao redor, aturdidos, sem saberem para onde seguir. Harry parou por trás. Ralph e Alan se encontravam numa armadilha triangular, acuados entre os aldeões, os bois e a igreja de pedra.

Harry planejara aquela manobra para impedir que Ralph levasse Wulfric e ela, percebeu Gwenda. Mas a tática também servia para aquela situação.

– Ponha a criança no chão e vá embora em paz, sir Ralph – disse Carl.

O problema era o fato de que agora se tornara difícil para Ralph recuar sem perder a autoridade, refletiu Gwenda. Ele teria de fazer alguma coisa para não parecer um tolo, o que era o supremo horror para os orgulhosos cavaleiros. Viviam falando sobre honra, mas isso nada significava... eram absolutamente desonrados quando lhes convinha. O que prezavam de fato era sua dignidade. Preferiam morrer a serem humilhados.

A cena se manteve estática por um bom tempo: o cavaleiro e o menino no cavalo, os aldeões amotinados e os bois atordoados. Depois Ralph baixou Sam para o chão. Lágrimas de alívio afloraram aos olhos de Gwenda. Sam correu para ela, passou os braços em torno de sua cintura e começou a chorar.

Os aldeões relaxaram, os homens baixando as pás e enxadas. Ralph puxou as rédeas do cavalo e gritou:

– Eia! Eia!

O cavalo empinou. Em seguida, Ralph lhe cravou as esporas e galopou direto para a multidão, que se dispersou. Alan seguiu em seu encalço. Os aldeões, desesperados, se jogaram para os lados, acabando em pilhas emaranhadas no solo lamacento. Foram pisoteados uns pelos outros, mas não pelos cavalos, milagrosamente.

Ralph e Alan riam às gargalhadas ao deixarem a aldeia, como se tudo não tivesse passado de uma enorme brincadeira.

Mas, na verdade, Ralph fora envergonhado.

E isso, Gwenda tinha certeza, significava que ele voltaria.

68

Earlcastle não mudara. Doze anos antes, recordou Merthin, ele fora convidado a demolir a antiga fortaleza e erguer um palácio novo e moderno para um conde num país pacífico. Mas recusara, preferindo projetar e construir a nova ponte em Kingsbridge. Desde então, ao que parecia, o projeto fora abandonado, pois ali estavam a mesma muralha octogonal, com duas pontes levadiças, e a torre antiquada em que a família vivia, na parte superior, como coelhos assustados no fundo de uma toca, sem saber que a raposa não oferecia mais nenhum perigo. O lugar devia ser quase igual ao que era no tempo de lady Aliena e Jack Builder.

Merthin acompanhava Caris, convocada até ali pela condessa, lady Philippa. O conde William caíra doente e Philippa achava que o marido contraíra a peste. Caris ficara consternada. Julgara que a peste se fora. Ninguém mais morria disso em Kingsbridge há seis semanas.

Caris e Merthin haviam partido imediatamente. Mas o mensageiro levara dois dias para viajar de Earlscastle a Kingsbridge e eles gastaram o mesmo tempo para chegar ali. Portanto, a probabilidade era a de que o conde agora estivesse morto, ou quase.

– Tudo o que poderei fazer é lhe dar alguma essência de papoula para atenuar a agonia final – comentara Caris durante a viagem.

– Você faz mais do que isso – assegurara Merthin. – Sua presença conforta as pessoas. É calma e sabe das coisas. Fala de um jeito que todos entendem, sobre inchação, confusão e dor, não tenta impressionar com jargão sobre humores, o que só contribui para que as pessoas se sintam ainda mais ignorantes, desamparadas e assustadas. Quando você está presente, elas sentem que tudo o que é possível está sendo feito, e é isso que querem.

– Espero que você tenha razão.

Mesmo que não tivesse razão, Merthin subestimava a situação. Mais de uma vez testemunhara uma mulher ou um homem histérico mudar, depois de uns poucos momentos tranquilizadores com Caris, passando a ser uma pessoa sensata, capaz de aceitar qualquer coisa que tivesse de lhe acontecer.

O talento inato de Caris aumentara, desde o advento da peste, e ela contava com uma reputação quase sobrenatural. Todos por quilômetros ao redor sabiam o que Caris e suas freiras haviam feito ao cuidar dos doentes, apesar dos riscos para si mesmas, até depois da fuga dos monges. Muitos pensavam que ela era uma santa.

O clima no castelo era de desolação. Os que tinham tarefas rotineiras não deixavam de cumpri-las: buscar lenha e água, alimentar os cavalos e cuidar das armas, fazer pão e preparar a carne. Muitos outros – secretários, homens de armas, mensageiros – sentavam sem fazer nada, à espera de notícias do quarto do doente.

As gralhas grasnaram uma recepção sarcástica quando Merthin e Caris atravessaram a ponte interna para a torre. O pai de Merthin, sir Gerald, sempre alegara ser um descendente direto do filho de Jack e Aliena, o conde Thomas. Enquanto contava os passos para o grande salão, pondo os pés com todo o cuidado nas depressões lisas, gastas por milhares de botas, Merthin não pôde deixar de pensar que seus ancestrais deviam ter pisado também aquelas velhas pedras. Para ele, essas noções eram fascinantes, mas triviais. Em contraste, seu irmão, Ralph, era obcecado pela restauração da antiga glória da família.

Caris seguia à sua frente. O modo como ela requebrava os quadris enquanto subia a escada fez seus lábios esboçarem um sorriso. Sentia-se frustrado por não poder dormir com ela todas as noites, mas isso fazia com que as raras ocasiões em que podiam ficar a sós se tornassem ainda mais emocionantes. No dia anterior, haviam passado uma amena tarde de primavera fazendo amor numa clareira na floresta, ao sol, enquanto os cavalos pastavam próximos, indiferentes à paixão dos dois.

Era um relacionamento estranho, mas também ela era uma mulher extraordinária: uma prioresa que duvidava de muito do que a Igreja ensinava; uma curandeira aclamada que rejeitava o tipo de medicina praticada pelos médicos; e uma freira que fazia um amor ardente com seu homem sempre que podia. Se eu quisesse um relacionamento normal, dizia Merthin a si mesmo, deveria ter escolhido uma mulher normal.

Havia muitas pessoas no saguão. Algumas trabalhavam, espalhando palha limpa, acendendo o fogo, preparando a mesa para o jantar, enquanto outras apenas esperavam. Na extremidade do comprido saguão, sentada perto da escada que subia para os aposentos pessoais do conde, Merthin avistou uma garota bem-vestida, com cerca de 15 anos. Ela se levantou e se adiantou num passo altivo. Merthin compreendeu que devia ser a filha de lady Philippa. Como a mãe, ela era alta, com um corpo de ampulheta.

– Sou lady Odila – disse ela, no tom altivo típico de Philippa. Apesar do controle, a pele em torno dos olhos jovens estava vermelha e vincada pelo choro. – Deve ser madre Caris. Obrigada por ter vindo cuidar de meu pai.

Merthin disse:

– Sou o regedor de Kingsbridge, Merthin Bridger. Como está o conde William?

– Muito doente. Meus dois irmãos também estão de cama.

Merthin recordou que o conde e a condessa tinham dois filhos homens, com idade em torno dos 19 e 20 anos, enquanto a garota acrescentava:

– Minha mãe pede que a prioresa cuide deles imediatamente.

– Claro – respondeu Caris.

Odila subiu a escada. Caris tirou da bolsa uma máscara de linho, prendeu sobre o nariz e a boca e foi atrás da jovem.

Merthin sentou num banco para esperar. Embora aceitasse o sexo pouco frequente, isso não o impedia de procurar oportunidades extras. Inspecionou o prédio, olhos atentos, calculando quais seriam as disposições para a noite. Infelizmente, a casa era tradicional. O vasto saguão era o lugar em que quase todos comiam e dormiam. A escada devia levar ao solar, onde haveria um quarto para o conde e a condessa. Os castelos modernos tinham todo um conjunto de aposentos para a família e os hóspedes, mas ali parecia não haver esse luxo. Merthin e Caris poderiam deitar lado a lado naquela noite, no chão do salão, mas não poderiam fazer mais do que dormir, não sem provocar um escândalo.

Passado um tempo, lady Philippa saiu do solar e desceu a escada. Entrou no salão como uma rainha, consciente de que todos a observavam, como Merthin sempre pensara. A dignidade da postura só realçava os atraentes contornos dos quadris e o busto orgulhoso. Naquele dia, porém, o rosto normalmente sereno estava inchado, e os olhos, vermelhos. Os cabelos empilhados no alto da cabeça, no estilo em voga, se encontravam um pouco tortos, algumas mechas escapando da touca, o que aumentava ainda mais a impressão de distração glamorosa.

Merthin se levantou e a fitou, em expectativa. Ela disse:

– Meu marido tem a peste, como eu receava, e meus dois filhos também.

As pessoas ao redor murmuraram, desalentadas.

Podia ser apenas o final da epidemia, é claro, mas também podia ser o início de uma nova irrupção... que Deus nos livre, pensou Merthin.

– Como o conde se sente? – perguntou ele.

Philippa sentou no banco, ao seu lado.

– Madre Caris atenuou sua dor, mas diz que ele está próximo do fim.

Os joelhos dos dois quase se encostavam. Merthin podia sentir o magnetismo de sua sensualidade, embora ela estivesse dominada pela dor e ele, cheio de amor por Caris.

– E seus filhos?

Philippa baixou os olhos para o colo, como se estudasse o padrão dos fios de ouro e prata no vestido azul.

– Nas mesmas condições do pai.

– Sei que é muito difícil, milady, muito difícil.

Philippa lhe lançou um olhar cauteloso.

– Você não é como seu irmão, não é?

Merthin sabia que Ralph fora apaixonado por Philippa, à sua maneira obsessiva, por muitos anos. Será que ela compreendia isso? Merthin não sabia. Mas Ralph escolhera bem, pensou ele. Se você quer ter um amor sem esperança, pode muito bem escolher uma mulher excepcional.

– Ralph e eu somos muito diferentes – respondeu ele, em tom neutro.

– Lembro-me de vocês quando jovens. Era você quem tinha mais atrevimento... chegou a me dizer uma ocasião para comprar uma seda verde que combinaria com meus olhos. E depois seu irmão começou uma briga.

– Às vezes penso que o mais jovem de dois irmãos tenta deliberadamente ser o oposto do mais velho, apenas para ser diferente.

– Isso acontece com certeza com meus dois filhos. Rollo é determinado e assertivo, como o pai e o avô, enquanto Rick sempre teve uma natureza doce e cortês. – Ela começou a chorar. – Oh, Deus, acho que vou perder todos!

Merthin pegou a mão da condessa.

– Não pode ter certeza do que vai acontecer – disse ele, gentilmente. – Peguei a peste em Florença e sobrevivi. Minha filha nunca ficou doente.

Ela ergueu os olhos para fitá-lo.

– E sua esposa?

Merthin baixou os olhos para as mãos entrelaçadas. A mão de Philippa era mais enrugada do que a sua, embora a diferença de idade fosse de apenas quatro anos.

– Silvia morreu.

– Peço a Deus para pegar a peste também. Se todos os meus homens morrerem, também quero partir.

– Não pode desejar isso.

– O destino das mulheres da nobreza é casar com homens que não amam, mas tive sorte com William. Ele foi escolhido para mim, mas eu o amei desde o início. – A voz começou a tremer: – Não poderia ter outro homem...

– Está se sentindo assim agora, é natural.

Era estranho ela falar daquela maneira enquanto o marido ainda estava vivo, pensou Merthin. Mas ela estava tão desesperada de dor que não se preocupava com as sutilezas e dizia apenas o que havia em sua mente. Mas Philippa logo recuperou o controle.

– E você? – perguntou ela. – Casou-se de novo?

– Não. – Merthin não podia explicar que tinha um relacionamento amoroso com a prioresa de Kingsbridge. – Mas acho que poderia, se a mulher certa estivesse... disposta. Talvez mais tarde milady venha também se sentir assim.

– Você não compreende. Como viúva de um conde sem herdeiros, teria de me casar com alguém que o rei Eduardo escolhesse para mim. E o rei não daria a menor importância aos meus desejos. Seu interesse seria apenas em quem deve ser o próximo conde de Shiring.

– Entendo.

Merthin não pensara nisso. Podia imaginar que um casamento arranjado talvez fosse detestável para uma viúva que fora sinceramente apaixonada pelo primeiro marido.

– É terrível de minha parte falar de outro marido enquanto o primeiro ainda está vivo. Não sei o que deu em mim.

Merthin afagou a mão dela, compadecido.

– É compreensível.

A porta no alto da escada se abriu e Caris saiu, enxugando as mãos num pano. Merthin sentiu um súbito constrangimento por estar segurando a mão de Philippa. Teve vontade de afastá-la, mas compreendeu que isso o faria parecer culpado, então resistiu ao impulso. Sorriu para Caris e indagou:

– Como estão seus pacientes?

O olhar de Caris se fixou nas mãos dadas, mas ela não disse nada. Desceu a escada desatando a máscara de linho.

Philippa retirou a mão sem pressa. Caris tirou a máscara.

– Lamento ter de lhe dizer, milady, mas o conde William faleceu.

⌇

– Preciso de um novo cavalo – disse Ralph Fitzgerald.

Sua montaria antiga, Griff, estava envelhecendo. Seu fogoso palafrém baio sofrera uma torção na perna traseira esquerda que levara meses para curar e agora estava manco de novo da mesma perna. Ralph estava triste. Griff era o cavalo que o conde Roland lhe dera quando era um jovem escudeiro e o acompanhava desde então, até mesmo durante as guerras francesas. Poderia ainda servi-lo por mais alguns anos, para passeios sem pressa de aldeia em aldeia, dentro de seus domínios. Mas seus dias de caçada haviam terminado.

– Podemos ir ao mercado de Shiring amanhã para comprar outro – propôs Alan Fernhill.

Os dois estavam no estábulo, examinando o boleto de Griff. Ralph gostava de estábulos. Apreciava o cheiro de terra, a força e a beleza dos cavalos e a companhia de homens de mãos calejadas empenhados em tarefas físicas. Aquilo o levava de volta à juventude, quando o mundo parecia um lugar mais simples.

A princípio ele não respondeu à sugestão de Alan. O que Alan não sabia era que Ralph não tinha dinheiro para comprar um cavalo.

A peste de início o enriquecera por causa do *heriot*: a terra que normalmente passava de pai para filho em uma geração trocara de mãos duas vezes ou mais em poucos meses. A cada vez, ele recebia um pagamento, tradicionalmente o melhor animal, mas com frequência uma quantia fixa em dinheiro. Mas depois a terra começara a ficar em desuso, por falta de pessoas para cultivá-la. Ao mesmo tempo, os preços agrícolas haviam despencado. O resultado era que a renda de Ralph, em dinheiro e produtos, caíra de forma drástica.

A situação era lamentável, pensou ele, quando um cavaleiro não tinha condições de comprar um cavalo. Depois se lembrou de que Nate Reeve deveria aparecer em Tench Hall naquele dia trazendo o tributo trimestral de Wigleigh. Toda primavera, aquela aldeia era obrigada a fornecer ao senhor 24 ovelhas de um ano. Poderiam ser levadas para o mercado de Shiring e vendidas. O dinheiro resultante seria suficiente para comprar um palafrém, se não um cavalo de caça.

– Vamos ver se o bailio de Wigleigh já chegou – disse Ralph a Alan. Entraram no salão. Aquela era uma zona feminina e Ralph logo sentiu desânimo. Tilly sentava ao lado do fogo, amamentando o filho de três meses, Gerry. Mãe e filho gozavam de boa saúde, apesar da juventude de Tilly. O corpo esguio de menina mudara por completo: ela agora tinha os seios intumescidos, com mamilos grandes e ásperos em que o bebê mamava com voracidade. A barriga ficara murcha como a de uma velha. Ralph não deitava com ela há muitos meses e provavelmente nunca mais o faria.

Ali perto estava o avô, em cuja homenagem o bebê fora batizado, sir Gerald, em companhia de lady Maud. Os pais de Ralph eram agora velhos e frágeis, mas todas as manhãs caminhavam de sua casa na aldeia até o solar para ver o neto. Maud dizia que o bebê parecia com Ralph, mas ele não percebia a menor semelhança.

Ralph ficou satisfeito ao constatar que Nate também se encontrava no salão. O bailio corcunda se levantou do banco de um pulo.

– Bom dia, sir Ralph.

Ele exibia uma expressão de derrotado, observou Ralph.

– Qual é o problema, Nate? Trouxe minhas ovelhas?

– Não, meu senhor.

– Por que diabos não?

– Não temos nenhuma, senhor. Não restam mais ovelhas em Wigleigh, exceto por umas poucas mais velhas.

Ralph ficou chocado.

– Alguém as roubou?

– Não. Mas algumas já lhe foram dadas em pagamento do *heriot* quando os donos morreram. Depois, não conseguimos arrumar ninguém para ficar com as terras de Jack Shepherd e muitas ovelhas morreram durante o inverno. Como não havia ninguém para cuidar das crias na primavera, perdemos a maioria, bem como algumas mães.

– Mas isso é inadmissível! – berrou Ralph, furioso. – Como os nobres podem viver se seus servos deixam os animais morrerem?

– Pensamos que a peste havia acabado quando os casos diminuíram em janeiro e fevereiro, mas agora ela parece estar voltando.

Ralph reprimiu um arrepio de terror. Como todo mundo, vinha agradecendo a Deus por ter escapado da peste. Ela não podia voltar, não é?

– Perkin morreu esta semana – continuou Nate. – A esposa Peg, o filho Rob e o genro Billy Howard também morreram. Restou Annet, com todos aqueles acres para cuidar, o que ela não tem condições de fazer.

– Nesse caso, deve haver um *heriot* sobre a propriedade.

– Haverá assim que eu encontrar alguém para assumir a terra.

O Parlamento estava em vias de aprovar uma nova legislação para impedir que os trabalhadores rurais vagassem pelo país à procura de melhores salários. Assim que isso se tornasse lei, Ralph imporia seu cumprimento e traria seus trabalhadores de volta. Apesar disso, como ele compreendeu, teria muita dificuldade para encontrar arrendatários.

– Imagino que já tenha ouvido falar da morte do conde – comentou Nate.

– Não é possível!

Ralph ficou chocado de novo.

– O que aconteceu? – interveio sir Gerald. – O conde William morreu?

– Da peste – explicou Nate.

– Pobre tio William – murmurou Tilly.

O bebê sentiu o ânimo da mãe e choramingou. Ralph indagou, acima do barulho:

– Quando isso aconteceu?

– Há apenas três dias – respondeu Nate.

Tilly tornou a dar o mamilo ao filho, que se calou no mesmo instante.

– Portanto, o filho mais velho de William é o novo conde – disse Ralph, pensativo. – Ele não deve ter mais do que 20 anos.

Nate balançou a cabeça.

– Rollo também morreu da peste.

– Então o filho mais novo...

– Também morreu.

– Os dois filhos!

O coração de Ralph disparou. Sempre acalentara o sonho de se tornar o conde de Shiring. Agora a peste lhe oferecia a oportunidade. E a peste também melhorara as suas possibilidades ao eliminar os candidatos ao título.

Ele percebeu o olhar do pai. O mesmo pensamento ocorrera a sir Gerald.

– Rollo e Rick mortos; é horrível! – balbuciou Tilly, começando a chorar.

Ralph a ignorou. Tentou pensar nas possibilidades.

– Quantos parentes sobreviventes existem?

– A condessa também morreu? – perguntou Gerald a Nate.

– Não, senhor. Lady Philippa ainda vive. Assim como a filha, Odila.

– Ah! Portanto, aquele que o rei escolher terá de se casar com Philippa para se tornar o conde – ressaltou Gerald.

Ralph ficou atordoado. Desde rapaz sonhava em se casar com lady Philippa. Agora havia uma oportunidade de realizar suas duas ambições ao mesmo tempo.

Mas ele já era casado.

– Isso é tudo – disse Gerald e voltou a se sentar, sua excitação desaparecendo tão depressa quanto surgira.

Ralph olhou para Tilly, amamentando o filho e chorando ao mesmo tempo. Aos 15 anos e apenas um 1,50 metro de altura, ela se erguia como a muralha de um castelo entre Ralph e o futuro pelo qual ele sempre ansiara.

Ele a odiava.

⁓

O funeral do conde William foi realizado na catedral de Kingsbridge. Não havia monges, à exceção do irmão Thomas, mas o bispo Henri conduziu o serviço e as freiras cantaram os hinos. Lady Philippa e lady Odila, ambas veladas, seguiram o caixão. Apesar da dramática presença das duas, vestidas de preto, Ralph achou que a ocasião carecia do sentimento momentoso que costumava acompanhar o funeral de um grande homem, a noção do tempo histórico passando como a correnteza de um grande rio. A morte estava por toda parte, todos os dias, e até mesmo a morte de nobres era agora corriqueira.

Ele especulou se alguém na congregação estaria infectado e naquele momento mesmo espalhava a doença através da respiração ou pelos raios invisíveis dos olhos. O pensamento deixou Ralph trêmulo. Enfrentara a morte muitas vezes e aprendera a controlar o medo na batalha, mas contra aquele inimigo não havia como lutar. A peste era uma assassina que cravava o punhal comprido nas pessoas pelas costas, para depois escapulir antes de ser percebida. Ralph estremeceu e tentou não pensar a respeito.

Ao lado de Ralph estava sir Gregory Longfellow, um advogado alto que se envolvera em processos judiciais relacionados a Kingsbridge. Gregory era agora membro do conselho do rei, um grupo de elite de especialistas técnicos que orientava o monarca... não sobre o que ele deveria fazer, pois para isso havia o Parlamento, mas sobre como poderia fazer.

Os comunicados reais eram feitos com frequência nas missas, em particular em cerimônias importantes como aquela. O bispo Henri hoje aproveitaria a oportunidade para explicar o novo Regulamento dos Trabalhadores. Ralph calculou que sir Gregory trouxera a notícia e ficara para observar como seria recebida.

Ralph ouvia com atenção. Nunca fora convocado para o Parlamento, mas conversara sobre a crise do trabalho com o conde William, que tinha assento na Câmara dos Lordes, e com sir Peter Jeffries, que representava Shiring na Câmara dos Comuns, por isso sabia o que fora discutido.

– Cada homem deve trabalhar para o senhor da aldeia em que vive e não pode se mudar para outra aldeia ou trabalhar para outro amo, a menos que seja liberado pelo senhor – disse o bispo.

Ralph se regozijou. Sabia que a decisão já fora tomada, mas ficou exultante porque finalmente ela se tornava oficial.

Nunca houvera escassez de trabalhadores antes da peste. Ao contrário, muitas aldeias tinham mais do que precisavam. Quando homens sem terra não conseguiam arrumar trabalho remunerado, às vezes se entregavam à caridade do senhor, o que era sempre um constrangimento para ele, quer os ajudasse ou não. Por isso, se queriam se mudar para outra aldeia, o senhor ficava aliviado: é claro que não havia necessidade de legislação para mantê-los onde estavam. Agora, os trabalhadores tinham o controle... uma situação que obviamente não se podia permitir que continuasse.

Houve um murmúrio de aprovação da congregação ao comunicado do bispo. A população de Kingsbridge não era muito afetada, a não ser as pessoas ali que vinham dos campos ao redor. A predominância na congregação era de empregadores em vez de empregados. As novas regras haviam sido idealizadas por eles e para eles. O bispo acrescentou:

– É agora crime exigir, oferecer ou aceitar salários mais altos do que aqueles que se pagavam para trabalho similar em 1347.

Ralph acenou com a cabeça em aprovação. Até mesmo os trabalhadores que permaneciam na mesma aldeia vinham exigindo mais dinheiro. Isso poria um ponto final naquela situação, esperava ele. Sir Gregory o encarou e disse:

– Vejo que acena com a cabeça. Aprova a decisão?

– É o que queríamos. Começarei a impor a determinação nos próximos dias. Há dois fugitivos de meu território que quero muito trazer de volta.

– Irei com você, se não se incomoda. Gostaria de observar o que pode acontecer.

69

O padre de Outhenby havia morrido da peste e não havia serviços na igreja desde então. Por isso Gwenda ficou surpresa quando o sino começou a tocar na manhã de domingo.

Wulfric foi verificar e voltou para informar sobre a chegada de um sacerdote visitante, o padre Derek. Gwenda lavou os rostos dos meninos e todos foram para a igreja.

Era uma bela manhã de primavera. O sol banhava as velhas pedras cinzentas da pequena igreja. Todos os aldeões compareceram, curiosos para ver o padre recém-chegado.

O padre Derek era um clérigo da cidade, bem-falante e muito bem-vestido para uma igreja de aldeia. Gwenda especulou se sua visita tinha algum significado especial. Haveria alguma razão para a hierarquia da Igreja se lembrar de repente da existência daquela paróquia? Ela disse a si mesma que era um péssimo hábito sempre imaginar o pior, mas ainda assim sentiu que havia alguma coisa errada.

Gwenda ficou de pé na nave, com Wulfric e os meninos, observando o padre executar o ritual. O senso de tragédia, porém, foi se tornando mais e mais forte. De modo geral, um padre olhava para a congregação enquanto rezava ou cantava, a fim de enfatizar que tudo aquilo era para seu benefício, não uma comunicação pessoal entre ele próprio e Deus, mas o olhar do padre Derek se projetava por cima de suas cabeças.

Ela logo descobriu por quê. Ao final do serviço, ele anunciou uma nova lei, aprovada pelo rei e o Parlamento.

– Os trabalhadores sem terra devem trabalhar para o senhor de sua aldeia de origem, se assim for exigido.

Gwenda ficou indignada.

– Como isso é possível? – gritou. – O senhor não está obrigado a ajudar o trabalhador em momentos difíceis... sei disso. Meu pai era um trabalhador sem terra e passávamos fome quando não havia trabalho. Então como um trabalhador pode dever lealdade a um senhor que não lhe dá nada?

Houve murmúrios de concordância e o padre teve de elevar a voz:

– Foi isso que o rei decidiu, e o rei foi escolhido por Deus para reinar sobre todos nós. Portanto, devemos fazer tudo o que ele deseja.

– O rei pode mudar o costume de centenas de anos? – insistiu Gwenda.

– Estes são momentos difíceis. Sei que muitos de vocês vieram para Outhenby nas últimas semanas...

– A convite do arador – interrompeu Carl Shaftesbury, o rosto cheio de cicatrizes lívido de raiva.

– Convidados por todos os aldeões – reconheceu o padre. – E eles foram gratos a vocês por terem vindo. Mas o rei, em sua sabedoria, decidiu que isso não pode continuar.

– E os pobres devem permanecer pobres – resmungou Carl.

– Deus assim ordenou. Cada homem em seu lugar.

Harry Ploughman se manifestou:

– E Deus ordenou como vamos cuidar de nossos campos sem ajuda? Se todos os recém-chegados forem embora, nunca conseguiremos realizar todo o trabalho.

– Talvez nem todos tenham de ir embora – ressaltou Derek. – A nova lei diz apenas que eles devem voltar se assim for exigido.

Isso aquietou a congregação. Os imigrantes tentavam calcular se o antigo senhor conseguiria encontrá-los, enquanto os locais especulavam quantos trabalhadores restariam em Outhenby. Mas Gwenda sabia o que o futuro lhe reservava. Mais cedo ou mais tarde, Ralph viria buscá-la e à sua família.

A essa altura, no entanto, decidiu ela, já teriam ido embora.

O padre se retirou e a congregação se encaminhou para a porta.

– Temos de sair daqui – disse Gwenda a Wulfric em voz baixa. – Antes que Ralph volte para nos buscar.

– Para onde iremos?

– Não sei... mas talvez seja melhor assim. Se nós mesmos não soubermos para onde estamos indo, ninguém mais saberá.

– Mas como poderemos sobreviver?

– Encontraremos outra aldeia onde precisem de trabalhadores.

– Será que há muitas outras na mesma situação?

Ele sempre tinha o pensamento mais lento do que Gwenda.

– Deve haver inúmeras – garantiu ela, paciente. – O rei não decretou isso apenas para Outhenby.

– Tem razão.

– Devemos partir hoje – declarou Gwenda, decidida. – É domingo, assim não vamos perder qualquer dia de trabalho.

Ela olhou para as janelas da igreja, calculando a hora do dia.

– Ainda não é meio-dia... podemos cobrir uma boa distância antes de escurecer. Quem sabe não estaremos trabalhando em uma nova aldeia amanhã de manhã?

– Concordo – disse Wulfric. – Não há como prever com que rapidez Ralph poderá entrar em ação.

– Não diga nada a ninguém. Vamos para casa agora, pegamos o que quisermos levar e partimos em seguida.

– Está bem.

Chegaram à porta da igreja e saíram para o sol... e Gwenda descobriu que já era tarde demais.

Seis homens a cavalo esperavam diante da igreja: Ralph, seu comparsa Alan, um homem alto com roupas de Londres e três homens sujos, cheios de cicatrizes, do tipo que podia ser contratado por uns poucos *pence* em qualquer taverna de quinta categoria.

Ralph olhou para Gwenda e deu um sorriso triunfante.

Gwenda olhou ao redor, desesperada. Poucos dias antes, os homens da aldeia haviam se unido contra Ralph e Alan... Mas aquilo era diferente. Enfrentariam seis homens, não dois. Os aldeões estavam desarmados ao saírem da igreja, enquanto antes voltavam dos campos com instrumentos nas mãos. E, ainda mais importante, naquela ocasião acreditavam que tinham o direito do seu lado, enquanto hoje já não havia tanta certeza.

Vários homens fitaram Gwenda e se apressaram em desviar os olhos. Isso confirmou o que ela já suspeitava. Os aldeões não lutariam hoje.

Gwenda ficou tão desapontada que se sentiu fraca. Com medo de cair, se encostou na coluna de pedra do pórtico da igreja. O coração se transformou numa massa pesada, fria e úmida, como um torrão de terra de uma sepultura escavada no inverno. Uma sombria desesperança a dominou por completo.

Haviam sido livres por uns poucos dias. Mas fora apenas um sonho. E agora o sonho acabara.

⌒

Ralph atravessou Wigleigh a cavalo lentamente, puxando Wulfric por uma corda no pescoço.

Chegaram no final da tarde. Para não perder tempo, Ralph deixara que os dois meninos pequenos viessem a cavalo, partilhando os animais de dois dos homens contratados. Gwenda vinha atrás, andando. Ralph não se dera o trabalho de amarrá-la. Tinha certeza de que ela acompanharia os filhos.

Porque era domingo, a maioria dos habitantes de Wigleigh se encontrava fora de casa, desfrutando o sol, como Ralph previra. Todos ficaram olhando num silêncio horrorizado para a sinistra procissão. Ralph esperava que a humilhação de Wulfric pudesse dissuadir outros de ir embora à procura de salários mais altos.

Chegaram ao pequeno solar que fora a residência de Ralph antes de sua mudança para Tench Hall. Ele soltou Wulfric e mandou que fosse com a família para sua antiga casa. Pagou os homens contratados e seguiu com Alan e sir Gregory para o solar.

O solar era mantido limpo e preparado para suas visitas. Ele mandou que Vira trouxesse vinho e fizesse o jantar. Era tarde demais agora para continuar até Tench: não conseguiriam chegar lá antes do anoitecer.

Gregory sentou e esticou as pernas compridas. Parecia um homem capaz de ficar à vontade em qualquer lugar. Os cabelos lisos escuros estavam agora grisalhos, mas o nariz comprido, com as narinas dilatadas, ainda lhe proporcionava uma aparência arrogante.

– O que acha que vai acontecer daqui por diante? – perguntou.

Ralph estivera pensando sobre o novo decreto durante toda a viagem e não hesitou ao responder:

– Não dará certo.

Gregory ergueu as sobrancelhas.

– É a sua opinião?

– Concordo com sir Ralph – declarou Alan.

– Razões?

– Em primeiro lugar, é muito difícil descobrir para onde os fugitivos foram – disse Ralph.

– Foi só por sorte que encontramos Wulfric – acrescentou Alan. – Alguém ouviu quando ele e Gwenda planejavam para onde ir.

– Em segundo lugar, recuperá-los cria muitos problemas.

Gregory assentiu com a cabeça.

– Imagino que isso lhes tomou o dia inteiro.

– E ainda tive de contratar esses rufiões e lhes providenciar cavalos. Não posso gastar meu tempo e dinheiro perseguindo esses trabalhadores fugitivos por todo o país.

– Eu entendo.

– Em terceiro lugar, o que os impede de fugir de novo na semana seguinte?

– Se ficarem de boca fechada sobre o lugar para onde vão, talvez nunca os encontremos – acrescentou Alan.

– A medida só daria certo se alguém pudesse ir a uma aldeia, descobrisse quem são os migrantes e os punisse – declarou Ralph.

– Ou seja, está falando sobre uma espécie de Comissão de Trabalhadores – disse Gregory.

– Exatamente. Escolhe-se um grupo de uma dúzia de homens em cada condado para ir de aldeia em aldeia e descobrir os fugitivos.

– Está querendo que outros façam o seu trabalho.

Era uma ironia, mas Ralph teve o cuidado de não se mostrar irritado:

– Não necessariamente... e serei um dos comissários, se desejar. Acontece apenas que é a maneira certa de fazer o trabalho. Não se pode ceifar um capinzal cortando uma haste de cada vez.

– Interessante... – comentou Gregory.

Vira trouxe um jarro e copos. Serviu vinho para os três homens.

– É um homem perceptivo, sir Ralph – comentou Gregory. – Não é um membro do Parlamento?

– Não, não sou.

– Uma pena. Creio que o rei acharia suas opiniões bastante úteis.

Ralph fez esforço para não se mostrar radiante de prazer.

– É muito gentil. – Inclinou-se para a frente. – Agora que o conde William morreu, há uma vaga...

Ele viu a porta se abrir e parou de falar. Nate Reeve entrou.

– Bom trabalho, sir Ralph, se me permite dizer! Wulfric e Gwenda, os dois melhores trabalhadores que temos, voltaram ao rebanho.

Ralph ficou irritado com Nate por interrompê-lo num momento tão crucial.

– Espero que a aldeia possa pagar agora o que é devido – comentou, irritado.

– Claro, senhor... se eles ficarem.

Ralph franziu o rosto. Nate apontara a fraqueza da situação. Como ele poderia manter Wulfric em Wigleigh? Não podia acorrentar um homem ao arado durante todo o dia e toda a noite.

– Tem alguma sugestão a fazer ao seu senhor, bailio? – perguntou Gregory.

– Tenho, sim, senhor.

– Foi o que pensei.

Nate considerou o comentário como um convite. Virou-se para Ralph e disse:

– Há uma coisa que pode fazer para garantir que Wulfric permaneça em Wigleigh até o dia de sua morte.

Ralph pressentiu uma armadilha, mas não podia deixar de dizer:

– Continue.

– Devolva as terras que antes eram do pai dele.

Ralph teve vontade de gritar, mas não queria causar má impressão em Gregory. Controlou sua raiva e disse, com firmeza:

– Não acho uma boa ideia.

– Não consigo arrumar ninguém para ficar com a terra – insistiu Nate. – Annet não pode cuidar e não tem mais parentes vivos do sexo masculino.

– Não me importo. Ele não pode ficar com a terra.

– Por que não? – indagou Gregory.

Ralph não queria admitir que ainda nutria ressentimento contra Wulfric por causa de uma briga que ocorrera doze anos antes. Gregory já formara uma boa opinião a seu respeito e Ralph não queria estragá-la. O que o conselheiro do rei pensaria de um cavaleiro que agia contra seus próprios interesses por causa de uma desavença na adolescência? Ele procurou por uma desculpa plausível. Acabou por dizer:

– Pareceria uma recompensa a Wulfric por ter fugido.

– Não concordo – disse Gregory. – Pelo que Nate diz, você estaria lhe dando uma coisa que ninguém mais quer.

– Mesmo assim, transmitiria o sinal errado para os outros aldeões.

– Acho que está sendo escrupuloso demais. – Gregory não era o tipo de homem que tinha o tato de guardar as opiniões para si mesmo. – Todos devem saber que você está desesperado para obter arrendatários. É o que acontece com a maioria dos proprietários. Os aldeões compreenderão que está agindo apenas de acordo com seu próprio interesse e que Wulfric é o afortunado beneficiário.

– Wulfric e Gwenda trabalharão duas vezes mais se tiverem sua terra – acrescentou Nate.

Ralph sentiu-se acuado. Estava desesperado para causar uma boa impressão em Gregory. Iniciara mas não terminara a conversa sobre o condado. Não podia pôr isso em risco por causa de Wulfric. Tinha de ceder.

– Talvez você tenha razão. – Ralph percebeu que estava quase rangendo os dentes e se esforçou para parecer despreocupado: – Afinal, ele foi trazido de volta e humilhado. Isso pode ser suficiente.

– Tenho certeza que é.

– Está bem, Nate. – Por um momento, as palavras ficaram entaladas em sua garganta, de tanto que detestava satisfazer o sonho de Wulfric. Mas havia coisas mais importantes. – Diga a Wulfric que pode ficar com as terras que eram de seu pai.

– Farei isso antes do anoitecer – disse Nate e se retirou.

– O que você ia dizer sobre o condado? – perguntou Gregory.

Ralph escolheu as palavras com todo o cuidado:

– Depois que o conde Roland morreu na batalha de Crécy, pensei que o rei poderia me considerar para ser o novo conde de Shiring, ainda mais porque salvei a vida do jovem príncipe de Gales.

– Mas Roland tinha um herdeiro legítimo... que também tinha dois filhos.

– Exatamente. E agora os três estão mortos.

– Hum... – Gregory pegou o copo e tomou um gole. – É um bom vinho.

– Veio da Gasconha.

– Imagino que tenha sido importado por Melcombe.

– Isso mesmo.

– Uma delícia.

Gregory bebeu mais um pouco. Parecia prestes a dizer alguma coisa, por isso Ralph permaneceu calado. Gregory levou um bom tempo para escolher as palavras.

– Em algum lugar nas proximidades de Kingsbridge há uma carta que não deveria existir.

Ralph ficou espantado. O que viria agora?

– Durante muitos anos esse documento esteve em poder de alguém em quem se podia confiar, por várias razões complicadas, que o manteria seguro – continuou Gregory. – Ultimamente, no entanto, foram feitas algumas perguntas, sugerindo que o segredo pode correr o risco de ser revelado.

Tudo aquilo era enigmático.

– Não estou entendendo – disse Ralph. – Quem andou fazendo perguntas embaraçosas?

– A prioresa de Kingsbridge.

– Ahn...

– É possível que ela tenha apenas ouvido alguma insinuação e que suas perguntas sejam inofensivas. Mas os amigos do rei receiam que a carta possa de alguma forma ter caído em suas mãos.

– O que ela diz?

Mais uma vez, Gregory escolheu as palavras com a maior prudência, como se atravessasse um rio na ponta dos pés tomando cuidado de só pisar nas pedras.

– Alguma coisa envolvendo a amada mãe do rei.

– A rainha Isabella.

A velha bruxa ainda estava viva, levando uma vida de esplendor em seu castelo em Lynn. Comentava-se que passava os dias lendo romances em francês, sua língua nativa.

– Em suma, preciso descobrir se essa carta está ou não em poder da prioresa – acrescentou Gregory. – Mas ninguém deve saber do meu interesse.

– Ou você tem de ir ao priorado e revistar os documentos das freiras ou os documentos devem vir para suas mãos – sugeriu Ralph.

– A segunda das duas opções.

Ralph assentiu. Começava a compreender o que Gregory queria que fizesse.

– Fiz algumas perguntas discretas e descobri que ninguém sabe onde fica exatamente a tesouraria das freiras – acrescentou Gregory.

– As freiras devem saber, ou pelo menos algumas.

– Mas não vão dizer. No entanto, também ouvi dizer que você é um especialista em... persuadir as pessoas a revelarem segredos.

Portanto, Gregory sabia do trabalho que Ralph realizara na França. Não havia nada de espontâneo naquela conversa, compreendeu Ralph. Gregory devia ter planejado tudo. E era bem provável que tivesse sido esse o motivo de sua presença em Kingsbridge.

– Posso ajudar os amigos do rei a resolver esse problema...

– Ótimo.

– ...se me for prometido o condado de Shiring como recompensa.

Gregory franziu o cenho.

– O novo conde terá de casar com a velha condessa.

Ralph decidiu ocultar sua ansiedade. O instinto lhe dizia que Gregory teria menos respeito por um homem impelido pelo desejo por uma mulher, mesmo que apenas em parte.

– Lady Philippa é cinco anos mais velha do que eu, mas não tenho nenhuma objeção a ela.

Gregory assumiu uma expressão inquisitiva.

– Ela é uma linda mulher. O escolhido pelo rei, quem quer que seja, deve se considerar um homem afortunado.

Ralph compreendeu que fora longe demais e se apressou a dizer:

– Não desejo parecer indiferente. Ela é de fato muito bonita.

– Mas pensei que já era casado – disse Gregory. – Estava enganado?

Ralph olhou para Alan e percebeu que ele estava curioso para ouvir sua resposta. Então deu um longo suspiro antes de afirmar:

– Minha esposa está muito doente. Não vai viver por muito mais tempo.

⌒

Gwenda acendeu o fogo na velha casa em que Wulfric vivera desde que nascera. Pegou uma panela, encheu com água do poço e jogou algumas cebolas dentro, o primeiro passo para fazer um ensopado. Wulfric trouxe mais lenha. Os meninos saíram felizes para brincar com seus antigos amigos, alheios à profundidade da tragédia que se abatera sobre sua família.

Gwenda se ocupou das tarefas domésticas enquanto a tarde escurecia. Fazia esforço para não pensar. Tudo o que aflorava a sua mente só fazia com que se sentisse pior: o futuro, o passado, o marido, ela própria. Wulfric sentou, o olhar perdido nas chamas. Nenhum dos dois falava.

O vizinho, David Johns, apareceu com um jarro de cerveja. Sua esposa morrera da peste, mas a filha crescida, Joanna, o acompanhava. Gwenda não ficou feliz ao vê-los: queria se sentir miserável em particular. Mas eles tinham as intenções mais gentis e era impossível menosprezá-los. Sombria, Gwenda tirou o pó de alguns copos de madeira. David serviu cerveja para todos.

– Lamentamos tudo o que aconteceu, mas estamos contentes por tê-los de volta – comentou David enquanto bebiam.

Wulfric esvaziou seu copo de um só gole e o estendeu à espera de mais cerveja.

Pouco depois, Aaron Appletree e a esposa Ulla também chegaram para visitá-los. Ela trazia uma cesta com pequenos pães.

– Eu sabia que não teriam pão para comer, por isso resolvi trazer – explicou.

Ela ofereceu os pães. A casa ficou impregnada de seu aroma apetitoso. David Johns lhes serviu cerveja e eles sentaram.

– De onde vocês tiraram coragem para fugir? – indagou Ulla. – Eu morreria de medo!

Gwenda passou a relatar a história de suas aventuras. Jack e Eli Fuller vieram do moinho, trazendo um prato de peras cozidas no mel. Wulfric comeu bastante e bebeu muito. O clima começou a desanuviar. Gwenda ficou um pouco mais animada. Mais vizinhos vieram, trazendo mais presentes. Quando Gwenda contou como os aldeões de Outhenby enfrentaram Ralph e Alan com suas pás e enxadas, todos deram gargalhadas, exultantes.

Depois vieram os acontecimentos daquele dia e Gwenda tornou a mergulhar no desespero.

– Tudo estava contra nós – disse ela, amargurada. – Não apenas Ralph e seus rufiões, mas também o rei e a Igreja. Não tínhamos a menor chance.

Os vizinhos assentiram com a cabeça, sombrios.

– E depois, quando ele pôs uma corda em torno do pescoço do meu Wulfric...

Gwenda foi dominada por um lúgubre desespero. A voz tremia, e ela não foi capaz de continuar. Tomou um gole de cerveja e tentou de novo:

– Quando ele pôs uma corda em torno do pescoço de Wulfric, o homem mais bravo e mais forte que já conheci, que todos nós já conhecemos, e o arrastou pela aldeia como um animal, aquele brutal e cruel Ralph segurando a corda... eu queria que o céu caísse sobre nossas cabeças e matasse todos nós.

Eram palavras fortes, mas os outros concordaram. Entre todas as coisas que os nobres podiam fazer com os camponeses – deixá-los passar fome, enganá-los, agredi-los, roubá-los –, a pior de todas era a humilhação. Jamais esqueceriam.

De repente, Gwenda desejou que os vizinhos fossem embora. O sol já mergulhara no horizonte e o crepúsculo avançava lá fora. Ela precisava deitar, fechar os olhos, ficar a sós com seus pensamentos. Não queria conversar nem mesmo com Wulfric. Já ia pedir a todos para irem embora quando Nate Reeve entrou.

Fez-se um súbito silêncio.

– O que você quer? – perguntou Gwenda.

– Trago boas notícias – anunciou ele, jovial.

Ela fez uma careta.

– Não pode haver boas notícias para nós hoje.

– Eu discordo. Ainda não ouviu o que tenho a dizer.

– Está bem. O que é?

– Sir Ralph disse que Wulfric pode ficar com as terras que eram de seu pai.

Wulfric se levantou de um pulo.

– Como arrendatário? Não apenas para trabalhar nelas?

– Como arrendatário, nas mesmas condições de seu pai – disse Nate, efusivo, como se ele próprio estivesse fazendo a concessão em vez de apenas transmitir uma mensagem. Wulfric ficou radiante de alegria.

– Mas isso é maravilhoso!

– Você aceita? – indagou Nate, ainda mais jovial, como se isso fosse uma mera formalidade.

– Não aceite, Wulfric! – exclamou Gwenda.

Ele a fitou aturdido. Como sempre, era lento para perceber além do imediato.

– Discuta as condições! – exortou-o Gwenda em voz baixa. – Não seja um servo como seu pai. Exija um arrendamento livre, sem obrigações feudais. Nunca mais terá melhores condições para barganhar. Negocie!

– Negociar? – Wulfric ainda hesitou por um momento, mas depois cedeu à felicidade da ocasião. – Este é o momento pelo qual venho esperando nos últimos doze anos. Não vou negociar.

Ele se virou para Nate, ergueu o copo e declarou:

– Eu aceito.

Todos aplaudiram.

70

O hospital estava outra vez lotado. A peste, que parecera recuar durante os três primeiros meses de 1349, voltou em abril com virulência redobrada. No dia seguinte ao Domingo de Páscoa, Caris olhou cansada para as fileiras de colchões dispostos como espinhas de peixe, tão juntos que as freiras mascaradas tinham de tomar o maior cuidado ao circularem. Andar ao redor, no entanto, era um pouco mais fácil, porque havia muito menos parentes para acompanhar os doentes. Sentar com um parente agonizante era perigoso – a pessoa podia contrair a peste –, por isso as famílias haviam se tornado impiedosas. Quando a epidemia começara, todos ficavam com as pessoas amadas, apesar dos riscos: mães com filhos, maridos com esposas, pessoas de meia-idade com pais idosos, o amor superando o medo. Mas isso mudara. Os mais fortes laços de família haviam sido corroídos de forma implacável pelo ácido da morte. Agora o paciente típico era trazido por mãe ou pai, marido ou esposa, que depois ia embora, ignorando os gritos patéticos que o acompanhavam. Só as freiras, de máscara no rosto e mãos lavadas com vinagre, desafiavam a doença.

Surpreendentemente, Caris não carecia de ajuda. O convento tivera um fluxo de noviças para substituir as freiras que haviam morrido. Isso acontecia em parte por causa da fama de santa de Caris. Mas o mosteiro também experimentava o mesmo tipo de recuperação e Thomas tinha agora uma turma de noviços para treinar. Todos procuravam pela ordem num mundo que enlouquecera.

Dessa vez a peste atacou alguns dos mais eminentes cidadãos que haviam escapado antes. Caris ficou consternada com a morte de John Constable. Jamais gostara muito da maneira rude com que ele fazia justiça – que era a de bater na cabeça dos arruaceiros com uma vara e fazer perguntas depois –, mas sabia que seria difícil manter a ordem sem a sua ajuda. A gorda Betty Baxter, padeira de bolos especiais para todas as festividades da cidade, inquisidora astuta nas reuniões da guilda da paróquia, também morreu e seu negócio foi partilhado entre quatro filhas que viviam brigando. Dick Brewer fora outro que morrera, o último remanescente da geração de Edmund, um grupo de homens que sabiam como ganhar dinheiro e como aproveitá-lo.

Caris e Merthin conseguiram reduzir a disseminação da doença ao cancelarem as grandes reuniões públicas. Não houve a grande procissão da Páscoa na catedral e não seria realizada a Feira do Velocino na semana de Pentecostes. O mercado semanal passou a ser realizado fora das muralhas de Kingsbridge, no Lover's Field, e cada vez menos moradores compareciam. Caris queria aplicar essas medidas quando a peste atacara pela primeira vez, mas Godwyn e Elfric se opuseram. Segundo Merthin, algumas cidades italianas haviam fechado seus portões por períodos de 30 a 40 dias, chamados de trintena ou quarentena. Agora era tarde demais para impedir a entrada da doença, mas Caris ainda assim achava que as restrições salvariam vidas.

Um problema que ela não tinha era o de dinheiro. Mais e mais pessoas, por não terem parentes sobreviventes, legavam suas riquezas às freiras. Além disso, muitas freiras noviças traziam terras, rebanhos, pomares e ouro. O convento nunca fora tão rico.

Era um pequeno consolo. Pela primeira vez em sua vida, ela se sentia cansada, não apenas pelo trabalho árduo, mas também pelo esgotamento da energia e pela carência de força de vontade, enfraquecida pela adversidade. A peste era pior do que nunca, matando duzentas pessoas por semana, e ela não sabia como poderia continuar. Os músculos doíam, o coração palpitava, a visão parecia turva. Onde acabaria?, especulava ela, desolada. Todos morreriam?

Dois homens passaram cambaleando pela porta, ambos sangrando. Caris avançou apressada. Antes de chegar à distância de tocá-los, sentiu o cheiro desagradável de bebida. Estavam quase caindo de tão embriagados, embora ainda não fosse hora do almoço. Ela gemeu de frustração; aquilo era comum demais.

Conhecia vagamente os homens: Barney e Lou, dois jovens fortes que trabalhavam no matadouro de Edward Slaughterhouse. Barney tinha um braço pendendo inerte, possivelmente quebrado. Lou tinha horríveis ferimentos no rosto, o nariz quebrado, um olho transformado em massa ensanguentada. Ambos pareciam bêbados demais para sentirem qualquer dor.

– Foi uma briga – balbuciou Barney, a voz engrolada, as palavras quase incompreensíveis. – Eu não tinha intenção de machucá-lo. Ele é meu melhor amigo. Eu o amo.

Caris e a irmã Nellie puseram os dois bêbados em colchões adjacentes. Nellie examinou Barney e disse que seu braço não estava quebrado, mas apenas deslocado. Mandou uma noviça chamar Matthew Barber, o cirurgião, que tentaria repô-lo no lugar. Caris lavou o rosto de Lou. Não havia nada que ela pudesse fazer para salvar seu olho: saltara para fora, como um ovo cozido.

Esse tipo de coisa a deixava furiosa. Os dois não sofriam de qualquer doença nem de ferimentos acidentais: haviam machucado um ao outro devido ao excesso de bebida. Depois da primeira onda da peste, ela conseguira mobilizar os habitantes da cidade para restaurar a lei e a ordem; mas a segunda onda fizera algo terrível com a alma das pessoas. Quando ela clamara de novo pelo retorno a um comportamento civilizado, a reação fora apática. Não sabia o que fazer agora e por isso se sentia cansada.

Enquanto contemplava os dois homens feridos, deitados no chão lado a lado, ela ouviu um estranho ruído lá fora. Por um instante, retornou por três anos ao passado, até a batalha de Crécy, ao som estrondoso e assustador das novas máquinas de guerra do rei Eduardo, que disparavam balas de pedra contra as fileiras inimigas.

Um momento depois, o barulho soou de novo. Ela compreendeu que era um tambor, vários tambores, na verdade, batidos sem qualquer ritmo determinado. Depois ouviu flautas e sinos, cujas notas não conseguiam formar uma melodia. Soaram relinchos de cavalos, gemidos e gritos, que poderiam indicar triunfo ou agonia, se não as duas coisas ao mesmo tempo. Não era muito diferente do barulho de uma batalha, mas sem o zunido das flechas mortíferas e sem os gritos dos cavalos feridos. Com o rosto franzido, ela saiu para descobrir o que era.

Um bando de cerca de quarenta pessoas entrara no pátio gramado da catedral dançando uma jiga antiga e frenética. Alguns tocavam instrumentos musicais, ou melhor, eles os usavam para fazer barulho, sem qualquer melodia ou harmonia. As roupas de cores claras estavam rasgadas e sujas. Havia algumas pessoas seminuas, expondo as partes íntimas do corpo com a maior indiferença. As pessoas sem instrumentos empunhavam chicotes. Uma multidão de moradores de Kingsbridge acompanhava o bando com curiosidade e espanto.

Os dançarinos eram liderados por frei Murdo, mais gordo do que nunca, mas dançando com o maior vigor, o suor escorrendo pelo rosto imundo e pingando da barba desgrenhada. Ele seguiu até a porta oeste da catedral, onde se virou para o bando.

– Todos nós pecamos! – berrou.

Seus seguidores responderam com gemidos e gritos estridentes e inarticulados.

– Somos imundos! – berrou ele, arrebatado. – Sempre nos espojamos na lascívia, como porcos no chiqueiro. E cedemos, tremendo de luxúria, aos desejos carnais. Merecemos a peste!

– Isso mesmo!

– O que devemos fazer?

– Sofrer! – gritaram as pessoas. – Devemos sofrer!

Um dos seguidores se adiantou apressado, brandindo o chicote com três tiras e pedras presas em nós nas extremidades. Jogou-se aos pés de Murdo e começou a açoitar as próprias costas. O chicote rasgou o tecido fino da túnica e arrancou sangue da pele. Ele gritou de dor e os outros seguidores de Murdo gemeram de compaixão.

Uma mulher se adiantou. Baixou a túnica até a cintura e se voltou, expondo os seios para a multidão, depois açoitou as costas nuas com um chicote similar. Os seguidores gemeram de novo.

À medida que se adiantavam, sozinhos ou aos pares, para se açoitarem, Caris notou que muitos tinham equimoses e talhos mal curados: já haviam feito aquilo antes, alguns várias vezes. Circulavam de cidade em cidade apresentando o espetáculo? Por causa do envolvimento de Murdo, ela tinha certeza de que mais cedo ou mais tarde alguém começaria a pedir dinheiro.

Uma mulher na multidão de espectadores de repente saiu correndo em direção ao grupo, gritando:

– Eu também devo sofrer!

Caris ficou surpresa ao ver que era Mared, a jovem e tímida esposa de Marcel Chandler. Caris não podia imaginar que ela tivesse cometido muitos pecados, mas talvez finalmente encontrado uma maneira de tornar sua vida dramática. Ela tirou o vestido e se postou nua diante do frade. Sua pele não tinha qualquer marca; em vez disso, era de grande beleza. Murdo a fitou em silêncio por longo tempo antes de ordenar:

– Beije meus pés.

Ela se ajoelhou, expondo o traseiro obscenamente para a multidão, e baixou o rosto para beijar os pés imundos do frade.

Ele tirou o chicote de outro penitente e o estendeu a Mared. Ela se açoitou e gritou de dor. Marcas vermelhas apareceram no mesmo instante na pele branca.

Vários outros espectadores se adiantaram, quase todos homens. Murdo repetiu o ritual com cada um. Não demorou muito para que o frenesi fosse total. Quando não estavam se açoitando, as pessoas batiam nos tambores, tocavam os sinos ou dançavam a jiga alucinada.

As ações tinham um abandono louco, mas o olhar profissional de Caris notou que os açoites, embora dramáticos e sem dúvida dolorosos, não pareciam infligir danos permanentes. Merthin apareceu ao seu lado e perguntou:

– O que você acha disso?

Ela franziu o cenho.

– Por que isso me faz ficar indignada?

– Não sei.

– Se as pessoas querem se açoitar, por que eu deveria fazer alguma objeção? Talvez isso faça com que se sintam melhor.

– Concordo com você. Há em geral algo fraudulento em qualquer coisa em que Murdo esteja envolvido.

– Não é só isso.

O clima ali não era de penitência, decidiu Caris. Os dançarinos não recordavam, contemplativos, suas vidas, sentindo pesar e arrependimento pelos pecados cometidos. As pessoas que se arrependiam sinceramente tendiam a ser quietas, pensativas e discretas. O que Caris sentia no ar ali era muito diferente. Era excitação.

– Isso é devassidão.

– Só que em vez de bebida estão se espojando na autoaversão.

– E há uma espécie de êxtase.

– Mas sem sexo.

– É só lhes dar mais algum tempo.

Murdo liderou a procissão ao saírem do terreno do priorado. Caris notou que alguns flagelantes tinham tigelas na mão e pediam moedas aos espectadores. E calculou que eles passariam daquela maneira pelas principais ruas da cidade. Provavelmente acabariam em uma das tavernas grandes, onde as pessoas lhes pagariam comida e bebida. Merthin tocou em seu braço.

– Está muito pálida. Como se sente?

– Apenas cansada – respondeu ela, concisa.

Tinha de continuar a trabalhar de qualquer maneira, independentemente do que sentisse, e não ajudava ser lembrada de seu cansaço. Mas era gentil Merthin notar, e ela abrandou a voz para acrescentar:

– Venha comigo até a casa do prior. Está quase na hora do almoço.

Os dois atravessaram o pátio enquanto a procissão desaparecia. Entraram no palácio. Assim que ficaram a sós, Caris o abraçou e beijou. Sentia um súbito anseio físico e enfiou a língua na boca de Merthin, como sabia que ele gostava. Em resposta, Merthin subiu as mãos para seus seios e os acariciou. Nunca se beijavam daquela maneira dentro do palácio, e Caris especulou vagamente se alguma coisa na bacanal de frei Murdo enfraquecera suas inibições normais.

– Sua pele está tão quente... – murmurou Merthin em seu ouvido.

Ela queria que Merthin tirasse seu hábito e sugasse os mamilos. Sentiu que começava a perder o controle e que poderia se tornar temerária, fazendo amor ali mesmo, no chão, onde poderiam ser surpreendidos com facilidade. Foi nesse momento que uma voz de menina balbuciou:

– Não tive intenção de espionar.

Caris ficou chocada. Afastou-se de Merthin com um pulo, dominada pelo sentimento de culpa. Virou-se para ver quem falara. No outro lado da sala, sentada num banco, havia uma jovem com um bebê no colo. Era a esposa de Ralph Fitzgerald.

– Tilly! – gritou Caris.

Tilly se levantou. Parecia exausta e assustada.

– Lamento muito ter dado um susto em você.

Caris ficou aliviada. Tilly cursara a escola das freiras e permanecera no convento por muitos anos. Gostava de Caris. Merecia confiança como alguém que não falaria sobre o beijo que testemunhara. Mas o que ela fazia ali?

– Você está bem? – perguntou Caris.

– Estou um pouco cansada.

Ela cambaleou e Caris a segurou pelo braço. O bebê chorou. Merthin o pegou no colo e o embalou.

– Calma, calma, meu pequeno sobrinho...

O choro definhou para um murmúrio de descontentamento.

– Como chegou até aqui? – perguntou Caris a Tilly.

– Vim andando.

– Desde Tench Hall? Com Gerry no colo?

O bebê tinha agora seis meses, e não era nada leve.

– Levei três dias.

– Oh, Deus! Aconteceu alguma coisa?

– Fugi.

– Ralph não veio atrás de você?

– Veio, com Alan. Eu me escondi na floresta quando eles passaram. Gerry foi muito bom e não chorou.

Ao imaginar a cena, Caris sentiu um aperto na garganta.

– Mas... – Ela engoliu em seco. – Mas por que você fugiu?

– Porque meu marido quer me matar.

Tilly desatou a chorar. Caris fez com que ela sentasse e Merthin trouxe um copo de vinho. Eles a deixaram soluçar. Caris ficou a seu lado no banco e passou o braço por seus ombros enquanto Merthin cuidava do bebê. Quando Tilly finalmente parou de chorar, Caris perguntou:

– O que Ralph fez?

Tilly balançou a cabeça.

– Nada. É apenas o modo como ele olha para mim. Sei que ele quer me assassinar.

– Eu gostaria de poder dizer que meu irmão seria incapaz de fazer isso.

– Mas por que ele faria uma coisa tão terrível? – perguntou Caris.

– Não sei – respondeu Tilly, angustiada. – Ralph esteve no funeral de tio William. E se encontrou ali com um advogado de Londres, sir Gregory Longfellow.

– Eu o conheço – disse Caris. – É um homem inteligente, mas não gosto dele.

– Começou depois disso. Tenho o pressentimento de que é tudo por causa de Gregory.

– Você não teria andado tanto, com um bebê no colo, apenas por causa de uma coisa que imaginou – disse Caris.

– Sei que pode parecer fantasioso, mas ele fica me olhando com raiva, cheio de ódio. Como um homem pode olhar sua esposa dessa maneira?

– Veio para o lugar certo. Estará segura aqui.

– Posso ficar? – suplicou Tilly. – Não vai me mandar de volta, não é?

– Claro que não.

Caris olhou para Merthin. Sabia o que ele estava pensando. Seria precipitado oferecer qualquer garantia a Tilly. Os fugitivos podiam encontrar refúgio em igrejas, como regra geral, mas era muito duvidoso se um convento tinha o direito de abrigar a esposa de um cavaleiro e mantê-la afastada do marido indefinidamente. Além disso, era certo que Ralph teria o direito de obrigá-la a renunciar ao bebê, seu filho e herdeiro. Mesmo assim, Caris imprimiu tanta confiança quanto possível à voz quando disse:

– Pode ficar aqui por tanto tempo quanto quiser.

– Muito obrigada.

Caris rezou silenciosamente para que fosse capaz de cumprir a promessa.

– Arrumarei um dos quartos especiais no segundo andar do hospital para você.

Tilly continuava apavorada.

– E se Ralph quiser me levar à força?

– Ele não ousaria. Mas, se isso a faz se sentir mais segura, pode ficar no antigo quarto de madre Cecilia, no final do dormitório das freiras.

– Seria ótimo.

Uma empregada do priorado entrou para pôr a mesa do almoço.

– Eu a levarei até o refeitório – disse Caris a Tilly. – Pode almoçar com as freiras e depois descansar no dormitório.

Ela se levantou. Sentiu uma súbita vertigem. Pôs a mão na mesa para se firmar. Merthin, com Gerry ainda no colo, perguntou, ansioso:

– O que você tem?

– Ficarei bem num instante. Estou apenas cansada.

E, no instante seguinte, Caris caiu no chão.

Merthin sentiu um maremoto de pânico. Por um momento, ficou atordoado. Caris nunca passara mal antes, nunca se mostrara desamparada. Era ela quem cuidava dos doentes. Ele não podia imaginá-la como uma vítima.

O momento passou num piscar de olhos. Com um esforço para controlar o medo, ele entregou o bebê a Tilly com todo o cuidado.

A empregada parara de pôr a mesa e olhava em choque para o corpo inconsciente de Caris no chão. Merthin, com voz calma e decidida, mas em tom de urgência, disse a ela:

– Corra até o hospital e avise que madre Caris está doente. Traga a irmã Oonagh. Vá logo, o mais depressa que puder!

A empregada saiu apressada. Merthin se ajoelhou ao lado de Caris.

– Pode me ouvir, querida?

Pegou a mão de Caris e a afagou. Tocou em seu rosto. Levantou uma pálpebra. Ela havia desmaiado.

– Ela tem a peste, não é? – murmurou Tilly.

– Oh, Deus!

Merthin a envolveu com os braços. Era um homem pequeno, mas sempre fora capaz de erguer objetos pesados, pedras de construção e vigas de madeira. Levantou-a com facilidade e a deitou na mesa com delicadeza.

– Não morra... – sussurrou. – Por favor, não morra.

Ele a beijou na testa. A pele estava quente. Sentira isso quando haviam se abraçado alguns minutos antes, mas na ocasião estava excitado demais para se importar. Talvez fosse por isso que ela se mostrara tão ardente: a febre podia ter esse efeito.

A irmã Oonagh entrou. Merthin sentiu-se tão grato por vê-la que as lágrimas afloraram a seus olhos. Era uma freira jovem, que saíra do noviciado há apenas um ou dois anos, mas Caris tinha em alta conta sua habilidade como enfermeira e a preparava para um dia assumir a responsabilidade pelo hospital.

Oonagh prendeu uma máscara de linho sobre a boca e o nariz, dando um nó atrás do pescoço. Encostou a mão na testa e no rosto de Caris.

– Ela espirrou?

Merthin limpou os olhos.

– Não.

Ele tinha certeza de que notaria, pois um espirro era sempre um péssimo sinal.

Oonagh baixou a frente do hábito. Para Merthin, Caris parecia vulnerável demais com os seios pequenos à mostra. Mas ficou contente ao constatar que não havia manchas púrpura em seu peito. Oonagh levantou o hábito. Examinou as narinas de Caris.

– Não há hemorragia.

Ela pegou o pulso de Caris, pensativa. Depois de um tempo, olhou para Merthin.

– Pode não ser a peste, mas parece uma doença grave. Ela está febril; a pulsação, acelerada; a respiração, superficial. Leve-a para cima, deite-a, lave seu rosto com água de rosas. Quem cuidar dela deve usar uma máscara e lavar as mãos como se ela estivesse com a peste. Isso inclui você.

Ela entregou uma tira de linho a Merthin. As lágrimas rolavam pelo rosto dele enquanto prendia a máscara. Levou Caris para o andar de cima, deitou-a em seu quarto, ajeitou suas roupas. As freiras trouxeram água de rosas e vinagre. Merthin transmitiu as instruções de Caris em relação a Tilly. Levaram a jovem mãe e o bebê para o refeitório. Merthin sentou ao lado de Caris, passando por sua testa e suas faces um pano embebido em água de rosas, rezando para que ela recuperasse os sentidos.

O que finalmente aconteceu. Ela abriu os olhos, franziu o rosto com perplexidade, depois assumiu uma expressão ansiosa e perguntou:

– O que aconteceu?

– Você desmaiou.

Ela tentou sentar.

– Fique deitada. Você está doente. Provavelmente não é a peste, mas tem uma doença grave.

Ela devia estar se sentindo bastante fraca, pois se recostou nos travesseiros sem protestar.

– Descansarei apenas por uma hora.

Caris permaneceu de cama por duas semanas.

⤺

Depois de três dias, o branco de seus olhos adquiriu a cor de mostarda. A irmã Oonagh disse que ela estava com icterícia. Preparou uma infusão de ervas adoçada com mel, que Caris tomava quente três vezes por dia. A febre diminuiu, mas Caris continuou fraca. Todos os dias perguntava por Tilly, ansiosa. Oonagh respondia às perguntas, mas se recusava a discutir qualquer outro aspecto da vida no convento para não cansar a prioresa. Caris estava fraca demais para protestar.

Merthin não deixou o palácio do prior. Durante o dia, sentava lá embaixo, bastante perto para ouvi-la chamar. Seus empregados vinham lhe pedir instruções sobre os vários prédios que estavam construindo ou demolindo. À noite, ele deitava num colchão ao lado de Caris, o sono leve. Acordava cada vez que a respiração de Caris se alterava ou quando ela se virava na cama. Lolla dormia no quarto ao lado.

Ao final da primeira semana, Ralph apareceu.

– Minha esposa sumiu – disse ao entrar no palácio do prior.

Merthin ergueu os olhos do desenho que fazia numa lousa grande.

– Olá, meu irmão.

Ralph parecia apreensivo, ele notou. Era evidente que tinha sentimentos contraditórios em relação ao desaparecimento de Tilly. Não gostava dela, mas, por outro lado, nenhum homem ficaria satisfeito se sua esposa fugisse.

Talvez eu também tivesse sentimentos contraditórios, pensou Merthin, culpado. Afinal, ajudara a esposa a deixá-lo. Ralph sentou num banco.

– Tem vinho? Estou morrendo de sede.

Merthin foi até o aparador e serviu vinho de um jarro. Passou por sua mente dizer que não tinha a menor ideia do paradeiro de Tilly, mas o instinto se rebelou contra a ideia de mentir para o próprio irmão, ainda mais em um assunto tão importante. Além disso, a presença de Tilly no priorado não podia ser mantida em segredo: muitas freiras, noviças e empregadas já a haviam visto ali. Era sempre melhor ser honesto, pensou Merthin, exceto numa emergência extrema. Ele entregou o copo a Ralph e disse:

– Tilly está aqui no convento, com o bebê.

– Foi o que pensei.

Ralph levantou o copo com a mão esquerda, mostrando os três cotos dos dedos cortados. Tomou um longo gole do vinho.

– O que ela tem?

– Tilly fugiu de você, Ralph.

– Deveria ter me avisado.

– Eu me sinto mal por isso, mas não poderia traí-la. Ela está com pavor de você.

– Por que tomar o lado de Tilly contra mim? Sou seu irmão!

– Porque eu conheço você. Se ela está apavorada, deve haver uma razão.

– Isso é um absurdo!

Ralph tentava parecer indignado, mas a encenação não era convincente. Merthin especulou o que ele sentia de fato.

– Não podemos expulsá-la – explicou Merthin. – Ela pediu santuário.

– Gerry é meu filho e herdeiro. Não pode mantê-lo longe de mim.

– Não, não indefinidamente. Se você iniciar uma ação judicial, tenho certeza de que vencerá. Mas não tentaria separá-lo da mãe, não é mesmo?

– Se Gerry voltar para casa, ela também voltará.

O que provavelmente era verdade. Merthin procurava outro argumento para persuadir Ralph quando o irmão Thomas entrou trazendo Alan Fernhill. Com a única mão, Thomas segurava o braço de Alan, como se quisesse impedi--lo de fugir.

– Eu o encontrei bisbilhotando – disse ele.

– Eu queria apenas dar uma olhada no mosteiro – protestou Alan. – Pensei que estivesse vazio.

– Como pôde verificar, não está – declarou Merthin. – Temos um monge, seis noviços e duas dúzias de órfãos.

– Só que ele não estava no mosteiro, mas sim no claustro das freiras – informou Thomas.

Merthin franziu o rosto. Podia ouvir um salmo cantado a distância. Alan calculara bem a incursão: todas as freiras e noviças estavam na catedral para o serviço da Sexta. A maioria dos prédios do priorado se encontrava vazia àquela hora. Alan devia ter circulado sem ser interpelado durante algum tempo.

Não parecia mera curiosidade ociosa.

– Felizmente, um ajudante de cozinha o viu e foi me chamar na catedral – acrescentou Thomas.

Merthin se perguntou o que Alan estaria procurando. Tilly? Ele não ousaria sequestrá-la do interior de um convento em plena luz do dia. Merthin se virou para Ralph.

– O que vocês estão tramando?

Ralph desviou a pergunta para Alan.

– O que você pensava que estava fazendo? – indagou ele, furioso, embora Merthin percebesse que a ira era simulada.

Alan deu de ombros.

– Apenas dava uma olhada por aí enquanto esperava por você.

Não era plausível. Homens de armas ociosos esperavam por seus senhores em tavernas e estábulos, não em claustros.

– Bom... não faça mais isso – disse Ralph.

Merthin compreendeu que Ralph insistiria na história. Fui franco com meu irmão, mas Ralph não é franco comigo, pensou Merthin, desolado. Ele voltou ao assunto mais importante:

– Por que não deixa Tilly aqui por algum tempo? Ela ficará muito bem. E, depois de algum tempo, talvez ela compreenda que você não quer lhe causar nenhum mal e volte para casa.

– É vergonhoso demais – alegou Ralph.

– Nem tanto. Uma mulher da nobreza às vezes passa umas poucas semanas num convento, se sente a necessidade de se afastar do mundo por algum tempo.

– Em geral se fica viúva ou quando o marido vai para a guerra.

– Mas nem sempre.

– Quando não há razão óbvia, as pessoas sempre dizem que a mulher quer fugir do marido.

– Até que ponto isso é ruim? Você pode gostar de passar algum tempo longe de sua esposa.

– Talvez você tenha razão.

Merthin se surpreendeu com a resposta. Não esperava que Ralph se deixasse persuadir com tanta facilidade. Levou um momento para superar o espanto antes de dizer:

– Então estamos combinados. Dê três meses a Tilly, depois volte e converse com ela.

Merthin tinha a impressão de que Tilly nunca mudaria de ideia, mas pelo menos a proposta adiaria a crise.

– Três meses – repetiu Ralph. – Combinado.

Ele se levantou para ir embora. Merthin apertou sua mão.

– Como estão o pai e a mãe? Não os vejo há meses.

– Envelhecendo. O pai não sai mais de casa.

– Irei visitá-los assim que Caris melhorar. Ela está se recuperando de uma icterícia.

– Transmita os meus votos de rápida recuperação.

Merthin foi até a porta e ficou observando Ralph e Alan se afastarem. Estava profundamente perturbado. Ralph tramava alguma coisa, e não era apenas levar Tilly de volta.

Voltou ao seu desenho e ficou olhando para a lousa sem ver nada por um longo tempo.

⌒

Ao final da segunda semana, era evidente que Caris iria melhorar. Merthin estava esgotado, mas feliz. Aliviado, ele pôs Lolla na cama cedo e saiu pela primeira vez.

Era um final de tarde ameno de primavera. O sol e o ar fragrante o deixaram inebriado. Sua própria taverna, a Bell, estava fechada para reforma, mas a Holly Bush tinha um grande movimento, com clientes sentados em bancos no lado de fora com suas canecas. Havia tantas pessoas aproveitando o tempo bom que Merthin parou e perguntou se era um feriado, pensando que poderia ter perdido a noção da data.

– Cada dia é um feriado agora – respondeu um dos homens. – De que adianta trabalhar quando vamos todos morrer da peste? Tome um copo de cerveja com a gente.

– Não, obrigado.

Merthin seguiu em frente. Notou que muitas pessoas usavam roupas elegantes, chapéus elaborados e túnicas bordadas, que em circunstâncias normais não teriam condições de comprar. Presumiu que haviam herdado esses trajes ou simplesmente os haviam tirado de cadáveres de gente rica. O efeito era um pouco de pesadelo: gorros de veludo sobre cabelos imundos, fios de ouro e manchas de comida, calções rasgados e sapatos com pedras preciosas.

Encontrou dois homens em roupas de mulher, com vestidos que iam até o chão e toucas. Caminhavam pela rua principal de braços dados, como esposas de mercadores ostentando sua riqueza... mas eram inconfundivelmente homens, com mãos e pés enormes, pelos no queixo. Merthin começou a se sentir desorientado, como se não fosse possível confiar em mais nada.

Enquanto o crepúsculo se tornava mais escuro, ele cruzou a ponte até a ilha dos Leprosos. Construíra uma rua de lojas e tavernas ali, entre as duas pontes. O trabalho já acabara, mas os prédios estavam desocupados, com tábuas pregadas nas portas e janelas para impedir o acesso de vagabundos. Ninguém além dos coelhos vivia ali. As instalações continuariam vazias até que a peste acabasse e Kingsbridge voltasse ao normal, calculava Merthin. Se nunca mais fosse embora, os prédios nunca seriam ocupados, mas, neste caso, a locação de propriedades seria a menor de suas preocupações.

Merthin voltou à cidade velha no momento em que o portão estava sendo fechado. Parecia haver uma imensa festa na taverna White Horse. Encontrava-se toda iluminada e a multidão se derramava pela rua.

– O que está acontecendo? – perguntou a um homem com uma caneca de cerveja na mão.

– O jovem Davey pegou a peste e não tem herdeiros para ficar com a taverna. Por isso, resolveu distribuir toda a cerveja. – O homem exibia um sorriso de satisfação. – Pode beber à vontade. É de graça.

Ele e dezenas de outros vinham aplicando esse princípio, e já havia muitos bêbados. Alguém batia um tambor e vários dançavam. Merthin viu um círculo de homens e espiou por cima de seus ombros para descobrir o que encobriam. Uma mulher completamente embriagada, em torno dos 20 anos, estava inclinada sobre uma mesa enquanto um homem a penetrava por trás. Vários outros homens esperavam sua vez. Merthin se virou, com repulsa.

Ao lado do prédio, meio escondido entre os barris vazios, avistou Ozzie Ostler, um rico negociante de cavalos, ajoelhado diante de um homem mais jovem e chupando seu pênis. Isso era contra a lei e passível de pena de morte, mas era evidente que ninguém se importava. Ozzie, um homem casado e membro da guilda da paróquia, avistou Merthin, mas não parou. Ao contrário, continuou com mais entusiasmo, como se estivesse excitado por ser observado. Merthin balançou a cabeça, atordoado.

Perto da porta da taverna havia uma mesa com alimentos parcialmente comidos: pedaços de carne assada, peixe defumado, pastelões e queijos. Havia um cachorro em cima da mesa devorando um pernil. Um homem vomitava o ensopado. Ao lado da porta estava Davey Whitehorse, sentado numa enorme cadeira de madeira, segurando um enorme copo de vinho. Espirrava e suava, o filete de sangue característico escorrendo de seu nariz, mas ele olhava ao redor e exortava os bebedores. Parecia querer se matar de tanto beber antes que a peste o liquidasse.

Merthin ficou nauseado. Deixou o local e voltou apressado ao priorado. Para sua surpresa, encontrou Caris de pé e vestida.

– Estou melhor e retornarei ao trabalho amanhã. – Ao ver a expressão cética de Merthin, ela acrescentou: – A irmã Oonagh disse que eu poderia voltar.

– Se está aceitando ordens de outra pessoa, isso significa que ainda não voltou ao normal.

Caris riu. A cena trouxe lágrimas aos olhos dele. Ela não ria há duas semanas e houve momentos em que Merthin tivera dúvidas se algum dia voltaria a ouvir aquele som.

– Onde você estava? – perguntou Caris.

Ele relatou seu passeio pela cidade e as imagens chocantes que testemunhara.

– Não havia um sentimento de maldade no que as pessoas faziam. Mas não posso deixar de pensar no que acontecerá em seguida. Quando todas as inibições desaparecerem, as pessoas passarão a se matar?

Uma empregada da cozinha trouxe uma terrina com sopa. Caris tomou alguns goles com a maior cautela. Durante muito tempo, toda e qualquer comida a deixava nauseada. Mas agora ela pareceu achar a sopa de alho-poró apetitosa e tomou uma tigela inteira. Depois que a criada tirou a mesa, Caris disse:

– Enquanto estava doente, pensei muito na morte.

– Não pediu um padre.

– Quer eu tenha sido boa ou má, não creio que Deus se deixe enganar por uma mudança de estado de espírito no último minuto.

– O que pensou então?

– Perguntei a mim mesma se havia alguma coisa de que realmente me arrependia.

– E havia?

– Muitas coisas. Não fui amiga de minha irmã. Não tive filhos. Perdi aquele casaco escarlate que papai deu a mamãe no dia em que ela morreu.

– Como o perdeu?

– Não tive permissão para trazê-lo quando entrei no convento. Não sei o que aconteceu com o casaco.

– Qual foi seu maior arrependimento?

– Na verdade, foram dois: não ter construído meu hospital e ter passado tão pouco tempo na cama com você.

Merthin ergueu as sobrancelhas.

– O segundo pode ser solucionado com a maior facilidade.

– Sei disso.

– O que me diz das freiras?

– Ninguém mais se importa. Você viu o que acontece na cidade. Aqui no convento, estamos ocupadas demais lidando com a morte para nos preocuparmos com as antigas normas. Joan e Oonagh dormem juntas todas as noites num dos quartos do segundo andar do hospital. Não importa mais.

Merthin franziu o rosto.

– É estranho que elas façam isso e mesmo assim continuem a comparecer aos serviços na catedral durante a noite. Como conciliam as duas coisas?

– O Evangelho de São Lucas diz: "Aquele que tem dois casacos, que ajude quem não tem nenhum." Como acha que o bispo de Shiring concilia isso com suas incontáveis roupas? Todo mundo usa o que gosta dos ensinamentos da Igreja e ignora as partes que não são convenientes.

– E você?

– A mesma coisa. Mas sou honesta a respeito. Por isso, vou viver com você, como sua esposa. E se alguém questionar, direi que estes são tempos estranhos. – Ela se levantou, foi até a porta e a trancou. – Você vem dormindo aqui há duas semanas. Não precisa mais sair.

– Não há necessidade de me trancar – disse Merthin, rindo. – Ficarei voluntariamente.

Ele a envolveu com os braços.

– Começamos uma coisa poucos minutos antes de eu desmaiar. Tilly nos interrompeu.

– Você estava febril.

– Sob esse aspecto, ainda estou.

– Talvez devêssemos recomeçar do ponto em que paramos.

– Podemos ir para a cama primeiro.

– Está bem.

De mãos dadas, subiram a escada.

71

Ralph e seus homens estavam escondidos na floresta ao norte de Kingsbridge, esperando. Era o mês de maio e o entardecer foi longo. Quando a noite caiu, Ralph exortou os outros a tirarem um cochilo, enquanto ele permanecia sentado, vigilante.

Com ele estavam Alan Fernhill e quatro mercenários, soldados desmobilizados do exército do rei, guerreiros que não haviam conseguido encontrar seu lugar em tempos de paz. Alan os contratara na Red Lion, em Gloucester. Não sabiam quem era Ralph e nunca o haviam visto à luz do dia. Fariam o que lhes fosse mandado, receberiam seu dinheiro e jamais fariam perguntas.

Ralph ficou acordado, observando a passagem do tempo automaticamente como fazia quando lutara com o rei na França. Entendera que, se tentasse com muito afinco descobrir quantas horas haviam se passado, acabava em dúvida; mas, se apenas adivinhasse, o que aflorava a sua cabeça era sempre certo. Os monges usavam uma vela acesa, marcada com círculos, para indicar as horas, ou uma ampulheta com areia ou água escorrendo por um funil estreito, mas Ralph tinha uma medida melhor em sua cabeça.

Sentado imóvel, encostado numa árvore, olhava para o fogo baixo que haviam acendido. Podia ouvir o sussurro dos pequenos animais entre as moitas, o pio ocasional de uma coruja predadora. Nunca se sentia tão calmo quanto nas horas de espera que antecediam a ação. Havia sossego e escuridão, tempo para pensar. O conhecimento do perigo iminente, que deixava nervosa a maioria dos homens, na verdade o tranquilizava.

O maior perigo naquela noite, a bem da verdade, não vinha dos riscos do combate. Haveria alguma luta corpo a corpo, mas o inimigo consistiria de gordos habitantes da cidade ou monges flácidos. O verdadeiro perigo era a possibilidade de Ralph ser reconhecido. O que estava prestes a fazer era chocante. Seria comentado com indignação em todas as igrejas da Inglaterra, talvez da Europa. Gregory Longfellow, por quem Ralph faria aquilo, seria o mais exaltado na condenação. Se algum dia vazasse a informação de que fora o culpado, Ralph seria enforcado.

Mas, se tivesse êxito, ele se tornaria o conde de Shiring.

Quando calculou que passavam duas horas da meia-noite, acordou os outros.

Deixaram os cavalos amarrados, saíram da floresta e seguiram para a cidade pela estrada. Alan carregava o equipamento, como sempre fazia quando lutavam na França. Levava uma escada, um rolo de corda e um croque, que usavam quando atacavam muralhas de cidades na Normandia. Tinha em seu cinturão uma talhadeira e um martelo. Podiam não precisar das ferramentas, mas haviam aprendido que era sempre melhor estar preparados.

Alan também levava vários sacos grandes, enrolados de forma bem apertada e amarrados com um cordão para formar uma trouxa.

Ao chegarem à vista da cidade, Ralph distribuiu sacos com fendas para os olhos e a boca. Todos os puseram. Ralph também usava uma luva na mão esquerda, para esconder os cotos denunciadores dos três dedos que perdera em combate. Estava completamente irreconhecível... a menos, é claro, que fosse capturado.

Todos meteram os pés em sacos de feltro, amarrados nos joelhos para abafar os sons dos passos.

Havia centenas de anos Kingsbridge não era atacada por um exército. Por isso, a segurança era relaxada, ainda mais desde o advento da peste. Mesmo assim, a entrada sul da cidade fora fechada. No lado da grande ponte de Merthin que dava para a cidade havia uma casa da guarda de pedra, com espesso portão de madeira. Mas o rio defendia a cidade apenas pelos lados sul e leste. Ao norte e a oeste não havia ponte e a cidade era protegida apenas por uma muralha, em lamentável estado de conservação. Era por isso que Ralph se aproximava da cidade pelo norte.

Residências humildes se amontoavam fora das muralhas, como cães nos fundos de um açougue. Alan efetuara o reconhecimento do percurso vários dias antes, quando os dois visitaram Kingsbridge para perguntar por Tilly. Agora, Ralph e os mercenários seguiam Alan, esgueirando-se entre as choupanas tão silenciosamente quanto possível. Até mesmo os pobres nos subúrbios poderiam dar o alarme se fossem acordados. Um cachorro latiu. Ralph ficou tenso, mas alguém gritou e o animal silenciou. Mais um momento e alcançaram um trecho em que a muralha desabara. Poderiam subir com facilidade pelas pedras caídas.

Desceram para uma viela estreita, por trás de alguns armazéns, que vinha direto do portão norte da cidade. Ralph sabia que ali, junto do portão, havia um homem de sentinela numa guarita. Os seis invasores se adiantaram silenciosamente. Embora estivessem agora dentro das muralhas, um homem de sentinela os interrogaria se os visse e gritaria por socorro se não ficasse satisfeito com as respostas. Para alívio de Ralph, no entanto, o homem estava mergulhado num sono pesado, sentado num banco encostado na lateral da guarita, um toco de vela pingando na prateleira ao seu lado.

Ainda assim, decidiu Ralph, era melhor não correr o risco de o homem acordar. Ele se adiantou na ponta dos pés, inclinou-se pela guarita e cortou a garganta do homem com uma faca comprida. O homem acordou e tentou gritar de dor, mas só sangue saiu de sua boca. Quando arriou, Ralph o amparou e o segurou por alguns momentos, o tempo necessário para que perdesse os sentidos. Depois encostou o corpo na parede da guarita, limpou a lâmina ensanguentada na túnica do morto e tornou a guardar a faca na bainha.

O grande portão duplo que barrava a passagem tinha uma porta menor que dava para apenas um homem de cada vez. Ralph removeu a tranca dessa porta menor, deixando-a pronta para uma fuga rápida mais tarde.

Os seis foram caminhando sem fazer barulho pela rua que levava ao priorado. Não havia lua – Ralph escolhera aquela noite justamente por esse motivo –, mas havia uma tênue claridade da luz das estrelas. Ele observava, ansioso, as janelas do segundo andar nas casas dos dois lados. Se pessoas insones por acaso olhassem para fora, veriam a cena inegavelmente sinistra de seis homens mascarados. Por sorte, não fazia bastante calor para que as casas ficassem com as janelas abertas à noite. Mesmo assim, Ralph puxou o capuz ainda mais, seguiu em frente tão depressa quanto era possível, na esperança de manter o rosto oculto e evitar que percebessem a máscara, e sinalizou para que os outros fizessem a mesma coisa.

Aquela era a cidade em que passara sua adolescência, por isso as ruas lhe eram familiares. Seu irmão Merthin ainda vivia ali, embora Ralph não soubesse onde exatamente.

Desceram pela rua principal e passaram pela Holly Bush, fechada e trancada para a noite horas antes. Aproximaram-se da catedral. A entrada tinha portões altos de madeira, reforçados com ferro, mas eles permaneciam sempre abertos. Há anos não eram fechados, as dobradiças enferrujadas e emperradas.

O priorado estava às escuras, exceto por uma claridade mínima nas janelas do hospital. Ralph calculava que aquela era a hora em que monges e freiras estavam ferrados no sono. Dentro de uma hora, mais ou menos, seriam acordados para o serviço das Matinas, que começava e terminava antes do amanhecer.

Alan, que fizera também o reconhecimento do priorado, levou os homens para o lado norte da catedral. Passaram em silêncio pelo cemitério e pelo palácio do prior, para depois seguir pela estreita faixa de terra que separava a extremidade leste da catedral da margem do rio. Alan apoiou sua escada pequena numa parede sem janelas e sussurrou:

– O claustro das freiras. Sigam-me.

Ele subiu pela parede até o telhado. Seus pés quase não faziam barulho nas telhas de ardósia. Por sorte, não precisou usar o croque, o que poderia causar um estrépito alarmante. Os outros subiram atrás, Ralph por último.

Lá dentro, pularam do telhado e caíram com um mínimo de barulho no gramado do claustro. Ali, Ralph olhou cauteloso para as colunas de pedra das galerias ao redor. As arcadas pareciam observá-lo, como vigias, mas não havia qualquer movimento. Ainda bem que monges e freiras não tinham permissão para ter cachorros de estimação.

Alan os conduziu por uma passagem inteiramente nas sombras e atravessou uma pesada porta.

– A cozinha – sussurrou. O lugar era um pouco iluminado pelas brasas numa lareira enorme. – Tomem cuidado e andem devagar para não esbarrarem em panelas.

Ralph esperou um pouco, deixando que seus olhos se ajustassem à escuridão. Não demorou muito para poder divisar os contornos de uma mesa grande, vários barris e uma pilha de tachos de cozinha.

– Encontrem algum lugar para sentar ou deitar e tentem ficar confortáveis – disse aos homens. – Ficaremos aqui até todas as freiras se levantarem e irem para a catedral.

⤙

Uma hora depois, espiando da cozinha, Ralph contou as freiras e noviças que deixavam o dormitório e, arrastando os pés, atravessavam o claustro e seguiam para a catedral. Algumas carregavam lampiões, que projetavam sombras extravagantes no teto das arcadas.

– São 25 – sussurrou para Alan.

Como Ralph já esperava, Tilly não estava entre elas. As mulheres da nobreza em visita não precisavam comparecer aos serviços durante a madrugada.

Depois que todas desapareceram, ele se adiantou. Os outros ficaram para trás.

Só havia dois lugares em que Tilly poderia estar dormindo: o hospital e o dormitório das freiras. Ralph calculara que ela se sentiria mais segura no dormitório, então seguiu para lá primeiro.

Subiu em passos suaves pelos degraus de pedra, os pés ainda envoltos nos sacos. Deu uma espiada no dormitório. Era iluminado por uma única vela. Torcia para que todas as freiras estivessem na catedral, pois não queria que outras pessoas atrapalhassem seus planos. Tinha medo de que uma ou duas pudessem ter ficado ali, por doença ou apenas por preguiça. Mas o dormitório estava vazio... nem mesmo Tilly se encontrava ali. Ele já ia se retirar quando avistou uma porta na outra extremidade.

Atravessou toda a extensão do dormitório, pegou a vela e passou pela porta sem fazer qualquer barulho. A chama mínima da vela iluminou a cabeça de sua jovem esposa num travesseiro, os cabelos desarrumados em torno do rosto. Parecia tão inocente e bela que Ralph experimentou uma pontada de remorso. Teve de lembrar a si mesmo quanto a odiava por se interpor no caminho de seu sucesso.

O bebê, seu filho Gerry, estava num berço ao lado da mãe, os olhos fechados, a boca entreaberta, dormindo sereno.

Ralph chegou mais perto. Com um movimento rápido, usou a mão direita para tapar a boca de Tilly; acordou-a, ao mesmo tempo que a impedia de fazer qualquer ruído.

Tilly arregalou os olhos e o fitou com pavor.

Ele largou a vela. Trazia no bolso uma variedade de coisas úteis, inclusive pedaços de pano e tiras de couro. Meteu um pedaço de pano na boca de Tilly, para mantê-la calada. Apesar da máscara e da luva, teve a impressão de que ela o reconhecera, embora não tivesse falado coisa alguma. Talvez Tilly fosse capaz de sentir seu cheiro como uma cadela. Não tinha a menor importância. Ela não contaria a ninguém.

Ele amarrou as mãos e os pés dela com as tiras de couro. Ela não se debatia agora, mas haveria de fazê-lo mais tarde. Ralph verificou se a mordaça estava firme. Depois se acomodou para esperar.

Podia ouvir o canto que vinha da catedral: um coro forte de vozes femininas e umas poucas vozes masculinas tentando acompanhá-las. Tilly continuava a fitá-lo, com olhos enormes e suplicantes. Ele a virou para não ter de olhar seu rosto.

Tilly já adivinhara que ele ia matá-la. Lera seus pensamentos. Devia ser uma bruxa. Talvez todas as mulheres fossem bruxas. De qualquer forma, ela já percebera sua intenção antes, quase no instante mesmo em que ele tomara a decisão. Começara a vigiá-lo, especialmente à noite, os olhos amedrontados o seguindo por toda parte quando estavam juntos, não importava o que ele fizesse. Mantinha-se rígida e alerta ao seu lado à noite, enquanto ele dormia, e pela manhã, quando ele acordava, Tilly invariavelmente já estava de pé. Após uns poucos dias assim, ela desaparecera. Ralph e Alan a haviam procurado sem sucesso, até ouvirem o rumor de que Tilly se refugiara no priorado de Kingsbridge.

O que por acaso se ajustava à perfeição a seus planos.

O bebê fungou no sono e ocorreu a Ralph que ele poderia chorar. E se as freiras voltassem nesse momento? Ralph pensou a respeito. Uma ou duas provavelmente viriam até o quarto para perguntar se Tilly precisava de ajuda. Ralph decidiu que as mataria. Não seria a primeira vez. Já matara freiras na França.

Finalmente ele ouviu as freiras voltando ao dormitório.

Alan estaria observando da cozinha, contando-as ao retornarem. Quando todas estivessem no dormitório, Alan e os outros quatro homens desembainhariam as espadas e entrariam em ação.

Ralph pôs Tilly de pé. Ela exibia o rosto molhado de lágrimas. Ele a virou de costas, passou o braço por sua cintura e levantou-a para junto de seu quadril. Ela era leve como uma criança.

Ralph sacou sua adaga comprida.

Ouviu um homem dizer no dormitório:

– Silêncio ou morrerão!

Era Alan, ele sabia, embora a máscara distorcesse a voz.

Aquele era um momento crucial. Havia outras pessoas no priorado – freiras e pacientes no hospital, os monges em seus aposentos – e Ralph não queria que aparecessem para complicar a situação.

Apesar da advertência de Alan, houve vários gritos abafados de choque e gritos estridentes de medo... mas, pensou Ralph, não muito altos. Até agora, tudo bem.

Ele abriu a porta e saiu para o dormitório carregando Tilly no quadril. Podia ver a cena à luz dos lampiões das freiras. Na outra extremidade do dormitório, Alan segurava uma mulher, a faca em sua garganta, na mesma pose de Ralph com Tilly. Mais dois homens se postavam por trás de Alan. Os outros dois mercenários estariam montando guarda ao pé da escada.

– Prestem atenção, todas vocês!

Quando Ralph falou, Tilly estremeceu convulsivamente. Reconhecera sua voz. Mas isso não importava, desde que ninguém mais reconhecesse.

Fez-se um silêncio apavorado.

– Qual de vocês é a tesoureira? – perguntou Ralph. Ninguém respondeu.

Ralph encostou a beira da lâmina na pele da garganta de Tilly. Ela começou a se debater, mas era pequena demais e ele podia dominá-la sem qualquer dificuldade. Agora, pensou Ralph, é o momento de matá-la, mas ele hesitou. Já matara muitas pessoas, inclusive mulheres, além de homens, mas subitamente parecia terrível enfiar uma faca no corpo quente de uma mulher que ele abraçara e beijara, uma mulher com quem dormira e que gerara seu filho.

Além disso, ele decidiu, o efeito sobre as freiras seria mais chocante se uma delas morresse. E Ralph acenou com a cabeça para Alan.

Com um movimento firme, Alan cortou a garganta da freira que estava segurando. O sangue esguichou do pescoço para o chão.

Alguém gritou.

Não foi apenas um grito abafado ou estridente, mas um berro fortíssimo, de puro terror, capaz de despertar os mortos. O grito se prolongou até que um dos mercenários acertou um poderoso golpe na cabeça da mulher com seu porrete. Ela caiu ao chão, inconsciente, sangue escorrendo pelo rosto. Ralph perguntou de novo:

– Qual de vocês é a tesoureira?

⌒

Merthin acordou por um breve instante quando o sino tocou para as Matinas e Caris saiu da cama. Como sempre, ele virou para o outro lado e caiu num cochilo leve. Assim, quando ela voltou, parecia que estivera ausente apenas por um ou dois minutos. Caris estava gelada ao se deitar, e ele a puxou e envolveu em seus braços. Muitas vezes ficavam acordados por algum tempo, conversando, e em geral faziam amor antes de tornarem a dormir. Era o momento predileto de Merthin.

Caris se comprimiu contra ele, os seios esmagados em conforto no seu peito. Merthin beijou sua testa. Assim que ela esquentou, ele estendeu a mão para tocar nos cabelos macios entre suas pernas.

Mas ela estava com vontade de conversar:

– Ouviu o rumor que circulou pela cidade de que havia bandidos na floresta, ao norte de Kingsbridge?

– Parece um pouco improvável.

– Não sei, não. As muralhas estão decrépitas naquele lado.

– Mas o que eles querem roubar? Podem pegar qualquer coisa que quiserem. Se precisam de carne, há milhares de ovelhas e vacas vagando pelos campos, sem ninguém para reivindicar a posse.

– É isso que torna a situação muito estranha.

– Roubar hoje em dia é se inclinar por cima da cerca para respirar o ar do vizinho.

Caris suspirou.

– Há três meses eu pensava que essa peste terrível já havia terminado.

– Quantas pessoas mais já perdemos?

– Enterramos mil pessoas desde a Páscoa.

Parecia um número mais ou menos certo para Merthin.

– Ouvi dizer que outras cidades estão passando por situações semelhantes.

Ele sentiu os cabelos de Caris roçarem em seu ombro quando ela assentiu com a cabeça no escuro.

– Creio que cerca de um quarto da população da Inglaterra já morreu.

– E mais da metade dos padres.

– Isto acontece porque eles fazem contato com muitas pessoas cada vez que celebram uma missa. É muito difícil escapar.

– E por isso metade das igrejas está fechada.

– O que é uma boa coisa, se perguntar minha opinião. Tenho certeza de que as multidões espalham a peste mais depressa do que qualquer outra coisa.

– Seja como for, a maioria das pessoas perdeu o respeito pela religião.

Para Caris, isso não era uma grande tragédia.

– Talvez elas parem de acreditar na medicina de superstições e comecem a pensar sobre que tratamentos fazem diferença.

– Você diz isso, mas é difícil para as pessoas comuns saberem o que é uma cura genuína e o que é um falso remédio.

– Eu lhe darei quatro regras.

Merthin sorriu no escuro. Ela sempre tinha uma lista.

– Está bem.

– Uma: se há dezenas de remédios diferentes para uma doença, você pode ter certeza de que nenhum deles funciona.

– Por quê?

– Porque, se um deles funcionasse, as pessoas esqueceriam o resto.

– Lógico.

– Duas: só porque um remédio é desagradável, não significa que é bom. Miolos crus de cotovia não servem de nada para uma garganta dolorida embora façam você vomitar. Por outro lado, uma boa xícara de água quente e mel serve para aliviar a garganta.

– É bom saber disso.

– Três: esterco humano e de animal nunca fizeram bem a ninguém. Ao contrário, em geral fazem com que as pessoas piorem.

– Fico aliviado em saber disso.

– Quatro: se o remédio se parece com a doença... por exemplo, as penas cheias de pintas de um tordo para a varíola ou a urina de ovelha para icterícia... provavelmente não passa de uma besteira imaginativa.

– Você deveria escrever um livro sobre isso.

Caris soltou um muxoxo desdenhoso.

– As universidades preferem os textos gregos antigos.

– Não seria um livro para estudantes da universidade, e sim para mulheres como você: freiras e parteiras, barbeiros, curandeiras.

– Curandeiras e parteiras não sabem ler.

– Algumas sabem e outras têm pessoas que podem ler para elas.

– Suponho que as pessoas possam gostar de um livro pequeno que diga o que fazer em relação à peste.

Caris ficou pensativa por um momento. No silêncio, soou um grito.

– O que foi isso? – indagou Merthin.

– Parecia um musaranho apanhado por uma coruja.

– Não, não foi.

E Merthin se levantou.

⌇

Uma das freiras se adiantou para falar com Ralph. Era jovem – quase todas eram jovens –, com cabelos pretos e olhos azuis.

– Por favor, não faça mal a Tilly – suplicou ela. – Sou a irmã Joan, a tesoureira. Nós lhe daremos qualquer coisa que quiser. Mas, por favor, não cometa mais nenhuma violência.

– Sou Tam Hiding – disse Ralph. – Onde estão as chaves da tesouraria das freiras?

– Estão aqui em meu cinto.

– Leve-me até lá.

Joan hesitou. Talvez sentisse que Ralph não sabia onde ficava a tesouraria. Em sua expedição de reconhecimento, Alan examinara o convento com o maior cuidado antes de ser descoberto. Determinara o caminho para entrar, identificara a cozinha como um bom esconderijo e localizara o dormitório das freiras. Mas não conseguira descobrir a tesouraria. Era evidente que Joan não queria revelar sua localização.

Ralph não tinha tempo a perder. Não sabia quem poderia ter ouvido o grito. Comprimiu a ponta da faca contra a garganta de Tilly até tirar sangue.

– Quero ir até a tesouraria.

– Está bem. Só peço que não machuque Tilly. Mostrarei o caminho.

– Era o que eu esperava.

Ralph deixou dois mercenários no dormitório, para manter as freiras quietas. Junto com Alan e levando Tilly, desceu a escada para o claustro logo atrás de Joan.

Lá embaixo, os outros dois mercenários detinham mais três freiras, sob a ameaça de facas. Ralph calculou que eram freiras de serviço no hospital que tinham vindo averiguar o motivo do grito. Ficou contente: outra ameaça fora neutralizada. Mas onde estavam os monges?

Ele mandou as três freiras para o dormitório. Deixou um mercenário ao pé da escada e levou o outro em sua companhia.

Joan seguiu na frente, através do refeitório, que ficava no térreo, diretamente por baixo do dormitório. Seu lampião tremeluzente iluminou mesas de cavaletes, bancos, uma plataforma e uma parede pintada com a cena de Jesus num banquete de casamento.

Na outra extremidade do refeitório, Joan afastou uma mesa para revelar um alçapão no chão. Tinha uma fechadura, como uma porta vertical comum. Ela pôs a chave ali, girou e levantou o alçapão. Dava para uma estreita escada de pedra em espiral. Ela desceu pela escada. Ralph deixou o mercenário de guarda e desceu atrás, carregando Tilly, meio sem jeito. Alan o seguiu.

Ralph chegou ao pé da escada e olhou ao redor com um ar satisfeito. Ali era o santo dos santos, a tesouraria secreta das freiras. Era uma apertada sala subterrânea, como uma masmorra, porém mais bem construída: as paredes eram de pedra de cantaria, lisas e quadradas, como as da catedral; o chão, pavimentado com lajes de pedra bem ajustadas. O ar era frio e seco. Ralph largou Tilly no chão toda amarrada, como uma galinha.

A maior parte da sala era ocupada por uma enorme caixa com tampa, parecendo um caixão de gigante, acorrentada a uma argola cravada na parede. Não havia muito mais ali: dois bancos, uma escrivaninha e uma prateleira com rolos de pergaminho, presumivelmente as contas do convento. Num gancho na parede havia dois casacos grossos de lã. Ralph calculou que eram para a tesoureira e sua assistente quando trabalhavam lá embaixo nos meses mais frios do inverno.

A caixa era muito grande para ter descido pela escada. Devia ter sido trazida em pedaços e montada no local. Ralph apontou para o fecho e Joan o abriu com outra das chaves em seu cinto.

Ralph deu uma olhada. Havia mais dezenas de rolos de pergaminho, obviamente todos os cartulários e títulos que provavam a propriedade e os direitos do convento sobre seu patrimônio; uma pilha de bolsas de couro e lã que continham com certeza ornamentos cravejados de pedras preciosas; e outra caixa, menor, em que devia haver dinheiro.

A essa altura, ele tinha de ser sutil. Seu objetivo era se apoderar dos cartulários, mas não queria que isso se tornasse evidente. Tinha de roubá-los, mas sem dar a impressão de que essa era sua única intenção.

Ele ordenou que Joan abrisse a caixa menor. Continha umas poucas moedas de ouro. Ralph ficou perplexo ao descobrir como havia pouco dinheiro. Talvez houvesse mais escondido em algum lugar daquela sala, possivelmente por trás de pedras nas paredes. Mas ele não se parou para pensar a respeito: só estava fingindo que se interessava por dinheiro. Despejou as moedas na bolsa em seu cinto. Enquanto isso, Alan abria um saco enorme e começava a meter ali os ornamentos da catedral.

Depois de deixar que Joan visse isso, Ralph mandou que ela subisse de volta.

Tilly continuou lá embaixo, observando tudo com os olhos arregalados e aterrorizados. Mas não importava o que ela visse, pois nunca teria a oportunidade de contar a ninguém.

Ralph abriu os sacos e começou a jogar neles os rolos de pergaminho tão depressa quanto podia. Depois que encheram os sacos, ele disse a Alan que quebrasse as caixas de madeira com a talhadeira e o martelo. Tirou os casacos de lã dos ganchos, fez uma trouxa e aproximou a chama da vela. A lã pegou fogo no mesmo instante. Ele empilhou os pedaços de madeira por cima dos casacos de lã em chamas. Não demorou muito para que a fogueira se tornasse intensa. A fumaça ardia na garganta de Ralph.

Ele olhou para Tilly, estendida no chão, desamparada. Sacou a faca. E, mais uma vez, hesitou.

Uma porta pequena levava direto do palácio do prior para a casa do capítulo, que por sua vez tinha também uma ligação direta com o transepto norte da catedral. Merthin e Caris seguiram por esse caminho, à procura da origem do grito. A casa do capítulo estava vazia, então eles passaram para a catedral. A única vela acesa não dava para iluminar o vasto interior, mas eles pararam na interseção, escutando com o máximo de atenção.

Ouviram o estalido de uma fechadura.

– Quem está aí? – indagou Merthin, envergonhado do medo que fazia sua voz tremer.

– Irmão Thomas.

A voz veio do transepto sul. Pouco depois, Thomas apareceu no tênue círculo de luz projetado pela chama da vela.

– Tive a impressão de ouvir alguém gritar – disse ele.

– Também pensamos ter ouvido um grito. Mas não há ninguém aqui na catedral.

– Vamos verificar em outros lugares.

– Onde estão os noviços e os meninos?

– Mandei que voltassem a dormir.

Atravessaram o transepto sul e entraram no claustro dos monges. Mais uma vez, não viram ninguém e não ouviram nada. De lá, seguiram por uma passagem através das despensas até o hospital. Os pacientes estavam deitados, como era normal, alguns dormindo, outros se agitando na cama e gemendo de dor... mas, Merthin percebeu passado um momento, não havia freiras ali.

– Isso é estranho – disse Caris.

O grito poderia ter partido dali, mas não havia sinal de emergência ou de qualquer outro tipo de perturbação.

Foram para a cozinha, que se encontrava deserta, como era de esperar. Thomas inspirou fundo, como se sentisse algum cheiro.

– O que foi? – perguntou Merthin, descobrindo-se a sussurrar.

– Os monges são limpos – respondeu Thomas. – Alguém sujo passou por aqui.

Merthin não foi capaz de sentir qualquer cheiro fora do normal.

Thomas pegou um cutelo, do tipo que os açougueiros costumam usar para cortar carne e osso.

Foram até a porta da cozinha. Thomas levantou o coto do braço esquerdo num gesto de advertência. Eles pararam. Havia uma claridade mínima no claustro das freiras. Parecia vir de um recesso na extremidade próxima. Era o brilho refletido de uma vela distante, adivinhou Merthin. Podia vir do refeitório das freiras ou da escada de pedra que levava ao dormitório, se não mesmo dos dois lugares.

Thomas tirou as sandálias e avançou, os pés descalços não fazendo qualquer barulho nas lajes de pedra. Ele desapareceu nas sombras do claustro. Merthin mal pôde divisá-lo quando ele se aproximou do recesso na parede.

Um cheiro fraco mas penetrante alcançou o nariz de Merthin. Não era o cheiro de corpos sujos que Thomas captara na cozinha, mas sim algo diferente e novo. Um momento depois, Merthin o identificou como fumaça. Thomas devia ter percebido também, pois ficou imóvel de repente, encostado na parede.

Alguém invisível soltou um grunhido de surpresa. No instante seguinte, uma figura saiu do recesso para a galeria do claustro, claramente delineada, a luz fraca mostrando um homem com alguma espécie de capuz que cobria a cabeça e o rosto. O homem se voltou para a porta do refeitório.

Thomas o golpeou.

O cutelo faiscou por um instante no escuro, depois houve um baque assustador quando afundou no corpo do homem. Ele soltou um grito de terror e dor. Enquanto caía, Thomas golpeou de novo. O grito se transformou num gorgolejo horrível que de repente parou. Ele bateu nas pedras do piso com um barulho sem vida.

Ao lado de Merthin, Caris soltou um grito abafado de horror. Merthin correu para a frente.

– O que está acontecendo?

Thomas se virou para ele fazendo sinais com o cutelo para que recuasse.

– Quieto! – sussurrou.

A luz mudou numa fração de segundo. Subitamente, o claustro foi iluminado pelo brilho intenso de uma chama.

Alguém veio correndo do refeitório com passos pesados. Era um homem grande carregando um saco em uma das mãos e uma tocha acesa na outra. Parecia um fantasma, até que Merthin percebeu que usava um capuz tosco com buracos para os olhos e a boca.

Thomas se postou na frente do homem correndo e ergueu o cutelo. Mas assumiu a posição tarde demais. Antes que pudesse golpear, o homem esbarrou nele, jogando-o para longe.

Thomas bateu numa coluna. Houve um estrondo, que parecia ser da cabeça se chocando com uma pedra. Ele arriou no chão, sem sentidos. O homem correndo perdeu o equilíbrio e caiu de joelhos.

Caris passou apressada por Merthin e foi se ajoelhar ao lado de Thomas. Vários outros homens apareceram, todos encapuzados, alguns segurando tochas. Merthin teve a impressão de que alguns vinham do refeitório, enquanto outros desciam a escada do dormitório das freiras. Ao mesmo tempo, ouviu o som de mulheres gritando e gemendo. Por um instante, a cena foi de caos.

Merthin correu para junto de Caris e tentou protegê-la da debandada com seu corpo.

Os intrusos viram seu companheiro caído e pararam de repente, chocados. À luz das tochas, podiam ver que ele estava indubitavelmente morto, o pescoço cortado quase por completo, o sangue se derramando abundante pelo piso de pedra do claustro. Olharam ao redor, as cabeças se deslocando de um lado para outro, espiando através dos buracos nos capuzes como peixes num rio.

Um deles viu o cutelo de Thomas, vermelho de sangue, caído ao lado de Thomas e Caris. Apontou-o para os outros. Com um grunhido de raiva, desembainhou a espada.

Merthin ficou apavorado por Caris. Adiantou-se, atraindo a atenção do atacante. O homem avançou para Merthin e ergueu a espada. Merthin recuou, afastando-o de Caris. À medida que o perigo para ela diminuía, ele se sentia mais assustado por si mesmo. Foi recuando, trêmulo de medo, e escorregou no sangue do morto. Perdeu por completo o equilíbrio e caiu de costas no chão.

O atacante parou à sua frente, a espada erguida para matá-lo.

Foi nesse instante que um dos outros interferiu. Era o mais alto dos intrusos e movimentou-se com surpreendente rapidez. Com a mão esquerda, agarrou o braço levantado do atacante de Merthin. Devia ter alguma autoridade, pois não precisou falar: limitou-se a sacudir a cabeça de um lado para outro, em negativa, para que o atacante baixasse a espada, obediente.

Merthin notou que seu salvador usava uma luva na mão esquerda, mas não na direita.

A interação durou apenas o tempo suficiente para que um homem contasse até dez e terminou tão abruptamente quanto começara. Um dos homens encapuzados se virou para a cozinha e desatou a correr, logo seguido pelos outros. Deviam ter planejado a fuga por aquele caminho. Merthin compreendeu o motivo: a cozinha tinha uma porta que dava para o pátio gramado da catedral, a saída mais rápida. Todos desapareceram e, sem o clarão de suas tochas, o claustro voltou a mergulhar na escuridão.

Merthin permaneceu imóvel, sem saber o que deveria fazer. Era melhor correr atrás dos intrusos, subir até o dormitório para saber por que as freiras estavam gritando ou procurar o incêndio? Ajoelhou-se ao lado de Caris e perguntou:

– Thomas está vivo?

– Acho que ele bateu com a cabeça e ficou inconsciente, mas continua a respirar e não há sangue.

Por trás dele, Merthin ouviu a voz familiar de irmã Joan:

– Socorro! Ajude, por favor!

Ele se virou. Joan estava parada na porta do refeitório, o rosto grotescamente iluminado pela chama do lampião de vela em sua mão, a cabeça envolta por fumaça, como se fosse um elegante chapéu.

– Pelo amor de Deus, venha depressa!

Merthin se pôs de pé. Joan desapareceu de volta no refeitório, e ele correu atrás dela. O lampião projetava sombras confusas, mas ele conseguiu evitar qualquer esbarrão nos móveis enquanto a seguia até a extremidade do refeitório. A fumaça saía de um buraco no chão. Merthin constatou no mesmo instante que o buraco era obra de um construtor meticuloso: era perfeitamente quadrado e tinha bordas bem acabadas e uma impecável porta de alçapão. Adivinhou que era a tesouraria secreta das freiras, construída em sigilo por Jeremiah. Mas os ladrões a haviam descoberto naquela noite.

Ele inspirou a fumaça e tossiu. Especulou sobre o que estaria ardendo lá embaixo e por quê, mas não tinha a menor intenção de descobrir... parecia perigoso demais. Foi nesse momento que Joan gritou para ele:

– Tilly está lá dentro!

– Santo Deus!

Desesperado, Merthin desceu a escada. Teve de prender a respiração. Perscrutou o local através da fumaça. Apesar do medo que sentia, o olho de construtor notou que a escada de pedra em espiral era benfeita, cada degrau exatamente do mesmo tamanho e formato, cada um no mesmo ângulo para o seguinte; por isso pôde descer com confiança, mesmo sem ver onde pisava.

Alcançou num instante a câmara subterrânea. Podia ver as chamas perto do centro. O calor era intenso e ele compreendeu que não poderia ficar ali por mais que uns poucos instantes. A fumaça era densa. Ainda prendia a respiração, mas seus olhos começaram a ficar marejados de lágrimas, a visão se tornando mais e mais turva. Ele enxugou os olhos com a manga e esquadrinhou a escuridão. Onde estava Tilly? Não dava para ver o chão.

Ficou de joelhos. A visibilidade melhorou um pouco: a fumaça era menos densa perto do chão. Merthin engatinhou ao redor, tateando com as mãos onde não podia ver.

– Tilly! – gritou. – Onde você está?

A fumaça ardeu em sua garganta, e ele sofreu um acesso de tosse que teria abafado qualquer resposta. Não podia aguentar por mais tempo. Tossia convulsivamente e cada respiração parecia sufocá-lo com mais fumaça. Os olhos lacrimejavam demais, a ponto de quase cegá-lo. Em desespero, ele se aproximou tanto do fogo que as chamas começaram a chamuscar sua manga. Se tivesse um colapso e perdesse os sentidos, morreria com certeza.

E foi então que sua mão tocou em carne.

Ele a segurou. Era uma perna humana, uma perna pequena, uma perna de garota. Puxou-a em sua direção. As roupas estavam fumegando. Mal podia ver o rosto e não tinha como saber se ela estava consciente. Mas as mãos e os pés haviam sido amarrados com tiras de couro, por isso ela não podia sair dali por si mesma. Com um esforço para deixar de tossir, Merthin enfiou os braços por baixo do corpo e o ergueu.

Assim que ficou de pé, a fumaça se tornou mais densa e ofuscante. Subitamente, Merthin não pôde mais se lembrar da direção em que ficava a escada. Cambaleou para longe das chamas e esbarrou na parede, quase largando Tilly. Para a direita ou esquerda? Foi para a esquerda e chegou a um canto da parede. Mudou de ideia e voltou.

Tinha a sensação de que se afogava. Quase sem forças, caiu de joelhos. Isso o salvou. Mais uma vez, descobriu que podia ver melhor perto do chão. Um degrau de pedra surgiu bem à sua frente como uma visão do paraíso.

Desesperado, com o corpo inerte de Tilly nos braços, avançou de joelhos até a escada. Com um último esforço, levantou-se de novo. Pôs um pé no degrau mais baixo e subiu; depois, conseguiu escalar o degrau seguinte. Com uma tosse incontrolável, forçou-se a continuar a subir, até que não havia mais degraus. Cambaleou, caiu de joelhos, largou Tilly e arriou na porta do refeitório.

Alguém se debruçou sobre ele.

– Feche o alçapão! Pare o fogo! – balbuciou Merthin.

Logo depois ouviu uma batida forte quando a pesada porta de madeira foi fechada.

Ele foi agarrado pelos braços. Abriu os olhos por um momento e deparou com o rosto de Caris virado para baixo; sua visão se turvou. Ela o arrastou pelo chão. A fumaça ficou menos densa e ele passou a aspirar grandes quantidades de ar para os pulmões. Sentiu a transição de um lugar fechado para o ar livre. Saboreou o gosto do ar noturno limpo. Caris o largou. Merthin ouviu seus passos voltando ao refeitório a correr.

Ofegou, tossiu, ofegou, tossiu de novo. Lentamente, a respiração foi se normalizando. Quando os olhos pararam de lacrimejar, ele viu que o dia amanhecia. A tênue claridade mostrava um bando de freiras de pé ao seu redor.

Ele sentou. Caris e outra freira arrastaram Tilly para fora do refeitório. Puseram-na ao lado de Merthin. Caris se inclinou sobre ela. Merthin tentou falar, mas tossiu. Tentou de novo e conseguiu perguntar:

– Como ela está?

– Ela foi apunhalada no coração. – Caris começou a chorar. – Já estava morta antes de você alcançá-la.

72

Merthin abriu os olhos para o dia claro. Dormira até tarde: a inclinação dos raios do sol passando pela janela indicava que era o meio da manhã. Recordou os acontecimentos da noite anterior como um pesadelo e, por um momento, acalentou a esperança de que pudesse ter sido isso mesmo. Mas o peito doía quando respirava e a pele do rosto estava dolorosamente chamuscada. O horror do assassinato de Tilly lhe veio à mente. E o da irmã Nellie também... duas jovens inocentes. Como Deus podia permitir que coisas assim acontecessem?

Entendeu o que o despertara quando seus olhos se fixaram em Caris pondo uma bandeja na mesinha perto da cama. Ela estava de costas para ele, mas Merthin percebeu, pela posição dos ombros e a inclinação da cabeça, que Caris estava furiosa. O que não era de surpreender. Ela lamentava por Tilly, enfurecida porque a santidade e a segurança do convento haviam sido violadas.

Merthin se levantou. Caris puxou dois bancos para a mesinha e ambos se sentaram. Ele estudou afetuosamente o rosto dela. Havia linhas de tensão em torno dos olhos. Merthin especulou se ela havia dormido. Uma mancha cinza se destacava em sua face esquerda e ele lambeu o polegar para limpá-la com extrema delicadeza.

Ela trouxera pão fresco e manteiga, junto com um jarro de sidra. Merthin percebeu que estava com muita fome e sede e começou a comer. Caris, reprimindo sua fúria, não tocou em nada. Com a boca cheia de pão, Merthin perguntou:

– Como Thomas se sente esta manhã?

– Está deitado no hospital. A cabeça ainda dói, mas ele fala de maneira coerente e pode responder a perguntas. Portanto, é provável que não haja lesões permanentes no cérebro.

– Ainda bem. Terá de haver um inquérito sobre as mortes de Tilly e Nellie.

– Já mandei uma mensagem para o representante do rei em Shiring.

– Provavelmente vão atribuir a culpa a Tam Hiding.

– Tam Hiding está morto.

Merthin assentiu com a cabeça. Sentira-se mais animado com a comida, mas agora tornava a cair em depressão. Sabia o que estava por vir. Engoliu em seco e empurrou o prato para o lado.

– Quem quer que esteve aqui ontem à noite desejava esconder sua identidade, por isso mentiu sem saber que Tam morreu em meu hospital há três meses.

– Quem você acha que pode ter sido?

– Alguém que conhecemos, por isso eles usaram as máscaras.

– É possível.

– Salteadores não usam máscaras.

Era verdade. Como viviam de qualquer maneira à margem da lei, não se importavam com quem soubesse sobre eles e os crimes que cometiam. Os intrusos da noite passada eram diferentes. As máscaras sugeriam que se tratava de cidadãos respeitáveis que tinham receio de ser reconhecidos. Caris continuou, com uma lógica implacável:

– Mataram Nellie para obrigar Joan a abrir a tesouraria, mas não precisavam tirar a vida de Tilly: já estavam lá dentro a essa altura. Queriam Tilly morta por outro motivo. E não se contentaram em deixá-la ali para ser sufocada pela fumaça e arder até seu fim. Também fizeram questão de apunhalá-la no coração. Por alguma razão, queriam ter certeza de sua morte.

– O que isso lhe diz?

Caris não deu uma resposta direta.

– Tilly achava que Ralph queria matá-la.

– Sei disso.

– Um dos homens encapuzados estava prestes a matar você.

Caris sentiu que a voz ficava presa na garganta e teve de parar de falar. Tomou um gole da sidra de Merthin para recuperar o controle antes de conseguir continuar:

– Mas o líder o deteve. Por que ele faria isso? Já haviam assassinado uma freira e uma nobre. Por que o escrúpulo em matar um simples construtor?

– Você acha que foi Ralph.

– Você não?

– Também acho que foi ele.

Merthin deixou escapar um suspiro fundo.

– Reparou na luva?

Merthin assentiu.

– Apenas uma, na mão esquerda. E não uma luva normal, mas uma sem dedos.

– Para esconder a falta dos três dedos.

– Não posso ter certeza, e não seríamos capazes de provar qualquer coisa, mas tenho uma terrível convicção a respeito – afirmou Caris e se levantou. – Vamos verificar os danos.

Dirigiram-se ao claustro das freiras. As noviças e as órfãs estavam limpando a tesouraria, subindo pela escada de pedra em espiral com sacos de madeira queimada e cinzas. Entregavam tudo o que não fora completamente destruído à irmã Joan e levavam o resto para o monte de lixo.

Numa mesa no refeitório, Merthin viu os ornamentos da catedral: castiçais de ouro e prata, crucifixos e vasos, tudo muito bem lavrado e cravejado de pedras preciosas. E ficou surpreso.

– Não levaram esses ornamentos?

– Levaram, mas parecem ter mudado de ideia e os largaram numa vala fora da cidade. Foram encontrados esta manhã por um camponês que vinha vender seus ovos na cidade. Por sorte, ele era honesto.

Merthin pegou um jarro de ouro usado para lavar as mãos. Tinha formato de galo, com as penas do pescoço esculpidas à perfeição.

– É difícil vender uma coisa assim. Poucas pessoas teriam dinheiro para comprar, e a maioria adivinharia que era roubada.

– Os ladrões poderiam derreter e vender o ouro.

– Obviamente, decidiram que daria muito trabalho.

– Talvez.

Caris não estava convencida. Nem Merthin: sua própria explicação não se ajustava. Era evidente que o assalto fora planejado com todo o cuidado. Então por que os ladrões não haviam decidido antes o que fazer com os ornamentos? Ou levá-los, ou deixá-los no convento?

Caris e Merthin desceram a escada para a câmara subterrânea. Merthin sentiu um frio de medo no estômago ao recordar a terrível provação da noite anterior. Mais noviças limpavam as paredes e o chão com esfregões e baldes.

Caris mandou as noviças subirem e descansarem um pouco. Quando ficou a sós com Merthin, pegou um pedaço de madeira numa prateleira e usou para levantar uma das lajes no chão. Merthin não notara antes que a pedra não estava tão justa quanto as outras, pois havia um espaço estreito ao redor. Ele então viu que havia um grande buraco por baixo contendo uma arca de madeira. Caris se inclinou para o buraco, tirou a arca e a abriu com uma chave que levava no cinto. Estava cheia de moedas de ouro. Merthin ficou surpreso.

– Eles não encontraram isso!

– Há mais três cofres escondidos. Outro no chão e dois nas paredes. Eles não abriram nenhum.

– Não devem ter procurado direito. A maioria das tesourariass tem esconderijos. Todo mundo sabe disso.

– Especialmente os ladrões.

– Portanto, talvez o dinheiro não fosse a principal prioridade.

– Exatamente.

Caris trancou a arca e a guardou de volta no cofre.

– Se eles não queriam os ornamentos e não estavam tão interessados em dinheiro a ponto de procurar os esconderijos com mais empenho, por que vieram até aqui?

– Para matar Tilly. O assalto foi um disfarce.

Merthin pensou por um momento.

– Para isso, não precisavam de uma história com uma cobertura elaborada. Se tudo o que queriam mesmo era matar Tilly, poderiam tê-la liquidado no dormitório e fugir antes que as freiras voltassem das Matinas. Se fossem cuidadosos, por exemplo, sufocando-a com um travesseiro de penas, nem mesmo teríamos certeza de seu assassinato. Teria parecido que ela morreu no sono.

– Então não há explicação para o ataque. Acabaram sem quase nada... apenas com umas poucas moedas de ouro.

Merthin correu os olhos pela câmara subterrânea.

– Onde estão os cartulários?

– Devem ter queimado. Não tem importância. Tenho cópias de tudo.

– Pergaminhos não queimam muito bem.

– Nunca tentei queimar nenhum.

– Um pergaminho arde um pouco, encolhe, fica distorcido, mas nunca se queima por completo.

– Talvez os cartulários tenham sido retirados dos detritos.

– Vamos verificar.

Subiram a escada em espiral. No claustro, Caris perguntou a Joan:

– Encontrou algum pergaminho entre as cinzas?

Joan sacudiu a cabeça.

– Absolutamente nenhum.

– Podem ter escapado à sua atenção?

– Creio que não... a menos que estivessem reduzidos a cinzas.

– Merthin diz que os pergaminhos nunca queimam completamente. – Caris se voltou para ele. – Quem poderia querer nossos cartulários? Não têm qualquer utilidade para outras pessoas.

Merthin seguiu o fio da meada de sua própria lógica só para verificar até onde poderia levar.

– Vamos supor que haja um documento em seu poder, que você poderia ter ou que outras pessoas pensam que está em suas mãos, e quisessem se apossar dele.

– O que poderia ser?

Merthin franziu o rosto.

– Documentos são feitos para serem públicos. Só faz sentido escrever alguma coisa para que as pessoas possam ver no futuro. Um documento secreto é uma coisa estranha...

E foi nesse momento que ele se lembrou de uma coisa. Afastou Caris de Joan e levou-a pelo claustro até um ponto em que ninguém poderia ouvi-los, antes de dizer:

– Conhecemos um documento secreto.

– A carta que Thomas enterrou na floresta.

– Isso mesmo.

– Mas por que alguém haveria de imaginar que estaria na tesouraria do convento?

– Pense um pouco. Aconteceu alguma coisa ultimamente que poderia despertar suspeitas?

Uma expressão de consternação estampou-se no rosto de Caris.

– Oh, meu Deus! – exclamou ela.

– Houve alguma coisa.

– Já lhe contei que Lynn Grange nos foi doada pela rainha Isabella por aceitarmos Thomas, há muitos anos.

– E você falou a respeito com alguém?

– Falei... com o bailio de Lynn. E Thomas ficou furioso por eu ter feito isso. Disse que haveria terríveis consequências.

– Portanto, alguém teme que a carta secreta de Thomas esteja em seu poder.

– Ralph?

– Não creio que Ralph tenha conhecimento da carta. Fui o único que viu Thomas enterrá-la. Tenho certeza de que ele nunca contou nada a ninguém. Ralph deve estar agindo por conta de outra pessoa.

Caris parecia assustada.

– A rainha Isabella?

– Ou o próprio rei.

– É possível que o rei tenha ordenado que Ralph invadisse um convento?

– Não pessoalmente. Ele teria usado um intermediário, alguém leal, ambicioso e absolutamente sem escrúpulos. Encontrei muitos homens assim em Florença quando frequentava o palácio do doge. São a ralé do mundo.

– Eu gostaria de saber quem foi.

– Acho que posso imaginar – disse Merthin.

⤙

Gregory Longfellow se encontrou com Ralph e Alan dois dias depois em Wigleigh, no pequeno solar de madeira. Wigleigh era um lugar mais discreto do que Tench.

Havia pessoas demais em Tench Hall observando todos os movimentos de Ralph: criados, inúmeros servidores, os pais. Ali em Wigleigh os camponeses tinham muito trabalho extenuante para fazer; ninguém questionaria Ralph sobre o conteúdo do saco que Alan carregava.

– Imagino que tudo correu conforme o planejado – comentou Gregory.

A notícia da invasão do convento se espalhara num instante por todo o condado.

– Não tivemos nenhuma dificuldade – respondeu Ralph.

Ele ficou um pouco decepcionado com a reação contida de Gregory. Depois de todos os problemas que enfrentara para se apossar dos cartulários, era de esperar que Gregory demonstrasse algum entusiasmo.

– O representante do rei no condado já anunciou que fará um inquérito, como não podia deixar de ser – disse Gregory, ainda em tom seco.

– Atribuirão a culpa a salteadores.

– Vocês não foram reconhecidos?

– Usávamos capuzes.

Gregory fitou Ralph com uma expressão estranha.

– Eu não sabia que sua esposa estava no convento.

– Uma coincidência útil – disse Ralph. – Permitiu que eu matasse dois coelhos com uma só cajadada.

A expressão estranha do advogado ficou ainda mais intensa. O que ele estava pensando? Fingiria estar chocado por Ralph ter assassinado a própria esposa? Se assim fosse, Ralph estava pronto para ressaltar que Gregory era cúmplice de tudo o que acontecera no convento... ele fora o instigador. Não tinha o direito de julgar. Ralph esperou que Gregory se manifestasse. Mas, após um tempo, o advogado se limitou a dizer:

– Vamos dar uma olhada nesses cartulários.

Mandaram a governata, Vira, sair para um longo serviço. Ralph pôs Alan de vigia na porta, para despachar qualquer visitante inesperado. Depois, Gregory derramou na mesa os cartulários que estavam no saco. Sentou da maneira mais confortável e começou a examiná-los. Alguns pergaminhos estavam enrolados e presos com cordões; outros, alisados e amontoados um por cima do outro; uns poucos costurados em brochuras. Ele pegou um, leu algumas linhas à luz forte do sol que entrava pelas janelas abertas, depois jogou o cartulário de volta no saco e pegou outro.

Ralph não tinha a menor ideia do que Gregory procurava. Ele só comentara que o documento poderia criar constrangimentos para o rei. E Ralph não imaginava que tipo de documento Caris poderia ter em seu poder que fosse capaz de produzir esse efeito. Ele logo se cansou de observar Gregory ler, mas não queria se retirar. Entregara o que Gregory queria e continuaria sentado ali até que o advogado confirmasse a sua parte do acordo.

O advogado alto continuou a examinar os documentos com a maior paciência. Um deles atraiu sua atenção e ele leu até o fim, mas depois o jogou também no saco, junto com os outros.

Ralph e Alan haviam passado a maior parte da última semana em Bristol. Não era provável que alguém lhes pedisse explicações sobre seus movimentos, mas mesmo assim eles haviam tomado todas as precauções. Beberam em tavernas todas as noites, exceto naquela em que foram a Kingsbridge. Seus companheiros se lembrariam da cerveja de graça, mas era provável que não se recordassem de que numa noite daquela semana Ralph e Alan haviam se ausentado ou, se lembrassem, com certeza não saberiam se fora na quarta-feira depois da Páscoa ou na quinta-feira antes de Pentecostes.

Finalmente a mesa ficou vazia e o saco, cheio de novo. Ralph perguntou:

– Não encontrou o que procurava?

Gregory não respondeu.

– Você trouxe tudo?

– Tudo o que estava lá.

– Ótimo.

– Quer dizer que não encontrou?

Gregory escolheu as palavras com todo o cuidado, como sempre fazia:

– O item específico não está aqui. Mas encontrei um documento que pode explicar por que... essa questão foi falada em meses recentes.

– Portanto, está satisfeito – insistiu Ralph.

– Estou.

– E o rei não precisa mais ficar preocupado.

Gregory demonstrou impaciência:

– Não deve se interessar pelas preocupações do rei. Deixe que eu cuido disso.

– Nesse caso, posso esperar minha recompensa imediatamente.

– Pode, sim. Será o conde de Shiring na próxima colheita.

Ralph sentiu um ímpeto de satisfação. Conde de Shiring, finalmente. Conquistara o prêmio pelo qual sempre ansiara e o pai ainda estava vivo para ouvir a notícia.

– Obrigado.

– Se eu fosse você, iria cortejar lady Philippa.

– Cortejá-la? – indagou Ralph, surpreso.

Gregory deu de ombros.

– Ela não tem alternativa neste caso, é claro. Mas ainda assim as formalidades devem ser observadas. Diga a lady Philippa que o rei lhe concedeu permissão para pedi-la em casamento. Diga também que espera que ela venha a amá-lo tanto quanto você a ama.

– Ahn... Está bem.

– E leve um presente – aconselhou Gregory.

73

Na manhã do enterro de Tilly, Caris e Merthin se encontraram no telhado da catedral ao amanhecer.

Era um mundo à parte. Calcular a área das telhas de ardósia era um permanente exercício de geometria na classe de matemática avançada da escola do priorado. Os trabalhadores precisavam de acesso constante para reparos e manutenção, por isso havia uma rede de caminhos e escadas ligando as encostas e cristas, cantos e depressões, calhas e gárgulas. A torre da interseção ainda não fora reconstruída, mas a vista do alto da fachada oeste era impressionante.

O priorado já estava bastante movimentado. Seria um funeral importante. Tilly não fora ninguém em vida, mas agora era a vítima de um assassinato muito comentado, uma nobre morta num convento. Seria lamentada por pessoas que nunca lhe haviam dirigido sequer três palavras. Caris preferia desencorajar o comparecimento das pessoas, por causa do risco de disseminar ainda mais a peste, mas não havia nada que ela pudesse fazer.

O bispo já estava em Kingsbridge, hospedado no melhor quarto do palácio do prior, e era por isso que Caris e Merthin haviam passado a noite separados, ela no dormitório das freiras e ele com Lolla, na Holly Bush. O viúvo enlutado, Ralph, fora para um aposento particular no segundo andar do hospital. Seu filho, Gerry, continuava sob os cuidados das freiras. Lady Philippa e a filha, Odila, que eram tudo o que restava da família da jovem morta, também estavam hospedadas no hospital.

Nem Caris nem Merthin haviam falado com Ralph quando ele chegara, no dia anterior. Não havia nada que pudessem fazer, nenhum meio de obter justiça pela morte de Tilly, pois nada podiam provar: mas mesmo assim eles sabiam a verdade. Até agora, não haviam contado a ninguém sobre sua convicção: não havia sentido. Hoje, durante o funeral, teriam de simular um comportamento normal com Ralph. O que seria bastante difícil.

Enquanto as personalidades importantes dormiam, as freiras e os empregados do priorado trabalhavam no preparo do almoço do funeral. A fumaça se elevava da padaria, onde dezenas de pães de trigo compridos, pesando um quilo, já eram assados no forno. Dois homens rolavam um enorme barril de vinho para o palácio do prior. Várias noviças arrumavam bancos e uma mesa de cavaletes no pátio gramado para as pessoas enlutadas que compareceriam à cerimônia.

Enquanto o sol surgia além do rio, projetando uma claridade dourada enviesada sobre os telhados de Kingsbridge, Caris estudou as marcas deixadas na cidade por nove meses de peste. Lá de cima, podia ver as falhas nas fileiras de casas, como dentes arrancados. Os prédios de madeira estavam sempre desmoronando, por causa de incêndios, danos causados pela chuva, construções malfeitas ou apenas a passagem do tempo. O que era diferente agora era o fato de que ninguém se dava o trabalho de reconstruí-los. Se sua casa desabava, bastava se mudar para uma das casas vazias na mesma rua. A única pessoa que decidira construir alguma coisa era Merthin, que era considerado um otimista desvairado com dinheiro demais.

No outro lado do rio, os coveiros já haviam começado a trabalhar em outro cemitério recém-consagrado. A peste não dava nenhum sinal de que poderia diminuir. Onde acabaria? As casas continuariam a desmoronar, uma de cada vez, até que não restasse mais nenhuma e a cidade fosse um monte de escombros, com telhas quebradas e madeiras calcinadas por toda parte e uma catedral deserta no meio de um cemitério de uma centena de acres?

– Não vou permitir que isso aconteça – declarou ela.

Merthin a princípio não entendeu.

– Está se referindo ao funeral? – indagou ele, o rosto franzido. Caris fez um gesto amplo, para abranger a cidade e o mundo além.

– Tudo. Bêbados mutilando uns aos outros. Pais abandonando as crianças doentes na porta de meu hospital. Homens fazendo fila para fornicar uma mulher bêbada em cima de uma mesa na frente da White Horse. Animais morrendo nos pastos por falta de cuidados. Penitentes seminus se açoitando e depois cobrando moedas dos espectadores. E, acima de tudo, uma jovem mãe assassinada aqui, em meu convento. Não me importo se todos vamos morrer da peste. Enquanto ainda estivermos vivos, não vou deixar que o mundo desmorone.

– O que vai fazer?

Ela sorriu, agradecida a Merthin. A maioria das pessoas lhe diria que ela era impotente para lutar contra a situação, mas ele estava sempre disposto a acreditar nela. Caris olhou anjos de pedra esculpidos num pináculo, os rostos indefinidos por duzentos anos de vento e chuva; e pensou no espírito que impulsionara os construtores da catedral.

– Vamos restabelecer a ordem e a rotina aqui. Vamos obrigar a população de Kingsbridge a voltar ao normal, quer goste ou não. Vamos reconstruir esta cidade e sua vida, apesar da peste.

– Está certo.

– Este é o momento de agir.

– Porque todos estão furiosos com a morte de Tilly?

– E porque se sentem apavorados como o pensamento de que homens armados podem entrar na cidade à noite e assassinar quem quiserem. Acham que ninguém mais está seguro.

– O que pretende fazer?

– Direi a todos que isso nunca mais deve acontecer.

⁓

– Isso nunca mais deve acontecer! – gritou Caris.

Sua voz ressoou pelo cemitério e ao mesmo tempo ecoou nas velhas paredes cinzentas da catedral.

Uma mulher nunca podia falar como parte de um serviço na igreja, mas a cerimônia à beira do túmulo era numa área neutra, um momento solene que ocorria fora da igreja, uma ocasião em que leigos – como pessoas da família do falecido – às vezes faziam discursos ou entoavam orações em voz alta.

Mesmo assim, Caris se expunha ao fazer isso. O bispo Henri oficiava a cerimônia, ajudado pelo arquidiácono Lloyd e o cônego Claude. Lloyd era membro da diocese há muitos anos ao passo que Claude fora colega de Henri na França. Em companhia clerical tão eminente, era uma audácia para uma freira fazer um discurso imprevisto.

Só que essas considerações, é claro, nunca foram importantes para Caris.

Ela falou no momento em que o pequeno caixão era baixado para a sepultura. Várias pessoas da congregação começaram a chorar. Havia pelo menos quinhentas pessoas ali, mas todas se calaram ao som de sua voz.

– Homens armados entraram em nossa cidade à noite e mataram uma jovem no convento, e não vou mais admitir que isso aconteça!

Subiu um burburinho de concordância da multidão. Ela elevou a voz mais ainda:

– O priorado não vai admitir, o bispo não vai admitir e os homens e mulheres de Kingsbridge nunca mais vão admitir que isso aconteça!

O apoio se tornou mais clamoroso, as pessoas começando a berrar:

– Nunca mais!

E ainda:

– Amém.

– Todos dizem que Deus mandou a peste. Eu digo que, quando Deus nos manda a chuva, procuramos abrigo. Quando Deus nos manda o inverno, acendemos o fogo. Quando Deus nos manda as ervas daninhas, nós as arrancamos pelas raízes. Devemos nos defender!

Ela olhou para o bispo Henri, que parecia confuso. Ele não recebera qualquer aviso prévio sobre aquele sermão e, se fosse solicitado a conceder permissão, teria recusado. Mas, percebendo que Caris tinha o povo do seu lado, não ousou intervir.

– O que podemos fazer?

Caris olhou ao redor. Todos estavam voltados em sua direção, em expectativa. As pessoas não sabiam o que fazer e queriam que ela oferecesse uma solução. Aplaudiriam qualquer coisa que ela lhes dissesse, se ao menos propiciasse um pouco de esperança.

– Devemos reconstruir a muralha da cidade! – gritou ela.

Todos rugiram em aprovação.

– Uma muralha nova, mais alta, mais forte e mais comprida do que a antiga que desmoronou! – Ela fixou o olhar em Ralph. – Uma muralha que mantenha os assassinos fora da cidade!

A multidão bradou:

– Sim!

Ralph desviou os olhos.

– E devemos eleger um novo chefe da guarda, com uma força de ajudantes e sentinelas, para manter a lei e a ordem, para impor o bom comportamento!

– Apoiado!

– Haverá uma reunião da guilda da paróquia esta noite para definir os detalhes práticos. As decisões da guilda serão anunciadas na catedral no próximo domingo. Obrigada e que Deus abençoe todos vocês!

⌒

No banquete do funeral, no grande salão de jantar do palácio do prior, o bispo Henri sentou à cabeceira da mesa. À sua direita ficou lady Philippa, a condessa viúva de Shiring. Do outro lado dela sentou o principal enlutado, o viúvo de Tilly, sir Ralph Fitzgerald.

Ralph exultou por ficar junto de Philippa. Podia admirar seus seios enquanto ela se concentrava na comida. Cada vez que Philippa se inclinava para a frente, ele podia dar uma espiada pelo decote quadrado do vestido leve de verão. A condessa ainda não sabia, mas não estava longe o dia em que Ralph lhe ordenaria que tirasse as roupas e ficasse nua na sua frente. Poderia então contemplar aqueles seios magníficos em todo o seu esplendor.

O jantar providenciado por Caris foi abundante, mas não extravagante, ele notou. Não havia cisnes dourados ou torres de açúcar, mas havia bastante carne assada, peixe cozido, pão fresco e frutas da primavera. Ele serviu Philippa da sopa de carne de galinha moída e leite de amêndoa. Ela lhe disse:

– Esta é uma terrível tragédia. Você pode contar com meus mais profundos sentimentos.

As pessoas se mostravam tão compadecidas que às vezes, por alguns momentos, Ralph pensava em si mesmo como a vítima desesperada de uma terrível perda e esquecia que fora ele quem cravara a faca no jovem coração de Tilly.

– Obrigado – respondeu ele, solene. – Tilly era muito jovem. Mas nós, soldados, estamos acostumados à morte súbita. Um dia um homem salva sua vida e você lhe jura eterna amizade e lealdade; no dia seguinte ele é abatido por uma flecha do inimigo que atinge seu coração e você logo o esquece.

Philippa lhe lançou um olhar estranho que o fez lembrar da maneira como sir Gregory o fitara, com um misto de curiosidade e repulsa, e não pôde deixar de pensar sobre o que havia em sua atitude em relação à morte de Tilly que pudesse provocar tal reação.

– Você tem um filho – disse Philippa.

– Gerry. As freiras estão cuidando dele hoje, mas vou levá-lo para Tench Hall amanhã. Arrumei uma ama de leite. – Ralph achou que era a oportunidade para fazer uma insinuação: – Mas é claro que ele precisa dos cuidados de uma nova mãe.

– Tem razão.

Ele recordou a perda recente de Philippa:

– Mas você sabe o que é perder o cônjuge.

– Fui afortunada em ter meu amado William durante 21 anos.

– Deve estar se sentindo solitária. – Aquele podia não ser o momento apropriado para o pedido de casamento, mas Ralph pensou em levar a conversa para esse assunto.

– É verdade. Perdi meus três homens: William e nossos dois filhos. O castelo parece bastante vazio.

– Mas talvez não por muito tempo.

Philippa o fitou aturdida, como se não pudesse acreditar em seus próprios ouvidos. Ralph compreendeu que dissera uma coisa ofensiva. Philippa se virou para falar com o bispo Henri, do seu outro lado. À direita de Ralph sentava a filha de Philippa, Odila.

– Gostaria de provar um pouco desse pastelão? – perguntou ele. – É de pavão e lebre.

A jovem anuiu com a cabeça e Ralph cortou uma fatia.

– Que idade você tem?

– Este ano completarei 15 anos.

Ela era alta e já tinha o corpo da mãe, busto e quadris largos de mulher feita.

– Parece mais velha – comentou ele, olhando para os seios.

Sua intenção era fazer um elogio – os jovens em geral queriam parecer mais velhos –, mas Odila corou e desviou os olhos.

Ralph baixou os olhos para seu prato de madeira e espetou um pedaço de carne de porco cozida com gengibre. Pôs-se a comer de mau humor. Não era muito bom no que Gregory chamava de cortejar.

⤴

Caris estava sentada à esquerda do bispo Henri, com Merthin como regedor de seu outro lado. Junto de Merthin estava sir Gregory Longfellow, que viera para o funeral do conde William três meses antes e ainda não deixara a região. Caris tinha de fazer esforço para reprimir sua repulsa por sentar à mesma mesa que o assassino Ralph e o homem que, quase com certeza, o instigara. Mas tinha um trabalho a fazer naquele jantar. Elaborara um plano para a recuperação da cidade. A reconstrução da muralha era apenas a primeira parte. Para a segunda parte, precisava contar com o bispo Henri do seu lado.

Serviu-lhe uma taça do melhor vinho tinto gascão. O bispo tomou um longo gole, limpou a boca e comentou:

– Você fez um bom sermão.

– Obrigada. – Ela percebeu a censura irônica que havia por trás do elogio. – A vida nesta cidade estava degenerando para a desordem e a devassidão. Se queremos endireitar, precisamos inspirar as pessoas. Tenho certeza de que concorda.

– É um pouco tarde para perguntar se concordo com você. Mas eu concordo.

Henri era um pragmático que não se empenhava em batalhas perdidas. Caris contava com isso. Serviu-se de garça-real assada com pimentão e cravo, mas não começou a comer: ainda tinha muito a dizer.

– Há mais em meu plano do que apenas as muralhas e a nova guarda.

– Era o que eu pensava.

– Creio que deve ter, como bispo de Kingsbridge, a catedral mais alta da Inglaterra.

Ele arqueou as sobrancelhas.

– Eu não esperava por isso.

– Há duzentos anos este era um dos priorados mais importantes da Inglaterra. Deve voltar a ser. Uma nova torre da catedral simbolizaria o renascimento, e sua eminência entre os bispos.

O bispo deu um sorriso irônico, mas ficou satisfeito. Sabia que estava sendo lisonjeado... e gostava.

– A torre também serviria à cidade – acrescentou Caris. – Seria visível a distância e ajudaria os peregrinos e mercadores a encontrarem o caminho até aqui.

– Como pagaria por isso?

– O priorado é rico.

Henri ficou surpreso de novo.

– O prior Godwyn sempre se queixou de problemas de dinheiro.

– Ele não era um bom administrador.

– Parecia-me bastante competente.

– Dava essa impressão para muitas pessoas, mas sempre tomava as decisões erradas. Logo de início, ele se recusou a consertar o moinho de pisoar, que lhe daria um bom rendimento, mas gastou dinheiro neste palácio, que nada rendeu.

– E como as coisas mudaram?

– Dispensei a maioria dos bailios e pus em seu lugar homens mais jovens, dispostos a promover mudanças. Converti metade da terra em pasto, que é mais fácil de administrar nestes tempos de escassez de trabalhadores. E também nos beneficiamos do *heriot* e dos legados de pessoas que morreram sem herdeiros em decorrência da peste. O mosteiro é agora tão rico quanto o convento.

– Todos os arrendatários são livres?

– A maioria. Em vez de trabalharem um dia por semana na terra do senhor, guardarem suas ovelhas nos redis do senhor e vários outros serviços complicados, eles simplesmente pagam o que devem em dinheiro. Todos preferem assim, o que torna a nossa vida mais simples.

– Muitos proprietários de terras, os abades em particular, condenam esse tipo de ocupação. Dizem que estraga os camponeses.

Caris deu de ombros.

– O que perdemos com isso? O poder de impor mudanças insignificantes, favorecendo alguns servos e perseguindo outros, mantendo-os subservientes todos eles. Monges e freiras não devem tiranizar os camponeses. Eles sabem que colheitas semear e o que podem vender nos mercados. Trabalham melhor quando tomam as decisões.

O bispo ainda parecia desconfiado.

– Acha então que o priorado tem condições de pagar por uma nova torre?

Henri esperava que ela lhe pedisse dinheiro, percebeu Caris.

– Acho, sim, mas com alguma ajuda dos mercadores da cidade. E é nesse ponto que você pode nos ajudar.

– Imaginei que devia haver alguma coisa.

– Não estou lhe pedindo dinheiro. Desejo sua ajuda em algo que vale mais do que dinheiro.

– Estou intrigado.

– Quero solicitar ao rei uma carta de burgo.

Ao dizer as palavras, Caris sentiu que suas mãos começavam a tremer. Voltou à batalha que travara com Godwyn dez anos antes, que terminara quando ela fora acusada de bruxaria. Quase morrera na luta pela carta de burgo. As circunstâncias agora eram completamente diferentes, mas nem por isso a carta de burgo era menos importante. Ela largou os talheres e cruzou as mãos no colo, para mantê-las imóveis.

– Entendo – disse Henri sem se comprometer.

Caris engoliu em seco e continuou:

– É essencial para a recuperação da vida comercial da cidade. Kingsbridge foi travada por muitos anos pelo poder de mão-morta do priorado, que impediu transferências de propriedades. Os priores são cautelosos e conservadores, e instintivamente dizem não a qualquer mudança ou inovação. Os mercadores vivem pela mudança, estão sempre à procura de novos meios de ganhar dinheiro – ou pelo menos os melhores. Se quisermos que os homens de Kingsbridge ajudem a pagar nossa nova torre, devemos lhes conceder a liberdade de que precisam para prosperar.

– Ou seja, uma carta de burgo.

– A cidade teria seu próprio tribunal, faria seus próprios regulamentos e seria dirigida por uma guilda apropriada em vez da guilda da paróquia como temos agora, que não conta com poder de fato.

– Mas o rei concordaria?

– Os reis gostam de burgos, pois pagam muitos impostos. No passado, porém, o prior de Kingsbridge sempre se opôs a uma carta de burgo.

– Acha que os priores são conservadores demais.

– Tímidos.

O bispo soltou uma risada.

– Timidez é uma coisa de que você nunca será acusada.

Caris insistiu em sua argumentação:

– Acho que uma carta de burgo é essencial se quisermos construir a nova torre.

– Sim, posso ver isso

– Quer dizer que concorda?

– Com a torre ou com a carta de burgo?

– As duas coisas estão juntas.

Henri parecia estar achando engraçado.

– Está me propondo um acordo, madre Caris?

– Se estiver disposto.

– Está bem. Construa a torre e eu a ajudarei a obter a carta de burgo.

– Não. Deve ser o inverso. Precisamos da carta de burgo primeiro.

– Para isso, devo confiar em você.

– É tão difícil assim?

– Para ser franco, não.

– Ótimo. Então estamos de acordo.

– Estamos.

Caris se inclinou para a frente e olhou além de Merthin.

– Sir Gregory?

– Pois não, madre Caris?

Ela se forçou a ser polida:

– Já experimentou este coelho com molho de açúcar? Eu recomendo.

Gregory aceitou a travessa e se serviu.

– Obrigado.

– Deve se recordar de que Kingsbridge não é um burgo.

– Claro que sim.

Gregory usara esse fato, há mais de dez anos, para vencer Caris no tribunal, na disputa sobre o moinho de pisoar.

– O bispo acha que já está na hora de pedirmos uma carta de burgo ao rei.

Gregory assentiu com a cabeça.

– Creio que o rei pode ser favorável a esse pedido, ainda mais se for apresentado da maneira correta.

Na esperança de que a aversão que sentia não transparecesse em seu rosto, Caris sugeriu:

– Talvez queira fazer a gentileza de nos aconselhar.

– Podemos conversar sobre os detalhes mais tarde?

Gregory exigiria um suborno, com toda a certeza, embora preferisse dizer que seriam honorários de advogado.

– Claro – respondeu ela, controlando um calafrio.

Os criados começaram a tirar as travessas. Caris baixou os olhos para seu prato de madeira. Não havia comido nada.

＊

– Nossas famílias são aparentadas – disse Ralph a lady Philippa. Após uma pausa, ele se apressou a acrescentar: – Não intimamente, é claro. Mas meu pai descende do conde de Shiring, que era filho de lady Aliena e Jack Builder.

Ele olhou através da mesa para o irmão Merthin, o regedor de Kingsbridge.

– Creio que herdei o sangue dos condes e meu irmão, o sangue dos construtores. Ele fitou Philippa para observar sua reação. Ela não parecia impressionada.

– Fui criado no círculo de seu falecido sogro, o conde Roland.

– Lembro-me de você como escudeiro.

– Servi sob o comando do conde no exército do rei na França. E na batalha de Crécy salvei a vida do príncipe de Gales.

– Uma atitude magnífica – comentou ela, polida.

Ralph tentava fazer com que Philippa o considerasse um igual, a fim de que parecesse mais natural quando anunciasse que ela deveria se tornar sua esposa. Mas parecia não estar surtindo qualquer efeito. Philippa apenas se mostrava entediada e um pouco perplexa com o rumo da conversa.

As sobremesas foram servidas: morangos açucarados, bolachas com mel, tâmaras com passas e vinho temperado. Ralph esvaziou o copo e se serviu de mais vinho, na esperança de que isso o ajudasse a relaxar no contato com Philippa. Não sabia por que sentia tanta dificuldade para conversar com ela. Porque aquele era o funeral de sua esposa? Porque Philippa era uma condessa? Ou porque fora perdidamente apaixonado por ela durante anos e ainda não podia acreditar que agora se tornaria sua esposa?

– Quando sair daqui, voltará para Earlscastle? – perguntou Ralph.

– Isto mesmo. Partimos amanhã.

– Permanecerá lá por muito tempo?

– Para onde mais eu poderia ir? – Ela franziu o rosto. – Por que pergunta?

– Irei visitá-la, se me permitir.

A reação de Philippa foi de frieza:

– Com que finalidade?

– Quero tratar de um assunto que não seria apropriado discutir aqui e agora.

– Como assim?

– Irei visitá-la nos próximos dias.

Ela estava nervosa agora. Elevou a voz ao perguntar:

– O que pode ter para me dizer?

– Como eu falei antes, não seria apropriado falar a respeito hoje.

– Porque é o funeral de sua esposa?

Ele assentiu com a cabeça. Philippa empalideceu.

– Oh, meu Deus! Não pode estar sugerindo...

– Já disse que não quero tratar do assunto agora.

– Mas eu preciso saber! – gritou ela. – Está planejando me pedir em casamento?

Ralph hesitou, deu de ombros e acenou com a cabeça.

– Mas por que essa pretensão? – perguntou ela. – Afinal, precisaria da permissão do rei!

Ele a fitou e ergueu as sobrancelhas por um breve instante. Philippa se levantou abruptamente.

– Não!

Todos à mesa se viraram para ela, que fitou Gregory.

– Isso é verdade? O rei quer me casar com ele?

Ela sacudiu o polegar para Ralph, num gesto desdenhoso. Ele se sentiu apunhalado. Não esperava que Philippa demonstrasse tanta repulsa. Ele seria mesmo tão repulsivo? Gregory lançou um olhar de censura a Ralph.

– Este não era o momento para tratar do assunto.

– Então é verdade! – exclamou Philippa. – Que Deus me ajude!

Ralph olhou para Odila. Ela o fitava com total horror. O que ele fizera para merecer tamanha aversão?

– Não posso suportar – acrescentou Philippa.

– Por quê? – indagou Ralph. – O que há de errado? Que direito você tem de me desprezar e à minha família?

Ele correu os olhos pela companhia: seu irmão, seu aliado Gregory, o bispo, a prioresa, os nobres menores e os cidadãos eminentes. Todos permaneciam em silêncio, chocados e aturdidos com a explosão de Philippa.

Ela o ignorou. Dirigiu-se a Gregory:

– Não farei isso! Está me entendendo? Não farei isso!

Philippa estava pálida de raiva, lágrimas escorrendo pelas faces. Ralph pensou em como ela era linda, até mesmo quando o rejeitava e humilhava com sua irritação.

– A decisão não é sua, lady Philippa, muito menos minha – disse Gregory com frieza. – O rei fará o que achar melhor.

– Você pode me obrigar a usar um vestido de noiva e a marchar pela nave até o altar. – Philippa apontou para o bispo Henri. – Mas quando o bispo perguntar se aceito Ralph Fitzgerald como meu marido, não direi sim! Nunca, mas nunca mesmo!

Ela saiu furiosa da sala, acompanhada por Odila.

⌐⌐

Quando o banquete acabou, os moradores da cidade voltaram para suas casas enquanto os hóspedes importantes iam para seus aposentos para a sesta. Caris supervisionou a limpeza. Sentia pena de Philippa, um pesar profundo, ainda mais por saber – e ela não – que Ralph matara a primeira esposa. Mas estava mais preocupada com o destino de toda uma cidade, não apenas de uma única pessoa. Sua mente se concentrava nos planos para Kingsbridge. As coisas haviam corrido melhor do que ela imaginara. Os habitantes da cidade a haviam aplaudido e o bispo concordara com tudo o que ela propusera. Talvez a civilização voltasse a Kingsbridge, apesar da peste.

Além da porta dos fundos havia uma pilha de ossos com restos de carne e de cascas de pão. Ela avistou ali o gato de Godwyn, Arcebispo, se banqueteando na carcaça de um pato. Tratou de afugentá-lo. O gato se afastou por uns poucos metros e parou em seguida, a cauda de ponta branca erguida numa pose arrogante.

Absorta em seus pensamentos, Caris subiu a escada do palácio pensando em como começaria a pôr em prática as mudanças acertadas com Henri. Sem qualquer pausa, abriu a porta do quarto que partilhava com Merthin e entrou.

Por um momento, ficou desorientada. Havia dois homens no meio do quarto e ela pensou: Devo estar na casa errada. E depois: Devo ter entrado no quarto errado. Só então se lembrou que seu quarto, o melhor do palácio, fora naturalmente cedido ao bispo.

Os dois homens eram Henri e seu assistente, o cônego Claude. Caris levou um momento para compreender que os dois estavam nus, enlaçados, se beijando.

– Oh! – balbuciou ela, chocada.

Eles não ouviram a porta ser aberta. Até ela falar, não sabiam que eram observados. Quando ouviram a exclamação de surpresa, ambos se viraram. Uma expressão de culpa e horror se estampou no rosto boquiaberto de Henri.

– Desculpem! – disse Caris.

Os dois se separaram de um pulo, como se esperassem que isso pudesse negar o que estava acontecendo, depois se lembraram que estavam nus. Henri era o mais gordo, barrigudo, braços e pernas roliços, cabelos grisalhos no peito. Claude era mais jovem e mais esguio, com poucos pelos no corpo, exceto por um triângulo castanho na virilha. Caris nunca antes vira dois pênis eretos ao mesmo tempo.

– Perdão! – exclamou, constrangida. – Engano meu. Eu esqueci.

Ela compreendeu que balbuciava e que os dois homens estavam atordoados. Não importava: nada que qualquer um dissesse poderia melhorar a situação.

Caris recuperou o controle, recuou, saiu do quarto e bateu a porta.

⌒

Merthin deixou o salão do banquete em companhia de Madge Webber. Gostava daquela mulher pequena e roliça, com seu queixo projetado para a frente e o traseiro, para trás. Admirava a maneira como ela se comportava depois que o marido e os filhos haviam morrido da peste. Mantivera o negócio, fazendo tecido e tingindo-o de acordo com a receita de Caris. Ela comentou com ele:

– Caris está certa como sempre. Não podemos continuar desse jeito.

– Você continuou normalmente, apesar de tudo.

– Meu único problema é encontrar pessoas para fazer o trabalho.

– Todos estão na mesma situação. Também não consigo arrumar trabalhadores.

– A lã crua é barata, mas os ricos ainda pagam altos preços pelo tecido escarlate – comentou Madge. – Eu poderia vender mais se produzisse mais.

Merthin pensou um pouco.

– Vi um tipo de tear mais rápido em Florença... um tear de pedal.

– É mesmo? – Ela o encarou com uma curiosidade atenta. – Nunca ouvi falar.

Ele pensou na melhor maneira de explicar.

– Em qualquer tear, você estica vários fios sobre a armação, para formar o que se chama de urdidura, e depois passa outro fio na transversal através da urdidura, por baixo de um fio e por cima de outro, por baixo e por cima, de um lado a outro e de volta, para formar a trama.

– É assim mesmo que os teares mais simples funcionam. Os nossos são melhores.

– Sei disso. Para tornar o processo mais rápido, vocês prendem cada segundo fio na urdidura a uma barra móvel, chamada liço. Ao se levantar o liço, esses fios são afastados do resto. Assim, em vez de passar por cima e por baixo, por cima e por baixo, você pode passar o fio da trama direto, através do espaço, num movimento fácil. Depois, você baixa o liço para o retorno da urdidura.

– Isso mesmo. E, já que está falando a respeito, posso informar que o fio da urdidura se chama canilha.

– Cada vez que você passa a canilha através da urdidura, da esquerda para a direita, tem de baixá-la, usar as duas mãos para deslocar o liço, pegar a canilha e levá-la da direita para a esquerda.

– Exatamente.

– Num tear de pedal, você move o liço com os pés. Assim, nunca tem de largar a canilha.

– É mesmo? Incrível!

– Não acha que faria uma grande diferença?

– Uma enorme diferença! Seria possível tecer duas vezes mais depressa, ou mais!

– Foi o que eu pensei. Quer que eu faça um tear de pedal para você experimentar?

– Quero, sim, por favor!

– Não me lembro direito como era. Acho que o pedal operava um sistema de roldanas e alavancas... – Merthin franziu o rosto, pensando. – Seja como for, tenho certeza de que posso descobrir.

～

Ao final da tarde, quando passava pela biblioteca, Caris deparou com o cônego Claude saindo com um pequeno livro na mão. Ele a fitou e parou. Os dois pensaram no mesmo instante na cena que Caris flagrara uma hora antes. A princípio, Claude se mostrou constrangido, mas logo um sorriso elevou os cantos de sua boca. Ele ergueu a mão para o rosto, na tentativa de ocultá-lo, obviamente pensando que era um erro achar engraçado. Caris se lembrou de como os dois homens nus ficaram surpresos e também sentiu um riso impróprio aflorar. Num súbito impulso, ela disse o que estava pensando:

– Vocês dois pareciam tão engraçados!

Claude riu contra a vontade. Caris também não pôde mais se controlar. A situação se tornou ainda pior até que os dois caíram nos braços um do outro, as lágrimas escorrendo pelas faces, às gargalhadas.

～

Ao anoitecer, Caris levou Merthin para o canto sudoeste do terreno do priorado, onde havia uma horta à beira do rio. O ar estava agradável e a terra úmida exalava uma fragrância de vegetação em crescimento. Caris podia ver cebolas e rabanetes brotando do solo.

– Então seu irmão será o conde de Shiring – disse ela.

– Não se lady Philippa puder evitar.

– Uma condessa tem de fazer o que o rei determina, não é mesmo?

– Todas as mulheres devem ser subservientes aos homens, em teoria – comentou Merthin com um sorriso. – Mas algumas desafiam as convenções.

– Não entendi o que você está querendo dizer com isso.

Ele mudou de assunto na mesma hora:

– Que mundo! Um homem assassina a esposa e depois o rei o eleva ao posto mais alto da nobreza.

– Sabemos que essas coisas acontecem. Mas é chocante quando ocorrem em nossa própria família. Pobre Tilly.

Merthin esfregou os olhos, como se quisesse apagar visões.

– Por que me trouxe até aqui?

– Para falar sobre o elemento final em meu plano: o novo hospital.

– Eu já me perguntava...

– Pode construí-lo aqui?

Merthin olhou ao redor.

– Não vejo por que não. O terreno é inclinado, mas todo o priorado foi construído numa encosta. Além do mais, não estamos falando de outra catedral. Um ou dois andares?

– Um só. Mas quero que o prédio seja dividido em cômodos de tamanho médio, cada um contendo apenas quatro ou seis camas. Dessa maneira as doenças não vão se espalhar tão depressa de um paciente para todos os outros no hospital. Deve ter sua própria farmácia, uma sala grande e bem iluminada para o preparo de medicamentos, com uma horta de ervas do lado de fora. E uma latrina espaçosa e arejada, com água encanada, bastante fácil de manter limpa. O mais importante, porém, é que deve ficar a pelo menos cem metros do restante do priorado. Temos de separar os doentes dos sadios. Essa é a característica fundamental.

– Farei alguns desenhos pela manhã.

Caris olhou ao redor. Ao constatar que não eram observados, ela o beijou.

– Compreende que isso será a culminação do trabalho de toda a minha vida?

– Você tem 32 anos... Não é um pouco cedo para falar sobre a culminação do trabalho de sua vida?

– Ainda não aconteceu.

– Não deverá levar muito tempo. Começarei a executar o projeto quando estiver fazendo as escavações para as fundações da nova torre. E, assim que o hospital for concluído, posso mandar os pedreiros trabalhar na catedral.

Eles começaram a voltar. Caris podia perceber que o maior entusiasmo de Merthin era pela torre.

– Que altura terá?

– Cento e vinte e quatro metros.

– Qual é a altura de Salisbury?

– Cento e vinte e três metros.

– Então será o prédio mais alto da Inglaterra.

– Pelo menos até que alguém construa outro ainda mais alto.

O que significava que Merthin também realizaria sua ambição, pensou ela. Caris passou o braço pelo dele enquanto se encaminhavam para o palácio do prior. Sentia-se feliz. O que era estranho, não é mesmo? Milhares de pessoas de Kingsbridge haviam morrido da peste e Tilly fora assassinada, mas Caris estava esperançosa. Porque tinha um plano, é claro. Sempre se sentia melhor quando tinha um plano. A nova muralha, a força da guarda, a torre, a carta de burgo e, acima de tudo, o novo hospital: como encontraria tempo para organizar tudo isso?

De braço dado com Merthin, ela entrou no palácio do prior. O bispo Henri e sir Gregory estavam ali, absorvidos em conversa com um terceiro homem, de costas para Caris. Havia alguma coisa desagradavelmente familiar no recém--chegado, mesmo de costas. Caris teve um arrepio de apreensão. Então o homem se virou e ela viu seu rosto: sardônico, triunfante, desdenhoso, cheio de malícia.

Era Philemon.

74

O bispo Henri e os outros convidados deixaram Kingsbridge na manhã seguinte. Caris, que vinha dormindo no aposento das freiras, voltou ao palácio do prior depois do desjejum e subiu para o seu quarto.

Encontrou Philemon ali.

Era a segunda vez em dois dias que era surpreendida pela presença de homens em seu quarto. Mas Philemon estava sozinho e vestido, parado junto da janela e olhando para um livro. Ao vê-lo de perfil, ela percebeu que as provações dos últimos seis meses o haviam deixado mais magro.

– O que está fazendo aqui? – perguntou Caris. Ele fingiu surpresa com a pergunta.

– Esta é a casa do prior. Por que eu não deveria estar aqui?

– Porque não é o seu quarto!

– Sou o subprior de Kingsbridge. Nunca fui afastado desse posto. O prior morreu. Quem mais deveria viver aqui?

– Eu, é claro.

– Você nem sequer é monge.

– O bispo Henri me fez prior em exercício. E ontem à noite, apesar de sua volta, não me dispensou do posto. Sou sua superiora e você deve me obedecer.

– Mas você é uma freira e deve viver com as freiras, não com os monges.

– Há meses venho vivendo aqui.

– Sozinha?

Subitamente, Caris compreendeu que pisava em terreno difícil. Philemon sabia que ela e Merthin viviam mais ou menos como marido e mulher. Eram discretos, sem ostentar o relacionamento, mas as pessoas percebiam essas coisas, e Philemon tinha a intuição de um animal selvagem para as fraquezas alheias.

Caris pensou por um momento. Podia exigir que Philemon deixasse o prédio imediatamente. Se necessário, poderia mandar expulsá-lo: Thomas e os noviços lhe obedeceriam, não a Philemon. Mas o que aconteceria em seguida? Philemon faria tudo que estivesse ao seu alcance para atrair as atenções para o que ela e Merthin faziam no palácio. Suscitaria uma controvérsia e levaria as pessoas da cidade a tomarem partido. A maioria apoiaria Caris, independentemente do que ela fizesse, tamanha era a sua reputação; mas haveria alguns que censurariam seu comportamento. O conflito enfraqueceria sua autoridade e afetaria tudo o que ela quisesse fazer. Seria melhor admitir a derrota.

– Pode ficar com o quarto, mas não deve usar a sala. Eu a uso para reuniões com os cidadãos mais eminentes da cidade e com autoridades visitantes. Quando não estiver nos serviços na catedral, ficará no claustro, não aqui. Um subprior não tem um palácio.

Ela se retirou sem lhe dar oportunidade de discutir. Salvara as aparências, mas ele vencera.

Caris fora lembrada na noite anterior de toda a astúcia de Philemon. Interrogado pelo bispo Henri, ele parecia ter uma explicação plausível para tudo o que fizera de desonroso. Como justificava o abandono de seu posto no priorado e a fuga para St.-John-in-the-Forest?

O mosteiro corria perigo de extinção e a única maneira de salvá-lo era seguir o ditado popular: "Parta cedo, vá para longe e permaneça a distância por muito tempo." Ainda era, pelo consenso geral, a única maneira segura de evitar a peste. O único erro que havia cometido fora o de permanecer por tempo demais em Kingsbridge. Por que então ninguém informara ao bispo sobre esse plano? Philemon lamentava muito, mas ele e os outros monges apenas obedeciam às ordens do prior Godwyn. Então por que ele fugira de Saint John quando a peste os alcançara lá? Fora chamado por Deus para cuidar das pessoas de Monmouth e Godwyn lhe dera permissão para partir. Como o irmão Thomas não tinha conhecimento dessa permissão e até negava firmemente que ela tivesse sido concedida? Os outros monges não haviam sido informados da decisão de Godwyn por receio de que isso pudesse acarretar ciúmes. Por que então Philemon deixara Monmouth? Encontrara frei Murdo, que lhe dissera que o priorado de Kingsbridge precisava dele, o que considerara como mais uma mensagem de Deus.

Caris concluíra que Philemon fugira da peste até compreender que devia ser uma daquelas pessoas afortunadas que não eram propensas a contraí-la. Soubera por Murdo que Caris dormia com Merthin no palácio do prior e percebera no mesmo instante como poderia aproveitar a situação para restaurar sua posição. Deus nada tinha a ver com tudo aquilo.

Mas o bispo Henri acreditara na história de Philemon. Afinal, Philemon tomara o cuidado de parecer humilde ao ponto da subserviência. Henri não conhecia o homem e não era capaz de ver abaixo da superfície.

Ela deixou Philemon no palácio e seguiu para a catedral. Subiu pela longa e estreita escada em espiral na torre noroeste. Encontrou Merthin no sótão dos pedreiros, fazendo desenhos no chão de projetos à luz das janelas altas viradas para o norte.

Caris estudou com interesse o que ele havia desenhado. Era sempre difícil decifrar plantas, ela sabia. As linhas delgadas traçadas na argamassa tinham de ser transformadas, na mente do observador, em largas paredes de pedra com janelas e portas.

Merthin a fitou em expectativa enquanto ela estudava seu trabalho. Era evidente que ele esperava uma reação entusiástica.

A princípio, ela ficou desconcertada com o desenho. Não parecia nem um pouco com um hospital.

– Mas você desenhou... um claustro!

– Exatamente. Por que um hospital tem de ser uma sala comprida e estreita como a nave de uma igreja? Você quer que o lugar seja claro e arejado. Por isso, em vez de espremer os quartos todos juntos, preferi dispô-los em torno de um quadrilátero.

Ela visualizou a construção: o jardim central, o prédio ao redor, as portas dando para quartos com quatro ou seis camas, as freiras circulando de um para outro ao abrigo da galeria coberta.

– É mesmo inspirado. Eu nunca teria pensado nisso, mas parece perfeito.

– Pode cultivar as ervas no jardim, onde as plantas terão sol mas ficarão protegidas do vento. Haverá uma fonte no meio do jardim, para fornecer água fresca, que pode ser drenada através da latrina ao sul até o rio.

Caris o beijou, exultante.

– Você é tão inteligente!

Mas depois ela se lembrou da notícia que tinha para lhe dar. Merthin devia ter percebido que seu rosto murchara, pois perguntou:

– Qual é o problema?

– Temos de sair do palácio. – Caris relatou a conversa com Philemon e por que tivera de ceder. – Prevejo grandes conflitos com Philemon e não quero ser intransigente logo nessa questão.

– Faz sentido. – O tom de voz dele era racional, mas ela soube pela expressão dele que Merthin estava furioso. Olhava para o desenho, mas sem pensar realmente a respeito.

– E há mais uma coisa – acrescentou Caris. – Estamos dizendo a todas as pessoas que elas devem viver tão normalmente quanto possível, com ordem nas ruas, um retorno à vida familiar, não mais orgias embriagadas. Devemos dar o exemplo.

Ele assentiu com a cabeça.

– Uma prioresa vivendo com seu amante é uma coisa tão anormal quanto muitas outras, eu suponho.

Mais uma vez, o tom sereno de Merthin era contrastado pela expressão furiosa.

– Sinto muito – disse ela.

– Eu também.

– Mas não queremos arriscar tudo o que ambos desejamos... sua torre, meu hospital, o futuro da cidade.

– Não, não queremos. Mas para isso estamos sacrificando nossa vida em comum.

– Não por completo. Teremos de dormir separados, o que é angustiante, mas ainda assim teremos muitas oportunidades de ficar juntos.

– Onde?

Caris deu de ombros.

– Aqui, por exemplo.

Um impulso de malícia a dominou. Ela se afastou de Merthin e foi até a porta no alto da escada, levantando o hábito lentamente.

– Não vejo ninguém subindo – disse Caris, erguendo o hábito até a cintura.

– Pode ouvir, de qualquer maneira – disse Merthin. – A porta lá embaixo faz bastante barulho quando alguém a abre.

Ela se inclinou fingindo olhar para baixo, pela escada.

– Pode ver alguma coisa fora do comum do lugar em que se encontra?

Merthin riu. Quase sempre o jeito brincalhão dela conseguia fazer sumir a irritação dele.

– Posso ver uma coisa piscando para mim – disse ele, rindo de novo.

Caris voltou para junto dele, ainda com o hábito na cintura e um sorriso triunfante.

– Não precisamos renunciar a tudo.

Ele se sentou num banco e a puxou. Caris passou as pernas pelos lados das coxas dele e ficou em seu colo.

– É melhor você trazer um colchão de palha aqui para cima – disse ela, a voz rouca de desejo.

Merthin acariciou os seios dela.

– Como eu explicaria a necessidade de uma cama no sótão dos pedreiros? – disse ele sussurrando.

– Diga que pedreiros precisam de um lugar macio para pôr suas ferramentas.

⌐

Uma semana depois, Caris e Thomas Langley foram inspecionar a reconstrução da muralha da cidade. Era um trabalho grande mas simples. Depois de tudo definido, o serviço podia ser executado por jovens pedreiros e aprendizes inexperientes. Caris estava contente pelo fato de o projeto ser iniciado tão depressa. Era necessário que a cidade fosse capaz de se defender em momentos de crise... mas ela tinha um motivo mais importante. Convencer as pessoas a se precaverem contra ameaças do exterior levaria naturalmente, ela esperava, a uma nova consciência da necessidade de ordem e bom comportamento também entre elas.

Ela achava profundamente irônico que o destino a levasse a assumir esse papel. Nunca fora de obedecer às normas. Sempre desprezara a ortodoxia e desafiara as convenções. Acreditava que tinha o direito de criar as próprias regras. Agora era obrigada a reprimir as pessoas que só queriam se divertir. Era um milagre que ninguém a tivesse chamado de hipócrita até então.

A verdade era que algumas pessoas cresciam num clima de anarquia, o que já não acontecia com outras. Merthin era um dos que exibiam o seu melhor quando não havia restrições. Ela recordou a escultura em madeira que ele fizera das virgens sábias e das insensatas. Era diferente de qualquer outra coisa que qualquer pessoa já vira antes, por isso Elfric inventara aquela desculpa para destruí-la. Os regulamentos só serviam para prejudicar Merthin. Mas homens como Barney e Lou, os trabalhadores do matadouro, precisavam de leis para impedir que mutilassem um ao outro em brigas de bêbados.

Mesmo assim, ela sabia que sua posição era precária. Quando se tentava impor a lei e a ordem, era difícil explicar que as regras não se aplicavam a você pessoalmente.

Ela pensava a respeito ao voltar para o priorado com Thomas. Fora da catedral, encontrou a irmã Joan andando de um lado para outro na maior agitação.

– Estou furiosa com Philemon – explicou Joan. – Ele alega que você roubou o dinheiro dele e que tenho de devolvê-lo.

– Procure se acalmar.

Caris levou Joan para o pórtico da catedral. Sentaram num banco de pedra.

– Respire fundo e me conte o que aconteceu.

– Philemon foi me procurar após a terça e disse que precisava de 10 xelins para comprar velas para o santuário de Santo Adolfo. Eu lhe disse que teria de falar com você.

– É isso mesmo.

– Ele ficou irritado e gritou que era dinheiro dos monges, que eu não tinha o direito de recusar. Exigiu que lhe entregasse minhas chaves e acho que tentaria arrancá-las de mim se eu não ressaltasse que seriam inúteis, pois ele não sabia onde ficava a tesouraria.

– Foi uma boa ideia manter a localização em segredo – comentou Caris.

Thomas estava parado ao lado delas, escutando.

– Ele escolheu um momento em que eu não estava aqui. Covarde.

– Joan, você tinha todo o direito de recusar, e lamento muito que ele a tenha pressionado – disse Caris. – Thomas, encontre-o e leve-o para conversar comigo no palácio.

Ela os deixou e atravessou o cemitério, absorta em seus pensamentos. Era evidente que Philemon queria criar problemas. Mas ele não era do tipo valentão arrogante a quem ela podia subjugar com facilidade. Era um adversário astucioso e ela teria de tomar o maior cuidado.

Ao abrir a porta do palácio do prior, Caris encontrou Philemon na sala, sentado à cabeceira da mesa comprida. Ela parou na porta.

– Você não deveria estar aqui. Eu lhe disse expressamente...

– Eu estava à sua procura.

Caris percebeu que teria de trancar o prédio. De outra forma, Philemon sempre encontraria um modo de desrespeitar suas ordens. Fez um esforço para controlar sua raiva.

– Veio me procurar no lugar errado.

– Mas eu a encontrei agora, não é mesmo?

Caris o estudou. Ele fizera a barba e cortara os cabelos depois que chegara e usava um hábito novo. Era um membro típico do priorado, calmo e autoritário. Ela disse:

– Conversei com a irmã Joan. Ela ficou muito aborrecida.

– E eu também.

Caris percebeu que Philemon estava sentado na cadeira grande, enquanto ela estava de pé. Era como se ele estivesse no comando e ela não passasse de uma suplicante.

– Se precisa de dinheiro, deve me pedir.

– Sou o subprior!

– E eu sou o prior em exercício, um posto superior. – Caris elevou a voz: – Portanto, a primeira coisa que você deve fazer é se levantar quando falar comigo!

Ele estremeceu, chocado com o tom de Caris, mas logo se controlou. Com uma lentidão insultuosa, ele saiu da cadeira.

Caris sentou em seu lugar e o deixou ficar de pé. Philemon se manteve inabalável.

– Soube que está usando o dinheiro do mosteiro para pagar a nova torre.

– Isso mesmo, por ordem do bispo.

Um lampejo de irritação assomou ao rosto de Philemon. Era evidente que ele esperara se insinuar nas boas graças do bispo e convertê-lo em seu aliado contra Caris. Até mesmo quando menino ele já bajulava as pessoas com autoridade. Fora assim que conseguira ingressar no mosteiro.

– Devo ter acesso ao dinheiro do mosteiro – declarou Philemon. – É meu direito. Os bens dos monges devem ficar sob meus cuidados.

– Você os roubou na última vez em que ficaram aos seus cuidados.

Ele empalideceu: a flecha acertara direto o alvo.

– Isso é um absurdo! – exclamou Philemon, tentando encobrir seu constrangimento. – O prior Godwyn levou tudo para guardar em segurança.

– Ninguém vai levar nada para "guardar em segurança" enquanto eu for o prior em exercício.

– Deve pelo menos me entregar os ornamentos. São joias sagradas, que devem ser cuidadas por padres, não por mulheres.

– Thomas tem cuidado dos ornamentos, levando-os para as missas e devolvendo-os à tesouraria depois.

– Isso não é satisfatório...

Caris se lembrou de uma coisa e o interrompeu:

– Além do mais, você não devolveu tudo o que levou.

– O dinheiro...

– Estou falando dos ornamentos. Há um castiçal de ouro desaparecido, presente da guilda dos fabricantes de velas. O que aconteceu com ele?

A reação de Philemon a surpreendeu. Esperava por outra negativa veemente, mas ele pareceu sem graça e disse:

– Sempre foi guardado no quarto do prior.

Ela franziu o cenho.

– E o que aconteceu?

– Eu o mantive separado dos outros ornamentos.

Caris ficou atônita.

– Está me dizendo que você ficou com o castiçal durante todo esse tempo?

– Godwyn me pediu para cuidar do castiçal.

– E por isso você o levou em suas viagens para Monmouth e outros lugares?

– Era o desejo dele.

Era uma história absolutamente implausível, e Philemon sabia disso. O fato é que ele roubara o castiçal.

– Ainda está com você?

Ele anuiu com a cabeça, contrafeito. Nesse momento, Thomas entrou na sala.

– Então é aqui que você está!

– Thomas, suba e reviste o quarto de Philemon – pediu Caris.

– O que devo procurar?

– O castiçal de ouro perdido.

– Não precisa procurar – disse Philemon. – Vai encontrá-lo no genuflexório.

Thomas subiu. Voltou pouco depois com o castiçal. Entregou-o a Caris. Era pesado. Ela o examinou, curiosa. Os nomes dos doze membros da guilda dos fabricantes de velas estavam gravados na base, em letras pequenas. Por que Philemon levara o castiçal? Não fora para vender nem para derreter o ouro, sem dúvida: ele tivera bastante tempo para se desfazer do castiçal, mas não o fizera. Parecia que queria apenas ter seu próprio castiçal de ouro. Será que ficava olhando e acariciando o castiçal sozinho em seu quarto?

Ela o fitou e viu lágrimas em seus olhos.

– Vai tirá-lo de mim? – perguntou Philemon. Era uma pergunta estúpida.

– Claro. Pertence à catedral, não ao seu quarto. Os fabricantes de velas deram o castiçal de presente para a glória de Deus e o embelezamento dos serviços da catedral, não para o prazer particular de um monge.

Ele não discutiu. Parecia desconsolado, mas não arrependido. Não compreendia que fizera uma coisa errada. Sua dor não era de remorso por um erro cometido, mas de pesar pelo que lhe fora tirado. Philemon não sentia vergonha, ela compreendeu.

– Creio que isto encerra nossa conversa sobre o seu acesso aos bens do priorado – disse Caris a Philemon. – Pode se retirar agora.

Ele saiu. Ela entregou o castiçal a Thomas.

– Leve-o para a irmã Joan e diga a ela para guardá-lo. Avisaremos aos fabricantes de velas que o castiçal foi encontrado e será usado no próximo domingo.

Thomas também saiu.

Caris permaneceu onde estava, pensando. Philemon a odiava. Ela não perdeu tempo a especular por quê: ele fazia inimigos mais depressa do que um mascate pode fazer amigos. Mas era um inimigo implacável e completamente sem escrúpulos. Era evidente que estava determinado a criar problemas para ela em todas as oportunidades. Cada vez que o superasse nessas pequenas escaramuças, a maldade de Philemon arderia com mais intensidade. Mas, se o deixasse vencer, ele seria encorajado em sua insubordinação.

Seria uma batalha sangrenta, e ela não podia nem imaginar como acabaria.

⤿

Os flagelantes voltaram ao final de uma tarde de sábado, em junho.

Caris estava na sala dos manuscritos escrevendo seu livro. Decidira começar pela peste e como enfrentá-la e depois passar para as doenças menores. Descrevia as máscaras de linho para o rosto que introduzira no hospital em Kingsbridge. Era difícil explicar que as máscaras, embora eficientes, não ofereciam imunidade total. A única salvaguarda segura era deixar a cidade antes que a peste chegasse e permanecer longe até que ela se fosse, mas isso nunca seria uma opção para a maioria das pessoas.

Proteção parcial era um conceito difícil para aquelas que acreditavam em curas milagrosas. A verdade era que algumas freiras mascaradas ainda pegavam a peste, mas não tantas quanto se poderia esperar de outro modo. Ela decidiu comparar as máscaras com escudos. Um escudo não garantia que um guerreiro sobrevivesse ao ataque, mas com certeza lhe proporcionava uma valiosa proteção. Por isso mesmo, nenhum cavaleiro partia para a batalha sem levar seu escudo. Ela escrevia isso numa folha de pergaminho nova quando ouviu os flagelantes. Soltou um gemido de desânimo.

Os tambores soavam igual a passos de bêbados, as gaitas de foles eram como uma criatura selvagem experimentando os tormentos da dor e os pequenos sinos mais pareciam a paródia de um funeral. Ela saiu da sala dos manuscritos no exato momento em que a procissão entrava no priorado.

Havia mais pessoas dessa vez, setenta ou oitenta, e pareciam ainda mais desvairadas do que antes: os cabelos compridos e desgrenhados, as roupas em farrapos, os gritos estridentes mais lunáticos. Já haviam circulado pela cidade e atraído uma extensa esteira de espectadores, alguns olhando por diversão, outros participando, rasgando as roupas e se açoitando.

Caris não esperava vê-los de novo. O papa Clemente VI condenara os flagelantes. Mas estava muito longe, em Avignon, e cabia a outros fazer cumprir suas decisões.

Frei Murdo liderava os flagelantes, como antes. Quando ele se aproximou da fachada oeste da catedral, Caris notou, espantada, que as enormes portas estavam escancaradas. Não autorizara isso. Thomas não as abriria sem lhe perguntar. Portanto, Philemon devia ser o responsável. Ela recordou que Philemon se encontrara com Murdo em suas viagens. Concluiu que Murdo informara Philemon com antecedência de sua visita e que os dois haviam conspirado para garantir o acesso dos flagelantes à catedral. Não restava a menor dúvida de que Philemon argumentaria que era o único sacerdote ordenado no priorado e por isso tinha o direito de decidir que tipo de serviços religiosos seriam realizados na catedral.

Mas qual era o propósito de Philemon? Por que se importava com Murdo e os flagelantes?

Murdo levou a procissão para a nave da catedral. Os moradores da cidade entraram em seguida. Caris hesitou, não querendo se envolver numa manifestação daquele tipo. Mas sentiu necessidade de saber o que estava acontecendo, por isso também entrou, relutante, atrás da multidão.

Philemon estava no altar. Frei Murdo se juntou a ele. Philemon ergueu as mãos para pedir silêncio e então disse:

– Viemos aqui hoje para confessar nossa iniquidade, para nos arrependermos de nossos pecados e fazer penitência em expiação.

Philemon não era um orador e suas palavras não despertaram muita reação, mas o carismático Murdo assumiu o comando em seguida.

– Confessamos que nossos pensamentos são lascivos e nossos atos, sórdidos! – gritou. E todos gritaram confirmando.

Os procedimentos foram os mesmos da ocasião anterior. Levadas ao frenesi pela pregação de Murdo, as pessoas se adiantavam, berravam que eram pecadoras e se açoitavam. Os moradores da cidade assistiam, quase que hipnotizados pela nudez e a violência. Era uma encenação, sem dúvida, mas os golpes eram reais. Caris não pôde deixar de ficar horrorizada com os cortes e vergões nas costas dos penitentes. Alguns já haviam feito aquilo muitas vezes antes e estavam cobertos de cicatrizes. Outros tinham ferimentos recentes, que foram reabertos pelos novos açoites.

Alguns moradores da cidade logo se juntaram à flagelação. Ao se adiantarem, Philemon estendia uma tigela de coleta. Caris compreendeu que a motivação dele era o dinheiro. Ninguém podia confessar e beijar os pés de Murdo enquanto não pusesse uma moeda na tigela de Philemon. Murdo estava de olho na coleta, e Caris compreendeu que os dois dividiriam as moedas mais tarde.

Houve um crescendo dos tambores e gaitas à medida que mais e mais moradores da cidade se adiantavam. A tigela de Philemon logo ficou cheia. As pessoas "perdoadas" dançavam, frenéticas, ao som da música alucinada.

Até que, por fim, todos os penitentes estavam dançando e mais ninguém se juntou a eles. A música chegou a um clímax e parou abruptamente. Foi então que Caris notou que Murdo e Philemon haviam desaparecido. Presumiu que tinham saído pelo transepto sul a fim de contar seus lucros no claustro dos monges.

O espetáculo terminara. Os dançarinos caíram no chão, exaustos. Os espectadores começaram a se dispersar, saindo pelas portas abertas para o ar puro do final da tarde de verão. Não demorou muito para que os seguidores de Murdo encontrassem forças para deixar a catedral. Caris também saiu. Ela percebeu que a maioria dos flagelantes seguia para a Holly Bush.

Foi com alívio que voltou ao sossego e frescor do convento. Enquanto o crepúsculo caía no claustro, as freiras compareceram às vésperas e jantaram em seguida. Antes de se deitar, Caris foi verificar a situação no hospital. O lugar permanecia lotado: a peste continuava a se alastrar sem esmorecer.

Encontrou pouca coisa passível de crítica. A irmã Oonagh adotava os mesmos princípios de Caris: máscaras no rosto, nada de sangrias, higiene meticulosa. Caris já ia se retirar quando um dos flagelantes foi trazido para o hospital.

Era um homem que desmaiara na Holly Bush e batera com a cabeça num banco. Suas costas ainda sangravam e Caris calculou que a perda de sangue era tão responsável quanto o golpe na cabeça pela perda de consciência.

Oonagh lavou os ferimentos com água salgada enquanto ele permanecia inconsciente. Para fazê-lo recuperar os sentidos, ela ateou fogo ao chifre de um cervo e pôs a fumaça pungente debaixo de seu nariz. Depois, fez o homem beber dois copos de água misturada com cravo e açúcar, para repor o líquido que o corpo perdera.

Mas ele foi apenas o primeiro. Vários outros homens e mulheres foram trazidos para o hospital, sofrendo de alguma combinação de perda de sangue, excesso de bebidas fortes e ferimentos sofridos em acidentes ou brigas. A orgia de flagelação multiplicou por dez o número normal de pacientes da noite de sábado. Havia também um homem que se flagelara tantas vezes que tinha as costas pútridas. Finalmente, depois de meia-noite, trouxeram uma mulher que havia sido amarrada, açoitada e estuprada.

A fúria foi aumentando em Caris enquanto ela trabalhava com as outras freiras para cuidar desses pacientes. Todos os ferimentos deles resultavam de noções pervertidas de religião apregoadas por homens como Murdo. Diziam que a peste era a punição de Deus para o pecado e que as pessoas poderiam evitar a peste se punissem umas às outras daquela maneira. Era como se Deus fosse um monstro vingativo empenhado num jogo com regras insanas. Caris acreditava que o senso de justiça de Deus devia ser mais sofisticado que o do líder de 12 anos de uma gangue de meninos.

Ela trabalhou até as Matinas na manhã de domingo, depois foi dormir por duas ou três horas. Quando se levantou, saiu para se encontrar com Merthin.

Ele vivia agora na mais imponente das casas que construíra na ilha dos Leprosos. Ficava na praia ao sul, no meio de um extenso jardim recém-plantado com macieiras e pereiras. Contratara um casal de meia-idade para cuidar de Lolla e da casa. Seus nomes eram Arnaud e Emily, mas chamavam um ao outro de Arn e Em. Caris encontrou Em na cozinha e foi orientada a ir até o jardim.

Merthin mostrava a Lolla como seu nome era escrito usando uma vareta de ponta fina para desenhar as letras na terra. Fez a filha rir quando desenhou um rosto no "o". Ela estava com 4 anos; era uma linda menina de pele azeitonada e olhos castanhos.

Ao observá-los, Caris sentiu uma pontada de pesar. Dormia com Merthin há quase meio ano. Não queria ter um bebê, pois isso acarretaria o fim de todas as suas ambições. Contudo, uma parte dela lamentava não ter engravidado. Sentia-se dividida, e era provavelmente por isso que assumia o risco. Mas nada acontecera. Ela imaginava se perdera a capacidade de conceber. Talvez a poção que Mattie Wise lhe dera para abortar a gravidez, dez anos antes, tivesse afetado o útero de alguma forma. Como sempre, ela gostaria de saber mais sobre o corpo e seus males.

Merthin a beijou. Deram uma volta pelo jardim, com Lolla correndo à frente, brincando, em sua imaginação, um jogo elaborado e impenetrável que envolvia conversar com cada árvore. O jardim parecia inacabado, com todas as plantas novas e a terra trazida de outros lugares para enriquecer o solo pedregoso da ilha.

– Vim conversar com você sobre os flagelantes. – Caris relatou o que acontecera no hospital na noite anterior. – Quero bani-los de Kingsbridge.

– Boa ideia. Todo o espetáculo é apenas um meio para Murdo ganhar dinheiro.

– E Philemon também. Era ele quem segurava a tigela da coleta. Pode conversar com a guilda da paróquia?

– Claro.

Como prior em exercício, Caris assumia o papel de senhor do solar. Teoricamente, podia tomar a iniciativa de banir os flagelantes sem ter de consultar ninguém. Mas o pedido de carta de burgo já fora apresentado ao rei e ela esperava entregar em breve a administração da cidade à guilda da paróquia. Por isso considerava a atual situação uma transição. Além do mais, era sempre sensato obter apoio antes de tentar impor o cumprimento de uma norma.

– Eu gostaria que o chefe da guarda levasse Murdo e seus seguidores para fora da cidade antes do serviço do meio-dia – disse ela.

– Philemon ficará furioso.

– Ele não deveria abrir a catedral para aquela gente sem consultar ninguém.

Caris sabia que haveria problemas, mas não podia permitir que o medo da reação de Philemon a impedisse de fazer a coisa certa para a cidade.

– Temos o papa do nosso lado – acrescentou. – Se cuidarmos do problema com discrição e rapidez, podemos resolvê-lo antes que Philemon se levante para o desjejum.

– Tudo bem – concordou Merthin. – Tentarei reunir os homens da guilda na Holly Bush.

– Eu me encontrarei com você lá daqui a uma hora.

A guilda da paróquia estava bastante desfalcada, como todas as outras organizações na cidade, mas um punhado de eminentes mercadores sobrevivera à peste, inclusive Madge Webber, Jake Chepstow e Edward Slaughterhouse. O novo chefe da guarda, Mungo, filho de John, também compareceu. Seus ajudantes ficaram do lado de fora, aguardando instruções.

A discussão não foi prolongada. Nenhum dos cidadãos eminentes participara da orgia e todos desaprovavam aquelas exibições públicas. A decisão do papa foi o fator fundamental. Formalmente, Caris, no posto de prior em exercício, promulgou uma norma que proibia os açoites nas ruas e a nudez pública. Aqueles que a violassem seriam expulsos da cidade pelo chefe da guarda, a pedido de qualquer membro da guilda. A guilda aprovou em seguida uma resolução de apoio ao novo regulamento.

Depois, Mungo subiu e tirou frei Murdo da cama.

Murdo não se deixou levar sem protestos. Ao descer a escada, se debateu, gritou, chorou, orou e praguejou. Dois ajudantes de Mungo o agarraram pelos braços e literalmente o carregaram para fora da taverna. Na rua, ele se tornou mais exaltado. Mungo seguiu na frente e os homens da guilda foram atrás. Alguns adeptos de Murdo apareceram para protestar, mas também foram levados sob escolta. Uns poucos moradores da cidade acompanharam o grupo, descendo a rua principal a caminho da ponte de Merthin. Nenhum dos cidadãos fez qualquer objeção ao que estava sendo feito, e Philemon não apareceu. Até mesmo alguns dos que haviam se açoitado no dia anterior não disseram nada agora, parecendo um pouco envergonhados com tudo aquilo.

A multidão ficou para trás quando o grupo começou a atravessar a ponte. Com um público reduzido, Murdo ficou mais quieto. Sua indignação virtuosa foi substituída por um rancor fumegante. Solto na outra extremidade da ponte dupla, ele se afastou cambaleando, sem olhar para trás. Alguns discípulos o seguiram, indecisos.

Caris teve o pressentimento de que nunca mais tornaria a vê-lo. Ela agradeceu a Mungo e seus homens e voltou ao convento.

No hospital, Oonagh estava dando alta às vítimas de acidentes durante a noite a fim de abrir espaço para novos doentes com a peste. Caris trabalhou no hospital até meio-dia, depois saiu, agradecida, liderando a procissão que seguiu até a catedral para a missa principal do domingo. Descobriu que aguardava ansiosa por uma ou duas horas de salmos e orações e um sermão tedioso: seria repousante.

Philemon exibia uma expressão irada quando entrou com Thomas e os monges noviços. Era evidente que já tomara conhecimento da expulsão de Murdo. Sem dúvida considerara os flagelantes como uma fonte de renda pessoal, independente de Caris. Essa esperança fora destruída e ele estava lívido de raiva.

Por um momento, Caris especulou o que ele faria com raiva. Depois pensou: Deixe-o fazer o que quiser. Se não fosse por isso, seria por outra coisa. Qualquer coisa que ela fizesse deixaria Philemon furioso, mais cedo ou mais tarde. Não havia sentido em ficar se preocupando com isso.

Ela cochilou durante as orações, mas despertou quando ele iniciou o sermão. O púlpito parecia acentuar sua falta de charme e seus sermões eram em geral mal recebidos. Naquele dia, porém, ele atraiu a atenção dos presentes desde o início ao anunciar que seu assunto seria a fornicação.

Tomou como texto um versículo da primeira carta de São Paulo aos primeiros cristãos de Corinto. Leu o texto em latim e depois traduziu, com voz retumbante:

– Agora escrevo para que vocês não convivam com um fornicador!

Ele discorreu de maneira tediosa sobre o significado de conviver:

– Não comam com essas pessoas, não bebam com essas pessoas, não se relacionem com essas pessoas, não falem com essas pessoas.

Mas Caris pensava, ansiosa, sobre onde ele queria chegar com o sermão. Ele não ousaria atacá-la diretamente do púlpito, não é? Ela olhou ao longo do coro para Thomas, no outro lado, com os monges noviços, e percebeu seu olhar de preocupação.

Tornou a fitar o rosto de Philemon, sombrio de ressentimento, e compreendeu que ele era capaz de qualquer coisa.

– A quem isso se refere? – indagou ele, retórico. – Não aos forasteiros, o santo escreve expressamente, pois cabe a Deus julgá-los. Mas ele diz também que vocês são os juízes daqueles em sua companhia.

Philemon apontou para a congregação.

– Vocês! – Tornou a baixar os olhos para o livro e leu: – Afastem de vocês essa pessoa iníqua!

A congregação permaneceu em silêncio. Todos sentiam que aquilo não era uma exortação genérica visando a um comportamento melhor. Philemon tinha uma mensagem.

– Devemos olhar ao nosso redor – continuou ele. – Nossa cidade, nossa igreja, nosso priorado! Existem fornicadores aqui? Se existem, devem ser expulsos.

Não havia mais qualquer dúvida na mente de Caris de que Philemon se referia a ela. E todos os cidadãos mais espertos já deveriam ter chegado à mesma conclusão. Mas o que ela podia fazer? Não havia como se levantar e contestá-lo. Não podia sequer sair da catedral, pois acentuaria o argumento de Philemon e deixaria óbvio, até para os membros mais estúpidos da congregação, que era ela o alvo daquela diatribe.

Por isso ela se limitou a escutar, mortificada. Philemon falava bem, pela primeira vez em sua vida. Não hesitava nem tropeçava nas palavras, se expressava com clareza e projetava a voz, conseguia variar o tom monótono habitual. Para ele, o ódio era uma inspiração.

Ninguém ia expulsá-la do priorado, é claro. Mesmo que fosse uma prioresa incompetente, o bispo a manteria no cargo quanto menos não fosse por causa da escassez crônica de sacerdotes. Igrejas e mosteiros por todo o país estavam fechando porque não contavam com ninguém para oficiar os serviços ou cantar os salmos. Os bispos estavam desesperados para designar mais padres, monges e freiras, não para dispensá-los. De qualquer forma, os moradores da cidade se revoltariam contra qualquer bispo que tentasse se livrar de Caris.

Mesmo assim, o sermão de Philemon era pernicioso. Agora seria mais difícil para os líderes da cidade fecharem os olhos à ligação de Caris com Merthin. Esse tipo de coisa abalava o respeito das pessoas. Perdoavam a um homem por um pecadilho sexual mais depressa do que a uma mulher. E, como ela percebeu, angustiada, sua posição convidava à acusação de hipocrisia.

Ela continuou sentada, rangendo os dentes, durante toda a peroração, que continuou transmitindo a mesma mensagem, só que em voz ainda mais alta, pelo restante do serviço. Assim que freiras e monges deixaram a catedral em procissão, Caris foi para sua farmácia e se sentou para escrever uma carta ao bispo Henri, solicitando a transferência de Philemon para outro mosteiro.

Em vez disso, Henri o promoveu.

Duas semanas haviam se passado desde a expulsão de frei Murdo. Estavam no transepto norte da catedral. O dia de verão era quente, mas no interior do templo ficava sempre fresco. O bispo estava sentado numa cadeira de madeira toda esculpida, enquanto os outros se acomodavam em bancos: Philemon, Caris, o arquidiácono Lloyd e o cônego Claude.

– Eu o designo prior de Kingsbridge – disse Henri a Philemon.

Philemon sorriu de satisfação e lançou um olhar triunfante para Caris.

Ela ficou consternada. Duas semanas antes, oferecera a Henri uma longa lista de sólidas razões para que Philemon não tivesse permissão de permanecer numa posição de responsabilidade ali... a começar pelo roubo de um castiçal de ouro. Mas parecia que sua carta surtira o efeito oposto.

Ela abriu a boca para protestar, mas Henri lhe lançou um olhar furioso e ergueu a mão. Por isso, Caris decidiu ficar calada para descobrir o que ele tinha a dizer. O bispo continuou a se dirigir a Philemon:

– Estou fazendo isso apesar... não por causa... de seu comportamento desde que voltou para cá. Tem sido maldoso e criado problemas, e, se a Igreja não estivesse tão desesperada por pessoas, eu não o promoveria nem em uma centena de anos.

Então por que fazê-lo agora?, perguntou-se Caris.

– Mas precisamos ter um prior e simplesmente não é satisfatório que a prioresa assuma esse papel, apesar de sua indubitável capacidade.

Caris teria preferido que ele designasse Thomas. Mas Thomas recusaria, ela sabia. Ficara com muitas cicatrizes da luta encarniçada pela sucessão do prior Anthony doze anos antes e jurara que nunca mais se envolveria numa eleição no priorado. Era bem possível que o bispo já tivesse conversado antes com Thomas, sem o conhecimento de Caris, e soubesse de tudo isso.

– Mas há várias condições para sua designação – continuou Henri, olhando para Philemon. – Primeiro, não será confirmado no posto até que Kingsbridge tenha obtido a carta de burgo. Você não é capaz de administrar a cidade e não tenho a menor intenção de deixá-lo nessa posição. Durante a espera, portanto, madre Caris continuará como prior em exercício. Você viverá no dormitório dos monges. O palácio será trancado. Se você se comportar mal durante esse período de espera, sua nomeação será revogada.

Philemon parecia furioso e magoado com isso, mas ficou de boca fechada. Sabia que vencera e não pretendia discutir as condições.

– Segundo, terá sua própria tesouraria, mas o irmão Thomas será o tesoureiro. Nenhum dinheiro será gasto nem qualquer objeto precioso será retirado da tesouraria sem seu conhecimento e consentimento. Além disso, ordenei a construção de uma nova torre e autorizei os pagamentos de acordo com a programação preparada por Merthin Bridger. O priorado fará esses pagamentos com os fundos dos monges e nem Philemon nem qualquer outra pessoa terá o poder de alterar essa disposição. Não quero uma torre pela metade.

Merthin pelo menos teria seu sonho realizado, pensou Caris, agradecida. Henri se virou para ela.

– Tenho mais uma ordem a dar, e envolve você, madre prioresa.

O que será agora?, pensou Caris.

– Houve uma acusação de fornicação.

Caris olhou aturdida para o bispo, pensando no momento em que o surpreendera com Claude, os dois completamente nus. Como ele ousava levantar esse assunto?

– Não direi nada sobre o passado – continuou Henri. – No futuro, no entanto, não é possível que a prioresa de Kingsbridge tenha um relacionamento com um homem.

Ela teve vontade de dizer: Mas você vive com seu amante! Só que notou subitamente a expressão de Henri. Era um olhar suplicante. O bispo lhe implorava que não fizesse uma acusação que o denunciaria como hipócrita. Ele sabia que era injusto o que fazia, compreendeu Caris, mas não tinha alternativa. Philemon o forçara a essa situação.

Mesmo assim, ela ficou tentada a pressioná-lo com uma censura. Só que de nada adiantaria. Henri estava acuado contra a parede e fazia o melhor que podia nas circunstâncias. Caris decidiu não falar nada.

– Posso ter sua garantia, madre prioresa, que deste momento em diante não haverá absolutamente a menor base para essa acusação? – acrescentou ele.

Caris olhou para o chão. Já passara por isso antes. Mais uma vez, sua opção era renunciar a tudo por que trabalhara – o hospital, a carta de burgo, a torre – ou se afastar de Merthin. E, mais uma vez, ela optou pelo seu trabalho. Ergueu a cabeça e encarou o bispo.

– Pode, milorde bispo. Tem minha palavra.

⌒

Ela conversou com Merthin no hospital, os dois cercados por outras pessoas. Tremia e estava à beira das lágrimas, mas não podia vê-lo em particular. Sabia que sua determinação enfraqueceria se ficassem a sós, que o abraçaria e diria que o amava, prometeria deixar o convento e se casar com ele. Por isso, mandou um recado pedindo que ele viesse ao seu encontro. Recebeu-o na porta do hospital, falou em tom descontraído, os braços cruzados com toda a força sobre o peito, a fim de não se deixar levar pela tentação e estender a mão, num gesto afetuoso, para tocar no corpo que tanto amava.

Quando acabou de relatar o ultimato do bispo e sua decisão, Merthin dava a impressão de que poderia matá-la.

– Esta é a última vez – declarou ele.

– Como assim?

– Se fizer isso, será para sempre. Não vou mais esperar, na esperança de que um dia você se torne minha esposa.

Caris teve a sensação de que ele a agredira. Merthin continuou, desferindo mais um golpe a cada frase.

– Se fala mesmo sério, vou tentar esquecê-la agora. Estou com 33 anos. Não tenho toda a eternidade, meu pai está morrendo aos 58 anos. Eu me casarei com outra mulher, terei mais filhos e serei feliz em meu jardim.

A imagem descrita por Merthin a torturou. Ela mordeu o lábio, tentando controlar a dor, mas lágrimas quentes escorriam por suas faces. Ele se mostrou implacável.

– Não vou desperdiçar minha vida amando você – disse Merthin, fazendo-a sentir que fora apunhalada. – Deixe o convento agora ou fique para sempre.

Caris tentou encará-lo com um olhar firme.

– Não o esquecerei. Sempre o amarei.

– Mas não o suficiente.

Ela permaneceu calada por longo tempo. Não era isso, ela sabia. Seu amor não era fraco ou inadequado. Apenas acarretava opções insuportáveis. Mas parecia que de nada adiantaria argumentar.

– É nisso que você realmente acredita? – indagou ela.

– Parece óbvio.

Caris assentiu com a cabeça embora não concordasse com ele.

– Lamento muito – disse. – Lamento mais do que em qualquer outra ocasião da minha vida.

– Eu também.

Merthin lhe deu as costas e deixou o prédio.

75

Sir Gregory Longfellow voltou para Londres, mas retornou com uma rapidez surpreendente, como se fosse uma bola quicando na muralha da grande cidade. Apareceu em Tench Hall na hora do jantar, com a aparência perturbada, a respiração forte através das narinas dilatadas, os cabelos grisalhos emaranhados e úmidos de suor. Entrou com algo menos do que o seu ar habitual de quem comandava todos os homens e animais que cruzavam seu caminho. Ralph e Alan estavam de pé junto da janela examinando um novo tipo de adaga de lâmina larga conhecido como basilardo. Sem dizer nada, Gregory arriou o corpo alto na cadeira toda lavrada de Ralph: independentemente do que pudesse ter acontecido, ainda era importante demais para esperar por um convite para sentar.

Ralph e Alan o fitaram em expectativa. A mãe de Ralph torceu o nariz, numa expressão de censura: não gostava de maus modos. Gregory finalmente declarou:

– O rei não gosta de ser desobedecido.

Isso assustou Ralph, que olhou ansioso para Gregory enquanto se perguntava o que fizera que pudesse ser interpretado como desobediência pelo rei. Não se lembrou de nada. Nervoso, disse:

– Lamento que Sua Majestade esteja insatisfeito. Espero que não seja comigo.

– Você está envolvido – disse Gregory de um jeito vago irritante. – E eu também. O rei acha que é um mau precedente quando seus desejos são frustrados.

– Concordo plenamente.

– É por isso que você e eu sairemos daqui amanhã e iremos a Earlscastle para conversar com lady Philippa e obrigá-la a se casar com você.

Então era isso. Ralph ficou aliviado. Não podia ser considerado responsável pela recalcitrância de Philippa, com toda a justiça... não que a justiça fizesse alguma diferença para os reis. Mas, lendo nas entrelinhas, compreendeu que a pessoa que arcara com a culpa fora Gregory. Por isso agora ele estava determinado a salvar o plano do rei e se redimir. Havia fúria e rancor na expressão de Gregory ao acrescentar:

– No momento em que eu acabar com ela, prometo que lady Philippa estará lhe implorando para se casar com ela.

Ralph não podia imaginar como isso seria possível. Como a própria Philippa ressaltara, podia-se levar uma mulher a desfilar pela nave de uma igreja, mas não havia como obrigá-la a dizer "Eu aceito". Ele disse a Gregory:

– Ouvi dizer que o direito de uma viúva a recusar o casamento é garantido pela Magna Carta.

Gregory lhe lançou um olhar irritado.

– Não me lembre. Cometi o erro de mencionar isso para Sua Majestade.

Nesse caso, refletiu Ralph, que ameaças ou promessas Gregory planejava usar para que Philippa cedesse à sua vontade? Ele próprio não podia pensar em qualquer outro meio para obrigá-la a casar que não fosse sequestrá-la e levá-la para alguma igreja isolada onde um padre generosamente subornado se mostraria surdo a seus gritos de "Não, nunca!".

Eles partiram na manhã seguinte bem cedo com uma pequena comitiva. Era a época da colheita. No North Field, os homens ceifavam os talos altos do centeio, enquanto as mulheres seguiam atrás, prendendo as hastes em feixes.

Ultimamente, Ralph passara mais tempo preocupado com a colheita do que com Philippa. Isso acontecia não por causa do tempo, que era favorável, mas por causa da peste. Ele também tinha poucos arrendatários e quase nenhum trabalhador. Muitos lhe haviam sido roubados por senhores inescrupulosos, como a prioresa Caris, que seduziam os homens de outros proprietários, com a oferta de salários altos e arrendamentos vantajosos. Em desespero, Ralph concedera arrendamentos livres a alguns de seus servos, o que significava que não tinham obrigação de trabalhar em terras de sua propriedade... uma disposição que o deixara com escassez de pessoal na época da colheita. Em consequência, era provável que uma parte de sua safra apodrecesse nos campos.

No entanto, ele achava que seus problemas poderiam acabar se conseguisse casar com lady Philippa. Teria dez vezes mais terras do que controlava agora, mais a receita de uma dúzia de outras fontes, inclusive tribunais, florestas, mercados e moinhos. E sua família recuperaria sua legítima posição na nobreza. Sir Gerald seria o pai de um conde antes de morrer.

Ele se perguntou de novo o que Gregory tinha em mente. Philippa assumira uma posição difícil ao desafiar a formidável determinação e as poderosas ligações de Gregory. Ralph não gostaria de estar em seus sapatos de seda cheios de contas.

Chegaram a Earlscastle pouco antes do meio-dia. O som das gralhas escarnecendo nas ameias sempre lembrava Ralph do tempo que passara ali como escudeiro, a serviço do conde Roland... os dias mais felizes de sua vida, ele pensava às vezes. Mas o castelo estava muito quieto agora, sem um conde. Não havia escudeiros empenhados em jogos violentos no primeiro círculo nem cavalos de guerra relinchando e batendo com os cascos no solo enquanto eram tratados e exercitados fora dos estábulos, nem homens de armas jogando dados nos degraus da torre.

Philippa estava no antiquado saguão, em companhia de Odila e de um punhado de mulheres de sua corte. Mãe e filha trabalhavam juntas numa tapeçaria, sentadas lado a lado num banco diante do tear. Tudo indica que seria uma cena de floresta quando ficasse pronta. Philippa cuidava dos fios marrons para os troncos das árvores, enquanto Odila usava os fios verdes brilhantes para as folhas.

– Muito bonito, mas precisa de mais vida – comentou Ralph com uma voz que procurou tornar alegre e cordial. – Faltam umas poucas aves e coelhos, talvez alguns cachorros perseguindo um veado.

Philippa permaneceu alheia a seu charme, como sempre. Levantou-se e recuou, afastando-se dele. A jovem fez o mesmo. Ralph notou que mãe e filha tinham a mesma altura.

– Por que veio até aqui? – indagou Philippa.

Seja como você quiser, pensou Ralph, ressentido. Ele virou de lado para Philippa.

– Sir Gregory tem uma coisa para lhe dizer.

Ralph foi até uma janela e olhou para fora, como se estivesse entediado.

Gregory cumprimentou formalmente as duas mulheres. Disse que esperava não as estar incomodando. Era uma mentira, pois ele não estava nem um pouco preocupado com a privacidade delas, mas a cortesia pareceu abrandar Philippa, que o convidou a sentar.

– O rei está aborrecido com você, condessa – anunciou Gregory.

Philippa baixou a cabeça.

– Lamento muito ter desagradado a Sua Majestade.

– Ele deseja recompensar seu leal servidor, sir Ralph, fazendo-o conde de Shiring. Ao mesmo tempo, estará lhe proporcionando um jovem e vigoroso marido, um bom padrasto para sua filha. – Após uma pausa, Gregory acrescentou, ignorando o horror de Philippa: – O rei está surpreso com seu obstinado desafio.

Philippa parecia assustada, como não podia deixar de ser. As coisas seriam diferentes se ela contasse com um irmão ou um tio para sair em sua defesa. Mas a peste exterminara sua família. Sendo uma mulher sem parentes do sexo masculino, ela não tinha ninguém para protegê-la da ira do rei.

– O que ele vai fazer? – indagou ela, apreensiva.

– O rei não mencionou a palavra "traição" ainda.

Ralph não tinha certeza se Philippa poderia ser legalmente acusada de traição, mas mesmo assim a ameaça a fez empalidecer.

– Ele me pediu, em primeira instância, para convencê-la – continuou Gregory.

– O rei, é claro, considera o casamento uma questão política... – disse Phillipa.

– E é mesmo uma questão política – interrompeu ele. – Se sua linda filha aqui tivesse a fantasia de se apaixonar pelo filho encantador de uma criada da cozinha, você diria a ela, como eu digo a você, que as mulheres da nobreza não podem se casar apenas com quem desejam, e você a trancaria em seu quarto e mandaria açoitar o rapaz na frente da janela até que ele renunciasse à sua filha para sempre.

Philippa parecia afrontada. Não gostava de ouvir de um mero advogado preleções sobre os deveres de sua posição.

– Compreendo as obrigações de uma viúva aristocrática – declarou ela, altiva. – Sou uma condessa, minha avó era condessa e minha irmã também foi condessa até morrer da peste. Mas o casamento não é apenas política. Também é uma questão de coração. Nós, mulheres, ficamos à mercê dos homens que são nossos senhores e amos e que têm o dever de decidir sabiamente nosso destino e suplicamos que não seja ignorado por completo o que sentimos no coração. Essas súplicas são em geral ouvidas.

Ela estava transtornada, Ralph podia perceber, mas ainda assim Philippa mantinha o controle, mostrava-se competente. O uso da palavra "sabiamente" continha uma insinuação de sarcasmo.

– Em tempos normais, talvez você tivesse razão, mas estes são dias estranhos – respondeu Gregory. – Em geral, quando o rei olha ao redor à procura de alguém que esteja à altura de um condado, sempre encontra uma dúzia de homens sábios, fortes e vigorosos, leais a ele e ansiosos por servi-lo de todas as maneiras que puderem. O rei poderia designar qualquer um para o título com absoluta confiança. Mas, agora que muitos dos melhores homens foram abatidos pela peste, o rei é como uma dona de casa que vai ao peixeiro no final da tarde... obrigada a aceitar qualquer coisa que ele ainda tenha disponível.

Ralph entendeu a força do argumento, mas também se sentiu insultado. Preferiu, no entanto, fingir que não notara.

Philippa mudou de rumo. Acenou para uma criada e pediu:

– Traga um jarro do melhor vinho gascão, por favor. E sir Gregory almoçará aqui. Comeremos cordeiro novo com alho e alecrim.

– Pois não, milady.

– É muito gentil, condessa – disse Gregory.

Philippa era incapaz de ser coquete. Fingir ser apenas hospitaleira, sem qualquer outro motivo, ia além de sua índole. Voltou direto ao assunto:

– Sir Gregory, tenho de lhe dizer que meu coração, minha alma e todo o meu ser se revoltam contra a perspectiva de me casar com sir Ralph Fitzgerald.

– Mas por quê? – indagou Gregory. – Ele é um homem como qualquer outro.

– Não é, não.

Os dois falavam sobre Ralph como se ele não estivesse presente e de uma forma que ele achou profundamente ofensiva. Mas Philippa estava desesperada e diria qualquer coisa que pensasse, e Ralph estava curioso, querendo saber o que havia nele que ela tanto detestava. Philippa fez uma pausa, ordenando os pensamentos.

– Se eu dissesse estuprador, torturador, assassino... as palavras pareceriam abstratas demais.

Ralph foi pego de surpresa. Não pensava em si mesmo dessa maneira. Claro que torturara pessoas a serviço do rei. Também estuprara Annet. Assassinara vários homens, mulheres e crianças em seus dias como salteador. Pelo menos, consolou-se Ralph, Philippa não parecia ter adivinhado que fora ele o homem encapuzado que matara Tilly, sua esposa.

– Os seres humanos têm dentro deles algum elemento que os impede de fazer essas coisas. É a capacidade... não, a compulsão para sentir a dor de outra pessoa. Não podemos evitar – continuou Philippa. – Você, sir Gregory, não poderia estuprar uma mulher, porque sentiria sua dor e agonia, sofreria com ela, e isso o compeliria a se conter. Não poderia torturar ou assassinar, pelo mesmo motivo. Alguém que carece da capacidade de sentir a dor de outra pessoa não é um homem embora possa andar sobre duas pernas e falar.

Ela se inclinou para a frente e baixou a voz, mas ainda assim Ralph pôde ouvi-la com toda clareza:

– E eu não irei para a cama com um animal.

Ralph explodiu:

– Não sou um animal!

Ele esperava que Gregory o apoiasse. Em vez disso, o advogado pareceu ceder:

– Essa é sua palavra final, lady Philippa?

Ralph estava espantado. Gregory deixaria o comentário passar sem resposta, como se fosse no mínimo uma meia verdade?

– Preciso que volte ao rei e diga que sou sua súdita leal e obediente, que desejo conquistar seu favor, mas que não posso casar com Ralph mesmo que o arcanjo Gabriel me ordene – disse ela.

– Entendo. – Gregory se levantou. – Não ficaremos para o jantar.

O que significava tudo aquilo? Ralph esperava que Gregory apresentasse sua surpresa, uma arma secreta, algum suborno ou ameaça irresistível. Será que o esperto advogado não tinha nenhuma carta escondida dentro da elegante manga de brocado?

Philippa também se mostrou surpresa com o súbito encerramento da discussão. Gregory se encaminhou para a porta. Ralph não tinha opção além de segui-lo. Philippa e Odila ficaram olhando para os dois, sem saber o que deduzir daquela saída fria. As damas de companhia permaneceram em silêncio.

– Por favor, implore ao rei para ser misericordioso – disse Philippa.

– Ele será, milady – garantiu Gregory. – Autorizou-me a informá-la que, diante de sua obstinação, não a obrigará a se casar com um homem que detesta.

– Obrigada! – exclamou Philippa. – Salvou minha vida!

Ralph abriu a boca para protestar. Havia uma promessa. Cometera sacrilégio e assassinato por aquela recompensa. Decerto não podiam lhe tirar tudo agora.

Mas Gregory falou primeiro:

– Em vez disso, a ordem do rei é para que Ralph se case com sua filha. – Ele fez uma pausa. Apontou para a jovem alta de 15 anos parada ao lado da mãe. – Odila. – Como se houvesse necessidade de enfatizar de quem estava falando.

Philippa soltou uma exclamação de espanto e Odila gritou. Gregory fez uma reverência.

– Bom dia para as duas.

– Espere! – balbuciou Philippa.

Gregory não lhe deu atenção e saiu. Atordoado, Ralph o seguiu.

∽

Gwenda estava exausta quando acordou. Era a época da colheita e ela passava todas as horas dos longos dias de agosto nos campos. Wulfric movia a foice de um lado para outro, incansável, do amanhecer ao anoitecer, ceifando o trigo. O trabalho de Gwenda era formar os feixes. Durante o dia inteiro ela se abaixava e pegava os caules ceifados, abaixava e pegava, até que as costas pareciam arder de dor. Quando ficava escuro demais para ver qualquer coisa, ela cambaleava de volta para casa e caía na cama, deixando a família se alimentar com qualquer coisa que encontrasse no aparador.

Wulfric despertou ao amanhecer e seus movimentos penetraram no sono profundo de Gwenda. Ela fez um esforço para ficar de pé. Todos precisavam de uma primeira refeição substancial: ela pôs na mesa carne de carneiro fria, pão, manteiga e cerveja forte. Sam, de 10 anos, levantou-se logo, mas Davey, que tinha apenas 8, teve de ser sacudido e puxado.

– Esta terra nunca foi cultivada apenas por um homem e sua esposa – resmungou Gwenda enquanto comiam.

Wulfric respondeu de forma irritantemente positiva.

– Você e eu fizemos a colheita sozinhos no ano em que a ponte desabou – comentou, jovial.

– Eu era doze anos mais jovem na ocasião.

– Mas é mais bonita agora.

Ela não estava com a menor disposição para galanteios.

– Mesmo quando seu pai e seu irmão eram vivos, vocês contratavam trabalhadores na época da colheita.

– Não tem importância. É nossa terra, semeamos tudo e vamos nos beneficiar com a colheita em vez de ganharmos apenas salários de 1 *penny* por dia. Quanto mais trabalhamos, mais ganhamos agora. Não é o que você sempre quis?

– Eu sempre quis ser independente e autossuficiente, se é disso que você está falando. – Gwenda foi até a porta. – Um vento oeste e umas poucas nuvens no céu.

Wulfric pareceu ficar preocupado.

– Precisamos torcer para que não chova por mais dois ou três dias.

– Acho que não choverá antes. Vamos, meninos, é hora de ir para o campo. Vocês podem comer enquanto andam.

Ela estava fazendo uma trouxa com pão e carne para o almoço quando Nate Reeve passou pela porta.

– Oh, não! – exclamou Gwenda. – Não hoje! Estamos quase terminando a nossa colheita!

– Nosso senhor também tem uma colheita para ser feita – declarou o bailio.

Nate era seguido por seu filho de 10 anos, Jonathan, conhecido como Jonno, que no mesmo instante começou a fazer caretas para Sam.

– Por favor, mais três dias para cuidarmos de nossa terra – pediu Gwenda.

– Nem se dê o trabalho de discutir comigo a respeito. Vocês devem ao senhor um dia de trabalho por semana e dois na época da colheita. Hoje e amanhã vão colher a cevada dele em Brookfield.

– O segundo dia é normalmente perdoado. Essa é a prática há muito tempo.

– Era mesmo assim nos tempos de trabalho abundante. O senhor está desesperado agora. Tantas pessoas negociaram arrendamentos livres que quase não há mais ninguém para cuidar de suas colheitas.

– Então as pessoas que negociaram com você e exigiram ser liberadas de seus deveres costumeiros são recompensadas, enquanto pessoas como nós, que aceitaram as condições antigas, são punidas com o dobro de trabalho nas terras do senhor.

Ela lançou um olhar acusador para Wulfric, recordando como ele a ignorara quando lhe dissera para negociar as condições com Nate.

– É mais ou menos isso – confirmou Nate, indiferente.

– Que inferno! – exclamou Gwenda.

– Não pragueje – disse Nate. – Terão almoço de graça. Haverá pão de trigo e um novo barril de cerveja. Não é uma bela perspectiva?

– Sir Ralph alimenta com aveia o dia inteiro os cavalos que pretende montar.

– Não demorem – recomendou Nate, saindo.

Seu filho, Jonno, mostrou a língua para Sam, que tentou agarrá-lo. Mas Jonno se esquivou e correu atrás do pai.

Exaustos, Gwenda e sua família se arrastaram pelos campos até o lugar em que a cevada de Ralph esperava para ser colhida, balançando ao vento. Começaram a trabalhar. Wulfric ceifava e Gwenda formava os feixes. Sam seguia atrás, recolhendo os caules que ela esquecia, até ter quantidade suficiente para um feixe, quando os entregava à mãe para amarrar. As outras famílias que ainda trabalhavam nas condições antigas de arrendamento também estavam no campo, enquanto os servos mais espertos cuidavam da própria colheita.

Quando o sol alcançou o ponto mais alto no céu, Nate apareceu numa carroça com um barril atrás. Cumprindo a palavra, forneceu o delicioso pão fresco de trigo a todas as famílias. Depois de comerem, os adultos se deitaram à sombra para descansar enquanto as crianças brincavam.

Gwenda cochilava quando ouviu uma irrupção de gritos infantis. Percebeu no mesmo instante, pela voz, que não era nenhum de seus filhos que gritava. Mesmo assim, levantou-se de um pulo. E viu seu filho Sam brigando com Jonno Reeve. Embora fossem mais ou menos da mesma idade e tamanho, Sam derrubara Jonno e o esmurrava e chutava sem piedade. Gwenda se encaminhou para os meninos, mas Wulfric foi mais rápido e puxou Sam com uma das mãos, tirando-o dali.

Gwenda olhou consternada para Jonno. O menino sangrava pelo nariz e pela boca e tinha o rosto machucado em torno de um olho, que já começava a inchar. Comprimia as mãos contra a barriga, gemendo e chorando. Gwenda já vira muitas brigas entre meninos, mas aquela era diferente. Jonno levara uma tremenda surra.

Ela ficou olhando para seu filho de 10 anos. Não havia qualquer marca no rosto de Sam: ao que parecia, Jonno não conseguira acertar um único soco. Sam não exibia nenhum sinal de remorso pelo que fizera. Em vez disso, sua expressão era arrogante e triunfante. Era uma expressão vagamente familiar e Gwenda vasculhou a memória à procura da recordação. Não demorou muito para se lembrar de quem ela já vira com aquela expressão depois de surrar alguém.

Fora no rosto de Ralph Fitzgerald, o verdadeiro pai de Sam.

Dois dias depois que Ralph e Gregory visitaram Earlscastle, lady Philippa foi a Tench Hall.

Ralph estivera considerando a perspectiva de se casar com Odila. Era uma linda jovem, mas era possível comprar lindas jovens por uns poucos *pence* em Londres. Ralph já tivera a experiência de ser casado com alguém que era pouco mais que uma criança. Depois que passara a excitação inicial, ele se sentira entediado e irritado com ela.

Refletira por algum tempo se poderia se casar com Odila e ter Philippa também. A ideia de se casar com a filha e ter a mãe como amante o fascinara. Podia ter as duas juntas ao mesmo tempo. Fizera sexo uma ocasião com uma dupla de mãe e filha, ambas prostitutas, em Calais, e o elemento de incesto criara uma sensação excitante de depravação.

Mas, pensando bem, sabia que isso não aconteceria. Philippa jamais consentiria. Poderia procurar meios de coagi-la, mas ela não se deixava intimidar com facilidade.

– Não quero me casar com Odila – declarara ele a Gregory ao voltarem a cavalo de Earlscastle.

– Nem precisará – assegurara Gregory, que se recusara a explicar.

Philippa chegou com uma dama de companhia e um guarda, mas sem a filha. Ao entrar em Tench Hall, pela primeira vez ela não parecia orgulhosa. Nem mesmo parecia bonita, pensou Ralph: era evidente que não dormia fazia duas noites.

Haviam acabado de sentar para jantar: Ralph, Alan, Gregory, um punhado de escudeiros e um bailio. Philippa era a única mulher na sala.

Ela foi até Gregory. A cortesia que ele demonstrara antes fora esquecida. Não se levantou, além de fitá-la de maneira grosseira de alto a baixo, como se tivesse à sua frente uma serva com alguma queixa.

– E então? – indagou ele após um longo momento de silêncio.

– Decidi me casar com Ralph.

– É mesmo? – O ar de surpresa dele era zombeteiro. – Por que se decidiu agora?

– Eu mesma me casarei com ele para não ter de sacrificar minha filha.

– Milady parece pensar que o rei a levou a uma mesa cheia de pratos e a convidou a escolher o de que mais gosta – disse ele, sarcástico. – Está enganada. O rei não pergunta qual é o seu prazer. Ele ordena. Você desobedeceu a uma ordem, por isso ele deu outra. Não houve alternativa.

Philippa baixou os olhos.

– Lamento muito por meu comportamento. Por favor, poupe minha filha.

– Se dependesse de mim, eu recusaria seu pedido, como punição por sua intransigência. Mas talvez seja melhor suplicar a sir Ralph.

Ela olhou para Ralph. Ele viu a raiva e o desespero nos olhos de Philippa. E ficou excitado. Era a mulher mais altiva que já conhecera, e conseguira dobrar seu orgulho. Queria se deitar com ela agora, imediatamente. Mas ainda não acabara.

– Tem alguma coisa para me dizer? – indagou ele.

– Peço desculpas.

– Venha até aqui.

Ralph se achava sentado à cabeceira da mesa. Ela se aproximou e parou ao seu lado. Ele acariciou a cabeça de um leão esculpido no braço da cadeira.

– Continue.

– Sinto muito tê-lo rejeitado antes. Gostaria de retirar tudo o que disse. Aceito sua proposta. Eu me casarei com você.

– Mas não renovei meu pedido. O rei ordena que eu me case com Odila.

– Se pedir ao rei que ele volte ao plano original, tenho de certeza que será atendido.

– E é isso que você me pede para fazer.

– É, sim. – Ela o fitou nos olhos e engoliu em seco, na humilhação final. – Estou pedindo... suplicando. Por favor, sir Ralph, faça de mim sua esposa.

Ralph ficou de pé, empurrando a cadeira para trás.

– Pois então me beije.

Philippa fechou os olhos.

Ele estendeu o braço esquerdo por seus ombros e a puxou. Beijou-a nos lábios. Philippa se submeteu sem reagir. Com a mão direita, Ralph apertou seu seio. Era tão firme e cheio quanto ele sempre imaginara. Desceu a mão pelo corpo, enfiou-a entre as pernas. Ela se encolheu, mas não ofereceu qualquer resistência ao abraço. Ralph comprimiu a mão contra a bifurcação das coxas. Envolveu toda a elevação triangular com a mão. Depois, mantendo essa posição, rompeu o beijo e correu os olhos pelos companheiros.

76

Na mesma ocasião em que Ralph se tornou o conde de Shiring, um jovem chamado David Caerleon foi elevado a conde de Monmouth. Tinha apenas 17 anos e seu parentesco com o falecido conde era distante, porém todos os herdeiros do título mais próximos haviam sido eliminados pela peste.

Poucos dias antes do Natal daquele ano, o bispo Henri celebrou uma missa na catedral de Kingsbridge para abençoar os dois novos condes. Depois, David e Ralph foram os convidados de honra no banquete oferecido por Merthin na casa da guilda. Os mercadores também celebravam a concessão da carta de burgo a Kingsbridge.

Ralph considerou que David fora extraordinariamente afortunado. O jovem nunca estivera fora do reino nem lutara em qualquer batalha, mas mesmo assim era conde aos 17 anos. Ralph marchara por toda a Normandia com o rei Eduardo, arriscara a vida em uma batalha após outra, perdera três dedos e cometera incontáveis pecados a serviço do rei, mas ainda assim tivera de esperar até os 32 anos.

Mas finalmente conseguira, e sentou à mesa ao lado do bispo Henri, usando um custoso casaco de brocado com fios de ouro e prata. Era apontado a estranhos pelas pessoas que o conheciam; mercadores ricos lhe davam passagem e inclinavam a cabeça respeitosos; a mão da criada tremia de nervosismo ao servir vinho em seu copo. Seu pai, sir Gerald, confinado ao leito agora, mas se apegando à vida com grande tenacidade, comentara:

– Sou o descendente de um conde e o pai de um conde. Estou satisfeito.

Era tudo profundamente gratificante. Ralph precisava conversar com David sobre o problema dos trabalhadores, que diminuíra temporariamente agora que a colheita terminara e a aradura do outono fora concluída: naquela época do ano, os dias eram curtos e o tempo, bastante frio, por isso não se podia fazer muito trabalho nos campos. Infelizmente, assim que a semeadura da primavera começasse, com o solo macio o suficiente para que os servos espalhassem as sementes, o problema voltaria: os trabalhadores tornariam a criar agitações para obterem salários mais altos e, se estes lhes fossem negados, fugiriam ilegalmente para empregadores mais perdulários.

O único meio de parar com isso era a nobreza assumir uma posição coletiva firme, resistir às exigências de pagamentos maiores e se recusar a contratar fugitivos. Era isso que Ralph queria dizer a David.

O novo conde de Monmouth, no entanto, não demonstrou a menor disposição para conversar com Ralph. Estava mais interessado na enteada dele, Odila, mais próxima de sua idade. Já haviam se encontrado antes, Ralph podia apostar: Philippa e o primeiro marido, William, haviam sido hóspedes frequentes no palácio no tempo em que David era um jovem escudeiro a serviço do velho conde. Qualquer que fosse a história anterior, os dois eram amigos agora: David falava animado e Odila absorvia cada palavra que ele dizia: concordava com suas opiniões, se deliciava com suas aventuras e ria de seus gracejos.

Ralph sempre invejara os homens capazes de fascinar as mulheres. Seu irmão possuía essa capacidade e, em consequência, podia atrair as mulheres mais lindas, apesar de ser baixo e feio e ter cabelos ruivos.

Mesmo assim, Ralph sentia pena de Merthin. Desde o dia em que o conde Roland escolhera Ralph como seu escudeiro e sentenciara Merthin a ser um aprendiz de carpinteiro, o irmão era um condenado. Embora Merthin fosse mais velho, era Ralph quem estava destinado a ser conde. Agora sentado do outro lado do conde David, Merthin tinha de se conformar em ser um mero regedor... e em ter charme.

Ralph não conseguia nem seduzir a própria esposa. Philippa mal falava com ele. Tinha mais a dizer para seu cachorro. Como era possível, Ralph se perguntava, um homem desejar tanto uma coisa quanto ele desejara Philippa e ficar insatisfeito depois ao conseguir? Ansiara por ela desde que era um escudeiro, aos 19 anos. Agora, depois de três meses de casamento, queria com toda a força do coração se livrar dela.

Mas era difícil para ele se queixar. Philippa fazia tudo que uma esposa era obrigada a fazer. Cuidava do castelo com a devida eficiência, como vinha fazendo desde que o primeiro marido se tornara conde, depois da batalha de Crécy. Os suprimentos eram pedidos, as contas, pagas, as roupas, costuradas, a lenha queimada nas lareiras, a comida e o vinho, servidos sem qualquer falha. E ela se submetia às atenções sexuais de Ralph. Ele podia fazer qualquer coisa que quisesse: rasgar suas roupas, enfiar os dedos nela sem a menor gentileza, possuí-la de pé ou por trás. Ela nunca se queixava.

Mas não retribuía suas carícias. Seus lábios nunca se mexiam no contato com os dele, sua língua jamais entrava pela boca de Ralph, as mãos não o acariciavam. Philippa mantinha sempre à mão um frasco de óleo de amêndoa e lubrificava o corpo, indiferente, sempre que ele queria fazer sexo. Permanecia tão imóvel quanto um cadáver enquanto ele grunhia por cima. Assim que Ralph rolava para o lado, ela se levantava e ia se lavar.

A única coisa boa no casamento era o fato de Odila gostar do pequeno Gerry. O bebê despertava o nascente instinto maternal da jovem. Ela adorava conversar com Gerry, entoar cantigas infantis e niná-lo para dormir. Proporcionava o tipo de cuidado maternal afetuoso que o menino nunca teria de uma ama paga.

Apesar de tudo, porém, Ralph se sentia desapontado. O corpo voluptuoso de Philippa, que contemplara com tanto anseio por muitos anos, agora lhe era repulsivo. Não a tocava havia semanas e provavelmente nunca mais o fizesse. Olhava para os seios cheios e os quadris arredondados e desejava as pernas mais esguias e a pele mais jovem de Tilly. A mesma Tilly que ele apunhalara com uma faca comprida e afiada, que subira por baixo das costelas e alcançara o coração ainda batendo. Era um pecado que não ousava confessar. Durante quanto tempo, ele refletia, angustiado, sofreria por isso no Purgatório?

O bispo e seus acompanhantes estavam instalados no palácio do prior enquanto a comitiva de Monmouth lotava os quartos de hóspedes no hospital. Por isso, Ralph, Philippa e seus servidores estavam alojados numa estalagem. Ralph escolhera a Bell, a taverna reformada que agora pertencia a seu irmão. Era a única casa de três andares em Kingsbridge, com uma sala enorme e aberta no térreo, dormitórios para homens e mulheres por cima e o último andar com seis quartos de hóspedes individuais, que custavam bastante caro. Quando o banquete terminou, Ralph e seus homens foram para a taverna, onde se instalaram diante do fogo, pediram mais vinho e começaram a jogar dados. Philippa ficou para trás, para conversar com Caris e acompanhar Odila e o conde David.

Ralph e seus companheiros atraíram uma multidão de admiradores, rapazes e moças, que sempre se reuniam em torno de nobres que gastavam generosamente. Pouco a pouco, Ralph esqueceu seus problemas, na euforia da bebida e na emoção do jogo.

Notou uma jovem loura que o observava com ar ansioso enquanto ele perdia alegremente pilhas de moedas de *penny* no rolar dos dados. Chamou-a para se sentar ao seu lado no banco e ela informou que se chamava Ella. Em momentos de tensão, a jovem apertava a coxa de Ralph como se dominada pelo suspense, embora devesse saber com precisão o que fazia. As mulheres quase sempre sabiam.

Pouco a pouco, ele perdeu o interesse pelo jogo e transferiu sua atenção para Ella. Seus homens continuaram a apostar enquanto ele aprofundava seu conhecimento da jovem. A garota era tudo o que Philippa não era: feliz, sensual e fascinada por Ralph. Tocava nele e em si mesma a todo instante: afastava os cabelos do rosto, acariciava o braço de Ralph, levava a mão ao pescoço, batia de leve no ombro dele. Parecia muito interessada nas experiências de Ralph na França.

Para irritação de Ralph, Merthin entrou na taverna e se sentou com ele. Merthin não dirigia a Bell pessoalmente – alugara-a para a filha mais jovem de Betty Baxter –, mas se interessava em ajudar para que a arrendatária tivesse sucesso. Perguntou se Ralph estava satisfeito com tudo. O irmão apresentou sua companheira e Merthin disse, num tom desdenhoso e descortês nada comum nele:

– Já conheço Ella.

Aquela era apenas a terceira ou quarta vez que os irmãos se encontravam desde a morte de Tilly. Nas ocasiões anteriores, como o casamento de Ralph com Philippa, quase não haviam tido tempo para conversar. Mesmo assim, Ralph sabia, pela maneira como o irmão o fitava, que Merthin desconfiava de que fora ele o assassino de Tilly. O pensamento tácito era uma presença constante, nunca expresso, mas impossível de ignorar. Se fosse mencionado, Ralph calculava que seria a última conversa entre os dois.

Por isso, naquela noite, como por consentimento mútuo, eles se limitaram, mais uma vez, a trocar amenidades. Depois Merthin se retirou, alegando que tinha trabalho a fazer. Ralph refletiu por um instante sobre que trabalho ele poderia ter num crepúsculo em dezembro. Não tinha a menor ideia de como Merthin passava seu tempo. Ele não caçava, não reunia uma corte, não acompanhava o rei. Seria possível que ficasse o dia inteiro, todos os dias, fazendo desenhos e supervisionando construtores? Uma vida assim levaria Ralph à loucura. E ele também estava surpreso com todo o dinheiro que Merthin parecia ganhar com seus empreendimentos. O próprio Ralph tivera problemas financeiros mesmo depois que se tornara o senhor de Tench. O irmão mais velho, porém, parecia ter sempre dinheiro disponível.

Ralph tornou a concentrar sua atenção em Ella.

– Meu irmão é um pouco mal-humorado – disse, à guisa de desculpa.

– Isso é porque ele não tem mulher há seis meses. – Ella riu. – Ele costumava fornicar com a prioresa, mas ela teve de dispensá-lo depois que Philemon voltou.

Ralph fingiu estar chocado.

– As freiras não deveriam fornicar.

– Madre Caris é uma mulher maravilhosa, mas ela tem a coceira, dá para perceber pela maneira como anda.

Ralph ficou excitado com a conversa tão franca da mulher.

– É horrível para um homem passar tanto tempo sem ter uma mulher – comentou ele, entrando no jogo.

– Também acho.

– Deixa o homem... duro.

Ella inclinou a cabeça para o lado e alteou as sobrancelhas. Ele olhou para o próprio colo. A jovem acompanhou seu olhar.

– Oh, meu caro... Parece muito desconfortável...

Ella estendeu a mão para o pênis ereto. Nesse momento, Philippa entrou.

Ralph ficou imóvel. Sentia-se culpado e assustado e, ao mesmo tempo, furioso consigo mesmo por se importar se Philippa via ou não o que ele fazia.

– Vou subir e... oh...

Ella não soltou o pênis de Ralph. Ao contrário, apertou-o gentilmente ao mesmo tempo que olhava para Philippa com um sorriso triunfante.

Philippa ficou vermelha, o rosto denotando vergonha e repulsa.

Ralph abriu a boca para falar, mas não soube o que dizer. Não estava disposto a pedir desculpa àquela megera que era sua esposa: ela própria atraíra aquela humilhação. Mas também se sentia um tanto idiota, sentado ali com aquela meretriz de taverna segurando seu pênis, enquanto sua esposa, a condessa, estacava na frente dos dois, constrangida.

A cena durou apenas um momento. Ralph deixou escapar um som estrangulado, Ella deu uma risadinha e Philippa soltou de novo uma exclamação de espanto impregnada de exasperação e nojo. Depois, Philippa se voltou e se afastou, com a cabeça erguida numa posição fora do normal. Encaminhou-se para a escada larga e subiu, tão graciosa quanto uma corça numa encosta, desaparecendo sem olhar para trás.

Ralph sentiu ao mesmo tempo raiva e vergonha embora dissesse a si mesmo que não precisava sentir nenhuma das duas coisas. Entretanto, seu interesse por Ella murchou por completo e ele tratou de afastar a mão da mulher.

– Tome mais um pouco de vinho – disse ela, servindo-o do jarro na mesa.

Mas Ralph começava a sentir uma dor de cabeça e empurrou para o lado o copo de madeira. Ela pôs a mão em seu braço e sussurrou de modo sugestivo:

– Não me deixe na mão depois de me fazer ficar, você sabe, toda excitada.

Ralph empurrou a mão da jovem e se levantou. Ela endureceu o rosto.

– É melhor me dar alguma coisa como compensação.

Ele meteu a mão na bolsa e tirou um punhado de moedas de prata. Sem olhar para Ella, largou o dinheiro na mesa. Não queria saber se era muito ou pouco.

A mulher se apressou em recolher o dinheiro. Ralph a deixou e subiu.

Philippa já estava na cama, encostada na cabeceira. Continuava vestida, apenas tirara os sapatos. Fitou Ralph com uma expressão acusadora quando ele entrou.

– Você não tem o direito de ficar zangada comigo! – berrou Ralph.

– Eu não estou zangada. Mas você, sim.

Ela sempre dava um jeito de distorcer as palavras dele para que parecesse certa e ele, errado. Mas, antes que ele pudesse pensar numa resposta, Philippa perguntou:

– Não gostaria que eu o deixasse?

Ralph ficou atônito. Era a última coisa que esperava.

– Para onde você iria?

– Viria para cá. Não me tornaria freira, mas mesmo assim poderia viver no convento. Traria poucas pessoas: uma criada, uma secretária, meu confessor. Já conversei com madre Caris e ela está disposta a me aceitar.

– Minha última esposa fez isso. O que as pessoas vão pensar?

– Muitas mulheres da nobreza se retiram para conventos, em caráter temporário ou permanente, em algum momento de suas vidas. As pessoas pensarão que você me rejeitou porque passei da idade para conceber crianças, o que provavelmente é verdade. Seja como for, desde quando você se importa com o que as pessoas dizem?

Por um instante passou pela mente de Ralph o pensamento de que detestaria ver Gerry perder Odila. Mas a perspectiva de se livrar da presença orgulhosa e desaprovadora de Philippa era irresistível.

– Está bem. O que a impede? Tilly nunca pediu permissão.

– Quero ver Odila casada primeiro.

– Com quem?

Ela o encarou como se ele fosse um idiota.

– Ahn... – acrescentou Ralph. – Com o jovem David, eu suponho.

– Ele está apaixonado por Odila, então acho que vão combinar muito bem.

– Ele é menor de idade, terá de pedir permissão ao rei.

– É por isso que mencionei o assunto com você. Pode procurar o rei e declarar seu apoio a esse casamento? Se fizer isso por mim, juro que nunca mais lhe pedirei nada. Eu o deixarei em paz.

Philippa não estava lhe pedindo nenhum sacrifício. Uma aliança com Monmouth só poderia ser benéfica para Ralph.

– E deixará Earlscastle para viver no convento?

– Assim que Odila se casar.

Era o fim de um sonho, refletiu Ralph, mas um sonho que se transformara numa realidade azeda e desolada. Era melhor reconhecer o fracasso e recomeçar mais uma vez.

– Está bem – disse ele, sentindo pesar misturado com libertação. – Negócio fechado.

77

A Páscoa veio cedo no ano de 1350. Havia um fogo enorme ardendo na lareira de Merthin na noite da Sexta-feira da Paixão. A mesa estava posta com um jantar frio: peixe defumado, queijo macio, pão fresco, peras e um jarro de vinho da Renânia. Merthin vestia roupas de baixo limpas e uma túnica amarela nova. A casa fora varrida e havia narcisos num pote no aparador.

Merthin estava sozinho. Lolla fora para a casa de seus criados, Arn e Em. Eles moravam num chalé no fundo do jardim e Lolla, com 5 anos, adorava passar a noite lá. Dizia que era uma peregrinação e levava um saco de viagem com a escova de cabelos e a boneca predileta.

Merthin abriu uma janela e olhou para fora. Uma brisa fria soprava através do rio, passando pela campina no lado sul. A última claridade do final da tarde se desvanecia, a luz parecendo despencar do céu e cair na água, onde sumia na escuridão.

Ele avistou um vulto encapuzado saindo do convento. Viu a pessoa atravessar em diagonal o pátio gramado da catedral, passar apressada pelas luzes da Bell e descer pela rua principal lamacenta, o rosto nas sombras, sem falar com ninguém. Imaginou-a alcançando a praia. Olhava para o lado, contemplava o rio frio e negro. Recordou por um momento o desespero tão intenso que chegara a gerar pensamentos de autodestruição? Se assim foi, descartou prontamente a recordação, pois a pessoa já avançava pelo leito com calçamento de pedras de sua ponte. Logo cruzou o vão e desceu na ilha dos Leprosos. Ali se desviou da estrada e passou entre moitas baixas, por uma campina com a vegetação sempre mantida rasteira pelos coelhos, e contornou as ruínas do antigo lazareto, até alcançar a praia de sudoeste. E, depois, bateu à porta de Merthin.

Ele fechou a janela e esperou. Não houve nova batida. Merthin sentiu-se tentado a tomar um pouco de vinho, mas não o fez: um ritual se desenvolvera e ele não queria alterar a ordem dos acontecimentos.

A batida apenas soou alguns instantes mais tarde. Ele abriu a porta. Ela entrou, jogou o capuz para trás e deixou o grosso manto cinza escorregar de seus ombros. Era mais alta que Merthin três ou quatro centímetros, e uns poucos anos mais velha. Seu rosto era orgulhoso e podia ser altivo, embora naquele momento o sorriso irradiasse um calor tão intenso quanto o Sol. Usava uma túnica do escarlate de Kingsbridge. Ele a abraçou, comprimindo aquele corpo voluptuoso contra o seu, beijou-a na boca e murmurou:

– Minha querida... Philippa...

Fizeram amor imediatamente, ali mesmo, no chão, mal se despindo. Merthin estava faminto de amor e ela, ainda mais ansiosa. Ele estendeu o manto sobre a palha. Ela levantou a túnica e se deitou. Agarrou-se a Merthin como alguém que se afogava, as pernas a envolvê-lo, os braços esmagando-o contra seu corpo macio, o rosto colado em seu pescoço.

Ela lhe dissera que, depois de deixar Ralph e se mudar para o priorado, pensara que ninguém jamais tornaria a tocá-la até que as freiras preparassem seu corpo frio para o enterro. O pensamento quase fez Merthin chorar.

Por sua vez, ele amava tanto Caris que sentia que nenhuma outra mulher jamais tornaria a despertar sua afeição. Para ambos, portanto, aquele amor fora uma dádiva inesperada, uma fonte de água fresca borbulhando ao sol escaldante do deserto... e os dois beberam como se estivessem morrendo de sede.

Depois do amor, ficaram deitados ao lado do fogo, enlaçados, ofegantes. Merthin recordou a primeira vez. Logo depois de se mudar para o priorado, ela demonstrara interesse pela nova torre. Como era uma mulher prática, tinha dificuldade para preencher as longas horas que deveria passar em oração e meditação. Gostava da biblioteca, mas não podia ler o dia inteiro. Foi procurá-lo no sótão dos pedreiros e ele explicou seus desenhos. Philippa adquiriu o hábito de visitá-lo todos os dias, conversando enquanto ele trabalhava. Merthin sempre admirara sua inteligência e determinação. Na intimidade do sótão, passou a conhecer o espírito afetuoso e generoso que havia por trás da atitude imponente. Descobriu que Philippa tinha um vívido senso de humor e aprendeu a fazê-la rir. Ela respondia com uma risada sonora e gutural, que o levava a desejar fazer amor com aquela mulher. Um dia, Philippa lhe fez um elogio: "Você é um homem gentil. Não há muitos assim."

A sinceridade dela o comoveu. Beijou sua mão. Era um gesto de afeto, que ela podia recusar, se assim quisesse, sem qualquer drama: bastava retirar a mão e dar um passo para trás. Merthin saberia então que fora longe demais. Mas ela não o rejeitara. Ao contrário, pegara a mão de Merthin e o fitara com uma expressão nos olhos que parecia ser de amor. Ele a abraçou e beijou seus lábios.

Fizeram amor no colchão que havia no sótão. Merthin só se lembrou mais tarde que havia sido Caris quem o encorajara a levar o colchão lá para cima, com um gracejo sobre os pedreiros precisarem de um lugar macio para pôr suas ferramentas.

Caris não sabia sobre ele e Philippa. Ninguém sabia, exceto a criada de Philippa, Arn e Em. Ela ia para a cama no andar superior do hospital logo depois do anoitecer assim que as freiras se retiravam para seu dormitório. Escapulia enquanto elas dormiam, usando a escada externa que permitia que os hóspedes importantes entrassem e saíssem sem passar pelos alojamentos das pessoas comuns. Voltava pelo mesmo caminho antes do amanhecer enquanto as freiras cantavam as Matinas. Aparecia no refeitório para a primeira refeição como se tivesse passado a noite inteira em seu quarto.

Merthin ficara surpreso ao descobrir que podia amar outra mulher menos de um ano depois de Caris tê-lo deixado pela última vez. Claro que não esquecera Caris. Ao contrário, pensava nela todos os dias. Vinha-lhe o impulso de lhe falar sobre alguma coisa engraçada que acontecera, de pedir sua opinião sobre algum problema difícil ou de relatar que se descobrira executando alguma tarefa da maneira que ela gostaria que fosse feita, como lavar com todo o cuidado o joelho esfolado de Lolla com vinho quente.

Além disso, encontrava-se com ela quase todos os dias. O novo hospital estava quase pronto, mas a torre da catedral mal começara, e Caris acompanhava atenta os dois projetos. O priorado perdera o poder de controlar os mercadores da cidade, mas ainda assim Caris se interessava pelo trabalho que Merthin e a guilda realizavam para criar todas as instituições de um burgo, como novos tribunais, o projeto de uma bolsa de lã e o estímulo às guildas de artesãos para codificar padrões e medidas. Mas seus pensamentos sobre Caris sempre tinham um ressaibo desagradável, como o amargor deixado no fundo da garganta por cerveja azeda. Ele a amara totalmente, mas no final Caris o rejeitara. Era como recordar um dia feliz que terminara com uma briga.

– Acha que me sinto particularmente atraído por mulheres que não são livres? – perguntou sem mais nem menos para Philippa.

– Não. Por quê?

– Parece estranho que depois de doze anos amando uma freira e nove meses de celibato, eu acabasse me apaixonando pela esposa do meu irmão.

– Não me chame assim – protestou Philippa. – Não era um casamento. Fui obrigada a casar contra a minha vontade. Partilhei sua cama por não mais que uns poucos dias, e ficarei feliz se nunca mais encontrá-lo.

Ele apertou o ombro da mulher, como se pedisse desculpa.

– Mas ainda assim temos de guardar segredo, como acontecia com Caris.

O que ele não disse foi que um homem tinha o direito de matar a esposa se a surpreendesse cometendo adultério. Pelo que Merthin soubesse, isso nunca acontecera, não na nobreza, mas o orgulho de Ralph era uma coisa terrível. Merthin sabia – e contara a Philippa – que Ralph matara a primeira esposa, Tilly.

– Seu pai amou sua mãe sem qualquer esperança por um longo tempo, não é?

– É verdade.

Merthin quase esquecera essa antiga história.

– E você se apaixonou por uma freira.

– E meu irmão passou anos ansiando por você, a feliz esposa de um nobre. Como dizem os padres, os pecados dos pais passam para os filhos. Mas já chega dessa conversa. Quer jantar?

– Daqui a pouco.

– Há algo que você queira fazer primeiro?

– Você sabe.

Merthin sabia. Ajoelhou-se entre as pernas de Philippa, beijou sua barriga e as coxas. Era uma peculiaridade dela: sempre queria gozar duas vezes. Ele começou a excitá-la com a língua. Philippa gemeu e pressionou a nuca dele.

– Sim – murmurou ela. – Você sabe como eu gosto disso, ainda mais quando estou cheia de seu sêmen.

Merthin ergueu a cabeça.

– Eu sei.

E tornou a baixá-la para concluir o que tinha de fazer.

∽

A primavera trouxe uma trégua na peste. As pessoas ainda morriam, mas havia menos gente contraindo a doença. No Domingo de Páscoa, o bispo Henri anunciou que a Feira do Velocino seria realizada como de hábito naquele ano.

No mesmo serviço, seis noviços professaram seus votos e se tornaram monges. Todos haviam tido um noviciado extraordinariamente curto, mas Henri estava ansioso por aumentar o número de monges em Kingsbridge e garantiu que a mesma coisa vinha acontecendo por todo o país. Além disso, cinco padres foram ordenados – também se beneficiando de um programa de treinamento acelerado – e logo enviados para substituir vítimas da peste na região rural ao redor. E dois monges de Kingsbridge vieram da universidade, depois de receberem diplomas de médico em três anos em vez dos cinco ou sete de praxe.

Os novos doutores eram Austin e Sime. Caris se lembrava deles um tanto vagamente: era mestra de hóspedes quando eles haviam partido, três anos antes, para cursarem o Kingsbridge College, em Oxford. Na tarde da segunda-feira da Páscoa, ela lhes mostrou o novo hospital, quase pronto. Não havia ninguém trabalhando na obra, já que era um dia santo.

Os dois tinham a autoconfiança arrogante que a universidade parecia incutir em seus graduados junto com as teorias médicas e uma atração pelo vinho gascão. Mas os anos lidando com pacientes também haviam proporcionado confiança a Caris e ela descreveu com enérgica segurança as instalações do hospital e a maneira como planejava dirigi-lo.

Austin era um jovem magro e sério, os cabelos louros já ralos. Ficou impressionado com a disposição inovadora dos quartos em forma de claustro. Sime, um pouco mais velho e de rosto redondo, não parecia interessado em aprender com a experiência de Caris, que notou que ele sempre desviava os olhos quando ela falava.

– Acho que um hospital deve estar sempre limpo – declarou ela.

– Com base em quê? – indagou Sime, condescendente, como se perguntasse a uma menina por que sua boneca tinha de levar algumas palmadas.

– A higiene é uma virtude.

– Ahn... isso. Então não tem nada a ver com o equilíbrio dos humores no corpo.

– Não faço a menor ideia se tem a ver ou não. Não prestamos muita atenção aos humores. Esse sistema fracassou de maneira espetacular contra a peste.

– E varrer o chão deu certo?

– No mínimo, um quarto limpo melhora a disposição do paciente.

– Você deve admitir, Sime – interveio Austin –, que alguns dos mestres em Oxford partilham as novas ideias da madre prioresa.

– Um pequeno grupo de heterodoxos.

– O ponto principal aqui é separar os pacientes que sofrem do tipo de doença que é transmitida dos enfermos para os saudáveis, isolando-os do restante – disse Caris.

– Para quê? – perguntou Sime.

– Para restringir a disseminação das doenças.

– E como elas são transmitidas?

– Ninguém sabe.

Um pequeno sorriso de triunfo contraiu os lábios de Sime.

– Então como sabe como restringir a disseminação se posso perguntar?

Ele pensava que a deixara acuada com seu argumento – era a principal coisa que aprendiam em Oxford –, mas Caris sabia como responder:

– Pela experiência. Um pastor não entende o milagre pelo qual um cordeiro cresce no útero de uma ovelha, mas sabe que não acontecerá se deixar o carneiro fora do pasto.

– Hum...

Caris detestou a maneira como ele murmurou "Hum". Era um homem astuto, pensou ela, mas sua astúcia nunca explicaria o mundo. Sempre se impressionava com o contraste entre aquele tipo de intelectual e o tipo de Merthin. Os conhecimentos de Merthin eram amplos e o poder de sua mente de apreender as complexidades era excepcional... mas sua sabedoria nunca se desviava das realidades do mundo material, pois ele sabia que seus prédios desabariam se errasse. Seu pai, Edmund, fora assim, esperto mas prático. Sime, como Godwyn e Anthony, se apegava à sua fé nos humores do corpo: não fazia a menor diferença se seus pacientes viviam ou morriam.

Austin exibiu um largo sorriso.

– Ela o pegou de jeito nesse ponto, Sime – disse, com evidente divertimento por seu presunçoso amigo não ter conseguido prevalecer sobre uma freira sem instrução formal. – Podemos não saber exatamente como as doenças se espalham, mas não deve fazer mal algum separar os doentes dos saudáveis.

A irmã Joan, tesoureira das freiras, interrompeu a conversa:

– O bailio de Outhenby está pedindo para lhe falar, madre Caris.

– Ele trouxe o rebanho de bezerros? – Outhenby tinha a obrigação de entregar às freiras, todos os anos, na Páscoa, uma dúzia de bezerros de um ano.

– Trouxe.

– Ponha os animais no cercado e peça ao bailio para vir até aqui, por favor.

Sime e Austin se retiraram. Caris foi inspecionar o chão ladrilhado das latrinas. O bailio a encontrou ali. Era Harry Ploughman. Ela dispensara o antigo bailio, que era muito lento para reagir às mudanças, e promovera ao posto o jovem mais brilhante da aldeia.

Ele apertou a mão de Caris, o que era um excesso de familiaridade de sua parte. Mas Caris gostava dele e não se importou.

– Deve ser um estorvo ter de conduzir um rebanho por todo o caminho até aqui, ainda mais quando a aradura da primavera já começou – comentou ela.

– É mesmo.

Como a maioria dos aradores, Harry tinha ombros largos e braços musculosos. Havia necessidade de força, além de habilidade, para conduzir a equipe de oito bois da comunidade à frente do pesado arado através do solo argiloso úmido. Ele exibia a aparência saudável da vida ao ar livre.

– Não prefere fazer um pagamento em dinheiro? – perguntou Caris. – A maior parte das dívidas com o solar é paga em dinheiro hoje em dia.

– Claro que seria mais conveniente. – Os olhos de Harry se contraíram, com a astúcia de camponês. – Mas quanto?

– Um bezerro de um ano costuma valer de 10 a 12 xelins no mercado, embora os preços tenham caído este ano.

– É verdade... pela metade. Podem-se comprar doze bezerros por 3 libras.

– Ou 6 libras, num bom ano.

Ele sorriu, apreciando a negociação.

– Isso é problema seu.

– Mas você pode preferir pagar em dinheiro.

– Se pudermos chegar a um acordo sobre a quantia.

– Vamos acertar em 8 xelins.

– Mas, nesse caso, se o preço de um bezerro cair para 5 xelins, onde os aldeões vão conseguir o dinheiro extra?

– Já sei o que podemos fazer. No futuro, Outhenby pode pagar ao convento 5 libras ou doze bezerros. A escolha será de vocês.

Harry pensou a respeito por um momento, procurando as desvantagens, mas não pôde encontrar nenhuma.

– Está bem. Vamos selar o acordo?

– Como podemos fazer isso?

Para surpresa de Caris, ele a beijou.

Segurou os ombros esguios de Caris com as mãos rudes, inclinou a cabeça e comprimiu os lábios contra os dela. Se o irmão Sime tivesse feito aquilo, ela teria recuado, horrorizada. Mas Harry era diferente e talvez ela ficasse excitada por seu ar de vigorosa masculinidade. Qualquer que fosse o motivo, submeteu-se ao beijo, deixando que ele puxasse seu corpo, sem resistir, e movendo os lábios contra sua boca barbuda. Ele a apertou ainda mais para que Caris pudesse sentir sua ereção. Ela compreendeu que Harry poderia facilmente possuí-la ali mesmo, no chão de ladrilhos novos das latrinas. Esse pensamento a levou a recobrar os sentidos. Interrompeu o beijo e o empurrou.

– Pare com isso! O que pensa que está fazendo?

Harry não se alterou.

– Beijando-a, minha cara.

Caris compreendeu que tinha um problema. Não podia haver a menor dúvida de que os rumores sobre seu relacionamento com Merthin haviam se espalhado. Afinal, os dois deviam ser as pessoas mais conhecidas em todo o condado de Shiring. Harry com certeza não sabia da verdade, mas os boatos haviam estimulado sua ousadia. Aquele tipo de coisa poderia comprometer sua autoridade. Devia reprimi-lo imediatamente.

– Nunca mais faça nada assim – declarou, com toda a severidade de que era capaz.

– Você pareceu gostar!

– Então seu pecado é ainda maior por ter tentado uma mulher fraca a quebrar seus votos sagrados.

– Mas eu amo você!

Era verdade, perecebeu Caris, e ela podia adivinhar por quê. Ela entrara como um vendaval em sua aldeia, reorganizara tudo, moldara os camponeses à sua vontade. Reconhecera o potencial de Harry e o elevara acima de seus companheiros. Agora, ele devia considerá-la uma deusa. Não era de surpreender que tivesse se apaixonado. Seria melhor que se desapaixonasse o mais depressa possível.

– Se algum dia voltar a me falar desse jeito, escolherei outro bailio em Outhenby.

– Oh...

A ameaça o conteve de maneira mais efetiva do que a acusação de pecado.

– Agora, volte para casa.

– Está bem, madre Caris.

– E encontre outra mulher. De preferência uma que não tenha feito voto de castidade.

– Nunca!

Mas Caris não acreditou nele.

Harry foi embora, mas ela permaneceu onde estava. Sentia-se irrequieta e lasciva. Se pudesse ter certeza de que ficaria a sós por um momento, não hesitaria em se masturbar. Aquela era a primeira vez em nove meses que o desejo físico a perturbava. Depois de finalmente se separar de Merthin, ingressara numa espécie de estado neutro, em que não pensava sobre sexo. Suas relações com as outras freiras lhe proporcionavam amizade e afeição: gostava de Joan e Oonagh embora nenhuma das duas a amasse no sentido físico, como acontecera com Mair. Seu coração vibrava com outras paixões: o novo hospital, a torre e o renascimento da cidade.

E foi pensando na torre que ela deixou o hospital e atravessou o pátio gramado da catedral. Merthin escavara quatro buracos enormes, os mais profundos que alguém já vira, fora da catedral, em torno das fundações da antiga torre. Construíra enormes guinchos para retirar a terra. Ao longo dos meses chuvosos do outono, os carros de boi se arrastavam o dia inteiro pela rua principal, atravessavam a primeira ponte e despejavam a lama no terreno rochoso da ilha dos Leprosos. Ali, pegavam pedras de construção no cais de Merthin e tornavam a subir a rua, para largar as pedras em torno do terreno da catedral, em pilhas cada vez maiores.

Assim que as geadas do inverno acabaram, os pedreiros começaram a instalar as fundações. Caris foi para o lado norte da catedral e deu uma espiada no buraco que havia ali, no ângulo formado pela parede externa da nave e a parede externa do transepto norte. A profundidade chegava a causar vertigem. O fundo já estava coberto por uma camada de alvenaria, as pedras bem preparadas dispostas em linhas retas, unidas por finas camadas de argamassa. Como as fundações antigas eram inadequadas, a torre estava sendo construída sobre fundações novas e independentes. Subiria fora das paredes existentes da catedral, portanto nenhuma demolição seria necessária acima e além do que Elfric já fizera ao derrubar os níveis superiores da velha torre. Só quando acabasse é que Merthin removeria o teto provisório que Elfric construíra sobre a interseção. Era um projeto típico de Merthin: simples mas radical, uma solução brilhante para os problemas específicos do local.

Como no hospital, não havia trabalhadores ali naquela segunda-feira da Páscoa, mas ela percebeu movimento no buraco e constatou que alguém examinava as fundações. Um momento depois, reconheceu Merthin lá embaixo. Foi até uma das surpreendentemente frágeis escadas de cordas e galhos que os pedreiros usavam e desceu trêmula para o buraco.

Ficou contente ao chegar ao fundo. Merthin a ajudou a sair da escada, sorrindo.

– Você parece um pouco pálida.

– É uma longa descida. Como vai o trabalho?

– Muito bem. Mas levará anos.

– Por quê? O hospital parece muito mais complicado e já está quase pronto.

– Por dois motivos. Quanto mais alto subirmos, menos pedreiros poderão trabalhar lá em cima. Neste momento, tenho doze homens preparando as fundações. Mas, à medida que subir, a torre se tornará mais estreita e não haverá espaço para todos. O outro motivo é que a argamassa leva mais tempo para assentar. Temos de deixá-la endurecer ao longo de todo um inverno antes de pormos muito peso em cima.

Caris mal prestava atenção. Ao observar seu rosto, recordava como faziam amor, no palácio do prior, entre as Matinas e Laudes, com a primeira claridade do amanhecer entrando como uma benção pelas janelas abertas e iluminando seus corpos nus.

Ela passou a mão pelo braço de Merthin.

– Pelo menos o hospital não vai demorar tanto.

– Creio que poderá se instalar ali antes da festa de Pentecostes.

– Fico contente. Embora tenhamos uma ligeira trégua da peste: menos pessoas estão morrendo.

– Graças a Deus! – exclamou Merthin, emocionado. – Pode estar chegando ao fim.

Caris sacudiu a cabeça, desolada.

– Já pensamos antes que havia acabado, lembra? Foi mais ou menos nesta época, no ano passado. E voltou ainda pior.

– Que os Céus não permitam!

Ela encostou a palma da mão no rosto de Merthin, sentindo a barba grossa.

– Pelo menos você está seguro.

Ele parecia um pouco insatisfeito.

– Assim que o hospital terminar, podemos começar a bolsa de negócios de lã.

– Espero que você esteja certo ao prever que os negócios vão aumentar muito em breve.

– Se isso não acontecer, não terá muita importância, pois estaremos todos mortos.

– Não diga isso.

Ela o beijou na face.

– Temos de agir na suposição de que vamos viver. – Ele falou em tom irritado, como se Caris o estivesse aborrecendo. – Mas a verdade é que não sabemos.

– Não vamos pensar no pior.

Ela o enlaçou pela cintura e comprimiu os seios contra seu corpo esguio, sentindo os ossos duros de Merthin em contato com sua carne macia. Ele a empurrou, num gesto brusco. Caris cambaleou para trás e quase caiu.

– Não faça isso! – gritou Merthin.

Ela ficou tão chocada quanto se tivesse levado um tapa.

– Qual é o problema?

– Pare de me tocar!

– Eu apenas...

– Só peço que não me toque! Você terminou nosso relacionamento há nove meses. Eu disse que era a última vez e falei sério.

Caris não podia compreender tanta raiva.

– Mas eu só o abracei.

– Pois não faça mais isso. Não sou seu amante. Você não tem esse direito.

– Não tenho o direito de tocá-lo?

– Não, não tem!

– Não sabia que precisava de permissão.

– Claro que sabia. Não deixa as pessoas tocarem em você.

– Você não é todo mundo. Não somos estranhos.

Mas, no exato momento em que disse isso, Caris compreendeu que estava errada e ele tinha razão. Ela o rejeitara, mas não aceitara as consequências. O encontro com Harry de Outhenby incendiara seu desejo e ela procurara Merthin para dar vazão a ele. Dissera a si mesma que o tocava numa demonstração de amizade afetuosa, mas isso era mentira. Ela o tratara como se ele ainda estivesse à sua disposição, como uma pessoa que pegava um livro por um momento só para largá-lo de novo. Depois de lhe negar o direito de tocá-la durante todo aquele tempo, era errado tentar restabelecer seu privilégio só porque um arador jovem e musculoso a beijara.

Mesmo assim, ela teria esperado que Merthin ressaltasse isso de maneira gentil e afetuosa. Mas ele se mostrara hostil e ríspido. Retirara sua amizade, além do amor? Lágrimas afloraram aos olhos de Caris. Ela se virou e voltou para a escada.

Teve dificuldade para subir. Era extenuante e parecia ter perdido sua energia. Parou para descansar. Olhou para baixo. Merthin se encontrava parado na base da escada, firmando-a com seu peso.

Quando já estava quase no topo, Caris tornou a olhar para baixo. Ele continuava ali. Ocorreu-lhe que sua infelicidade acabaria se caísse. Era uma longa queda até as pedras implacáveis. Teria morte instantânea.

Merthin pareceu sentir o que ela pensava, pois fez um aceno impaciente indicando que ela deveria se apressar e deixar a escada. Caris imaginou como ele ficaria devastado se ela se matasse. Por um momento, gostou de imaginar o sofrimento e a culpa de Merthin. Tinha certeza de que Deus não a puniria na vida posterior... se é que havia uma.

Depois, ela subiu os últimos degraus e alcançou terreno sólido. Fora uma idiota apenas por um instante. Não queria acabar com sua vida. Tinha muita coisa a fazer.

E voltou ao convento. Era a hora das vésperas e ela liderou a procissão para a catedral. Como uma jovem noviça, ressentia-se do tempo desperdiçado nos serviços. Madre Cecilia até tivera o cuidado de incumbi-la de trabalhos que permitiam que fosse dispensada na maioria das ocasiões. Agora ela acolhia agradecida a oportunidade de descansar e refletir.

A tarde fora um momento de depressão, concluiu, mas haveria de se recuperar. Mesmo assim, viu-se a fazer esforço para reprimir as lágrimas enquanto cantava os salmos.

No jantar, as freiras comeram enguia defumada, uma carne fibrosa e de gosto forte que não era o prato predileto de Caris. De qualquer forma, não tinha fome naquela noite. Alimentou-se apenas de um pouco de pão.

Depois da refeição, retirou-se para sua farmácia. Duas noviças estavam ali, copiando o livro de Caris. Concluíra o livro logo depois do Natal. Muitas pessoas haviam pedido cópias: boticários, prioresas, barbeiros, até mesmo um ou dois médicos. Copiar o livro se tornara parte do treinamento das freiras que queriam trabalhar no hospital. As cópias eram baratas – o livro era curto, não tinha desenhos elaborados, não exigia tintas caras – e a demanda parecia interminável.

Três pessoas faziam com que a sala ficasse apinhada. Caris aguardava ansiosa pelo espaço e pela luz da farmácia no novo hospital.

Queria ficar sozinha, por isso despachou as noviças. Mas seu desejo não seria atendido. Pouco depois, lady Philippa entrou no aposento.

Caris nunca sentira muita afeição pela reservada condessa, mas se compadecia de sua situação difícil e sempre ficava contente ao oferecer santuário a qualquer mulher fugindo de um marido como Ralph. Philippa era uma hóspede fácil, quase sem exigências, que passava a maior parte do tempo em seu quarto. Só tinha um interesse restrito em partilhar a vida de orações e abnegação das freiras... mas Caris, entre todas as pessoas, podia compreender isso.

Caris a convidou a sentar num banco junto da bancada de trabalho.

Philippa era uma mulher extraordinariamente direta, apesar de suas maneiras corteses. Sem qualquer preâmbulo, declarou:

– Quero que você deixe Merthin em paz.

– Como?

Caris ficou atônita e ofendida.

– Claro que você tem de conversar com ele, mas não deve beijá-lo nem tocá-lo.

– Como ousa me falar assim?

O que Philippa sabia... e por que ela se importava?

– Ele não é mais seu amante. Pare de perturbá-lo.

Merthin devia ter falado com ela sobre a discussão daquela tarde.

– Mas por que ele lhe contaria...?

Antes mesmo de concluir a pergunta, Caris já sabia a resposta. Philippa se apressou em confirmá-la:

– Ele não é mais seu agora... É meu.

– Oh, não! – Caris ficou atordoada. – Você e Merthin?

– Isso mesmo.

– Vocês já...

– Já.

– Eu não tinha a menor ideia! – Ela sentiu-se traída embora soubesse que não tinha esse direito. Quando isso acontecera? – Mas como... onde...?

– Você não precisa saber dos detalhes.

– Claro que não. – Na casa de Merthin na ilha dos Leprosos, ela calculou. À noite, provavelmente. – Há quanto tempo...?

– Não importa.

Caris podia deduzir. Philippa estava no convento fazia menos de um mês.

– Você agiu depressa.

Era um comentário indigno, e Philippa teve a gentileza de ignorá-lo.

– Merthin seria capaz de fazer qualquer coisa para continuar com você. Mas você o rejeitou. Agora, deve largá-lo. É difícil para ele amar outra mulher, depois de você... mas ele tem se esforçado. Não ouse interferir.

Caris teve vontade de censurá-la, com fúria, gritar que ela não tinha o direito de lhe dar ordens e de fazer exigências morais... só que Philippa estava certa. Caris devia largar Merthin, para sempre. Ela não queria deixar transparecer sua angústia para Philippa.

– Pode se retirar agora, por favor? – pediu, numa tentativa de mostrar dignidade ao estilo de Philippa. – Eu gostaria de ficar sozinha.

Philippa não se deixou intimidar e insistiu:

– Vai fazer o que eu disse?

Caris não gostava de ser pressionada, mas não lhe restava qualquer ânimo.

– Claro que sim.

– Obrigada.

Philippa saiu. Quando teve certeza de que Philippa não podia mais ouvi-la, Caris desatou a chorar.

78

Como prior, Philemon não era melhor do que Godwyn. Sentia-se sufocado pelo desafio de administrar o patrimônio do priorado. Caris fizera uma lista, durante seu período como prior em exercício, das principais fontes de receita dos monges:

1. Arrendamentos
2. Parte dos lucros do comércio e da indústria (dízimo)
3. Lucros agrícolas sobre terras que não foram arrendadas
4. Lucros de moinhos de grãos e outros, moinhos industriais
5. Pedágios de canais e parte de todos os peixes pescados
6. Taxa de instalação de barracas em mercados
7. Ganhos com a Justiça... taxas e multas de tribunais
8. Doações devotas de peregrinos e outras pessoas
9. Venda de livros, água benta, velas etc.

Ela entregara a lista a Philemon, que a devolvera no mesmo instante, como se tivesse sido insultado. Godwyn, melhor do que Philemon apenas no fato de ter um certo charme superficial, teria agradecido e depois, discretamente, ignoraria a lista.

No convento, Caris introduzira um novo método de manter as contas, que aprendera com Buonaventura Caroli quando trabalhava com seu pai. O método antigo era o de simplesmente anotar numa folha de pergaminho uma breve descrição de cada transação para que sempre se pudesse voltar e verificar. O sistema italiano era registrar as receitas no lado esquerdo e as despesas no direito, fazendo as somas ao pé da página. A diferença entre os dois totais mostrava se a instituição estava ganhando ou perdendo dinheiro. A irmã Joan adotara esse método com o maior entusiasmo. Mas, quando tentara explicá-lo a Philemon, ele se recusara secamente a ouvir. Considerava que as ofertas de ajuda eram insultos à sua competência.

Ele só tinha um talento, que era o mesmo de Godwyn: uma intuição para manipular pessoas. Com a maior astúcia, fez uma filtragem na nova leva de monges, despachando o irmão Austin, o médico de mentalidade moderna, e dois outros jovens brilhantes para St.-John-in-the-Forest, onde estariam muito longe para desafiar sua autoridade.

Mas Philemon era agora problema do bispo. Henri o nomeara para o posto e teria de lidar com ele. A cidade era independente e Caris tinha seu novo hospital.

O hospital seria consagrado pelo bispo no Domingo de Pentecostes, que era sempre sete semanas depois da Páscoa. Poucos dias antes, Caris transferiu seus equipamentos e suprimentos para a nova farmácia. Havia espaço suficiente para duas pessoas trabalharem na bancada, preparando medicamentos, e para uma terceira sentar à escrivaninha, escrevendo.

Caris preparava um emético, Oonagh moía ervas secas e uma noviça chamada Greta copiava o livro de Caris quando um monge noviço entrou trazendo um pequeno baú de madeira. Era Josiah, um adolescente que todos chamavam de Joshie. Ele ficou constrangido na presença das três mulheres.

– Onde devo pôr isto? – perguntou.

Caris se virou para fitá-lo.

– E o que é isso?

– Um baú.

– Dá para ver que é um baú. – Caris foi paciente. O fato de alguém aprender a ler e escrever não o tornava, infelizmente, inteligente. – Quero saber o que contém.

– Livros.

– E por que me trouxe um baú com livros?

– Foi a ordem que recebi. – Após um momento, ao compreender que a resposta não era bastante informativa, Joshie acrescentou: – Do irmão Sime.

Caris alteou as sobrancelhas.

– Sime está me dando livros de presente?

Ela foi abrir o baú. Joshie tratou de escapar, sem responder à pergunta.

Os livros eram textos médicos, todos em latim. Caris os examinou. Eram os clássicos: *Poema sobre a medicina*, de Avicena; *Dieta e higiene*, de Hipócrates; *Sobre as partes da medicina*, de Galeno; e *De Urinis*, de Isaac Judaeus. Todos haviam sido escritos há mais de trezentos anos.

Joshie voltou com outro baú.

– O que é agora? – perguntou Caris.

– Instrumentos médicos. O irmão Sime diz que não devem tocá-los. Ele virá mais tarde para guardá-los nos lugares apropriados.

Caris ficou desanimada.

– Sime quer guardar seus livros e instrumentos aqui? Ele planeja trabalhar aqui?

Joshie não sabia de nada sobre as intenções de Sime, é claro.

Antes que Caris pudesse dizer mais alguma coisa, Sime apareceu, acompanhado por Philemon, correu os olhos pela sala e depois, sem qualquer explicação, começou a tirar suas coisas dos baús. Afastou alguns recipientes de Caris de uma prateleira e pôs seus livros no lugar. Tirou facas afiadas para abrir veias e os frascos de vidro em forma de gota de lágrima usados para examinar amostras de urina. Caris indagou, em tom neutro:

– Planeja passar muito tempo aqui no hospital, irmão Sime?

Philemon respondeu por ele, obviamente tendo previsto a pergunta:

– Onde mais? – O tom era indignado, como se Caris o tivesse desafiado. – Este é o hospital, não é? E Sime é o único médico no priorado. Como as pessoas serão tratadas, senão por ele?

Subitamente, a farmácia já não parecia mais espaçosa. Mas, antes que Caris pudesse dizer qualquer coisa, um estranho apareceu.

– O irmão Thomas me disse para vir até aqui – anunciou ele. – Sou Jonas Powderer, de Londres.

O visitante devia ter em torno dos 80 anos e vestia um casaco bordado e um chapéu de pele. Caris notou o sorriso fácil e a atitude afável e imaginou que ele ganhava a vida vendendo coisas. Ele trocou apertos de mão e correu os olhos pela sala, acenando com a cabeça em aprovação para as meticulosas fileiras de potes e frascos rotulados de Caris.

– Extraordinário! – exclamou. – Nunca vi uma farmácia tão sofisticada fora de Londres.

– É médico, senhor? – O tom de Philemon foi cauteloso: não tinha certeza sobre a posição de Jonas.

– Boticário. Tenho uma loja em Smithfield, perto da igreja de Saint Bartholomew. Não deveria me gabar, mas é a maior da cidade em seu ramo.

Philemon relaxou. Um boticário era um mero mercador, muito abaixo de um prior na hierarquia social. Com uma insinuação de desdém, ele perguntou:

– E o que trouxe o maior boticário de Londres até aqui?

– Eu esperava adquirir uma cópia de *A panaceia de Kingsbridge*.

– Como?

Jonas sorriu, insinuante.

– Cultiva a humildade, padre prior, mas vejo aquela noviça fazendo uma cópia bem aqui em sua farmácia.

– O livro? – interveio Caris. – Não é chamado de panaceia.

– Mas contém curas para todas as doenças.

Havia uma certa lógica nisso, refletiu Caris.

– Mas como soube do livro?

– Viajo muito, à procura de ervas raras e outros ingredientes, enquanto meus filhos cuidam da loja. Conheci uma freira de Southampton que me mostrou uma cópia. Ela chamou de panaceia e disse que o livro havia sido escrito em Kingsbridge.

– A freira era a irmã Claudia?

– Era, sim. Implorei a ela que me emprestasse o livro apenas pelo tempo suficiente para fazer uma cópia, mas ela não quis se separar dele.

– Eu me lembro dessa freira.

Claudia fizera uma peregrinação a Kingsbridge, ficara no convento e ajudara a cuidar das vítimas da peste sem qualquer preocupação com a própria segurança. Caris lhe dera o livro em agradecimento.

– Um trabalho notável – declarou Jonas, entusiasmado. – E em inglês!

– É para curadores que não são padres e por isso não sabem muito latim.

– Não há outro livro de sua espécie em qualquer língua.

– É tão excepcional assim?

– A disposição dos assuntos é incrível! – comentou Jonas com crescente entusiasmo. – Em vez dos humores do corpo ou das classes de doenças, os capítulos se referem às dores do paciente. Assim, quer a queixa do cliente seja dor de barriga, hemorragia, febre, diarreia ou espirro, sempre se pode encontrar a página correspondente!

Philemon interrompeu, impaciente:

– Bastante apropriado para boticários e seus clientes, tenho certeza.

Jonas pareceu não perceber o tom desdenhoso:

– Presumo, padre prior, que é o autor desse livro tão valioso.

– Claro que não!

– Então quem...?

– Fui eu que escrevi – informou Caris.

– Uma mulher! – Jonas estava impressionado. – Mas de onde tirou todas as informações? Praticamente nada aparece em outros textos.

– Os textos antigos nunca provaram ser muito úteis para mim, Jonas. Comecei a aprender a fazer medicamentos com uma curandeira de Kingsbridge, que infelizmente deixou a cidade ao ser perseguida como bruxa. Aprendi mais com madre Cecilia, que foi prioresa aqui antes de mim. Mas reunir receitas e tratamentos não é difícil. Todo mundo conhece pelo menos uma centena. O difícil é identificar os poucos realmente eficientes em todo o entulho. Mantive um diário ao longo dos anos, registrando os efeitos de cada cura que experimentei. Em meu livro, incluí apenas os tratamentos cujos resultados testemunhei com meus próprios olhos em sucessivas ocasiões.

– Estou comovido por falar com você pessoalmente.

– Claro que levará uma cópia do meu livro. Sinto-me lisonjeada por alguém ter vindo de tão longe à sua procura. – Caris abriu um armário. – Esta cópia seria para o nosso priorado em St.-John-in-the-Forest, mas eles podem esperar por outra.

Jonas manuseou o livro como se fosse um objeto sagrado.

– Fico muito agradecido. – Ele entregou a Caris uma bolsa de couro mole. – E, em sinal de minha gratidão, aceite um modesto presente de minha família para as freiras de Kingsbridge.

Caris abriu a bolsa e tirou um pequeno objeto envolto em lã. Quando o desembrulhou, encontrou um crucifixo de ouro cravejado de pedras preciosas.

Os olhos de Philemon faiscaram de ganância. Caris ficou espantada.

– Mas é um presente muito caro! – Ela compreendeu no mesmo instante que não era o comentário mais apropriado e se apressou a acrescentar: – É muita generosidade de sua família, Jonas.

Ele fez um gesto como se aquilo não tivesse a menor importância.

– Somos prósperos, graças a Deus.

Philemon interveio, invejoso:

– Isso... por um livro de receitas de mezinhas de velhas!

– Ah, padre prior, está acima dessas coisas, é claro – disse Jonas. – Não aspiramos às suas altitudes intelectuais. Não tentamos compreender os humores do corpo. E, assim como uma criança que chupa um dedo cortado porque alivia a dor, ministramos as curas apenas porque funcionam. Quanto a por que e como essas coisas acontecem, deixamos aos cuidados de mentes maiores do que as nossas. A criação de Deus é misteriosa demais para que pessoas como nós possamos compreendê-la.

Caris pensou que Jonas falava com uma ironia quase indisfarçável. Viu Oonagh reprimir um sorriso. Sime também percebeu o escárnio e seus olhos faiscaram de raiva. Mas Philemon não notou e parecia exultar com a lisonja. Uma expressão insidiosa aflorou a seu rosto e Caris adivinhou que ele especulava sobre como poderia partilhar o crédito pelo livro... e também ganhar crucifixos cravejados de pedras preciosas.

⌣

A Feira do Velocino foi aberta no Domingo de Pentecostes, como sempre. Era tradicionalmente um dia movimentado para o hospital, e naquele ano não foi exceção. Pessoas idosas caíam doentes depois de realizarem uma longa viagem até a feira; bebês e crianças pequenas tinham diarreia por causa da comida estranha e da água diferente; homens e mulheres bebiam demais nas tavernas e machucavam a si mesmos ou uns aos outros.

Pela primeira vez, Caris pôde separar os pacientes em duas categorias. As vítimas da peste – que diminuíam rapidamente – e outros com doenças como distúrbios de estômago e erupções na pele, como a varíola, iam para o novo prédio, oficialmente inaugurado pelo bispo no início daquela manhã. Vítimas de acidentes e brigas eram tratadas no velho hospital, a salvo dos riscos de infecção. Ficavam para trás os dias em que alguém entrava no priorado com o polegar machucado e ali morria de pneumonia.

A crise foi deflagrada na segunda-feira de Pentecostes.

No início da tarde, Caris por acaso estava na feira dando uma volta depois do almoço. Estava tranquila em comparação com os tempos antigos, quando centenas de visitantes e milhares de moradores da cidade lotavam não apenas o pátio gramado da catedral, mas também as ruas principais. Mesmo assim, a feira daquele ano era melhor do que o esperado, depois do cancelamento da mesma no ano anterior. Caris calculou que as pessoas já deviam ter notado que o domínio da peste parecia estar enfraquecendo. Os sobreviventes até agora pensavam que deviam ser invulneráveis... e alguns eram mesmo, embora outros não, pois a peste continuava a matar pessoas.

O tecido de Madge Webber era a coisa mais comentada da feira. Os novos teares projetados por Merthin não apenas eram mais rápidos, mas também tornavam mais fácil produzir padrões complexos na trama. Ela já havia vendido metade de seu estoque.

Caris conversava com Madge quando a briga começou. Madge a deixava sem graça ao dizer, como já fizera muitas vezes antes, que sem Caris não passaria de uma tecelã pobre. Caris já se preparava para a negativa habitual quando elas ouviram gritos.

Caris reconheceu no mesmo instante o tom profundo de jovens agressivos. Os gritos vinham das proximidades de um barril de cerveja a cerca de 30 metros de distância. Foram aumentando depressa. Uma mulher gritou. Caris seguiu apressada para o local, esperando impedir a briga antes que escapasse ao controle.

Chegou tarde demais.

O tumulto já se generalizara. Quatro jovens valentões da cidade brigavam com um grupo de camponeses, identificáveis pelas roupas rudes, todos provavelmente da mesma aldeia. Uma moça bonita, sem dúvida a que gritara, tentava separar dois homens que se esmurravam impiedosamente. Um dos rapazes da cidade sacara uma faca, enquanto os camponeses empunhavam pás de madeira. Quando Caris se aproximou, mais pessoas entravam na briga, nos dois lados. Ela se voltou para Madge, que a seguira.

– Mande alguém chamar Mungo Constable o mais depressa possível. Ele deve estar no porão da casa da guilda.

Madge se afastou às pressas. A briga se tornava cada vez pior. Vários rapazes da cidade empunhavam facas. Um camponês estava estendido no chão, sangue escorrendo abundante de um ferimento no braço. Outro continuava a brigar apesar de um talho no rosto. Enquanto Caris observava, dois rapazes da cidade começaram a chutar o camponês caído no chão. Caris hesitou por um instante, para depois se adiantar. Pegou o rapaz mais próximo pela camisa.

– Willie Bakerson, pare com isso agora mesmo! – gritou ela em seu tom mais autoritário.

Quase deu certo. Willie se afastou do oponente, surpreso, e olhou para Caris com ar de culpa. Ela abriu a boca para falar de novo, mas nesse instante uma pá a acertou, num golpe violento na cabeça certamente destinado a Willie.

Doeu demais. Sua visão ficou turva, ela perdeu o equilíbrio e se estatelou no chão. Ficou caída ali, atordoada, tentando recuperar o controle, enquanto o mundo parecia girar vertiginoso ao redor. Até que alguém a pegou por baixo dos braços e a arrastou para longe.

– Está ferida, madre Caris?

A voz era familiar, mas ela não foi capaz de reconhecê-la. A cabeça finalmente desanuviou e ela fez esforço para se levantar com a ajuda de sua salvadora, que então identificou como Meg Robbins, a musculosa mercadora de trigo.

– Só um pouco atordoada – disse Caris. – Temos de impedir que esses rapazes se matem uns aos outros.

– Lá estão os guardas. Vamos deixar que eles cuidem disso.

Mungo e seis ou sete ajudantes chegaram, todos brandindo porretes. Entraram para apartar a briga, rachando cabeças indiscriminadamente. Causaram tantos ferimentos quanto os combatentes originais, mas sua presença dissolveu o campo de batalha. Os rapazes ficaram aturdidos e alguns fugiram. A briga terminou em pouco tempo.

– Meg, corra até o convento e chame a irmã Oonagh – pediu Caris. – Diga a ela para trazer ataduras.

Meg se afastou apressada.

Os feridos em condições de andar logo desapareceram. Caris começou a examinar os que estavam no chão. Um camponês que fora esfaqueado na barriga tentava segurar as tripas: havia pouca esperança para ele. O que levara o corte no braço poderia sobreviver se Caris conseguisse estancar a hemorragia. Ela tirou seu cinto, passou-o pela parte superior do braço e apertou, até que o fluxo de sangue diminuiu para um filete mínimo.

– Aguente firme – disse ela.

E se afastou para examinar um garoto da cidade que parecia ter quebrado alguns ossos da mão. Sua cabeça ainda doía, mas tratou de ignorá-la.

Oonagh e várias outras freiras apareceram. Um momento depois, Matthew Barber também chegou, com sua bolsa. Entre eles, prestaram os primeiros socorros aos feridos. Por instrução de Caris, voluntários pegaram os feridos com maior gravidade e os conduziram para o convento.

– Levem todos para o velho hospital, não para o novo – recomendou Caris. Ao se levantar da posição ajoelhada, ficou tonta. Segurou-se em Oonagh para não cair.

– Qual é o problema? – perguntou Oonagh.

– Já vou me recuperar. É melhor irmos logo para o hospital.

Elas se esgueiraram entre as barracas do mercado até o velho hospital. Ao entrarem, descobriram que nenhum dos feridos estava ali. Caris praguejou.

– Levaram os feridos para o lugar errado!

Passaria ainda algum tempo para as pessoas compreenderem a importância da diferença, pensou ela enquanto seguia com Oonagh para o novo prédio. Ao se aproximarem, se encontraram com os voluntários que saíam.

– Vocês trouxeram os feridos para o lugar errado! – censurou Caris, irritada.

– Mas, madre Caris... – começou a dizer um deles.

– Não discutam, porque não há tempo! – exclamou ela, impaciente. – Levem todos para o velho hospital!

Ao entrar no claustro, ela viu o garoto com o braço cortado sendo conduzido para um quarto em que sabia que havia cinco vítimas da peste. Correu através do pátio.

– Parem! – berrou, furiosa. – O que pensam que estão fazendo?

Uma voz de homem respondeu:

– Estão seguindo minhas instruções.

Caris parou e olhou. Era o irmão Sime.

– Não seja tolo! – gritou ela. – O rapaz tem um ferimento de faca. Quer que ele morra da peste?

O rosto redondo de Sime ficou vermelho.

– Não tenho a menor intenção de submeter minhas decisões à sua aprovação, madre Caris.

Era uma estupidez tão grande que ela achou melhor ignorar.

– Todos esses rapazes feridos devem ficar longe das vítimas da peste ou vão pegá-la também.

– Acho que está muito nervosa. Sugiro que vá se deitar um pouco.

– Deitar-me? – Caris estava indignada. – Acabei de prestar os primeiros socorros a todos esses homens e agora preciso tratá-los direito... mas não aqui!

– Agradeço seu trabalho de emergência, madre. Agora pode me deixar examinar os pacientes.

– Seu idiota! Você vai matá-los!

– Por favor, deixe o hospital até se acalmar.

– Não pode me expulsar. Construí este hospital com o dinheiro das freiras. Estou no comando aqui.

– É mesmo? – indagou ele com frieza.

Caris compreendeu que podia não ter previsto aquele momento, mas era evidente que Sime o fizera. Ele estava vermelho, mas mantinha os sentimentos sob controle. Era um homem com um plano. Ela fez uma pausa, pensando depressa. Olhou ao redor e constatou que voluntários e freiras observavam a cena, à espera do desfecho da discussão.

– Temos de cuidar desses rapazes. Enquanto discutimos, eles estão sangrando até a morte. Vamos chegar a um acordo. – Caris elevou a voz para acrescentar: – Ponham todos no chão onde estão, por favor. – Como fazia calor, por enquanto não havia necessidade de levar os pacientes para um quarto. – Vamos cuidar de suas necessidades primeiro e depois decidir onde eles serão acomodados.

Os voluntários e as freiras conheciam e respeitavam Caris, enquanto Sime era novo para eles, por isso obedeceram à ordem de Caris com entusiasmo. Sime compreendeu que fora vencido e assumiu uma expressão de fúria intensa.

– Não posso trabalhar nestas circunstâncias – declarou, retirando-se em seguida.

Caris ficou chocada. Tentara resguardar o orgulho de Sime com sua proposta, sem imaginar que ele seria capaz de se afastar dos doentes num acesso de petulância.

Mas ela tratou de removê-lo da mente enquanto voltava a cuidar dos feridos.

Durante as duas ou três horas seguintes permaneceu ocupada, lavando ferimentos, costurando talhos, ministrando ervas tranquilizantes e poções revigorantes. Matthew Barber trabalhava ao seu lado, consertando ossos quebrados e articulações fora do lugar. Matthew já estava agora na casa dos 50 anos, mas seu filho Luke o ajudava com a mesma habilidade.

A tarde esfriava e dava lugar à noite quando acabaram. Sentaram junto da parede do claustro para descansar. A irmã Joan trouxe canecas com sidra fresca.

Caris ainda estava com dor de cabeça. Conseguira ignorá-la enquanto trabalhava, mas agora a dor a incomodava bastante. Decidiu que se deitaria cedo. Enquanto tomavam a sidra, o jovem Joshie apareceu.

– Milorde bispo pede que o procure no palácio do prior quando puder... madre prioresa.

Ela resmungou, irritada. Tinha certeza de que Sime fora se queixar. Era a última coisa de que precisava.

– Avise a ele que irei imediatamente. – Em voz mais baixa, ela resmungou: – É melhor acabar logo com isso de uma vez.

Caris esvaziou sua caneca e se levantou. Exausta, atravessou o pátio gramado da catedral. Os mercadores fechavam as barracas ao anoitecer, cobrindo as mercadorias e trancando seus baús. Ela passou pelo cemitério e entrou no palácio.

O bispo Henri sentava à cabeceira da mesa, em companhia do cônego Claude e do arquidiácono Lloyd. Philemon e Sime também estavam presentes. O gato de Godwyn, Arcebispo, se achava no colo de Henri, com uma pose presunçosa.

– Sente-se, por favor – disse o bispo.

Ela se sentou ao lado de Claude, que disse, gentilmente:

– Parece cansada, madre Caris.

– Passei a tarde inteira cuidando de garotos estúpidos que se meteram numa briga. Até eu levei uma pancada na cabeça.

– Ouvimos falar da briga.

– E sobre a discussão no hospital novo – acrescentou Henri.

– Presumo que é por isso que estou aqui.

– Exatamente.

– Toda a ideia do novo hospital é separar pacientes com doenças infecciosas...

– Já sei sobre o que é a discussão. – Henri olhou para todos. – Caris ordenou que os feridos na briga fossem levados para o velho hospital. Sime deu uma contraordem. E tiveram uma briga inadmissível na presença de todos.

– Peço desculpa por isso, milorde bispo – disse Sime. Henri ignorou a interrupção:

– Antes de continuarmos, quero que uma coisa fique bem clara. – Ele olhou de Sime para Caris. – Sou o seu bispo e, *ex officio*, o abade do priorado de Kingsbridge. Tenho o direito e o poder de dar ordens a todos, e vocês têm o dever de me obedecer. Aceita isso, irmão Sime?

Sime inclinou a cabeça.

– Aceito.

Henri se voltou para Caris.

– Aceita, madre prioresa?

Não havia como contestar, é claro. Henri tinha todo o direito de lhes dar ordens.

– Aceito – disse ela, confiante de que Henri não era bastante estúpido para obrigar os brigões feridos a contraírem a peste.

– Permitam-me enunciar os argumentos – continuou Henri. – O novo hospital foi construído com o dinheiro das freiras, de acordo com as especificações de madre Caris. Seu plano era ter um lugar para as vítimas da peste e outras pessoas com doenças que, segundo ela, podem se espalhar dos pacientes para pessoas saudáveis. Ela acredita que é essencial separar os dois tipos de pacientes. E acha que tem o direito, em todas as circunstâncias, de exigir que seu plano seja cumprido. É uma avaliação justa, madre Caris?

– É, sim.

– O irmão Sime não estava aqui quando Caris concebeu seu plano, por isso não pôde ser consultado. Mas ele passou três anos estudando medicina na universidade e recebeu um diploma. Ele ressalta que Caris não tem treinamento. Além disso, tem pouca compreensão da natureza da doença, além da adquirida pela experiência prática. Ele é um médico qualificado e, mais do que isso, é o único no priorado, o único em Kingsbridge.

– Exatamente – murmurou Sime.

– Como pode dizer que não tenho treinamento? – protestou Caris. – Depois de todos os anos em que cuidei de pacientes...

– Fique quieta, por favor – pediu Henri, mal levantando a voz, e algo em seu tom fez Caris se calar. – Eu já ia mencionar sua história de serviços. Seu trabalho aqui tem sido valioso. É conhecida por sua dedicação durante a peste, que ainda não nos deixou. Sua experiência e seu conhecimento prático são inestimáveis.

– Obrigada, bispo.

– Por outro lado, Sime é um padre, formado na universidade... e um homem. Os conhecimentos que ele adquiriu ali são essenciais para a direção apropriada de um hospital de priorado. Não queremos perdê-lo.

– Alguns dos mestres na universidade concordam com meus métodos, pergunte ao irmão Austin – disse Caris.

Philemon interveio:

– O irmão Austin foi enviado para St.-John-in-the-Forest.

– E agora sabemos por quê – comentou Caris.

– Eu é que tenho de tomar a decisão, não Austin ou os mestres da universidade – declarou o bispo.

Caris compreendeu que não se preparara para aquela confrontação. Estava exausta, sentia uma tremenda dor de cabeça, mal conseguia pensar direito. Viera parar no meio de uma luta de poder e não tinha qualquer estratégia. Se estivesse plenamente alerta, não teria vindo quando o bispo a chamara. Iria se deitar, superar a dor de cabeça, acordar revigorada na manhã seguinte, para só se encontrar com Henri depois de formular um plano de batalha. Já seria tarde demais?

– Bispo, não me sinto em condições de ter uma conversa assim esta noite – disse ela. – Talvez possamos adiar até amanhã, quando estarei me sentindo melhor.

– Não há necessidade – declarou Henri. – Ouvi a queixa de Sime e conheço suas opiniões. Além do mais, partirei amanhã de manhã, ao nascer do sol.

O bispo já tomara uma decisão, compreendeu Caris. Nada do que ela dissesse agora ou depois faria qualquer diferença. Mas o que ele decidira? Para que lado se inclinaria? Ela não tinha a menor ideia. E estava cansada demais para fazer outra coisa que não continuar sentada e ouvir a decisão sobre seu destino.

– A humanidade é fraca – disse Henri. – Como o apóstolo Paulo ressaltou, vemos como em um espelho, obscuramente. Erramos, nos desviamos do curso certo, raciocinamos de maneira precária. Precisamos de ajuda. Foi por isso que Deus nos deu sua Igreja, o papa e o sacerdócio... para nos orientar, porque nossos próprios recursos são falíveis e inadequados. Se seguirmos nossa própria maneira de pensar, haveremos de fracassar. Devemos consultar as autoridades.

Ao que tudo indicava, o bispo ficaria do lado de Sime, concluiu Caris. Como podia ser tão estúpido?

Mas ele era.

– O irmão Sime estudou os textos antigos da literatura médica sob a supervisão dos mestres na universidade. Seu curso de estudo é endossado pela Igreja. Devemos aceitar a autoridade da Igreja e, portanto, a dele. Seu julgamento não pode ficar subordinado ao de uma pessoa sem instrução, por mais extraordinária e admirável que ela possa ser. Suas decisões devem prevalecer.

Caris sentia-se tão exausta e nauseada que quase ficou contente com o término da entrevista. Sime vencera, ela perdera; tudo o que queria agora era dormir. Ela ficou de pé.

– Lamento desapontá-la, madre Caris... – disse Henri e sua voz foi sumindo enquanto Caris se afastava.

– Um comportamento insolente – observou Philemon e ela ouviu.

– Deixe-a ir – disse Henri, tranquilo.

Ela chegou à porta e saiu sem se virar.

O pleno significado do que acabara de acontecer se tornou claro em sua mente enquanto atravessava lentamente o cemitério. Sime ficaria no comando do hospital. Ela teria de seguir suas ordens. Não haveria separação entre as diferentes categorias de pacientes. Não haveria máscaras no rosto nem mãos lavadas com vinagre. As pessoas fracas se tornariam ainda mais fracas com as sangrias; os ferimentos seriam cobertos por cataplasmas feitos com esterco de animais, para estimular o corpo a produzir pus. Ninguém mais se preocuparia com higiene e ar fresco.

Ela não falou com ninguém enquanto atravessava o claustro, subia a escada e cruzava o dormitório, a caminho de seu quarto. Deitou-se na cama de barriga para baixo, a cabeça latejando.

Perdera Merthin, perdera seu hospital, perdera tudo.

As lesões na cabeça podiam ser fatais, pensou. Talvez pudesse dormir e nunca mais acordar.

Talvez fosse melhor assim.

79

O pomar de Merthin fora plantado na primavera de 1349. Um ano mais tarde, a maioria das árvores já enraizara e exibia as primeiras folhas. Duas ou três ainda se debatiam para sobreviver e apenas uma estava indiscutivelmente morta. Ele não esperava que qualquer das árvores desse frutos por enquanto, mas em julho, para sua surpresa, uma muda precoce tinha cerca de uma dúzia de pequenas peras de um verde-escuro, ainda mínimas e tão duras como pedra, mas prometendo amadurecer no outono.

Numa tarde de domingo, ele as mostrou a Lolla, que se recusou a acreditar que cresceriam para virar as frutas sumarentas e de sabor agradável que ela tanto amava. Ela pensou – ou fingiu pensar – que o pai se empenhava em uma de suas brincadeiras para provocá-la. Quando Merthin perguntou de onde ela imaginava que vinham as peras maduras, Lolla o encarou com uma expressão de censura e respondeu:

– Do mercado, seu bobo!

Ela também amadureceria um dia, pensou Merthin, embora fosse difícil conceber aquele corpo pequeno e ossudo adquirindo os contornos macios e suaves de uma mulher. Ele pensou se algum dia Lolla lhe daria netos. Como ela estava com apenas 5 anos, faltava pelo menos uma década para que isso fosse possível.

Merthin pensava sobre a maturidade quando avistou Philippa se aproximando pelo pomar. Mais uma vez, não pôde deixar de admirar os seios cheios e redondos. Como era inesperado que ela o visitasse à luz do dia, ele se perguntou o que a trouxera até ali. Como podia haver alguém a observá-los, ele a recebeu apenas com um casto beijo no rosto, aceitável para um cunhado sem despertar comentários.

Ela parecia preocupada e ele compreendeu que já há vários dias Philippa se mostrava mais pensativa e reservada do que o habitual. Quando sentaram na relva, Merthin indagou:

– Algum problema?

– Nunca fui boa em dar notícias suavemente. Estou grávida.

– Oh, Deus! – Ele ficou chocado demais para disfarçar sua reação. – Estou surpreso, porque você me disse...

– Sei disso. E tinha certeza de que era velha demais. Há dois ou três anos meu ciclo mensal era irregular e depois parou por completo. Pelo menos foi o que pensei. Mas tenho vomitado pela manhã e sinto os mamilos doloridos.

– Notei logo seus seios quando entrou no pomar.

– Já estive grávida seis vezes antes, três filhos e três abortos, e conheço os sintomas. Não há a menor dúvida.

Merthin sorriu.

– Vamos ter um filho.

Ela não retribuiu o sorriso.

– Não fique tão satisfeito. Ainda não pensou nas implicações. Sou a esposa do conde de Shiring. Não durmo com ele desde outubro, não vivo com ele desde fevereiro, mas em julho estou grávida de dois ou três meses. Ralph e o mundo inteiro saberão que o bebê não é dele e que a condessa de Shiring cometeu adultério.

– Mas ele não...

– ... me mataria? Ele matou Tilly, não é mesmo?

– Oh, Deus, é verdade! Mas...

– E se ele me matar, poderá matar o bebê também.

Merthin teve vontade de dizer que não era possível, que Ralph não faria isso... mas sabia que o irmão era bem capaz.

– Tenho de decidir o que fazer – declarou Philippa.

– Acho que não deveria terminar a gravidez com poções, é muito perigoso.

– Não farei isso.

– Então terá o bebê.

– Terei. Mas o que posso fazer depois?

– Não poderia permanecer no convento e manter o bebê em segredo? O lugar está cheio de crianças que ficaram órfãs devido à peste.

– Mas o que não se pode manter em segredo é o amor de uma mãe. Todos saberiam que a criança ficou sob meus cuidados pessoais. E Ralph descobriria.

– Tem razão.

– Eu poderia ir embora... desaparecer. Londres, York, Paris, Avignon. Sem contar a ninguém para onde, a fim de que Ralph nunca pudesse ir atrás de mim.

– E eu poderia ir com você.

– Mas neste caso não acabaria sua torre.

– E você sentiria saudade de Odila.

A filha de Philippa estava casada há seis meses com o conde David. Merthin podia imaginar como seria difícil para Philippa deixá-la. E a verdade é que seria uma agonia para ele abandonar sua torre. Durante toda a sua vida adulta sempre sonhara construir o prédio mais alto da Inglaterra. Agora que finalmente começara, abandonar o projeto partiria seu coração.

E, ao pensar na torre, ele se lembrou de Caris. Sabia instintivamente que ela ficaria arrasada com a notícia. Fazia semanas que não a via, pois ela estivera de cama, doente, depois de levar uma pancada na cabeça na Feira do Velocino. Agora, embora estivesse recuperada, quase nunca saía do priorado. Merthin imaginava que ela perdera alguma espécie de luta pelo poder, pois o hospital vinha sendo dirigido pelo irmão Sime. A gravidez de Philippa seria outro golpe devastador para Caris.

– E Odila também está grávida – informou Philippa.

– Tão cedo? Mas é uma boa notícia. E mais uma razão para que você não vá para o exílio, pois deixaria de vê-la e não conheceria a criança.

– Não posso fugir e não posso me esconder. Mas, se não fizer nada, Ralph me matará.

– Deve haver uma saída – disse Merthin.

– Só consigo pensar numa solução.

Merthin a fitou. Compreendeu que ela já pensara a respeito. Não lhe contara o problema até ter a solução. Mas tivera o cuidado de lhe mostrar que todas as respostas óbvias eram erradas. Isso significava que ele não gostaria do plano que Philippa formulara.

– Conte qual é.

– Temos de fazer Ralph pensar que o bebê é dele.

– Mas, nesse caso, você precisa...

– Isso mesmo.

– Entendo...

O pensamento de Philippa deitando com Ralph era repulsivo para Merthin. Não era tanto por ciúme, embora esse fosse um fator. O que mais pesava para ele era como seria terrível para Philippa. Ela sentia repugnância física e emocional a Ralph. Merthin compreendia essa repugnância, embora não a partilhasse. Convivera com a brutalidade de Ralph durante toda a sua vida. Mas o homem brutal era seu irmão, e continuaria a sê-lo independentemente do que fizesse. Mesmo assim, ficou angustiado ao pensar que Philippa se obrigaria a fazer sexo com o homem que mais odiava no mundo.

– Eu gostaria que pudesse haver uma maneira melhor – disse ele.

– Eu também.

Merthin a fitou em silêncio por um momento.

– Você já decidiu.

– Já.

– Lamento muito.

– Eu também.

– Mas dará certo? Você seria capaz... de seduzi-lo?

– Não sei. Mas tenho de tentar.

A catedral era simétrica. O sótão dos pedreiros, na extremidade oeste da torre baixa ao norte, dava para o pórtico norte. Na torre sudoeste havia um compartimento de tamanho e formato similares, com vista para o claustro. Era usado para guardar itens de pequeno valor só utilizados raramente. Todos os trajes e objetos simbólicos empregados nas encenações de histórias bíblicas ficavam ali. Havia também uma ampla variedade de coisas que não chegavam a ser completamente inúteis: castiçais de madeira, correntes enferrujadas, vasos quebrados e um livro cujas páginas de velino haviam apodrecido com o tempo, a tal ponto que as palavras escritas de maneira meticulosa não mais eram legíveis.

Merthin foi lá para verificar até que ponto a parede era reta pendurando um peso de chumbo num cordão pela janela; ao chegar à parte de cima, fez uma descoberta.

Havia rachaduras na parede. Isso não era necessariamente um sinal de fraqueza: o significado tinha de ser interpretado por olhos experientes. Todos os prédios se moviam e as rachaduras podiam simplesmente indicar como uma estrutura se ajustava para acompanhar a mudança. Merthin calculou que a maioria delas naquele compartimento era benigna. Mas havia uma que o deixou perplexo por seu formato. Não parecia normal. Um exame mais atento indicou que alguém aproveitara uma rachadura natural para afrouxar uma pequena pedra. Ele a removeu.

Compreendeu no mesmo instante que descobrira um esconderijo secreto de alguém. O espaço por trás da pedra era o refúgio de um ladrão. Ele tirou os objetos que estavam ali, um a um. Havia um broche de mulher com uma enorme pedra verde; um xale de seda; e um pergaminho com um salmo escrito. E no fundo encontrou o objeto que lhe forneceu a pista sobre a identidade do ladrão. Era a única coisa ali que não tinha valor monetário. Um pedaço de madeira lixada, simples, com letras esculpidas na superfície: "M: Phmn: AMAT."

M era apenas uma inicial. Amat era a palavra em latim para "ama". E Phmn era com certeza Philemon.

Alguém cujo nome começava com M, homem ou mulher, outrora amara Philemon e lhe dera aquilo, e ele escondera junto com seus tesouros roubados.

Desde a infância havia rumores de que Philemon tinha mãos leves. Coisas costumavam desaparecer em suas proximidades. Parecia que aquele era o lugar em que ele as escondia. Merthin o imaginou subindo até ali, sozinho, talvez à noite, para tirar a pedra da parede e admirar, exultante, seus despojos. Não podia haver a menor dúvida de que era uma espécie de doença.

Por outro lado, nunca haviam circulado rumores de que Philemon tivesse amantes. Como seu mentor Godwyn, ele parecia ser daquela minoria de homens para os quais era muito fraca a necessidade de amor sexual. Mas alguém se apaixonara por ele, em algum momento, e Philemon guardava a lembrança.

Merthin tornou a pôr os objetos no esconderijo exatamente como os encontrara: tinha boa memória para esse tipo de coisa. Ajeitou a pedra solta no lugar. Depois, pensativo, deixou o compartimento e desceu pela escada em espiral.

⌇

Ralph ficou surpreso quando Philippa voltou para casa.

Era um raro dia de sol num verão muito chuvoso e ele gostaria de sair para caçar falcões, mas não podia fazê-lo, o que o deixava furioso. A colheita estava prestes a começar e a maioria dos vinte ou trinta intendentes, bailios e administradores do condado precisava vê-lo com urgência. Todos tinham o mesmo problema: plantações amadurecendo nos campos e insuficiência de homens e mulheres para colhê-las.

Ele não podia fazer nada para ajudar. Aproveitara todas as oportunidades para processar os trabalhadores que desafiavam o regulamento ao deixarem suas aldeias em buscas de salários mais altos; mas os poucos que conseguia encontrar pagavam as multas com seus ganhos extras e fugiam de novo. Por isso, os bailios tinham problemas. Todos queriam lhe explicar suas dificuldades e ele precisava escutar, dar sua aprovação aos planos improvisados.

O salão estava cheio de gente: bailios, cavaleiros e homens de armas, dois sacerdotes e uma dúzia ou mais de criados fingindo que trabalhavam. Num momento em que todos se calaram, Ralph ouviu as gralhas lá fora, os gritos estridentes soando como uma advertência. Ele ergueu os olhos e deparou com Philippa na entrada. Ela falou primeiro para os criados:

– Martha, esta mesa ainda está suja do almoço. Vá buscar água quente para lavá-la, agora. Dickie, acabo de ver o cavalo predileto do conde com o que parece ser lama de ontem, enquanto você fica aqui cortando um pedaço de madeira com sua faca. Volte para o estábulo, que é o seu lugar, e limpe o cavalo. E você, rapaz, leve esse cachorro para fora, pois ele acabou de fazer xixi no chão. O único cachorro que tem permissão para entrar aqui é o mastim do conde. Você sabe disso.

Todos os criados entraram em ação no mesmo instante; até mesmo aqueles a quem ela não havia se dirigido encontraram um trabalho para fazer.

Ralph não se importava que Philippa desse ordens aos criados. Eles se tornavam indolentes sem uma ama para pressioná-los.

Ela se aproximou e fez uma reverência profunda, como era apropriado depois de uma longa ausência. Mas não se adiantou para beijá-lo. Ralph comentou, indiferente:

– Isto é... inesperado.

Philippa comentou, com alguma irritação:

– Eu não deveria ter a necessidade de fazer essa viagem.

Ralph gemeu por dentro.

– O que a trouxe até aqui?

Qualquer que fosse o motivo, ele tinha certeza, haveria uma briga.

– Meu solar de Ingsby.

Philippa tinha um pequeno número de propriedades pessoais, umas poucas aldeias em Gloucestershire que pagavam tributo a ela, não ao conde. Desde que fora viver no convento, os bailios dessas aldeias a procuravam no priorado de Kingsbridge, Ralph sabia, e prestavam contas diretamente a ela. Mas Ingsby era uma exceção embaraçosa. O solar pagava tributo a ele, que o transferia para Philippa, o que esquecera de fazer desde sua partida.

– Droga! Esqueci por completo.

– Não tem problema. Você tem muita coisa em que pensar.

Isso era surpreendentemente conciliador.

Ela subiu para os aposentos particulares, enquanto Ralph voltava a seu trabalho. Meio ano de separação a melhorara um pouco, pensou ele, enquanto outro bailio discorria sobre os campos com trigo amadurecendo e lamentava a escassez de colhedores. De qualquer forma, Ralph torcia para que ela não planejasse ficar por muito tempo. Deitar a seu lado à noite era como dormir com uma vaca morta.

Philippa reapareceu na hora do jantar. Sentou-se ao lado de Ralph e conversou polidamente com vários cavaleiros visitantes durante a refeição. Mostrou-se fria e reservada como sempre – não havia afeição nem sequer qualquer humor –, mas ele também não percebeu nenhum sinal do ódio gelado e implacável que ela exibira depois do casamento. Desaparecera por completo ou se encontrava oculto lá no fundo. Ao final da refeição, ela tornou a se retirar, deixando-o a beber com os cavaleiros.

Ralph considerou a possibilidade de que ela planejasse voltar em caráter permanente, mas por fim descartou a ideia. Philippa nunca o amaria nem mesmo gostaria dele. Acontecia apenas que a longa separação atenuara um pouco o ressentimento. Era bem provável que o sentimento subjacente nunca a deixasse.

Ele supôs que a encontraria dormindo quando subiu. Para sua surpresa, no entanto, ela estava sentada à escrivaninha, numa camisola de linho cor de marfim, uma única vela projetando uma claridade suave sobre as feições orgulhosas e os cabelos escuros e abundantes. À sua frente, havia uma carta longa, com uma letra infantil, que ele adivinhou ser de Odila, agora condessa de Monmouth. Philippa escrevia uma resposta. Como a maioria dos aristocratas, ela ditava as cartas de negócios para um secretário, mas escrevia as pessoais.

Ralph foi até a latrina. Ao sair, tirou as roupas externas. Era verão e ele costumava dormir só com as roupas de baixo.

Philippa terminou de escrever a carta, se levantou... e derrubou o pote de tinta que estava em cima da mesa. Pulou para trás, mas já era tarde demais. O pote caiu em sua direção, criando uma enorme mancha preta na camisola. Ela praguejou. Ralph quase riu: ela era tão meticulosa que ele achou engraçado vê-la respingada de tinta.

Ela ainda hesitou por um momento, depois tirou a camisola pela cabeça. Ralph ficou surpreso. Em circunstâncias normais, ela não costumava tirar as roupas na sua presença. Devia ter ficado irritada com a tinta. Ele admirou seu corpo nu. Philippa engordara um pouco no convento. Os seios pareciam maiores e mais redondos do que antes, a barriga tinha uma saliência suave mas discernível e os quadris exibiam uma curva ainda mais atraente. Para sua surpresa, Ralph percebeu que ficara excitado.

Ela se abaixou para limpar a tinta do chão ladrilhado com a camisola embolada. Os seios balançavam enquanto esfregava os ladrilhos. Philippa se virou, oferecendo uma vista generosa do traseiro. Se não soubesse que isso era impossível, Ralph diria que ela tentava provocá-lo. Mas aquela mulher nunca tentara provocar ninguém, muito menos ele. Era apenas desajeitada e estava constrangida, o que tornava ainda mais excitante contemplar sua nudez exposta enquanto limpava o chão.

Havia semanas ele não se deitava com uma mulher; a última fora uma prostituta de Salisbury, bastante insatisfatória.

E quando Philippa se ergueu, ele já tinha uma ereção. Ela notou que era observada.

– Não olhe para mim. Vá se deitar.

Ela jogou a camisola no cesto de roupa suja. Foi até a arca de roupas e levantou a tampa. Deixara a maior parte de suas roupas ali quando fora para Kingsbridge, pois não era apropriado que uma mulher vestisse trajes mais finos num convento, mesmo sendo nobre. Pegou outra camisola. Ralph não foi capaz de desviar os olhos enquanto ela se virava. Os seios empinados e a elevação do sexo, com seus pelos escuros, o deixaram com a boca ressequida. Philippa percebeu o olhar dele.

– Não ouse me tocar.

Se ela não tivesse dito isso, era provável que Ralph acabasse se virando para o outro lado e dormindo. Mas a rejeição o deixou irritado e o espicaçou.

– Sou o conde de Shiring e você é minha esposa. Eu a tocarei sempre que quiser.

– Não ousaria.

Philippa se virou para vestir a camisola. O comentário o enfureceu. No momento em que ela erguia a camisola para enfiá-la pela cabeça, Ralph deu um tapa na bunda dela. Foi uma pancada firme na pele nua e ele pôde sentir que doera. Philippa deu um pulo e gritou.

– Vendo-a assim, como não ousar? – disse ele.

Ela se virou com um protesto nos lábios. Num súbito impulso, Ralph deu um tapa em sua boca. Ela foi lançada para trás e caiu. Levou a mão à boca. O sangue escorria entre os dedos. Mas Philippa estava estendida de costas, nua, as pernas abertas, e ele podia ver o triângulo cabeludo no encontro das coxas, a fenda entreaberta, como se fosse um convite.

Ralph caiu em cima dela.

Philippa se debateu, em desespero, mas ele era maior e mais forte. Superou sua resistência sem muito esforço. E a penetrou logo a seguir. Ela estava seca, o que o deixou ainda mais excitado.

Tudo acabou num instante. Ralph rolou para o lado, ofegante. Olhou para ela depois de algum tempo. Havia sangue na boca de Philippa. Ela não o fitava: mantinha os olhos fechados. Mas ele teve a impressão de que havia uma estranha expressão em seu rosto. Pensou a respeito por um instante, até chegar a uma conclusão, e ficou ainda mais perplexo do que antes.

Ela parecia triunfante.

⌒

Merthin soube que Philippa havia voltado a Kingsbridge quando viu sua criada na Bell. Esperou que a amante fosse até sua casa naquela noite e ficou desapontado quando isso não aconteceu. Não restava a menor dúvida de que ela se sentia constrangida, pensou ele. Nenhuma mulher se sentiria à vontade com o que ela fizera embora as razões fossem prementes e o homem que ela amava tanto soubesse e compreendesse.

Outra noite se passou sem que ela aparecesse. Veio o domingo, e ele tinha certeza de que a encontraria na catedral. Mas ela não foi ao serviço. Era quase inédito que alguém da nobreza perdesse uma missa dominical. O que a mantivera ausente?

Depois do serviço, ele mandou Lolla para casa com Arn e Em. Atravessou o pátio gramado até o velho hospital. Havia três quartos para hóspedes importantes no segundo andar. Merthin subiu pela escada externa.

No corredor, encontrou Caris. Ela não se deu o trabalho de perguntar o que ele fazia ali.

– A condessa não quer que você a veja, mas provavelmente deve fazê-lo.

Merthin notou que a frase era estranha. Não "A condessa não quer vê-lo", mas sim "A condessa não quer que você a veja". Ele olhou para a bacia que Caris carregava. Havia ali um pano manchado de sangue. O medo deixou seu coração gelado.

– O que aconteceu?

– Nada muito grave. O bebê está ileso.

– Graças a Deus!

– Você é o pai, não é?

– Por favor, não deixe que ninguém a ouça dizer isso.

Caris parecia consternada.

– Só concebi uma vez em todos os anos que estivemos juntos.

Ele desviou os olhos.

– Em que quarto ela está?

– Peço desculpas por falar a respeito. Sou a última pessoa por quem você se interessa. Encontrará lady Philippa no quarto do meio.

Merthin percebeu a angústia indisfarçada na voz dela e hesitou, apesar de sua ansiedade por Philippa. Tocou o braço de Caris.

– Por favor, não pense que não me interesso por você. Sempre me importo com o que acontece com você, se é feliz ou não.

Caris assentiu, lágrimas brotando em seus olhos.

– Sei disso. Estou sendo egoísta. Vá ver Philippa.

Merthin deixou Caris. Entrou no quarto do meio. Philippa estava ajoelhada no genuflexório, de costas para ele. Interrompeu suas orações.

– Você está bem?

Ela se levantou e se virou. Tinha o rosto arrebentado. Os lábios estavam inchados, três vezes maiores que o normal, a casca da ferida mal se formando. Merthin calculou que Caris lavara o ferimento, o que explicava o pano sujo de sangue.

– O que aconteceu? – indagou ele. – Pode falar?

Ela anuiu com a cabeça.

– A voz sai estranha, mas posso falar – balbuciou de modo quase incompreensível.

– Ficou muito ferida?

– Meu rosto está horrível, mas não é grave. Afora isso, não tenho nada.

Merthin a envolveu em seus braços. Ela encostou a cabeça em seu ombro. Ele esperou. Passado um momento, Philippa começou a chorar. Ele afagou seus cabelos e as costas, enquanto ela tremia com soluços.

– Calma, calma...

Ele a beijou na testa, mas não tentou silenciá-la. Pouco a pouco, os soluços foram diminuindo.

– Posso beijar seus lábios?

Ela concordou com um aceno de cabeça.

– Gentilmente.

Merthin roçou os lábios com os seus. Sentiu um gosto de amêndoas: Caris passara óleo no ferimento.

– Conte-me o que aconteceu.

– Deu certo. Ele foi enganado. E terá certeza de que o bebê é dele.

Merthin tocou nos lábios com as pontas dos dedos.

– E ele fez isso?

– Não fique zangado. Tentei provocá-lo e fui bem-sucedida. Deve ficar contente por Ralph ter me agredido.

– Contente? Por quê?

– Porque ele pensa que teve de me obrigar. Acha que eu não teria me submetido sem violência. Não tem a menor suspeita de que eu tencionava seduzi-lo. Nunca desconfiará da verdade. O que significa que estou segura... e nosso bebê também.

Merthin pôs a mão em sua barriga.

– Mas por que não foi me procurar assim que chegou?

– Com esta cara?

– Quero ficar ainda mais do seu lado quando está machucada. – Ele deslocou a mão para o seio. – Além do mais, tenho sentido muita saudade.

Philippa afastou sua mão.

– Não posso ir de um para outro como uma prostituta.

– Ahn...

Ele não pensara dessa forma.

– Você compreende, não é?

– Acho que sim. – Merthin podia entender que uma mulher se sentisse ordinária ao fazer exatamente a mesma coisa de que um homem se orgulharia. – Mas por quanto tempo...?

Philippa suspirou e recuou.

– Não é o tempo que importa.

– Como assim?

– Concordamos em anunciar ao mundo que o bebê é de Ralph e eu providenciei para que ele pensasse assim. Agora, ele vai querer criá-lo.

Merthin ficou consternado.

– Eu não havia pensado nos detalhes, mas imaginei que você continuaria a viver no priorado.

– Ralph não permitirá que a criança seja criada num convento, ainda mais se for um menino.

– Então o que pretende fazer? Voltar para Earlscastle?

– Isso mesmo.

A criança ainda não era nada: não era uma pessoa nem mesmo um bebê, mas apenas uma saliência na barriga de Philippa. Mesmo assim, Merthin sentiu uma pontada de tristeza. Lolla se convertera na grande alegria de sua vida e ele aguardava ansioso por outra criança.

Mas pelo menos teria Philippa por mais algum tempo.

– Quando voltará para Earlscastle?

– Imediatamente. – Ela viu a expressão de Merthin e as lágrimas afloraram a seus olhos. – Não posso lhe dizer quanto lamento, mas seria errado fazer amor com você e planejar voltar para Ralph. Seria a mesma coisa que ter dois homens. O fato de vocês dois serem irmãos torna a situação ainda pior.

Os olhos de Merthin ficaram turvos de lágrimas.

– Portanto, está acabado o que havia entre nós? Agora?

Ela acenou com a cabeça em confirmação.

– E há mais uma coisa que tenho de lhe dizer, mais uma razão para que nunca mais voltemos a ser amantes. Confessei meu adultério.

Merthin sabia que Philippa tinha seu confessor pessoal, como era apropriado para uma mulher da alta nobreza. Desde que ela viera para Kingsbridge, o confessor vivia com os monges, um acréscimo bem recebido em suas fileiras reduzidas. Merthin esperava que ele fosse capaz de guardar os segredos do confessionário.

– Recebi a absolvição, mas não devo continuar a pecar – acrescentou ela.

Merthin também assentiu. Ela tinha razão. Ambos haviam pecado. Philippa traíra o marido e ele traíra o irmão. Ela tinha uma desculpa: fora forçada ao casamento. Ele não tinha nenhuma. Uma linda mulher se apaixonara por ele e retribuíra seu amor embora não tivesse esse direito. A angústia e o pesar que sentia agora eram as consequências naturais desse comportamento.

Merthin a contemplou – os olhos angustiados, verde-acinzentados, a boca machucada, o corpo maduro – e compreendeu que a perdera. Talvez ela nunca tivesse sido sua de fato. De qualquer forma, sempre fora errado e agora acabara. Ele tentou falar, despedir-se, mas a garganta parecia obstruída e nada saiu. Mal podia vê-la, por causa das lágrimas. Virou-se, tateou à procura da porta e conseguiu sair, sem saber como.

Uma freira seguia pelo corredor, carregando um jarro. Ele não podia distinguir quem era, mas reconheceu a voz de Caris quando ela disse:

– Merthin? Você está bem?

Ele não respondeu. Seguiu na direção oposta, passou pela porta e alcançou a escada externa. Agora chorando abertamente, sem se importar com quem visse, Merthin atravessou o pátio gramado da catedral, desceu a rua principal e atravessou a ponte até sua ilha.

80

Setembro de 1350 foi um mês frio e úmido, mas mesmo assim havia um sentimento de euforia. Enquanto os feixes molhados de trigo eram reunidos nos campos ao redor, apenas uma pessoa morreu da peste em Kingsbridge: Marge Taylor, uma costureira de 60 anos. Ninguém pegou a doença em outubro, novembro ou dezembro. Parecia ter desaparecido, pensou Merthin, agradecido... pelo menos por enquanto.

A migração antiga de pessoas irrequietas e empreendedoras indo dos campos para as cidades fora revertida durante a peste, mas agora recomeçara. Muitos vieram para Kingsbridge, instalaram-se nas casas vazias e começaram a pagar aluguel para o priorado. Alguns abriram novos negócios – padarias, cervejarias, manufaturas de velas – para substituir os antigos que haviam acabado quando os proprietários e todos os seus herdeiros morreram. Merthin, como regedor, tornara mais fácil abrir uma loja ou uma barraca no mercado, acabando com o processo prolongado que era imposto pelo priorado. O mercado semanal foi ficando mais e mais movimentado.

Uma a uma, Merthin alugou as lojas, casas e tavernas que construíra na ilha dos Leprosos. Os arrendatários eram recém-chegados empreendedores ou mercadores que já residiam na cidade à procura de melhores locais. A estrada através da ilha, entre as duas pontes, se tornou uma extensão da rua principal e, portanto, uma área privilegiada para estabelecimentos comerciais. como Merthin previra, doze anos antes, quando as pessoas acharam que ele era louco por aceitar a ilha rochosa e árida como parte do pagamento de seu trabalho na ponte.

O inverno chegou e mais uma vez a fumaça de milhares de lareiras pairava sobre a cidade, numa nuvem baixa e marrom; mas as pessoas ainda trabalhavam e faziam compras, comiam e bebiam, jogavam dados nas tavernas e iam à igreja aos domingos. A casa da guilda testemunhou o primeiro banquete da véspera de Natal desde que a guilda da paróquia passara a ser a guilda do burgo.

Merthin convidou o prior e a prioresa. Eles não tinham mais o poder de se impor aos mercadores, mas ainda se destacavam entre as pessoas mais importantes da cidade. Philemon compareceu, mas Caris recusou o convite: tornara-se retraída a tal ponto que causava preocupação.

Merthin sentou ao lado de Madge Webber. Ela era agora a mercadora mais rica e a maior empregadora em Kingsbridge, talvez em todo o condado. Era vice-

-regedora e poderia vir a ser regedora, se não fosse sem precedentes a presença de uma mulher nesse cargo.

Entre os muitos empreendimentos de Merthin, havia uma oficina que fabricava os teares de pedal que haviam melhorado a qualidade do Escarlate de Kingsbridge. Madge comprava mais da metade de sua produção; outros mercadores empreendedores vinham de longe, até mesmo de Londres, para comprar o restante. Os teares eram engrenagens complexas e tinham de ser fabricados de maneira impecável e montados com precisão. Por isso, Merthin tinha de empregar os melhores carpinteiros disponíveis. Ele cobrava pelo produto acabado mais do que o dobro do custo de fabricação e ainda assim as pessoas mal podiam esperar para lhe dar o dinheiro.

Várias pessoas insinuaram que ele deveria se casar com Madge, mas a ideia não tentava nenhum dos dois. Ela nunca fora capaz de encontrar um homem que pudesse se comparar a Mark, que tinha o físico de um gigante e o ânimo de um santo. Madge sempre fora cheia de corpo, mas agora estava gorda de fato. Na casa dos 40 anos, virara uma dessas mulheres que parecem um barril, com a mesma largura do comprimento dos ombros ao traseiro. Comer e beber bem eram agora seus principais prazeres, pensou Merthin enquanto a observava se empanturrar de pernil com gengibre num molho de maçãs e cravos. Isso e ganhar dinheiro.

Ao final da refeição, foi servido um vinho temperado chamado hipocraz. Madge tomou um longo gole, arrotou e chegou mais perto de Merthin no banco.

– Temos de fazer alguma coisa com o hospital – disse ela.

– É mesmo? – Merthin não tinha noção de que havia um problema. – Agora que a peste acabou, pensei que as pessoas já não precisavam tanto de um hospital.

– Claro que precisam. Ainda têm febre, dor de barriga e câncer. Mulheres querem engravidar e não conseguem, ou sofrem complicações quando dão à luz. Crianças se queimam e caem de árvores. Homens são derrubados de seus cavalos ou esfaqueados por inimigos, ou têm a cabeça quebrada por esposas furiosas...

– Já entendi tudo. – Merthin estava achando graça da loquacidade de Madge. – Qual é o problema?

– Ninguém vai mais para o hospital. As pessoas não gostam do irmão Sime e, além do mais, não confiam em seus conhecimentos. Enquanto estávamos todos aqui enfrentando a peste, ele permaneceu em Oxford, estudando textos antigos. O irmão Sime ainda prescreve tratamentos como sangria, em que ninguém mais acredita. Querem Caris... mas ela nunca aparece.

– O que as pessoas fazem quando estão doentes, se não vão para o hospital?

– Procuram Matthew Barber ou Silas Pothecary, ou uma recém-chegada, Marla Wisdom, que se especializou em problemas das mulheres.

– Então o que a preocupa?

– As pessoas começam a se manifestar contra o priorado. Se não recebem ajuda dos monges e freiras, dizem, por que deveriam pagar a construção da torre?

– Hum...

A torre era um vasto projeto. Nenhuma instituição isolada teria condições de financiá-la. Uma combinação de recursos do mosteiro, do convento e da cidade era a única maneira de custeá-la. Se a cidade suspendesse os pagamentos, o projeto seria ameaçado.

– Estou entendendo – disse Merthin, preocupado. – Isso é mesmo um problema.

⁓

Fora um bom ano para a maioria das pessoas, pensou Caris, sentada no coro durante a missa do dia de Natal. As pessoas vinham se ajustando às devastações causadas pela peste com surpreendente rapidez. Além de provocar terríveis sofrimentos e um quase colapso da vida civilizada, a doença também proporcionara a oportunidade para mudanças drásticas. Quase metade da população morrera, pelos seus cálculos mas um efeito dela era que os camponeses remanescentes só cultivavam agora os solos mais férteis, o que significava que cada homem produzia mais. Apesar do Regulamento dos Trabalhadores e dos esforços de nobres como o conde Ralph para impor seu cumprimento, ela estava satisfeita por constatar que as pessoas continuavam a se mudar para onde os salários eram mais altos, em geral onde a terra era mais produtiva. Os cereais eram abundantes e os rebanhos de vacas e ovelhas cresciam de novo. O convento era cada vez mais próspero e, já que Caris reorganizara também os negócios dos monges depois da fuga de Godwyn, o mosteiro desfrutava de uma prosperidade que não conhecia há mais de cem anos. A riqueza criava riqueza e os bons tempos nos campos traziam mais negócios para as cidades. Assim, os artesãos e lojistas de Kingsbridge começavam a recuperar sua antiga riqueza.

Quando as freiras deixavam a catedral ao final do serviço, o prior Philemon a procurou.

– Preciso lhe falar, madre prioresa. Pode ir até minha casa?

No passado ela aceitaria polidamente o convite, sem a menor hesitação. Mas esses dias haviam acabado.

– Não, não posso.

Ele ficou vermelho no mesmo instante.

– Não pode se recusar a conversar comigo!

– Eu não fiz isso. Apenas me recusei a ir até seu palácio. Não admito ser convocada à sua presença como uma subordinada. Sobre o que deseja conversar comigo?

– Sobre o hospital. Tem havido queixas.

– Fale com o irmão Sime... Ele está dirigindo o hospital, como sabe muito bem.

– Não é possível conversar com você? – indagou ele, exasperado. – Se Sime pudesse resolver o problema, eu conversaria com ele, não com você.

A essa altura, os dois estavam no claustro dos monges. Caris sentou no muro baixo de pedra em torno do pátio. A pedra estava fria.

– Podemos conversar aqui. O que tem a me dizer?

Philemon estava contrariado, mas cedeu. Ficou de pé na frente de Caris; e agora era ele quem parecia um subordinado.

– Os moradores da cidade estão insatisfeitos com o hospital.

– Isso não me surpreende.

– Merthin se queixou para mim no jantar de Natal da guilda. As pessoas não vêm mais para cá. Em vez disso, procuram charlatões, como Silas Pothecary.

– Ele não é mais charlatão do que Sime.

Philemon percebeu que havia vários noviços parados nas proximidades escutando a conversa.

– Vão embora, todos vocês – ordenou. – Voltem para seus estudos.

Os noviços saíram correndo. Philemon tornou a se virar para Caris.

– As pessoas da cidade acham que você deveria estar no hospital.

– Também acho. Mas não sigo os métodos de Sime. Na melhor das hipóteses, seus tratamentos não têm qualquer efeito. Na maioria das vezes, agravam o estado do paciente. É por isso que as pessoas não vêm mais para cá quando ficam doentes.

– Seu novo hospital tem tão poucos pacientes que passamos a usá-lo como casa de hóspedes. Isso não a incomoda?

Foi um escárnio que acertou no alvo. Caris engoliu em seco e desviou os olhos.

– Parte meu coração.

– Então volte. Chegue a um acordo com Sime. Trabalhou sob as ordens dos monges médicos nos primeiros dias, quando veio para cá. O irmão Joseph era o médico mais antigo naquele tempo. Ele tinha o mesmo treinamento de Sime.

– É verdade. Naquele tempo, achávamos que os monges às vezes causavam mais mal do que bem, mas podíamos trabalhar com eles. Na maior parte do tempo, nem os chamávamos, apenas fazíamos o que julgávamos melhor. E, quando eles tratavam de um paciente, nem sempre seguíamos suas instruções ao pé da letra.

– Você não pode achar que eles estavam sempre errados.

– Claro que não. Às vezes os médicos curavam as pessoas. Lembro-me de Joseph abrindo o crânio de um homem e drenando o fluido acumulado que vinha causando dores de cabeça insuportáveis. Foi impressionante.

– Faça a mesma coisa agora.

– Não dá mais. Sime acabou com essa possibilidade, não é mesmo? Ele levou seus livros e equipamentos para o hospital e assumiu o comando. E tenho certeza de que fez isso encorajado por você. Mais até, é bem provável que a ideia tenha sido sua. – Ela percebeu, pela expressão de Philemon, que acertara em cheio. – Você e ele conspiraram para me expulsar do hospital. Conseguiram... e agora estão sofrendo as consequências.

– Podemos voltar ao antigo sistema. Mandarei Sime sair.

Caris sacudiu a cabeça.

– Tem de haver outras mudanças. Aprendi muita coisa com a peste. Estou mais convencida do que nunca de que os métodos dos médicos podem ser fatais. Não vou matar as pessoas só por causa de um acordo com você.

– Você não compreende quanto está em jogo.

Ele exibia um ar ligeiramente presunçoso. Portanto, havia mais alguma coisa. Caris vinha refletindo sobre a razão pela qual Philemon levantara aquele assunto. Ele não era de se preocupar com o hospital: nunca se importara com o trabalho de cura. Só se interessava pelo que melhorasse sua posição e defendesse seu frágil orgulho.

– Está bem. O que mais você sabe?

– O pessoal da cidade está falando em cortar os recursos para a nova torre. Por que deveriam pagar um extra para a catedral, perguntam, quando não obtêm o que querem de nós? E, agora que a cidade é um burgo, eu como prior não posso mais exigir o pagamento.

– E se eles não pagarem...?

– Seu amado Merthin terá de abandonar seu projeto de estimação – arrematou Philemon, triunfante.

Caris compreendeu que esse era o trunfo de Philemon. E houvera mesmo um tempo em que essa revelação a deixaria sobressaltada. Mas isso não mais acontecia.

– Merthin não é mais meu amado. Você acabou com isso também.

Uma expressão de pânico surgiu no rosto do prior.

– Mas o bispo está empenhado na construção da torre. Você não pode pôr o projeto em risco!

Caris se levantou.

– Não posso? Por que não?

Ela virou as costas e seguiu na direção do convento. Philemon ficou atordoado. Ainda gritou:

– Como pode ser tão irresponsável?

Caris ia ignorá-lo, mas depois mudou de ideia e decidiu explicar. Virou-se para encará-lo.

– Tudo o que eu sempre prezei me foi tirado – disse ela em tom apático. – E quando você já perdeu tudo...

A fachada sob controle começou a desmoronar e a voz tremeu, mas ela se forçou a acrescentar:

– Quando você já perdeu tudo, não tem mais nada a perder.

A primeira neve caiu em janeiro. Formou um manto espesso no telhado da catedral, cobriu as delicadas esculturas das agulhas, mascarou os rostos dos anjos e santos esculpidos por cima da porta oeste. A alvenaria nova das fundações da torre fora coberta com palha, para isolar a argamassa da geada de inverno; agora, a neve cobria a palha.

Havia poucas lareiras num priorado. A cozinha tinha fogos acesos, como não podia deixar de ser; e era por isso que o trabalho na cozinha sempre fora popular entre os noviços. Mas não havia fogo aceso na catedral, onde os monges e freiras passavam sete ou oito horas por dia. Quando as igrejas pegavam fogo, era em geral porque um monge desesperado levara um braseiro de carvão para o prédio e uma fagulha voara do fogo para o teto de madeira. Quando não estavam na igreja nem trabalhando, deveriam andar e ler nos claustros, expostos ao frio. A única concessão ao conforto era a sala de aquecimento, um pequeno compartimento próximo dos claustros em que se acendia um fogo nos momentos de frio mais intenso. Monges e freiras tinham permissão para entrar na sala de aquecimento por curtos períodos.

Como sempre, Caris ignorou as regras e tradições e permitiu que as freiras usassem roupas de baixo de lã durante o inverno. Não acreditava que Deus quisesse que suas servidoras tivessem frieiras.

O bispo Henri estava tão preocupado com o hospital – ou melhor, com a ameaça à sua torre – que seguiu de Shiring para Kingsbridge através da neve. Viajou numa pesada carroça de madeira com uma coberta de lona e bancos almofadados, acompanhado pelo cônego Claude e o arquidiácono Lloyd. Fizeram uma pausa no palácio do prior apenas pelo tempo suficiente para secar as roupas e tomar um vinho quente, antes de convocarem uma reunião de crise com Philemon, Sime, Caris, Oonagh, Merthin e Madge.

Caris já sabia que seria um desperdício de tempo, mas foi assim mesmo: era mais fácil do que recusar, o que exigiria que ficasse sentada no convento e lidasse com intermináveis mensagens suplicando, ordenando e ameaçando.

Ela olhava para os flocos de neve que caíam além das vidraças da janela, enquanto o bispo resumia, monótono, uma discussão pela qual não tinha o menor interesse.

– Esta crise foi provocada pela atitude desleal e desobediente de madre Caris – declarou Henri.

Ela ficou tão irritada que não se conteve:

– Trabalhei no hospital aqui por dez anos. Meu trabalho... e o de madre Cecilia antes de mim... fizeram o hospital ser tão popular entre os moradores da cidade. – Caris apontou o dedo para o bispo, num gesto agressivo. – Você mudou isso. Não tente culpar outras pessoas. Sentou nessa cadeira e anunciou que dali por diante o irmão Sime estaria no comando. Agora deve assumir a responsabilidade pelo resultado de sua decisão insensata.

– Você deve me obedecer! – Henri alteou a voz até um som estridente de frustração. – É uma freira, fez um voto!

A discussão perturbou o gato, Arcebispo, que se levantou e saiu da sala.

– Sei disso. E fico numa posição intolerável. – Caris falou sem ter pensado a respeito antes, mas, à medida que as palavras saíam, ela compreendeu que não eram inadequadas. Na verdade, eram o resultado de meses de reflexão. – Não posso mais servir a Deus desta maneira. – A voz era calma, mas o coração batia descompassado quando ela arrematou: – É por isso que decidi renunciar a meus votos e deixar o convento.

Henri se levantou.

– Não pode fazer isso! – gritou. – Não vou liberá-la de seus votos sagrados!

– Mas espero que Deus me libere – insistiu ela, mal disfarçando seu desdém. Isso o deixou ainda mais furioso.

– Essa noção de que as pessoas podem lidar direto com Deus é a pior heresia. Tem havido mais e mais dessa conversa absurda desde a peste.

– Não acha que isso pode ter acontecido porque as pessoas, quando procuraram a Igreja em busca de ajuda durante a peste, descobriram muitas vezes que seus padres e monges... – nesse ponto, ela olhou para Philemon – ... haviam fugido como covardes?

Henri levantou a mão para impedir a resposta indignada de Philemon.

– Podemos ser falíveis, mas mesmo assim é apenas através da Igreja e de seus sacerdotes que homens e mulheres podem se aproximar de Deus.

– Você pode pensar assim, é claro – disse Caris. – Mas isso não faz com que seja certo.

– Você é um demônio!

– Isto posto, milorde bispo, uma discussão pública entre você e Caris não ajudaria ninguém – interveio Claude.

Ele ofereceu um sorriso cordial a Caris. Demonstrava consideração por ela desde o dia em que Caris surpreendera o bispo e ele se beijando, nus, e não dissera nada a ninguém.

– Sua atual falta de cooperação deve ser considerada à luz dos muitos anos de serviços dedicados, às vezes heroicos – acrescentou Claude. – E as pessoas a amam.

– Mas o que acontece se a liberarmos de seus votos? – indagou Henri. – Como isso resolveria o problema?

Foi nesse momento que Merthin falou pela primeira vez:

– Tenho uma sugestão. – Todos olharam para ele. – Deixem a cidade construir um novo hospital. Doarei um terreno grande na ilha dos Leprosos. Será cuidado por um novo convento, separado do priorado. As freiras estarão sob a autoridade espiritual do bispo de Shiring, é claro, mas não terão qualquer vínculo com o prior de Kingsbridge ou qualquer dos médicos do mosteiro. O novo hospital teria um patrono leigo, que seria uma pessoa eminente da cidade, escolhida pela guilda. Essa pessoa indicaria a prioresa.

Todos permaneceram em silêncio por um bom tempo, enquanto absorviam a proposta radical. Caris estava perplexa. Um novo hospital... na ilha dos Leprosos... pago pelos moradores da cidade... aos cuidados de uma nova ordem de freiras... sem qualquer vínculo com o priorado...

Ela correu os olhos pelo grupo. Philemon e Sime detestaram a ideia. Henri, Claude e Lloyd estavam atônitos.

– O patrono será muito poderoso – falou o bispo – representando os moradores, pagando as contas, designando a prioresa. Quem quer que assuma o papel vai controlar o hospital.

– Isso mesmo – confirmou Merthin.

– Se eu autorizar um novo hospital, os moradores da cidade continuarão a custear a construção da torre?

Madge Webber falou pela primeira vez:

– Se o patrono certo for escolhido, claro que sim.

– E quem deveria ser? – perguntou Henri.

Caris percebeu que todos olhavam para ela.

⁓

Poucas horas depois, Caris e Merthin se envolveram em mantos grossos, calçaram botas e caminharam pela neve até a ilha, onde ele mostrou o local que tinha em mente. Ficava no lado oeste, não muito longe de sua casa, à beira do rio.

Ela ainda estava tonta com a súbita mudança em sua vida. Fora liberada de seus votos de freira. Voltaria a ser uma cidadã normal, depois de quase doze anos. Descobriu que podia considerar a perspectiva de deixar o priorado sem angústia. As pessoas que ela amara ali haviam morrido: madre Cecilia, a Velha Julie, Mair, Tilly. Gostava muito da irmã Joan e da irmã Oonagh, mas não era a mesma coisa.

E ainda estaria no comando de um hospital. Como teria o direito de designar e dispensar a prioresa da nova instituição, poderia dirigi-lo de acordo com o novo pensamento que se desenvolvera desde o combate à peste. O bispo concordara com tudo.

– Acho que devemos usar outra vez a forma de um claustro – disse Merthin. – Pareceu funcionar muito bem no curto período em que você esteve no comando.

Caris contemplou o lençol imaculado de neve e se espantou mais uma vez com a capacidade de Merthin de ver paredes e quartos onde ela observava apenas uma brancura interminável.

– A arcada da entrada era usada quase como uma sala – comentou ela. – Era o lugar em que as pessoas esperavam, onde as freiras efetuavam o primeiro exame dos pacientes, antes de decidirem o que fazer com eles.

– Gostaria que fosse maior?

– Acho que deve ser uma verdadeira sala de recepção.

– Está bem.

Ela continuava perplexa.

– É difícil acreditar. Tudo aconteceu exatamente como eu queria.

Merthin meneou a cabeça.

– Foi assim que planejei.

– É mesmo?

– Perguntei a mim mesmo do que você gostaria, depois planejei como poderia conseguir.

Ela o encarou. Merthin falara em tom de indiferença, como se apenas explicasse o processo de raciocínio que o levara a suas conclusões. Parecia não ter a menor ideia de como era fundamental para Caris descobrir que ele sempre pensava em seus desejos e na maneira certa de realizá-los.

– Philippa já teve o bebê? – perguntou ela.

– Já, sim. Há uma semana.

– Menino ou menina?

– Um menino.

– Meus parabéns. Já o viu?

– Não. Até onde o mundo sabe, sou apenas o tio. Mas Ralph me mandou uma carta.

– Já escolheram o nome?

– Roland, em homenagem ao velho conde.

Caris mudou de assunto.

– A água do rio não é muito pura neste ponto da correnteza. E um hospital precisa de água limpa.

– Instalarei um cano para trazer água de um ponto do rio mais acima.

A nevasca diminuiu, para depois cessar por completo. Tinham agora uma vista clara do rio. Caris sorriu para ele.

– Você tem resposta para tudo.

Ele balançou a cabeça.

– Essas são as respostas fáceis: água limpa, quartos arejados, uma sala de recepção.

– E quais são as difíceis?

Merthin se voltou para encará-la. Havia flocos de neve em sua barba ruiva.

– Perguntas como: "Ela ainda me ama?"

Ficaram se olhando por longo tempo. Caris estava feliz.

PARTE VII

MARÇO A
NOVEMBRO DE 1361

81

Aos 40 anos, Wulfric ainda era o homem mais bonito que Gwenda já vira. Havia fios prateados agora em seus cabelos castanho-claros, mas faziam com que ele parecesse mais sábio, além de mais forte. Quando era jovem, os ombros largos se afilavam de maneira drástica até a cintura estreita, enquanto hoje em dia a mudança não era tão acentuada, nem a cintura tão estreita... mas ele ainda era capaz de fazer o trabalho de dois homens. E sempre seria dois anos mais jovem do que ela.

Gwenda achava que mudara menos. Tinha cabelos escuros do tipo que só começavam a se tornar grisalhos bem tarde na vida. Não se tornara mais corpulenta do que era vinte anos antes, embora desde que tivera os filhos os seios e a barriga não fossem mais tão firmes quanto no passado.

Era apenas quando olhava para o filho Davey, com a pele lisa e uma agilidade irrequieta nos passos, que ela sentia o peso dos anos. Agora com 20 anos, ele parecia uma versão masculina do que a mãe fora nessa idade. Ela também tinha um rosto liso e andava em passos vigorosos. Uma vida inteira de trabalho nos campos, em todos os tempos, deixara as mãos calejadas e as faces avermelhadas, além de ensiná-la a andar devagar e poupar suas forças.

Davey era pequeno como ela, astuto e discreto: desde que era pequeno, Gwenda nunca sabia direito o que ele pensava. Sam era o oposto: grande e forte, sem ter inteligência suficiente para ser dissimulado, mas com uma veia de maldade da qual Gwenda culpava o verdadeiro pai, Ralph Fitzgerald.

Já há vários anos os dois meninos trabalhavam junto com Wulfric nos campos... até duas semanas antes quando Sam desaparecera.

Sabiam por que ele havia partido. Durante todo o inverno Sam falara em deixar Wigleigh e se mudar para uma aldeia em que pudesse ganhar um salário maior. E desaparecera no momento em que começava a aradura da primavera.

Gwenda sabia que ele tinha razão sobre os salários. Era crime deixar sua aldeia ou aceitar um pagamento mais alto que os níveis de 1347. Por todo o país, no entanto, jovens irrequietos ignoravam a lei e fazendeiros desesperados os contratavam. Senhores de terras como o conde Ralph podiam fazer pouco mais do que ranger os dentes, em fúria.

Sam não dissera para onde iria e não dera nenhum aviso sobre a partida iminente. Se Davey fizesse o mesmo, Gwenda saberia que ele teria pensado em tudo com o maior cuidado e decidido que era a melhor coisa. Mas tinha certeza de que Sam apenas seguira um impulso. Alguém mencionara o nome de uma aldeia, ele acordara cedo na manhã seguinte e decidira partir imediatamente.

Ela disse a si mesma para não se preocupar. Sam tinha 22 anos, era grande e forte. Ninguém haveria de explorá-lo ou maltratá-lo. Mas era mãe e sentia um aperto no coração.

Se não podia encontrá-lo, ninguém mais poderia, pelos seus cálculos, e era melhor assim. O que não a impedia de querer saber onde o filho estava, se trabalhava para um bom empregador, se as pessoas o tratavam bem.

Naquele inverno, Wulfric começara a arar os acres mais arenosos de sua terra. Na primavera, Gwenda e ele foram para Northwood a fim de comprar uma relha de arado de ferro, uma das poucas coisas que não podiam fabricar. Como sempre acontecia, um pequeno grupo de moradores de Wigleigh viajou junto para o mercado. Jack e Eli, que operavam o moinho de pisoar de Madge Webber, iam comprar suprimentos: não tinham terras, por isso compravam todos os seus alimentos. Annet e sua filha Amabel, de 18 anos, levavam uma dúzia de galinhas num engradado para vender no mercado. O bailio, Nathan, também foi, acompanhado pelo filho crescido Jonno, o inimigo de infância de Sam.

Annet ainda flertava com todos os homens de boa aparência que cruzavam seu caminho. A maioria exibia um sorriso tolo e flertava também. Na viagem para Northwood, ela conversou bastante com Davey. Embora ele tivesse menos da metade de sua idade, Annet sorria sedutora, balançava a cabeça, batia em seu braço de brincadeira, como se ela tivesse 22 anos em vez de 42. Não era mais uma menina, mas parecia não saber disso, pensou Gwenda, irritada. A filha de Annet, Amabel, que era tão linda quanto Annet fora outrora, permanecia um pouco à parte, como se ficasse constrangida com o comportamento da mãe.

Chegaram a Northwood no meio da manhã. Depois de fazerem suas compras, Wulfric e Gwenda foram almoçar na taverna Old Oak.

Até onde Gwenda podia se lembrar, havia um venerável carvalho na frente da taverna, uma árvore grossa, com galhos disformes, parecendo um velho encurvado no inverno, mas oferecendo uma sombra profunda e acolhedora no verão. Quando meninos, seus filhos costumavam correr atrás um do outro em torno daquela árvore. Mas a árvore devia ter morrido ou se tornado instável, pois fora cortada. Agora havia apenas um toco, tão largo quanto Wulfric era alto, usado pelos clientes como cadeira, mesa e até mesmo – por um exausto carroceiro – como cama.

Sentado na beira do toco, tomando cerveja numa enorme caneca, estava Harry

Ploughman, o bailio de Outhenby. Gwenda no mesmo instante voltou ao passado, doze anos antes. O que aflorou à sua mente, com tanto vigor que trouxe lágrimas a seus olhos, foi a esperança que animara seu coração quando ela e a família, naquela manhã em Northwood, partiram pela floresta em direção a Outhenby e a uma vida nova. A esperança fora destruída em menos de quinze dias, e Wulfric fora levado de volta a Wigleigh – a lembrança ainda a fazia ferver de raiva – com uma corda no pescoço.

Mas Ralph não fizera tudo à sua maneira desde então. As circunstâncias o haviam forçado a devolver a Wulfric as terras do pai dele. É verdade que Wulfric não fora bastante esperto para obter um arrendamento livre, ao contrário de alguns de seus vizinhos. Mesmo assim, Gwenda sentia-se contente por serem agora arrendatários em vez de meros trabalhadores sem terras. Além disso, Wulfric realizara a ambição de sua vida. Mas ela ainda ansiava por mais independência, como um arrendamento livre de obrigações feudais, com a renda paga em dinheiro e o acordo escrito nos registros do solar, para que o senhor não pudesse voltar atrás. Era o que a maioria dos servos queria, e muitos estavam conseguindo desde a peste.

Harry os cumprimentou efusivamente e insistiu em pagar uma cerveja. Pouco depois da breve estada de Wulfric e Gwenda em Outhenby, Harry fora promovido a bailio por madre Caris. Ainda mantinha essa posição, embora Caris há muito tivesse renunciado a seus votos. A prioresa agora era madre Joan. Outhenby continuava a prosperar, a julgar pela papada e a barriga de cerveja de Harry.

Quando se preparavam para partir com o resto do pessoal de Wigleigh, Harry informou a Gwenda, em voz baixa:

– Tenho um jovem chamado Sam trabalhando para mim.

Gwenda sentiu o coração disparar.

– Meu Sam?

– Não pode ser.

Ela ficou aturdida. Se não era, por que mencioná-lo? Mas Harry bateu de leve em seu nariz vermelho e Gwenda compreendeu que ele estava disfarçando.

– Esse Sam me assegura que seu senhor é um cavaleiro de Hampshire de que nunca ouvi falar, mas que lhe deu permissão para deixar a aldeia e trabalhar em outro lugar. Já o senhor de seu Sam é o conde Ralph, que nunca deixa seus trabalhadores partirem. É claro que eu não poderia empregar seu Sam.

Gwenda compreendeu. Essa seria a história de Harry, se algum dia houvesse perguntas oficiais.

– Portanto, ele está em Outhenby.

– Em Oldchurch, uma das aldeias menores no vale.

– Ele está bem? – indagou ela, ansiosa.

– Prosperando.

– Graças a Deus!

– Um menino forte e um bom trabalhador, embora às vezes possa ser brigão.

Gwenda sabia disso.

– Ele mora numa casa boa?

– Ficou alojado com um casal mais velho de bom coração cujo filho foi para Kingsbridge a fim de aprender o ofício de curtidor de couro.

Gwenda ainda tinha uma dúzia de perguntas, mas nesse instante notou o vulto encurvado de Nathan Reeve encostado na entrada da taverna a observá-la. Ela reprimiu uma imprecação. Queria saber mais, mas teve medo de fornecer a Nathan qualquer indicação sobre o paradeiro de Sam. Precisava se contentar com o que soubera. E ficou emocionada por saber pelo menos onde o filho se encontrava.

Ela se afastou de Harry para dar a impressão de que encerrava uma conversa sem importância. Pelo canto da boca, ainda disse:

– Não o deixe se envolver em brigas.

– Farei o que puder.

Gwenda acenou em despedida e foi ao encontro de Wulfric.

Na volta para casa, Wulfric carregou a pesada relha de arado no ombro sem qualquer esforço aparente. Gwenda estava ansiosa para lhe dar a notícia, mas tinha de esperar até que o grupo se separasse. Só quando se encontravam a alguns metros dos outros é que ela relatou a conversa com Harry, em voz baixa. Wulfric ficou aliviado.

– Pelo menos sabemos onde o rapaz está – murmurou ele, respirando com facilidade, apesar da carga.

– Quero ir a Outhenby – anunciou Gwenda. Wulfric assentiu com a cabeça.

– Imaginei isso. – Ele quase nunca a contestava, porém demonstrou certa apreensão. – Mas é perigoso. Você terá de dar um jeito para que ninguém descubra para onde foi.

– Tem toda a razão. Nate não deve saber.

– Como você pensa fazer?

– Ele notará com certeza que me ausentei da aldeia por dois ou três dias. Temos de pensar numa história.

– Podemos dizer que você está doente.

– Seria arriscado demais. É bem provável que ele vá até nossa casa para verificar.

– Podemos dizer que foi para a casa de seu pai.

– Nate não acreditaria. Sabe que nunca fico lá por mais tempo que o necessário.

Gwenda roeu uma unha, vasculhando o cérebro em busca da solução. Nas histórias de fantasmas e contos de fadas que as pessoas contavam junto do fogo nas longas noites de inverno, os personagens em geral acreditavam nas mentiras dos outros sem questionar; mas as pessoas reais não se deixavam enganar com tanta facilidade.

– Podemos dizer que fui para Kingsbridge – sugeriu ela por fim.

– Para quê?

– Talvez para comprar galinhas poedeiras no mercado.

– Você poderia comprar as galinhas de Annet.

– Eu não compraria coisa alguma daquela sem-vergonha, e as pessoas sabem disso.

– É verdade.

– E Nate sabe que sempre fui amiga de Caris. Portanto, acreditará que fui encontrá-la.

– Tem razão.

Não era uma história das mais plausíveis, mas ela não pôde pensar em nada melhor. E estava desesperada para ver o filho.

Partiu na manhã seguinte. Saiu de casa antes do amanhecer, envolta num manto grosso para protegê-la do vento frio de março. Atravessou a aldeia sem fazer ruído, na mais completa escuridão, encontrando o caminho por instinto e de memória. Não queria ser vista e interrogada antes mesmo de se afastar da aldeia. Mas ninguém acordara ainda. O cachorro de Nathan Reeve rosnou baixinho, depois reconheceu seus passos, e ela ouviu o baque do rabo batendo na lateral do canil de madeira.

Gwenda deixou a aldeia e seguiu pela estrada através dos campos. Já se encontrava a quase 2 quilômetros de distância quando o dia amanheceu. Olhou para trás, ao longo da estrada. Estava vazia. Ninguém a seguira.

Mastigou um pedaço de pão dormido como primeira refeição. Parou ao meio-dia numa taverna situada no ponto em que a estrada de Wigleigh a Kingsbridge cruzava com a que ia de Northwood a Outhenby. Não reconheceu ninguém ali. Ficou observando a porta, nervosa, enquanto comia uma tigela de ensopado de peixe salgado e bebia uma caneca de sidra. Cada vez que alguém entrava, ela se preparava para esconder o rosto. Mas era sempre um estranho, e ninguém dispensou atenção especial à sua presença. Partiu logo e pegou a estrada para Outhenby.

Alcançou o vale mais ou menos no meio da tarde. Só estivera ali doze anos antes, mas o lugar quase não havia mudado. Recuperara-se da peste com extraordinária rapidez. Afora algumas crianças pequenas brincando perto das casas, a maioria dos aldeões se encontrava no trabalho, arando e semeando e cuidando dos cordeiros recém-nascidos. Olharam para ela através dos campos, sabendo que era uma estranha, especulando sobre sua identidade. Algumas pessoas a reconheceriam se chegasse mais perto. Estivera ali por apenas dez dias, mas haviam sido momentos dramáticos e as pessoas se lembrariam. Não era com frequência que os aldeões testemunhavam tanta agitação.

Ela seguiu o rio Outhen, que serpenteava pelo terreno plano entre as duas serras. Deixou para trás a aldeia principal e passou por povoados menores, que conhecia do tempo que passara ali, como Ham, Shortacre e Longwater, a caminho do menor e mais remoto, Oldchurch.

Sua excitação aumentava à medida que se aproximava. Até esqueceu os pés doloridos. Oldchurch era um povoado mínimo, com trinta choupanas, nenhuma delas bastante grande para ser um solar nem mesmo a casa de um bailio. Mas, de acordo com o nome, tinha uma velha igreja, que, calculou Gwenda, devia ter várias centenas de anos. Fora construída com pedras toscas e possuía uma torre quadrada, uma nave diminuta e janelas pequenas e quadradas, aparentemente distribuídas ao acaso pelas paredes grossas.

Ela caminhou pelos campos afora. Ignorou um grupo de pastores num pasto distante: o astuto Harry Ploughman não desperdiçaria o enorme Sam em trabalho tão leve. Deveria estar gradando a terra, limpando uma vala ou ajudando a controlar o tiro de oito bois da comunidade. Ela esquadrinhou os três campos de forma metódica. Avistou um grupo, quase todo de homens, de gorro na cabeça, botas enlameadas, vozes bastante fortes para chamarem uns aos outros através dos campos. Esperava encontrar entre eles um jovem que era pelo menos uns 20 centímetros mais alto que os outros. Como não localizou o filho, sofreu uma renovada apreensão. Ele já fora recapturado? Ou fora transferido para outra aldeia?

Encontrou finalmente o filho numa fileira de homens que espalhava estrume por uma faixa recém-arada. Sam estava sem casaco, apesar do frio, e manejava uma pá de carvalho, os músculos das costas e dos braços se contraindo e deslocando por baixo da velha camisa de linho. O coração de Gwenda se encheu de orgulho ao vê-lo... e pensar que aquele homem enorme saíra de seu corpo tão pequeno!

Todos olharam quando ela se aproximou. Os homens a fitaram, curiosos. Quem era ela e o que fazia ali? Gwenda seguiu direto para Sam e o abraçou, apesar do fedor de estrume de cavalo.

– Olá, mãe – disse ele.

Todos os homens riram. Ela ficou perplexa com a hilaridade. Um homem magro e forte com uma órbita de olho vazia disse:

– Calma, Sam, calma... você vai ficar bem agora.

Todos riram de novo. Gwenda compreendeu que eles achavam engraçado que um homem tão grande tivesse uma mãe tão pequena, que ainda por cima vinha verificar se ele estava bem.

– Como me descobriu? – perguntou Sam.

– Encontrei Harry Ploughman no mercado de Northwood.

– Espero que ninguém a tenha seguido até aqui.

– Parti antes do amanhecer. Seu pai ficou de dizer às pessoas que fui a Kingsbridge. Ninguém me seguiu.

Conversaram por uns poucos minutos. Depois ele disse que precisava retornar ao trabalho ou os outros homens ficariam ressentidos.

– Volte para a aldeia e procure a velha Liza – disse Sam. – Ela mora em frente à igreja. Diga quem você é e ela lhe dará alguma coisa para comer e beber. Estarei em casa ao anoitecer.

Gwenda ergueu os olhos para o céu. Era uma tarde escura e os homens seriam obrigados a parar de trabalhar dentro de uma hora, mais ou menos. Beijou o rosto de Sam e se afastou.

Encontrou Liza numa casa um pouco maior que as outras... com dois cômodos em vez de apenas um. A mulher a apresentou ao marido, Rob, que era cego. Como Sam garantira, Liza era hospitaleira: pôs pão e potagem na mesa e serviu uma caneca de cerveja.

Gwenda perguntou sobre o filho deles e foi como abrir uma torneira. Liza falou sem parar sobre ele, da infância ao aprendizado até que o velho a interrompeu, ríspido, com uma só palavra:

– Cavalo.

Todos ficaram em silêncio. Gwenda também ouviu as batidas ritmadas de um cavalo a trote.

– Uma montaria pequena – acrescentou o cego Rob. – Um palafrém ou um pônei. Pequeno demais para um nobre ou um cavaleiro, mas pode estar montado por uma dama.

Gwenda sentiu um calafrio de medo.

– Dois visitantes no espaço de uma hora – comentou Rob. – Devem estar ligados.

Era disso que Gwenda tinha medo.

Ela se levantou e olhou pela porta. Um pônei preto robusto trotava pelo caminho entre as casas. Ela reconheceu o cavaleiro no mesmo instante, e sentiu um aperto no coração: era Jonno Reeve, o filho do bailio de Wigleigh. Como ele a descobrira?

Tentou recuar rápido para o interior da casa, mas Jonno já a avistara.

– Gwenda! – gritou ele, parando o cavalo.

– Seu demônio!

– Posso imaginar o que você está fazendo aqui – disse ele, zombeteiro.

– Como me descobriu aqui? Ninguém me seguiu.

– Meu pai me mandou a Kingsbridge para descobrir o que você estaria tramando lá. No caminho, parei na taverna de Cross Roads e algumas pessoas ali se lembraram que você pegara a estrada para Outhenby.

Ela especulou se não poderia ser mais esperta do que aquele jovem astuto.

– E por que eu não deveria visitar meus velhos amigos aqui?

– Não há nenhuma razão. Onde está seu filho fugitivo?

– Não está aqui, embora eu esperasse encontrá-lo.

Jonno se mostrou indeciso por um momento, como se pensasse que ela poderia estar dizendo a verdade. Mas logo disse:

– Talvez ele tenha se escondido. Vou procurá-lo.

Jonno esporeou o cavalo. Gwenda o observou enquanto se afastava. Não o enganara, mas talvez tivesse plantado uma dúvida em sua mente. Se conseguisse alcançar Sam primeiro, ele poderia se esconder.

Atravessou apressada a pequena casa, com uma palavra rápida para Liza e Rob, e saiu pela porta dos fundos. Cruzou o campo, permanecendo perto da sebe. Ao olhar para trás, na direção da aldeia, avistou um homem a cavalo. O dia começava a escurecer e ela pensou que seu vulto mínimo seria indistinguível contra a sebe escura ao fundo.

Encontrou Sam e os outros voltando, cada um com sua pá no ombro, as botas enlameadas. A alguma distância, à primeira vista, Sam podia passar por Ralph: o mesmo corpo, as passadas confiantes, a cabeça bonita no pescoço forte. Ao mesmo tempo, porém, ela também podia ver Wulfric no filho: o jeito de virar a cabeça, o sorriso tímido e um gesto desaprovador com a mão que imitava com precisão o pai adotivo.

Os homens a avistaram. Haviam se encantado com sua chegada antes e agora o homem de um olho só gritou:

– Olá, mãe!

Todos riram. Ela ficou lado a lado com Sam e disse:

– Jonno Reeve está aqui.

– Inferno!

– Sinto muito.

– Você disse que não foi seguida!

– Não o vi, mas ele descobriu minha trilha.

– O que farei agora? Não voltarei para Wigleigh de jeito nenhum!

– Ele está à sua procura, mas deixou a aldeia e seguiu para leste. – Gwenda esquadrinhou a paisagem cada vez mais escura, mas não podia ver muita coisa. – Se voltarmos depressa para Oldchurch, poderemos escondê-lo... talvez na igreja.

– Está bem.

Os dois aceleraram o passo. Gwenda olhou para trás e disse aos outros homens:

– Se encontrarem um bailio chamado Jonno, nunca viram Sam de Wigleigh.

– Nunca ouvi falar dele, mãe – disse um dos homens.

Os outros murmuraram em concordância. Os camponeses sempre se mostravam dispostos a enganar qualquer bailio.

Gwenda e Sam alcançaram o povoado sem encontrar Jonno. Foram para a igreja. Gwenda esperava entrar sem dificuldade: igrejas rurais eram em geral vazias, com as portas sempre abertas. Mas, se aquela fosse uma exceção, ela não sabia o que eles poderiam fazer.

Esgueiraram-se entre as casas e se aproximaram da igreja. Ao passarem pela porta da frente da casa de Liza, Gwenda avistou um pônei preto. Soltou um gemido de desespero. Jonno devia ter voltado sob a cobertura do crepúsculo. Apostara que Gwenda encontraria Sam e o traria de volta para a aldeia, e acertara em cheio. Possuía a astúcia insidiosa de Nate, seu pai.

Ela pegou o braço do filho para levá-lo através da estrada e entrar na igreja... e foi nesse instante que Jonno saiu da casa de Liza.

– Pensei mesmo que o encontraria aqui, Sam – disse ele.

Gwenda e Sam pararam e se viraram. Sam se apoiou na pá de madeira.

– E o que pretende fazer?

Jonno deu um sorriso triunfante.

– Levá-lo de volta para Wigleigh.

– Gostaria de ver você tentar.

Um grupo de camponeses, a maioria mulheres, veio do lado oeste da aldeia e parou para assistir à confrontação.

Jonno enfiou a mão no alforje no pônei e tirou um aro de metal com uma corrente.

– Vou pôr um grilhão na sua perna. E, se tiver o mínimo de bom senso, não vai resistir.

Gwenda ficou surpresa com a coragem de Jonno. Ele esperava mesmo capturar Sam sozinho? Era até corpulento, mas não tão grande quanto Sam. Contava com a ajuda dos aldeões? Tinha a lei do seu lado, mas poucos camponeses pensariam que sua causa era justa. Um jovem típico, ele não tinha a menor noção de suas próprias limitações.

– Eu enchia você de porrada quando éramos meninos e tornarei a fazer a mesma coisa hoje – disse Sam.

Gwenda não queria que eles brigassem. Quem quer que ganhasse, Sam estaria errado aos olhos da lei. Era um fugitivo.

– É tarde demais para ir a qualquer lugar agora – afirmou ela. – Por que não conversamos amanhã de manhã?

Jonno soltou uma risada desdenhosa.

– E deixar Sam escapulir antes do amanhecer, como fez ao deixar Wigleigh? De jeito nenhum. Ele vai dormir esta noite com o grilhão de ferro.

Os homens que trabalhavam com Sam apareceram e pararam para olhar.

– Todos os homens que respeitam a lei têm o dever de me ajudar a prender este fugitivo – disse Jonno – e quem tentar me impedir estará sujeito à punição.

– Pode contar comigo – respondeu o homem de um olho só. – Ficarei segurando seu cavalo.

Os outros riram. Havia pouca simpatia por Jonno. Por outro lado, ninguém se manifestou em defesa de Sam. Jonno entrou em ação subitamente. Avançou para Sam segurando o grilhão com as mãos. Abaixou-se, para tentar prender o artefato na perna de Sam, num movimento de surpresa.

Poderia ter dado certo num homem mais velho, de movimentos lentos, mas a reação de Sam foi rápida. Recuou e desferiu um chute, acertando a bota enlameada no braço esquerdo estendido de Jonno.

Jonno soltou um grito de dor e raiva. Ergueu-se e usou o braço direito para desferir um golpe com a corrente, buscando atingir a cabeça de Sam. Gwenda ouviu um grito apavorado e compreendeu que partira dela. Sam recuou outro passo, para ficar fora do alcance.

Jonno percebeu que erraria o golpe e, no último instante, largou o ferro, que saiu voando pelo ar. Sam se encolheu, virou-se e se abaixou, mas não conseguiu se esquivar por completo. O aro de ferro bateu em sua orelha e a corrente roçou o rosto. Gwenda gritou, como se ela própria tivesse sido golpeada. Sam cambaleou, enquanto o grilhão caía no chão. Houve um momento de suspense. O sangue esguichou do ouvido e do nariz de Sam. Gwenda deu um passo em sua direção, os braços estendidos.

No instante seguinte, Sam se recuperou do choque. Voltou-se para Jonno e lhe desferiu um golpe com a pesada pá de madeira, num movimento gracioso. Jonno ainda não recuperara todo o seu equilíbrio depois do esforço para arremessar a corrente. Não conseguiu se esquivar. A beira da pá o acertou no lado da cabeça. Sam era forte: a pancada da madeira no osso ressoou pela rua da aldeia.

Jonno ainda cambaleava quando Sam atacou de novo. O novo golpe com a pá foi de cima para baixo. A beira da pá acertou em cheio a cabeça de Jonno com tremenda força. Dessa vez o impacto não ressoou. Foi mais como um baque surdo, e Gwenda temeu que o crânio de Jonno tivesse rachado.

Enquanto Jonno caía de joelhos, Sam o acertou pela terceira vez com a pá de carvalho. Foi outro golpe desferido com toda a força. Atingiu a testa da vítima. Uma espada de ferro não poderia ser mais mortífera, pensou Gwenda, desesperada. Ela avançou para conter Sam, mas os homens da aldeia tiveram a mesma ideia um momento antes e chegaram na sua frente. Puxaram Sam, dois homens segurando cada braço.

Jonno estava caído no chão, a cabeça numa poça de sangue. Gwenda ficou angustiada com a cena. Não pôde deixar de pensar no pai do rapaz, Nate, na dor e no desespero pelos ferimentos do filho. A mãe de Jonno havia morrido da peste e pelo menos se encontrava agora num lugar em que a dor não a afligiria.

Gwenda podia ver que Sam quase não se machucara. Sangrava, mas ainda se debatia com seus captores, tentando se desvencilhar para poder atacar de novo. Gwenda se inclinou para Jonno. Ele tinha os olhos fechados e não se mexia. Ela pôs a mão em seu coração e não o sentiu. Tentou encontrar uma pulsação como Caris lhe ensinara, mas não havia nenhuma. Parecia que Jonno não estava respirando. As implicações do que acabara de acontecer afloraram à sua mente e ela começou a chorar.

Jonno estava morto e Sam era um assassino.

82

No Domingo de Páscoa daquele ano de 1361, fazia dez anos que Caris e Merthin estavam casados.

De pé na catedral, assistindo à procissão da Páscoa, Caris recordou o casamento. Como haviam sido amantes durante tanto tempo, de forma intermitente, consideravam a cerimônia como a confirmação de uma união de longa data. Por isso, tolamente, planejaram um evento pequeno e discreto: uma missa simples na igreja de Saint Mark, seguida por um almoço para poucas pessoas na Bell. Mas o padre Joffroi os informara no dia anterior que, pelos seus cálculos, no mínimo 2 mil pessoas pretendiam comparecer ao casamento. Por isso, foram obrigados a transferi-lo para a catedral. Só depois descobriram que Madge Webber organizara um banquete na casa da guilda para os cidadãos mais eminentes e um piquenique para todos os demais habitantes de Kingsbridge em Lovers' Field. Ao final, acabara sendo o casamento do ano.

Caris sorriu à recordação. Usara uma túnica nova de Escarlate de Kingsbridge, uma cor que o bispo provavelmente julgava apropriada para uma mulher assim. Merthin vestira um rico casaco italiano castanho com fios dourados, radiante de felicidade. Ambos descobriram que seu prolongado romance, que imaginavam ser um drama particular, vinha divertindo os cidadãos de Kingsbridge há muitos anos. Por isso todos queriam comemorar o final feliz.

As lembranças agradáveis de Caris se dissiparam quando Philemon, seu antigo inimigo, subiu ao púlpito. Ele se tornara bastante gordo nos dez anos transcorridos desde o casamento. A tonsura monacal e o rosto raspado revelavam um anel de gordura em torno do pescoço, o hábito de monge estufado como uma tenda.

Ele fez um sermão contra a dissecação.

Os cadáveres pertenciam a Deus, proclamou Philemon. Os cristãos eram instruídos a sepultá-los num ritual específico: os salvos em terrenos consagrados, os não perdoados em outros lugares. Fazer qualquer outra coisa com os cadáveres era contra a vontade de Deus. Retalhá-los era um sacrilégio, declarou com insólita veemência. Havia até um tremor em sua voz quando pediu à congregação para imaginar a cena horrível de um corpo sendo aberto, as partes separadas, cortadas e estudadas por supostos pesquisadores médicos. Os verdadeiros cristãos sabiam que não havia desculpa para esses homens e mulheres monstruosos.

A expressão "homens e mulheres" não saía com frequência da boca de Philemon, pensou Caris, por isso não podia deixar de ter um significado. Ela olhou para o marido, parado a seu lado na nave, e ergueu as sobrancelhas, indicando preocupação.

A proibição do exame de cadáveres era um dogma antigo, proposto pela Igreja em tempos muito remotos para Caris se lembrar. Mas houvera um relaxamento durante a peste. Os clérigos mais jovens e progressistas tinham nítida consciência do quanto a Igreja falhara com o povo. Por isso estavam ansiosos por mudar a maneira como a medicina era ensinada e praticada pelos sacerdotes. O clero mais velho e conservador, no entanto, se apegava aos costumes antigos e bloqueava qualquer mudança na política. Em consequência, a dissecação era proibida em princípio e tolerada na prática.

Caris vinha realizando dissecações em seu novo hospital desde o início. Nunca falava a respeito fora do prédio: não havia sentido em perturbar os supersticiosos. Mas ela efetuava uma dissecação sempre que surgia uma oportunidade.

Em anos recentes, era em geral acompanhada por um ou dois monges médicos mais jovens. Muitos doutores treinados nunca haviam visto o interior de um corpo, exceto quando tratavam de ferimentos muito graves. Tradicionalmente, as únicas carcaças que podiam ser abertas eram as de porcos, os animais cuja anatomia era considerada a mais parecida com a dos humanos.

Caris ficou perplexa, além de preocupada, com o ataque de Philemon. Ele sempre a odiara, Caris sabia, embora nunca tivesse descoberto o motivo. Mas desde o grande impasse na nevasca de 1351 ele a ignorava. Como se fosse uma compensação pela perda de poder sobre a cidade, Philemon enchera seu palácio com objetos preciosos: tapeçarias, tapetes, talheres de prata, vitrais, iluminuras. Ficara ainda mais altivo, exigindo deferências elaboradas de seus monges e noviços, usando trajes espetaculares para os serviços e viajando, quando tinha de ir a outras cidades numa carruagem decorada como a alcova de uma duquesa.

Havia vários clérigos visitantes importantes presentes no coro para a missa – o bispo Henri de Shiring, o arcebispo Piers de Monmouth e o arquidiácono Reginald de York – e podia-se presumir que Philemon contava impressioná-los com seu surto de conservantismo doutrinário. Mas com que finalidade? Buscava uma promoção? O arcebispo estava doente – tivera de ser carregado para a catedral –, mas Philemon, com toda a certeza, não podia aspirar a esse posto, não é mesmo? Já era um milagre que o filho de Joby de Wigleigh se tornasse prior de Kingsbridge. Além disso, a elevação de prior a arcebispo seria um salto excepcional, como ir de cavaleiro a duque sem virar barão ou conde no intervalo. Apenas um favorito muito especial poderia esperar uma ascensão tão rápida.

Só que não havia limite para a ambição de Philemon. Não que ele se considerasse mais qualificado do que todos os outros, pensou Caris. Essa era a atitude de Godwyn, uma autoconfiança arrogante. Godwyn supunha que Deus o fizera prior porque ele era o homem mais inteligente da cidade. Philemon era o extremo oposto: no fundo de seu coração, acreditava que era um ninguém. Sua vida era uma campanha para convencer a si mesmo de que não era completamente sem valor. Era tão sensível à rejeição que não suportava se considerar não merecedor de qualquer posto, por mais elevado que fosse.

Ela pensou em conversar com o bispo Henri depois do serviço. Poderia lembrá-lo do acordo celebrado dez anos antes pelo qual o prior de Kingsbridge não tinha jurisdição sobre o Hospital de Saint Elizabeth, na ilha dos Leprosos, que se encontrava sob o controle direto do bispo; assim, qualquer ataque ao hospital era um ataque aos direitos e privilégios do próprio Henri. Mas, pensando bem, Caris concluiu que o protesto só serviria para confirmar ao bispo que ela realizava dissecações. Com isso, transformaria o que podia ser agora uma vaga suspeita, fácil de ignorar, num fato conhecido, que deveria ser enfrentado. Assim, decidiu ficar calada.

Ao seu lado estavam os dois sobrinhos de Merthin, os filhos do conde Ralph: Gerry, com 13 anos, e Roley, com 10. Os dois estavam matriculados na escola dos monges. Viviam no priorado, mas passavam a maior parte de seu tempo livre com Merthin e Caris, em sua casa na ilha dos Leprosos. Merthin pousava a mão de leve no ombro de Roley. Apenas três pessoas no mundo sabiam que Roley não era seu sobrinho, mas seu filho. Eram o próprio Merthin, Caris e a mãe do menino, Philippa. Merthin se esforçava para não demonstrar favorecimento especial a Roley, mas descobrira que era difícil disfarçar seus verdadeiros sentimentos e experimentava uma satisfação especial quando Roley aprendia alguma coisa nova ou se saía bem na escola.

Caris pensava com frequência na criança de Merthin que concebera e depois abortara. Sempre imaginara que seria uma menina. Seria uma mulher agora, refletiu Caris, com 23 anos, provavelmente casada, com suas próprias crianças. O pensamento era como o latejar de um ferimento antigo, ainda doloroso, mas não angustiante.

Quando o serviço terminou, todos saíram juntos. Os meninos haviam sido convidados para o almoço de domingo, como sempre. Fora da catedral, Merthin se voltou para contemplar a torre, que agora se elevava acima do meio do prédio.

Enquanto Merthin estudava sua obra quase concluída com o rosto franzido por causa de algum detalhe que só era visível para ele, Caris o examinava afetuosamente. Conhecia-o desde que ele tinha 11 anos e o amara por quase todo esse tempo. Merthin estava agora com 45 anos. Os cabelos ruivos recuavam para além da testa e cresciam em torno da cabeça como um halo encrespado. Tinha o braço esquerdo um tanto rígido desde que um modilhão de pedra caíra de um andaime, por descuido de um pedreiro, e atingira seu ombro. Mas ainda exibia a expressão de ansiedade infantil que atraíra a menina Caris de 10 anos, no Dia de Todos os Santos, um terço de século antes.

Ela se virou para partilhar a visão do marido. A torre se projetava de forma impecável nos quatro lados da interseção, o peso apoiado em arcobotantes maciços nos cantos externos dos transeptos, que por sua vez se apoiavam em novas fundações, separadas das originais. A torre parecia leve e arejada, com colunas delgadas e múltiplas aberturas de janelas através das quais se podia ver o azul do céu quando fazia bom tempo. Por cima do topo quadrado da torre havia uma teia de andaimes erguida para o estágio final, a agulha.

Ao baixar os olhos, Caris viu a irmã se aproximando. Alice era apenas um ano mais velha, com 45 anos, mas Caris sentia que ela pertencia a outra geração. Seu marido, Elfric, morrera da peste, mas ela não se casara de novo. Tornara-se desleixada e sem graça, como se achasse que uma viúva devesse ser assim. Caris brigara com Alice há muitos anos por causa do tratamento que Elfric dispensava a Merthin. A passagem do tempo atenuara a hostilidade mútua, mas ainda havia uma insinuação de ressentimento na inclinação da cabeça quando Alice a cumprimentou.

Ela estava acompanhada por Griselda, sua enteada, apenas um ano mais moça que Alice. O filho de Griselda, conhecido como Merthin Bastardo, estava a seu lado, um homem enorme com um charme superficial, parecido com o pai, Thurstan, que desaparecera há muito tempo. Era tão diferente de Merthin Bridger quanto era possível. E também era muito diferente da filha de Griselda, Petranilla, agora com 16 anos.

O marido de Griselda, Harold Mason, assumira o negócio depois da morte de Elfric. Não era grande coisa como construtor, segundo Merthin, mas vinha se saindo bem, embora não tivesse o monopólio dos reparos e ampliações do priorado que havia enriquecido Elfric. Harold parou ao lado de Merthin e disse:

– As pessoas acham que você vai construir a agulha sem cimbre.

Caris compreendia. O cimbre era a armação de madeira que mantinha a alvenaria no lugar até a argamassa secar.

– Não há muito espaço dentro da agulha estreita para um cimbre – explicou Merthin. – E como seria sustentado? – O tom foi polido, mas Caris pôde perceber, pela forma incisiva, que ele não gostava de Harold.

– Eu poderia acreditar se a agulha fosse redonda – comentou Harold.

Caris compreendia isso também. Uma agulha redonda poderia ser construída ao se colocar um círculo de pedras por cima de outro, cada círculo um pouco menor que o anterior. Não haveria necessidade de caimbre porque o círculo sustentaria a si mesmo: as pedras não podiam cair para dentro porque pressionavam umas às outras. O que já não acontecia em qualquer estrutura que tivesse cantos.

– Você viu os desenhos – disse Merthin. – A agulha será octogonal.

Os torreões de canto no alto de torres quadradas ficavam virados em diagonal para fora, atraindo o olho à medida que subia para a forma diferente da agulha. Merthin copiara esse detalhe de Chartres. Mas só fazia sentido se a torre fosse octogonal.

– Mas como pode construir uma torre octogonal sem cimbre? – indagou Harold.

– Espere e verá – respondeu Merthin e se afastou.

Enquanto desciam pela rua principal, Caris perguntou:

– Por que não conta às pessoas como vai fazer?

– Para que não possam me despedir. Quando eu estava construindo a ponte, assim que terminei a parte mais difícil, eles me dispensaram e contrataram alguém mais barato.

– Não esqueci.

– Não podem fazer isso agora, porque ninguém mais é capaz de construir a agulha.

– Você era mais jovem então. Agora é o regedor. Ninguém ousaria despedi-lo.

– Talvez não. Mas é ótimo saber que não podem fazer isso.

No fundo da rua principal, onde ficava a velha ponte, havia uma taverna mal-afamada, a White Horse. Caris viu Lolla, a filha de 16 anos de Merthin, encostada na parede externa, com um grupo de amigos mais velhos. Lolla era uma jovem atraente, de pele azeitonada e cabelos escuros lustrosos, boca generosa e olhos castanhos intensos. O grupo se reunia em torno de um jogo de dados, quase todos tomando cerveja em canecas. Caris lamentou – embora não ficasse surpresa – ver a enteada bebendo na rua ao meio-dia. Merthin ficou furioso. Foi até Lolla e pegou-a pelo braço.

– É melhor você ir conosco para almoçar em casa – disse ele, a voz tensa.

Ela sacudiu a cabeça, balançando os cabelos para um lado e outro, num gesto que obviamente se destinava a outro que não o pai.

– Não quero ir para casa. Estou feliz aqui.

– Não perguntei o que você queria fazer.

Merthin deu um puxão na filha, afastando-a do grupo. Um rapaz bonito, em torno dos 20 anos, se aproximou. Tinha cabelos crespos e um sorriso zombeteiro. Palitava os dentes com um graveto. Caris reconheceu Jake Riley, um rapaz sem profissão específica, mas que mesmo assim parecia ter sempre dinheiro para gastar.

– O que está acontecendo? – indagou ele, com o graveto balançando no canto da boca como um insulto.

– Não é da sua conta – respondeu Merthin.

Jake se postou na sua frente.

– A garota não quer ir embora.

– É melhor sair da minha frente, filho, a menos que queira passar o resto do dia no tronco da cidade.

Caris se imobilizou, ansiosa. Merthin estava certo: tinha o direito de disciplinar Lolla, que ainda se encontrava a cinco anos da vida adulta. Mas Jake era o tipo de rapaz que podia agredi-lo mesmo assim e arcar com as consequências. Mas Caris não interferiu, sabendo que isso poderia deixar Merthin furioso com ela, não mais com Jake.

– Suponho que você é o pai dela.

– Sabe muito bem quem eu sou. E acho melhor me chamar de regedor e falar com o devido respeito ou sofrerá as consequências.

Jake o encarou com uma expressão insolente por mais um tempo, depois se virou de lado e disse, demonstrando indiferença:

– Está bem.

Caris ficou aliviada porque a confrontação não terminara em briga. Merthin nunca se envolvia em brigas, mas Lolla podia deixá-lo transtornado.

Seguiram para a ponte. Lolla se desvencilhou do pai e foi na frente, braços cruzados, cabeça baixa, rosto franzido, resmungando para si mesma palavras de irritação.

Não era a primeira vez que Lolla era vista em más companhias. Merthin ficava horrorizado e enfurecido pelo fato de sua filha querida procurar pessoas assim.

– Por que ela faz isso? – perguntou a Caris enquanto atravessavam a ponte para a ilha dos Leprosos.

– Só Deus sabe.

Caris já observara que esse tipo de comportamento era mais comum em jovens que haviam perdido o pai ou a mãe. Depois da morte de Silvia, Lolla fora cuidada por Bessie Bell, lady Philippa, a empregada de Merthin, Em, e a própria Caris. Talvez ela se sentisse confusa sobre a quem deveria obedecer. Mas Caris não expressou esse pensamento, já que poderia sugerir que Merthin fracassara de certa forma como pai.

– Tive brigas terríveis com tia Petranilla quando tinha essa idade.

– Sobre o quê?

– Coisas parecidas. Ela não gostava que eu me encontrasse com Mattie Wise.

– Isso é completamente diferente. Você não frequentava tavernas de segunda classe com vagabundos.

– Petranilla achava que Mattie era uma péssima companhia.

– Não é a mesma coisa.

– Acho que não.

– Você aprendeu muita coisa com Mattie.

Lolla sem dúvida também estava aprendendo muita coisa com o belo Jake Riley, mas Caris guardou esse pensamento inflamatório para si mesma, pois Merthin já estava bastante furioso.

A ilha se encontrava toda edificada agora e era parte integrante da cidade. Tinha até sua igreja paroquial. Onde outrora havia apenas um terreno árido, seguiram agora por uma trilha reta, entre prédios, com esquinas definidas. Os coelhos há muito tinham desaparecido. O hospital ocupava a maior parte do lado ocidental. Embora fosse até lá todos os dias, Caris ainda sentia um certo orgulho ao contemplar o prédio impecável, cinzento, as janelas grandes em fileiras regulares, as chaminés alinhadas como soldados.

Atravessaram um portão para o terreno de Merthin. O pomar estava cheio de frutas, as flores brancas cobrindo as macieiras como neve.

Entraram pela porta da cozinha, como sempre. A casa tinha uma entrada imponente no lado do rio, que ninguém jamais usava. Até mesmo um arquiteto brilhante pode cometer erros, pensou Caris, divertida. Mas, outra vez, decidiu não dizer naquele momento o que pensava.

Lolla, ainda furiosa, subiu para seu quarto. Uma mulher chamou da sala da frente:

– Olá, todo mundo!

Os dois meninos correram para a sala com gritos de alegria. Era a mãe deles, Philippa. Merthin e Caris a cumprimentaram efusivamente.

Caris e Philippa haviam se tornado cunhadas quando Caris se casara com Merthin. A rivalidade do passado, no entanto, fizera com que Caris se sentisse contrafeita na presença de Philippa por muitos anos. Até que os meninos as aproximaram. Quando Gerry e depois Roley foram matriculados na escola do priorado, era natural que Merthin tomasse conta dos sobrinhos; e, mais tarde, passara a ser normal que Philippa visitasse a casa de Merthin sempre que vinha a Kingsbridge.

A princípio, Caris sentira ciúme de Philippa por ter atraído Merthin sexualmente. Merthin nunca tentara fingir que seu amor por Philippa fora apenas superficial. Era evidente que ainda gostava dela. Mas Philippa hoje em dia era uma triste figura. Tinha 49 anos, mas parecia mais velha, os cabelos grisalhos e o rosto vincado em desapontamento. Vivia agora para os filhos. Era uma hóspede frequente da filha, Odila, condessa de Monmouth, e, quando não estava lá, muitas vezes visitava o priorado de Kingsbridge, a fim de ficar perto dos filhos. Dava um jeito de passar tão pouco tempo quanto possível com o marido, Ralph, em Earlscastle.

– Tenho de levar os meninos para Shiring – informou, explicando sua presença. – Ralph quer levá-los ao tribunal do condado. Diz que é uma parte necessária de sua educação.

– E ele está certo – concordou Caris.

Gerry seria o conde, se vivesse pelo tempo suficiente, e, se isso não acontecesse, Roley herdaria o título. Por isso, ambos precisavam ter conhecimento do funcionamento de um tribunal.

– Eu tencionava assistir ao serviço da Páscoa na catedral, mas a roda de minha carruagem quebrou e tive de esperar toda uma noite pelo conserto – acrescentou Philippa.

– Mas agora que você está aqui, vamos comer – convidou Caris.

Foram para a sala de jantar. Caris abriu as janelas que davam para o rio, deixando o ar fresco entrar. Ela se pôs a pensar sobre o que Merthin faria em relação a Lolla. Ele não a chamou, e Lolla ficou remoendo sua raiva lá em cima, o que foi um alívio para Caris: uma adolescente sorumbática à mesa poderia deixar todos desanimados.

Comeram cordeiro assado com alho-poró. Merthin serviu vinho tinto e Philippa bebeu com satisfação. Passara a gostar de vinho. Talvez fosse o seu consolo. Durante o almoço, Em entrou na sala com um ar ansioso.

– Há uma pessoa na porta da cozinha querendo falar com a ama.

– Quem é? – perguntou Merthin, impaciente.

– Ele não deu o nome, mas disse que a ama o conhecia.

– Que tipo de pessoa?

– Um jovem. Pelas roupas, um camponês, não um morador da cidade. – Em tinha uma aversão esnobe a aldeões.

– Ele parece inofensivo. Deixe-o entrar.

Um momento depois, entrou na sala um vulto alto, o capuz puxado para a frente, cobrindo a maior parte do rosto. Quando ele o empurrou para trás, Caris reconheceu o filho mais velho de Gwenda, Sam.

Caris o conhecera durante toda a vida dele. Vira-o nascer, observara a cabeça viscosa sair do corpo miúdo de sua mãe. Acompanhara seu crescimento, enquanto mudava e se transformava num homem. Via Wulfric nele agora, na maneira como andava, parava e levantava um pouco a mão quando estava prestes a falar. Sempre desconfiara de que Wulfric não era o pai verdadeiro, mas nunca mencionara essa dúvida, embora sempre fosse muito amiga de Gwenda. Era melhor deixar algumas perguntas sem resposta. Apesar disso, a suspeita inevitavelmente voltara quando ela soubera que Sam era procurado pelo assassinato de Jonno Reeve. Pois Sam, ao nascer, se parecia com Ralph.

Então ele se aproximou de Caris, ergueu a mão no gesto típico de Wulfric, hesitou por um instante e se abaixou, apoiado num joelho.

– Salve-me, por favor.

Caris ficou horrorizada.

– Como posso salvá-lo?

– Esconda-me. Estou fugindo há dois dias. Deixei Oldchurch no escuro, caminhei durante toda a noite e mal descansei desde então. Quando tentei comprar alguma coisa para comer numa taverna, alguém me reconheceu e tive de fugir.

Ele parecia tão desesperado que Caris sentiu um ímpeto de compaixão. Mesmo assim, ela disse:

– Mas você não pode se esconder aqui, porque é procurado por assassinato!

– Não foi assassinato, mas sim uma briga. Jonno me agrediu. Acertou-me com um grilhão de ferro... veja!

Sam tocou no rosto em dois lugares, para indicar os ferimentos na orelha e no nariz, uma casca começando a se formar.

A médica em Caris não pôde deixar de notar que os ferimentos tinham cerca de cinco dias e que o nariz estava sarando direito embora a orelha precisasse de um ponto. Mas seu principal pensamento foi o de que Sam não deveria estar ali.

– Você tem de enfrentar a justiça – declarou.

– Eles ficarão do lado de Jonno, tenho certeza. Fugi de Wigleigh para ganhar mais em Outhenby. Jonno estava tentando me levar de volta. Dirão que ele tinha o direito de acorrentar um fugitivo.

– Você deveria ter pensado nisso antes de agredi-lo.

Sam protestou, em tom de acusação:

– Você empregava fugitivos em Outhenby quando era prioresa.

– Fugitivos, sim. Assassinos, não – retrucou Caris, irritada.

– Eles vão me enforcar.

Caris estava angustiada. Como poderia recusar? Mas Merthin interveio:

– Há duas razões pelas quais você não pode se esconder aqui, Sam. A primeira é que é crime esconder um fugitivo e não estou disposto a ficar no lado errado da lei por sua causa, por mais que eu goste de sua mãe. Mas a segunda razão é que todos sabem que sua mãe é uma velha amiga de Caris. Portanto, se os guardas de Kingsbridge estiverem atrás de você, este será o primeiro lugar em que virão procurar.

– É mesmo? – disse Sam.

Ele não era muito inteligente, Caris sabia. O irmão, Davey, herdara todo o cérebro.

– Você não poderia pensar num lugar pior do que este para se esconder. Tome um copo de vinho, leve um pão inteiro e saia da cidade. – A voz de Merthin assumira um tom mais gentil. – Terei de procurar Mungo Constable para comunicar que você esteve aqui, mas posso andar devagar.

Merthin despejou vinho num copo de madeira.

– Obrigado.

– Sua única esperança é ir para longe, até um lugar em que não seja conhecido, e começar vida nova. É um rapaz forte e sempre encontrará trabalho. Vá para Londres e embarque num navio. E não se meta em brigas.

Philippa disse de súbito:

– Lembro-me de sua mãe... Gwenda?

Sam confirmou com um aceno de cabeça. Philippa se virou para Caris.

– Eu a conheci em Casterham quando William estava vivo. Ela foi me procurar por causa daquela garota em Wigleigh que havia sido estuprada por Ralph.

– Annet.

– Isso mesmo. – Philippa tornou a fitar Sam. – Você deve ser o bebê que ela tinha no colo na ocasião. Sua mãe é uma boa mulher. Lamento por ela que você tenha se metido em problemas.

Houve um momento de silêncio. Sam esvaziou o copo. Caris estava pensando – e, sem dúvida, Philippa e Merthin também – sobre a passagem do tempo, em como ele pode transformar um bebê inocente e amado num homem que comete um assassinato.

No silêncio, ouviram vozes.

Ao que parecia, havia vários homens na porta da cozinha.

Sam olhou ao redor como um urso acuado. Uma porta levava para a cozinha, a outra para a saída pela frente da casa. Ele foi até a porta da frente, abriu e saiu correndo. Sem qualquer hesitação, seguiu para o rio.

Um momento depois, Em abriu a porta da cozinha. Mungo Constable entrou na sala de jantar, acompanhado por quatro ajudantes, todos empunhando porretes de madeira. Merthin apontou para a porta da frente.

– Ele acaba de sair.

– Atrás dele, rapazes.

Todos saíram correndo pela porta da frente. Caris se levantou e os seguiu, com os outros em sua esteira.

A casa ficava num penhasco rochoso baixo, com menos de 2 metros de altura. O rio passava rápido abaixo do pequeno penhasco. À esquerda, a graciosa ponte de Merthin se elevava sobre o rio; à direita, havia uma praia lamacenta. No outro lado do rio, as árvores começavam a exibir suas folhas no cemitério antigo da peste. Pequenas choupanas haviam surgido, como ervas daninhas, nos lados do cemitério.

Sam poderia ter virado à direita ou esquerda. Caris viu, com desespero, que ele fizera a opção errada. Seguira para a direita, um curso que não levava a lugar algum. Ele corria pela praia, as botas deixando marcas na lama. Os guardas o perseguiam, como cães atrás de uma lebre. Ela sentiu pena de Sam, como sempre sentia pena da lebre. Nada tinha a ver com justiça; era apenas por ele ser a presa.

Ao perceber que não tinha para onde ir, Sam entrou na água.

Mungo, que permanecera no caminho calçado com pedras na frente da casa se voltou na direção oposta, à esquerda, e correu para a ponte.

Dois guardas largaram os porretes, tiraram as botas e os casacos e entraram na água. Os outros dois ficaram na praia, presumivelmente por não saberem nadar ou talvez relutantes em entrar na água num dia tão frio. Os dois nadadores partiram atrás de Sam.

Sam era forte, mas o grosso casaco de inverno estava encharcado e agora o puxava para o fundo. Caris ficou observando, num fascínio horrorizado, enquanto os guardas diminuíam a distância que os separava.

Soou um grito do outro lado. Mungo corria pela ponte e parara para chamar os outros dois guardas, ainda parados na praia lamacenta. Os homens responderam e partiram em sua direção. Mungo continuou a correr pela ponte.

Sam chegou à outra margem pouco antes de os guardas o alcançarem. Cambaleou pela parte rasa, sacudindo a cabeça, a água escorrendo das roupas. Virou-se e avistou um guarda quase em cima dele. O homem se inclinou para a frente inadvertidamente e Sam acertou um chute em seu rosto com a bota pesada de tanta água. O guarda gritou e caiu para trás.

O segundo guarda foi mais cauteloso. Aproximou-se de Sam, mas parou, ainda fora de alcance. Sam se virou e correu para a frente, saindo da água para a grama baixa do cemitério da peste; mas o guarda partiu em seu encalço. Sam parou de novo e o guarda também. Sam compreendeu que não teria como deixar o homem para trás. Soltou um grito de raiva e partiu para cima de seu perseguidor. O guarda recuou, mas tinha o rio por trás. Entrou na parte rasa, porém a água o retardou e Sam conseguiu alcançá-lo.

Sam agarrou o homem pelos ombros, virou-o e lhe deu uma cabeçada. No outro lado do rio, Caris ouviu um estalo quando o nariz do pobre coitado quebrou. Sam o empurrou para o lado e ele caiu, esguichando sangue na água do rio.

Sam tornou a se virar para a praia... mas Mungo o esperava. Agora Sam estava numa posição mais baixa, por causa da encosta inclinada, e estorvado pela água. Mungo avançou em sua direção, parou, deixou que ele se adiantasse, depois ergueu o pesado porrete de madeira. Fez uma finta; Sam esquivou-se. Mungo desferiu então o golpe planejado, acertando Sam no alto da cabeça.

Parecia um golpe terrível e Caris soltou um grito, como se tivesse sido atingida. Sam berrou de dor. Num reflexo, estendeu as mãos por cima da cabeça. Mungo, experiente em combates com jovens fortes, o atingiu de novo com o porrete, dessa vez nas costelas desprotegidas. Sam caiu na água. Os dois guardas que haviam corrido pela ponte chegaram ao local. Saltaram em cima de Sam e o seguraram na água rasa. Os dois guardas feridos se vingaram, chutando e esmurrando Sam brutalmente, enquanto os companheiros o seguravam. Quando ele arriou, os guardas o arrastaram para fora da água. Mungo amarrou as mãos de Sam nas costas. Depois, os guardas levaram o fugitivo para a cidade.

– Uma coisa horrível... – disse Caris. – Pobre Gwenda.

83

A cidade de Shiring tinha um clima de parque de diversões durante as sessões do tribunal do condado. Todas as estalagens em torno da praça ficavam lotadas; homens e mulheres em suas melhoras roupas ocupavam as tavernas, sempre pedindo aos berros comida e bebida. Como não podia deixar de ser, a cidade aproveitava a ocasião para realizar um mercado. A praça ficava tão atulhada de barracas que se levava meia hora para percorrer apenas 100 metros. Além dos barraqueiros legítimos, havia dezenas de oportunistas circulando: padeiros com bandejas de bolinhos, um homem tocando rabeca, mendigos aleijados e cegos, prostitutas exibindo os seios, um urso dançando, um frade pregando.

O conde Ralph era uma das poucas pessoas que podiam atravessar a praça rapidamente. Ele seguia a cavalo com três cavaleiros à frente e um punhado de servidores atrás, a comitiva avançando pela confusão como uma relha de arado, afastando a multidão para os lados pela força do impulso e por sua indiferença pela segurança das pessoas em seu caminho.

Subiram pela colina até o castelo do representante do rei. Pararam no pátio com um floreio e desmontaram. Os servidores começaram a clamar por cavalariços e carregadores. Ralph gostava que as pessoas soubessem que ele havia chegado.

Ele estava tenso. O filho de seu velho inimigo se achava na iminência de ser julgado por assassinato. Muito em breve poderia desferir a mais doce vingança possível, embora uma parte dele ainda temesse que isso pudesse não acontecer. Seu nervosismo era tão intenso que estava um pouco envergonhado: não podia permitir que seus cavaleiros desconfiassem de quanto aquilo era importante para ele. Tomava o cuidado de ocultar, até mesmo de Alan Fernhill, como estava ansioso pelo enforcamento de Sam. Temia que alguma coisa saísse errada no último instante. Ninguém sabia melhor do que Ralph como as engrenagens da justiça podiam falhar. Afinal, ele próprio escapara da forca duas vezes.

Sentaria na plataforma do juiz durante o julgamento, como era seu direito, e faria o melhor possível para evitar que houvesse qualquer descontentamento.

Entregou as rédeas a um cavalariço e olhou ao redor. O castelo não era uma fortificação. Era mais como uma taverna com um pátio, embora fosse bem protegido e a construção, reforçada. O representante do rei de Shiring podia viver ali a salvo dos parentes vingativos das pessoas que prendia. Havia masmorras onde os prisioneiros eram mantidos, assim como aposentos para hóspedes, onde os juízes visitantes não podiam ser incomodados.

Ralph foi levado a seus aposentos por Bernard, o representante do rei no condado, responsável por receber tributos e aplicar a justiça. O posto era lucrativo, o salário muito bem complementado por presentes, subornos e porcentagens das multas e de fianças confiscadas por conta da fuga dos acusados.

A relação entre o conde e o representante do rei podia ser hostil: o conde ocupava uma posição mais elevada, mas o poder judiciário do representante do rei era independente. Bernard, um rico mercador de lã mais ou menos da idade de Ralph, o tratava com um misto constrangido de camaradagem e deferência.

Philippa esperava por Ralph nos aposentos reservados para a família. Os cabelos grisalhos compridos estavam presos por um chapéu refinado. Vestia um casaco luxuoso, em tonalidades de cinza e castanho. A atitude altiva fazia dela outrora uma beldade orgulhosa, mas agora ela apenas parecia uma velha rabugenta. Poderia se passar por mãe de Ralph.

Ele cumprimentou os filhos, Gerry e Roley. Não sabia como lidar com crianças e nunca tivera muita convivência com eles: quando pequenos, eram cuidados por mulheres, como não podia deixar de ser; e agora estudavam na escola dos monges. Ele os tratava de certa forma como se fossem escudeiros a seu serviço, dando ordens num momento, mas no instante seguinte conversando e brincando na maior cordialidade. Seria mais fácil se relacionar com os filhos quando eles ficassem mais velhos. Seja como for, não parecia ter importância: eles o consideravam um herói, independentemente do que fizesse.

– Amanhã vocês se sentarão na plataforma do juiz no tribunal – disse ele. – Quero que vejam como se faz justiça.

Gerry, o mais velho, perguntou:

– Podemos dar uma olhada no mercado esta tarde?

– Claro... Levem Dickie com vocês – respondeu Ralph, referindo-se a um dos servidores de Earlscastle. – E levem também algum dinheiro para gastar.

Ele entregou a cada filho um punhado de moedas de prata. Os meninos saíram. Ralph se sentou no quarto, longe de Philippa. Nunca a tocava e sempre tentava se manter a distância para que não acontecesse um contato por acidente. Tinha certeza de que ela se vestia e se comportava como uma velha para ter certeza de que o marido não se sentisse atraído. Além disso, Philippa ia à igreja todos os dias.

Era um estranho relacionamento para duas pessoas que haviam outrora concebido um filho juntas, mas mantinham aquele afastamento há anos e isso nunca mudaria. Pelo menos isso o deixava livre para acariciar as criadas e ir para a cama com prostitutas de tavernas.

Mas precisavam conversar sobre os meninos. Philippa sempre tinha opiniões firmes. Ao longo dos anos, Ralph compreendera que era mais fácil discutir as coisas com ela antes em vez de tomar decisões unilaterais e depois se envolver numa briga quando ela discordava. Ralph declarou:

– Gerry já tem idade suficiente para ser um escudeiro.

– Concordo – disse Philippa.

– Ótimo! – disse Ralph, surpreso, pois esperava uma discussão.

– Já falei com David Monmouth sobre ele – acrescentou Philippa.

Isso explicava a disposição dela. Philippa já se encontrava um passo à frente.

– Entendo – disse Ralph, procurando ganhar tempo.

– David concorda e sugere que o mandemos para lá assim que completar 14 anos.

Gerry só tinha 13. Philippa estava na verdade adiando a partida de Gerry por quase um ano. Mas isso não era a maior preocupação de Ralph. David, conde de Monmouth, era casado com a filha de Philippa, Odila.

– O objetivo de ser um escudeiro é transformar um menino num homem – disse Ralph. – Mas Gerry se dá muito bem com David. E a irmã gosta dele... provavelmente vai protegê-lo. Ele pode se tornar mole demais. – Depois de pensar por um momento, Ralph acrescentou: – Imagino que é por isso que você quer que ele vá para lá.

Philippa não negou, mas argumentou:

– Pensei que você ficaria contente em reforçar sua aliança com o conde de Monmouth.

Ela tinha razão nesse ponto. David era o principal aliado de Ralph na nobreza. Mandar Gerry para a corte de Monmouth criaria outro vínculo entre os dois condes. David podia ficar afeiçoado ao menino. E, futuramente, talvez os filhos de David se tornassem escudeiros em Earlscastle. Essas ligações familiares tinham um valor inestimável.

– Você pode garantir que o menino não será mimado lá? – perguntou Ralph.

– Claro.

– Então está bem.

– Obrigada. Fico contente que esse assunto esteja resolvido.

Philippa se levantou. Mas Ralph ainda não acabara:

– O que faremos com Roley? Ele poderia ir também, assim os dois continuariam juntos.

Philippa não gostou nem um pouco da ideia, percebeu Ralph, mas era esperta demais para contestá-lo expressamente.

– Roley é um pouco jovem – comentou ela, como se pensasse a respeito. – E ainda não aprendeu direito as letras.

– As letras não são tão importantes para um nobre quanto aprender a lutar. Afinal, ele é o segundo na linha de sucessão do condado. Se alguma coisa acontecesse com Gerry...

– Que Deus nos livre!

– Amém.

– Mesmo assim, acho que ele deve esperar até completar 14 anos.

– Tenho minhas dúvidas. Roley sempre teve algo de afeminado. Às vezes ele me lembra meu irmão Merthin.

Ralph viu um lampejo de medo nos olhos de Philippa. A mulher tinha receio de deixar seu bebê ir embora, imaginou ele. Sentiu-se tentado a insistir, só para atormentá-la. Mas 10 anos era mesmo muito cedo.

– Veremos – disse ele, evitando um compromisso. – Mas ele terá de ser endurecido, mais cedo ou mais tarde.

– Cada coisa a seu tempo – disse Philippa.

⁓

O juiz, sir Lewis Abingdon, não era da região, mas sim um advogado de Londres, do tribunal do rei, que viajava pelo condado julgando os casos mais graves nos tribunais. Era corpulento, com um rosto rosado e uma barba loura. Era também dez anos mais jovem que Ralph.

Ralph disse a si mesmo que não deveria ficar surpreso. Tinha agora 44 anos. Metade de sua geração fora exterminada pela peste. Não obstante, ele continuava a se espantar com os homens eminentes e poderosos que eram mais jovens do que ele.

Ficaram esperando, junto com Gerry e Roley, numa sala lateral na Courthouse Inn, a estalagem em que eram realizadas as sessões do tribunal e o júri se reunia e para onde eram levados os prisioneiros do castelo. Sir Lewis estivera em Crécy como um jovem escudeiro, embora Ralph não se lembrasse. Tratou Ralph com cortesia circunspecta.

Ralph tentou sutilmente sondar o juiz para descobrir até que ponto ele era rigoroso.

– Já descobrimos que é muito difícil impor o cumprimento do Regulamento dos Trabalhadores – comentou ele. – Quando os camponeses veem uma maneira de ganhar mais dinheiro, perdem todo o respeito pela lei.

– Para cada fugitivo que trabalha por um salário ilegal, há um empregador que lhe paga – disse o juiz.

– Exato. As freiras do priorado de Kingsbridge nunca obedeceram ao regulamento.

– É difícil processar freiras.

– Não sei por quê.

Sir Lewis mudou de assunto:

– Você tem algum interesse especial nos julgamentos desta manhã?

O juiz já devia ter sido informado de que era excepcional o fato de Ralph exercer seu direito de sentar ao lado do juiz.

– O assassino é um servo meu – admitiu Ralph. – Mas o principal motivo é mostrar a esses meninos como a justiça funciona. Um deles será o conde quando eu morrer. E eles podem também assistir ao enforcamento amanhã. Quanto mais cedo se acostumarem a ver homens morrerem, melhor.

Lewis acenou com a cabeça em concordância.

– Os filhos da nobreza não podem se dar ao luxo de ter coração mole.

Eles ouviram o meirinho do tribunal bater o martelo. O burburinho na sala ao lado cessou. A ansiedade de Ralph não se atenuara: a conversa com sir Lewis não lhe revelara muita coisa. Talvez isso fosse revelador por si mesmo: podia significar que ele não se deixava influenciar com facilidade.

O juiz abriu a porta e ficou de lado para que o conde passasse primeiro.

Na extremidade próxima da sala havia duas enormes cadeiras de madeira em cima de uma plataforma, com um banco baixo ao lado. Um murmúrio de interesse se elevou da multidão quando Gerry e Roley sentaram no banco. As pessoas sempre ficavam fascinadas ao verem as crianças que cresceriam para se tornar seus suseranos. Mais do que isso, porém, pensou Ralph, era a expressão de inocência nos dois pré-adolescentes, o que parecia deslocado num tribunal em que se tratava de violência, roubo e desonestidade. Pareciam cordeiros num chiqueiro.

Ralph sentou em uma das duas cadeiras e pensou no dia, 22 anos antes, em que entrara naquele mesmo tribunal como criminoso, acusado de estupro – uma acusação absurda lançada contra um lorde quando a suposta vítima era uma de suas servas. Philippa se encontrava por trás daquele julgamento inadmissível. E ele a fizera sofrer por isso.

Naquela ocasião, Ralph lutara para escapar da sala assim que o júri o declarara culpado. Mais tarde fora perdoado, ao ingressar no exército do rei para ir lutar na

França. Mas Sam não escaparia, pois não tinha arma e estava com os tornozelos acorrentados. E as guerras francesas pareciam ter cessado por completo, o que significava que não haveria mais um perdão real para os condenados.

Ralph estudou Sam enquanto a acusação era lida. Ele tinha o corpo de Wulfric, não o de Gwenda: era alto, de ombros largos. Poderia se tornar um homem de armas muito útil se houvesse tido um nascimento melhor. Não parecia com Wulfric embora suas feições levassem Ralph a se lembrar de alguma coisa que ele não sabia determinar. Como tantos acusados, exibia uma expressão de desafio superficial se sobrepondo ao medo. Era assim que eu me sentia, pensou Ralph.

Nathan Reeve foi a primeira testemunha. Era o pai do morto, mas, o que era ainda mais importante, declarou que Sam era um servo do conde Ralph e não recebera permissão para ir para Oldchurch. Disse que mandara o filho Jonno seguir Gwenda na esperança de localizar o fugitivo. Nate não era um homem simpático, mas seu sofrimento era genuíno. Ralph ficou satisfeito: foi um depoimento condenador.

A mãe de Sam estava parada a seu lado, o alto da cabeça no nível do ombro do filho. Gwenda não era bonita: os olhos escuros eram muito próximos, por cima do nariz adunco; a testa e o queixo recuados, o que lhe proporcionava a aparência de um roedor determinado. Mas tinha um intenso magnetismo sexual até mesmo na meia-idade. Mais de vinte anos haviam se passado desde que Ralph copulara com ela, mas ele ainda se recordava como se tivesse sido no dia anterior. Acontecera num quarto na Bell, em Kingsbridge, e ele a fizera ajoelhar-se na cama. Podia imaginá-la agora, e a lembrança de seu corpo compacto o deixou excitado. Recordou que tinha pelos escuros.

Subitamente, ela o encarou. Sustentou o olhar de Ralph e parecia sentir o que ele estava pensando. Naquela cama, Gwenda se mostrara indiferente e imóvel no começo, aceitando suas arremetidas passivamente porque ele a coagira; mas no final alguma coisa estranha acontecera com ela, que passara a se movimentar no mesmo ritmo, quase contra a sua vontade. Gwenda devia ter lembrado a mesma coisa, pois uma expressão de vergonha aflorou ao seu rosto feio e ela se apressou a desviar os olhos.

A seu lado havia outro jovem, presumivelmente o segundo filho. Era mais parecido com ela, pequeno e forte, e o fitava com um olhar astuto. Sustentou o olhar de Ralph com intensa concentração como se estivesse curioso sobre o que se passava na mente de um conde e achasse que poderia encontrar a resposta no rosto dele.

Mas Ralph estava mais interessado no pai. Odiara Wulfric desde a briga na

Feira do Velocino de 1337. Ele tocou o nariz quebrado, num reflexo. Vários outros homens o haviam ferido em anos posteriores, mas nenhum deixara um golpe tão grande em seu orgulho. Porém a vingança de Ralph contra Wulfric fora terrível. Privei-o de seu direito hereditário durante uma década, pensou Ralph. Levei sua esposa para a cama. Deixei essa cicatriz em seu rosto quando ele tentou me impedir de deixar este mesmo tribunal. Arrastei-o de volta para casa com uma corda no pescoço quando tentou fugir. E agora enforcarei seu filho.

Wulfric se tornara mais corpulento, mas ainda tinha um porte impressionante. A barba grisalha não crescia em cima da longa cicatriz que Ralph fizera com a espada. O rosto estava agora enrugado e curtido pelo tempo. Enquanto Gwenda parecia furiosa, Wulfric demonstrava desespero. À medida que os camponeses de Oldchurch testemunhavam que Sam matara Jonno com uma pá de carvalho, os olhos de Gwenda faiscavam em desafio, enquanto a testa larga de Wulfric se contraía em angústia.

O primeiro jurado perguntou se Sam sentira medo por sua vida.

Ralph ficou irritado, pois a pergunta insinuava uma desculpa para o assassino. Um camponês magro, de um olho só, respondeu:

– Ele não estava com medo do bailio. Mas ficou apavorado com a mãe.

A audiência riu um pouco. O primeiro jurado perguntou se Jonno provocara o ataque, outra pergunta que irritou Ralph, por indicar alguma simpatia por Sam.

– Se provocou? – disse o homem de um olho só. – Só bateu na cara dele com uma corrente de ferro, se chama isso de provocação.

Houve gargalhadas estrondosas. Wulfric parecia aturdido. Como as pessoas podem achar engraçado, dizia sua expressão, quando a vida de meu filho está em jogo?

Ralph ficava mais e mais preocupado. O primeiro jurado parecia indeciso. Sam foi chamado para depor. Ralph notou que o jovem parecia mais com Wulfric quando falava. Havia uma inclinação da cabeça e um gesto com a mão que eram típicos de Wulfric. Sam relatou como propusera se encontrar com Jonno na manhã seguinte. A reação de Jonno fora tentar prender um grilhão em sua perna.

Ralph falou para o juiz, em voz baixa, contendo sua indignação:

– Nada disso faz a menor diferença. Se ele estava com medo, se foi provocado, se propôs um encontro no dia seguinte. – Sir Lewis não disse nada. Ralph acrescentou: – O fato puro e simples é que ele era um fugitivo e matou o homem que foi buscá-lo.

– Ele fez mesmo isso – disse sir Lewis, prudente, proporcionando uma satisfação a Ralph.

Ralph olhou para os espectadores enquanto o júri interrogava Sam. Merthin estava na audiência, junto com a esposa. Antes de se tornar freira, Caris gostava de se vestir com elegância, e, depois de renunciar aos votos, voltara a fazê-lo. Usava hoje um vestido feito de dois tecidos contrastantes, um azul e outro verde; um casaco de Escarlate de Kingsbridge com remate de pelo; e um chapeuzinho redondo. Ralph recordou que Caris era amiga de infância de Gwenda, que também se achava presente no dia em que todos viram Thomas Langley matar dois homens de armas na floresta. Merthin e Caris estariam torcendo, pelo bem de Gwenda, para que Sam recebesse um tratamento misericordioso. Isso não vai acontecer se eu puder evitar, pensou Ralph.

A sucessora de Caris como prioresa, madre Joan, estava no tribunal, presumivelmente porque o convento possuía o vale de Outhenby, portanto era o empregador ilegal de Sam. Joan deveria estar sendo julgada junto com o acusado, pensou Ralph, mas, quando a fitou, ela lhe lançou um olhar acusador, como se achasse que o assassinato era mais culpa dele do que dela.

O prior de Kingsbridge não viera. Sam era sobrinho do prior, mas Philemon não queria atrair atenção para o fato de que era tio de um assassino. Philemon tivera outrora uma afeição protetora pela irmã mais jovem, recordou Ralph, mas talvez o sentimento tivesse se desvanecido com o passar dos anos.

O avô de Sam, o infame Joby, estava presente, um velho de cabeça branca agora, encurvado e desdentado. Por que ele se encontrava ali? Há muitos anos que estava brigado com Gwenda e não era provável que sentisse muita afeição pelo neto. Devia ter vindo para roubar moedas das bolsas das pessoas enquanto se mantinham absortas no julgamento.

Sam concluiu seu depoimento e se levantou. Sir Lewis fez um resumo do caso que deixou Ralph satisfeito:

– Sam Wigleigh era um fugitivo? – indagou ele. – Jonno Reeve tinha o direito de prendê-lo? E Sam matou Jonno com sua pá? Se a resposta para todas as três perguntas for sim, então Sam é culpado de assassinato.

Ralph ficou surpreso e aliviado. Não houve qualquer referência à bobagem de Sam ter sido provocado. O juiz merecia toda a confiança, no final das contas.

– Qual é o veredicto? – perguntou sir Lewis.

Ralph olhou para Wulfric. O homem estava arrasado. É isso que acontece com aqueles que me desafiam, pensou Ralph, e desejou poder dizê-lo em voz alta.

Wulfric o fitou nos olhos. Ralph sustentou o olhar, tentando ler o que havia na mente de Wulfric. Qual seria a emoção? Ralph percebeu que havia medo. Wulfric nunca demonstrara medo de Ralph antes, mas agora ele desmoronava.

O filho ia morrer e isso o enfraquecia de maneira irremediável. Ralph experimentou uma profunda satisfação enquanto contemplava os olhos apavorados de Wulfric. Finalmente consegui esmagá-lo, pensou, depois de 24 anos. Finalmente você está apavorado.

O júri conferenciou. O primeiro jurado parecia estar discutindo com os outros. Ralph os observou, impaciente. Não podiam ter a menor dúvida depois do que dissera o juiz, não é mesmo? Mas nunca podia haver certeza com júris. Seria possível que tudo saísse errado a essa altura?, pensou Ralph.

Os jurados pareceram ter chegado a uma conclusão, embora Ralph não pudesse adivinhar qual prevalecera. O primeiro jurado se levantou e declarou:

– Consideramos Sam Wigleigh culpado de assassinato.

Ralph manteve os olhos fixos em seu antigo inimigo. Wulfric dava a impressão de que fora apunhalado. Empalideceu e fechou os olhos, como se sentisse uma dor intensa. Ralph tentou não sorrir em triunfo.

Sir Lewis se virou para Ralph, que desviou os olhos de Wulfric.

– Quais são seus pensamentos em relação à sentença? – perguntou o juiz.

– Pelo que posso ver, só há uma opção.

Sir Lewis acenou com a cabeça.

– Os jurados não fizeram nenhuma recomendação de misericórdia.

– Não querem que um fugitivo fique impune depois de assassinar seu bailio.

– A pena máxima?

– Claro!

O juiz olhou para a audiência. Ralph tornou a se concentrar em Wulfric. Todas as outras pessoas olhavam para sir Lewis. O juiz disse:

– Sam Wigleigh, você assassinou o filho de seu bailio, por isso é condenado à morte. Será enforcado na praça do mercado de Shiring amanhã, ao amanhecer, e que Deus tenha misericórdia de sua alma.

Wulfric cambaleou. O filho mais jovem pegou o braço do pai e o amparou; se não fosse por isso, ele teria caído no chão. Deixe-o cair, Ralph teve vontade de dizer, ele está acabado.

Ralph olhou para Gwenda. Ela segurava a mão de Sam, mas o fitava. Sua expressão o surpreendeu. Esperava dor, lágrimas, gritos, um ataque histérico. Mas ela o fitava com firmeza. Havia ódio em seus olhos, mas também algo mais: desafio. Ao contrário do marido, não parecia arrasada. Não acreditava que o caso estivesse encerrado.

Gwenda dava a impressão, pensou Ralph, de que ainda tinha um trunfo escondido na manga.

84

Caris estava em lágrimas quando Sam foi levado, mas Merthin não podia fingir que ficara abalado. Era uma tragédia para Gwenda e ele sentia muita pena de Wulfric. Mas não era tão ruim assim, para o resto do mundo, que Sam fosse enforcado. Jonno Reeve estava cumprindo a lei. Podia ser uma lei péssima, uma lei injusta, uma lei opressiva, mas isso não dava a Sam o direito de matá-lo. Afinal, Nate Reeve também perdera o filho e estava desesperado. O fato de que ninguém gostava de Nate não fazia a menor diferença.

Um ladrão foi levado a julgamento, e Merthin e Caris deixaram o tribunal. Foram para a taverna. Merthin pediu vinho e encheu o copo de Caris. Pouco depois, Gwenda se aproximou da mesa a que eles estavam sentados.

– É meio-dia agora – disse ela. – Temos dezoito horas para salvar Sam.

Merthin ficou surpreso.

– O que pretende fazer?

– Devemos persuadir Ralph a pedir que o rei o perdoe.

Isso parecia bastante improvável.

– Como poderia persuadi-lo a fazer isso?

– Eu não posso – respondeu Gwenda. – Mas você pode.

Merthin sentiu-se acuado. Não achava que Sam merecesse perdão. Por outro lado, era difícil recusar qualquer coisa a uma mãe suplicante.

– Interferi uma vez antes junto a meu irmão por você. Ainda se lembra?

– Claro. Pelo fato de Wulfric não herdar a terra do pai.

– Ele não atendeu a meu pedido, simplesmente.

– Sei disso. Mas você tem de tentar.

– Não tenho certeza se sou a pessoa mais indicada.

– A quem mais ele poderia escutar?

Ela estava com a razão. Merthin tinha pouca possibilidade, mas ninguém mais tinha qualquer uma. Caris percebeu que ele relutava e decidiu se manifestar em apoio a Gwenda:

– Por favor, Merthin. Pense como você se sentiria se fosse Lolla.

Merthin já ia dizer que garotas não se envolviam em brigas, mas depois compreendeu que isso era possível no caso de Lolla. E suspirou.

– Ainda acho que é uma iniciativa fadada ao fracasso. – Ele olhou para Caris. – Mas, por você, vou tentar.

– Por que não o procura agora? – indagou Gwenda.

– Porque Ralph ainda se encontra no tribunal.

– É quase hora do almoço. A sessão acabará daqui a pouco. E você poderia esperá-lo na sala particular.

Merthin não pôde deixar de admirar a determinação de Gwenda.

– Está bem.

Deixou a sala e deu a volta para os fundos da taverna. Havia um guarda na porta da sala particular do juiz.

– Sou o irmão do conde – disse Merthin. – O regedor Merthin, de Kingsbridge.

– Eu o conheço, regedor. Tenho certeza de que não haverá nenhum problema se esperar lá dentro.

Merthin entrou na pequena sala e sentou. Estava constrangido por ter de pedir um favor ao irmão. Os dois não eram ligados fazia décadas. Ralph há muito se transformara em alguma coisa que Merthin não reconhecia. Merthin não compreendia o homem que era capaz de estuprar Annet e assassinar Tilly. Parecia impossível que esse homem pudesse ter crescido do menino que Merthin outrora chamava de irmão. Desde que os pais haviam morrido, eles só se encontravam em ocasiões formais e, mesmo então, pouco conversavam. Era presunção de sua parte usar o relacionamento como justificativa para pedir um privilégio. Ele não faria isso por Gwenda. Mas não podia deixar de fazer por Caris.

Não precisou esperar muito tempo. Passados uns poucos minutos, o juiz e o conde entraram na sala. Merthin notou que a manqueira do irmão – resultado de um ferimento sofrido nas guerras francesas – se agravava à medida que ele envelhecia.

Sir Lewis reconheceu Merthin e apertou sua mão. Ralph fez o mesmo e comentou, irônico:

– Uma visita de meu irmão é um raro prazer.

Não era uma crítica injusta. Merthin reconheceu assentindo com a cabeça.

– Por outro lado – disse ele –, suponho que, se alguém tem o direito de suplicar misericórdia a você, sou eu.

– Que necessidade você tem de misericórdia? Matou alguém?

– Ainda não.

Sir Lewis riu.

– O que é então? – perguntou Ralph.

– Você e eu conhecemos Gwenda desde que éramos crianças.

Ralph anuiu com a cabeça.

– Acertei uma flecha no cachorro dela com aquele arco que você fez.

Merthin esquecera esse incidente. Fora um dos primeiros sinais do que Ralph se tornaria, pensou ele com uma percepção tardia.

– Talvez você deva misericórdia a ela por isso.

– Não acha que o filho de Nate Reeve vale mais do que isso?

– Não tive a intenção de sugerir o contrário. Apenas acho que você pode agora equilibrar a crueldade com a bondade.

– Equilibrar?

A raiva aflorou à voz de Ralph, e Merthin compreendeu que sua causa era perdida.

– Equilibrar?

Ele bateu no nariz quebrado.

– O que devo equilibrar contra isso?

Ralph apontou um dedo para o irmão, agressivo.

– Eu lhe direi por que não vou conceder perdão a Sam. Porque olhei para o rosto de Wulfric no tribunal hoje, enquanto seu filho era declarado culpado de assassinato, e sabe o que eu vi ali? Medo. Aquele camponês insolente está com medo de mim, finalmente. Foi domado.

– Ele significa tanto para você?

– Eu enforcaria seis homens para ver aquela expressão.

Merthin já ia desistir, mas pensou no sofrimento de Gwenda e decidiu tentar mais uma vez:

– Se conseguiu domá-lo, seu trabalho está realizado, não é mesmo? Então deixe o garoto partir. Peça o perdão real.

– Não. Quero manter Wulfric do jeito que ele está.

Merthin desejou não ter vindo. Pressionar Ralph só servia para atiçar o que havia de pior nele. Merthin estava consternado com a insistência do irmão na vingança e na maldade. Nunca mais queria falar com Ralph. Já passara por aquilo antes. Mas era sempre um choque ser lembrado de como Ralph realmente era.

– Eu tinha de tentar. Adeus.

Ralph se mostrou jovial.

– Venha almoçar no castelo. O representante do rei sempre serve uma boa mesa. Teremos uma conversa de verdade. Philippa veio comigo. Você gosta dela, não é?

Merthin não tinha a menor intenção de aceitar o convite.

– Tenho de falar com Caris primeiro.

Caris, ele sabia, teria preferido almoçar com Lúcifer.

– Se não for possível o almoço, talvez possamos nos encontrar mais tarde.

Merthin tratou de escapar. Voltou à taverna. Caris e Gwenda o fitaram em expectativa quando ele se aproximou. Merthin balançou a cabeça.

– Fiz o melhor que pude. Sinto muito.

～

Gwenda já esperava por isso. Estava desapontada, mas não surpresa. Achara que tinha de tentar primeiro através de Merthin. O outro recurso à sua disposição era muito mais drástico.

Agradeceu a Merthin de modo formal e deixou a taverna. Seguiu para o castelo na colina. Wulfric e Davey haviam ido para uma taverna no subúrbio, onde poderiam ter um farto almoço por um quarto de *penny*. A força e a honestidade do marido eram inúteis em negociações com Ralph e outros de sua laia.

Além do mais, Wulfric não podia descobrir como ela planejava persuadir Ralph.

Enquanto subia a encosta, ela ouviu cavalos por trás. Parou e se virou. Era ele mesmo, acompanhado por sua comitiva e pelo juiz. Gwenda ficou imóvel, olhando para o conde, cuidando para que ele a visse. Ralph compreenderia que ela queria lhe falar.

Entrou no pátio do castelo poucos minutos depois, mas o acesso à casa do representante do rei estava bloqueado. Ela foi para o pórtico do prédio principal e disse ao chefe da portaria:

– Meu nome é Gwenda de Wigleigh. Por favor, avise ao conde Ralph que preciso lhe falar em particular.

– Olhe em volta. Todas essas pessoas precisam falar com o conde, o juiz ou o representante do rei.

Havia vinte ou trinta pessoas ali, algumas segurando rolos de pergaminho. Gwenda estava disposta a correr um risco terrível para salvar o filho da forca, mas não teria essa oportunidade se não conseguisse falar com Ralph antes do amanhecer.

– Quanto? – perguntou ao chefe da portaria. Ele a fitou com um pouco menos de desrespeito.

– Não posso prometer que o conde a receberá.

– Pode dizer meu nome.

– 2 xelins. 24 *pence* de prata.

Era muito dinheiro, mas Gwenda trouxera todas as suas economias na bolsa. No entanto, achava que ainda não chegara o momento de entregar o dinheiro.

– Qual é o meu nome? – indagou.

– Não sei.

– Acabei de lhe dizer. Como pode dizer meu nome a Ralph se não é capaz de lembrá-lo?

Ele deu de ombros.

– Diga de novo.

– Gwenda de Wigleigh.

– Está bem. Direi ao conde.

Gwenda enfiou a mão na bolsa, tirou um punhado de pequenas moedas de prata e contou 24. Era o equivalente a quatro semanas do salário de um trabalhador. Ela pensou no trabalho extenuante que tivera de fazer para ganhar aquele dinheiro. Agora, aquele porteiro indolente e arrogante ficaria com o dinheiro sem fazer quase nada.

O homem estendeu a mão.

– Qual é o meu nome? – indagou ela.

– Gwenda.

– Gwenda de onde?

– De Wigleigh. – Uma pausa. – Não foi de lá que veio o assassino condenado esta manhã?

Ela entregou o dinheiro e disse, com o máximo de veemência possível:

– O conde vai querer falar comigo.

O chefe da portaria embolsou as moedas.

Gwenda se retirou para o pátio, sem saber se havia desperdiçado o dinheiro. Um momento depois, avistou uma figura familiar, uma cabeça pequena sobre ombros largos: Alan Fernhill. Era um golpe de sorte. Ele vinha dos estábulos e seguia para a entrada. Os outros suplicantes não o reconheceram. Gwenda se adiantou para interceptá-lo.

– Olá, Alan.

– É sir Alan agora.

– Meus parabéns. Pode dizer a Ralph que quero vê-lo?

– Não preciso perguntar qual é o assunto.

– Diga que quero conversar em particular.

Alan ergueu uma sobrancelha.

– Sem ofensa. Era uma garota na última vez. Agora está vinte anos mais velha.

– Não acha que talvez seja melhor deixar que ele decida?

– Claro. – Alan sorriu, insultuoso. – Sei que ele se lembra daquela tarde na Bell.

Alan estava presente na ocasião. Observara Gwenda tirar a roupa e contemplara seu corpo nu. Ele a vira se encaminhar para a cama e se ajoelhar ali, virada para o outro lado. Rira quando Ralph comentara que ela tinha uma aparência melhor quando vista por trás. Gwenda ocultou agora sua repulsa e vergonha.

– Eu esperava mesmo que Ralph lembrasse – disse ela, num tom tão neutro quanto possível.

Os outros compreenderam que Alan devia ser alguém importante. Começaram a cercá-lo, falando ao mesmo tempo, suplicando. Ele os empurrou e entrou.

Gwenda se acomodou para esperar.

Depois de uma hora, ficou evidente que Ralph não a receberia antes do almoço. Ela encontrou um lugar não muito enlameado. Sentou no chão, encostada num muro de pedra, sem desviar os olhos da entrada do salão por um instante sequer.

Uma segunda hora se passou, depois uma terceira. Os almoços dos nobres muitas vezes se prolongavam pela tarde inteira. Gwenda não entendia como conseguiam comer e beber durante tanto tempo. Por que não estouravam?

Ela não comera nada o dia inteiro, mas estava tensa demais para sentir fome.

Era um dia cinzento de abril e o céu começou a escurecer cedo. Gwenda tremia no chão frio, mas continuou onde estava. Aquela era sua única chance.

Criados saíram e acenderam tochas em torno do pátio. Algumas janelas se iluminaram. A noite caiu e Gwenda compreendeu que faltavam apenas doze horas para o amanhecer. Pensou em Sam, sentado no chão de uma das celas subterrâneas do castelo, e pensou se ele sentia frio. Fez esforço para conter as lágrimas.

Ainda não acabara, disse a si mesma; mas sua coragem começava a enfraquecer.

Um vulto alto bloqueou a claridade da tocha mais próxima. Ela ergueu os olhos para deparar com Alan. Seu coração disparou.

– Venha comigo – disse ele.

Gwenda se levantou de um pulo e seguiu para a entrada principal.

– Não por aí.

Ela o fitou, inquisitiva.

– Não disse que queria um encontro particular? Ele não vai recebê-la nos aposentos que partilha com a condessa. Pode me seguir.

Gwenda o seguiu por uma pequena porta perto do estábulo. Passaram por vários cômodos e subiram uma escada. Alan abriu uma porta para um quarto estreito. Ela entrou. Alan ficou do lado de fora, deixando-a lá dentro.

Era um quarto baixo, quase todo ocupado por uma cama de dossel. Ralph estava junto da janela, de roupas de baixo. As botas e roupas externas estavam no chão. Tinha o rosto corado de muita bebida, mas a voz continuava clara e firme:

– Tire o vestido – disse ele com um sorriso de expectativa.

– Não.

Ele ficou surpreso.

– Não vou tirar a roupa – acrescentou Gwenda.

– Por que Alan me disse que você queria se encontrar comigo em particular?

– Para que pensasse que eu estava disposta a fazer sexo com você.

– Mas se não é isso... por que está aqui?

– Para suplicar que peça um perdão ao rei.

– Mas não está se oferecendo a mim?

– Por que eu faria isso? Já fiz uma vez antes e você quebrou sua palavra. Repudiou o acordo. Entreguei meu corpo, mas você não devolveu as terras de meu marido. – Gwenda permitiu que o desprezo ficasse evidente em sua voz. – Você faria a mesma coisa de novo. Sua honra não vale nada. Você me faz lembrar de meu pai.

Ralph ficou vermelho. Era um insulto dizer a um conde que ele não merecia confiança, e ainda mais ofensivo compará-lo a um trabalhador sem terras que capturava esquilos em armadilhas na floresta. Furioso, perguntou:

– Imagina que essa é a maneira de me persuadir?

– Não. Mas você vai obter o perdão.

– Por quê?

– Porque Sam é seu filho.

Ralph ficou aturdido por um momento.

– Essa, não! – exclamou ele, desdenhoso. – Como se eu fosse acreditar!

– Ele é seu filho – reiterou Gwenda.

– Não pode provar isso.

– Não, não posso. Mas sabe que fui para a cama com você na Bell em Kingsbridge nove meses antes de Sam nascer. É verdade que também me deitei com Wulfric. Então qual dos dois é o pai? Olhe para o garoto. Ele tem alguns trejeitos de Wulfric, admito. Adquiriu em 22 anos de convivência. Mas repare em suas feições.

Ela percebeu que uma expressão pensativa se estampara no rosto de Ralph e compreendeu que alguma coisa atingira o alvo.

– Acima de tudo, pense no caráter de Sam – continuou Gwenda, mais premente. – Ouviu os depoimentos no tribunal. Sam não se limitou a vencer Jonno na briga, como Wulfric teria feito. Não o derrubou e depois o ajudou a se levantar, como seria o jeito de Wulfric. Meu marido é forte e rápido na raiva, mas tem o coração mole. Sam é diferente. Sam acertou Jonno com uma pá, um golpe que teria deixado qualquer homem sem sentidos. Depois, antes que Jonno caísse, Sam tornou a acertá-lo com mais força ainda, embora ele já estivesse impotente, e, antes que o corpo inerte de Jonno alcançasse o chão, Sam o golpeou pela terceira vez. Se os camponeses de Oldchurch não o segurassem, Sam teria continuado a bater com aquela pá ensanguentada até esmigalhar a cabeça do outro. Ele queria matar!

Gwenda percebeu que estava chorando e limpou as lágrimas com a manga. Ralph a fitava com uma expressão horrorizada.

– De onde vem esse instinto assassino, Ralph? Olhe dentro do seu negro coração. Sam é seu filho. E, que Deus me perdoe, meu também.

∿

Depois que Gwenda foi embora, Ralph sentou na cama do pequeno quarto e ficou olhando para a chama da vela. Seria possível? Gwenda mentiria se fosse de sua conveniência, é claro, não havia por que confiar nela. Mas Sam podia ser filho de Ralph tanto quanto de Wulfric? Ambos haviam se deitado com Gwenda na ocasião crucial. Talvez nunca se pudesse saber a verdade com certeza.

Mas até mesmo a possibilidade de Sam ser seu filho já era suficiente para encher de pavor o coração de Ralph. Estaria prestes a enforcar o próprio filho? A terrível punição que imaginara para Wulfric poderia ser infligida a ele mesmo.

Já era noite. O enforcamento ocorreria ao amanhecer. Ralph não tinha muito tempo para decidir. Pegou a vela e deixou o quarto. Tencionava satisfazer um desejo carnal ali. Em vez disso, recebera o maior choque de sua vida.

Saiu e atravessou o pátio até a entrada das masmorras. No andar térreo do prédio ficavam as salas dos assistentes do representante do rei. Ele entrou e disse para o homem de serviço ali:

– Quero ver o assassino, Sam Wigleigh.

– Está bem, milorde. Mostrarei o caminho.

Ele levou Ralph para a sala ao lado carregando um lampião. Havia uma grade no chão, de onde saía mau cheiro. Ralph olhou pela grade. A cela tinha cerca de 3 metros de profundidade, com paredes de pedra e chão de terra. Não havia móveis: Sam estava sentado no chão, encostado na parede. A seu lado havia um jarro de madeira, que devia conter água. Um pequeno buraco no chão parecia ser a latrina. Sam ergueu os olhos, mas logo tornou a baixá-los, indiferente.

– Abra – ordenou Ralph.

O carcereiro destrancou a grade com uma chave. Ela se abria girando sobre uma dobradiça.

– Quero descer.

O carcereiro ficou surpreso, mas não podia discutir com um conde. Pegou uma escada encostada na parede e a desceu para a cela.

– Tome cuidado, por favor, milorde – disse o homem, nervoso. – Lembre-se de que o vilão não tem nada a perder.

Ralph desceu, com a vela na mão. O cheiro era repulsivo, mas ele não se importava. Chegou ao fim da escada e se virou. Sam o fitava, ressentido.

– O que você quer?

Ralph o estudou atentamente. Agachou-se e aproximou a vela do rosto de Sam. Examinou as feições, tentando compará-las com o rosto que via quando se postava na frente de um espelho.

– O que foi? – indagou Sam, surpreso com o olhar intenso do conde.

Ralph não respondeu. Sam seria mesmo seu filho? Podia ser, pensou. Era bem possível. Sam era um garoto de boa aparência e Ralph era considerado bonito na juventude, antes de ter o nariz quebrado. No tribunal, Ralph pensara que o rosto de Sam o lembrava de alguém que não podia determinar. Agora, na cela, ele se concentrou, vasculhando a memória, tentando pensar. Aquele nariz reto, o olhar intenso, os cabelos abundantes que as moças deviam invejar...

E, de repente, ele se lembrou.

Sam parecia com a mãe de Ralph, a falecida lady Maud.

– Oh, Deus! – A voz saiu num sussurro.

– O que foi? – indagou Sam, a voz traindo o medo. – O que aconteceu?

Ralph tinha de dizer alguma coisa.

– Sua mãe... – A voz sumiu. Sentia a garganta apertada de emoção, o que tornava difícil a passagem das palavras. Tentou de novo: – Sua mãe suplicou por você com muita eloquência...

Sam o fitou, cauteloso, e não disse nada. Achava que Ralph viera para zombar dele.

– Diga-me uma coisa. Por que você bateu em Jonno com aquela pá? Pretendia matá-lo? Pode ser franco comigo, pois não tem mais nada a perder.

– Claro que eu queria matá-lo. Ele estava tentando me levar prisioneiro.

Ralph assentiu com a cabeça.

– Eu agiria da mesma forma. – Fez uma pausa, olhando para Sam, e repetiu: – Eu agiria da mesma forma.

Ralph se ergueu, virou-se para a escada, hesitou, voltou e pôs a vela no chão, ao lado de Sam. Depois, subiu a escada. O carcereiro ajeitou a grade no lugar e a trancou.

– Não haverá enforcamento – disse Ralph. – O prisioneiro será perdoado. Vou falar com o representante do rei agora mesmo.

Quando ele saía da sala, o carcereiro espirrou.

85

Quando Merthin e Caris chegaram a Kingsbridge, voltando de Shiring, descobriram que Lolla havia desaparecido.

Os antigos criados domésticos, Arn e Em, esperavam no portão do jardim. Davam a impressão de que haviam passado o dia inteiro ali. Em começou a falar, mas irrompeu em soluços incoerentes. Arn teve de dar a notícia.

– Não conseguimos encontrar Lolla – disse, transtornado. – Não sabemos onde ela está.

A princípio, Merthin não entendeu.

– Ela estará em casa na hora do jantar, Em. Não se preocupe.

– Mas ela não veio para casa ontem à noite nem na noite anterior – explicou Arn.

Merthin então compreendeu que eles estavam dizendo. Lolla fugira de casa. Uma rajada de medo, como vento gelado, deixou Merthin com a pele arrepiada e o coração apertado. Ela só tinha 16 anos. Por um momento, Merthin não foi capaz de raciocinar. Apenas via sua imagem, a meio caminho entre a infância e a vida adulta, com os intensos olhos castanho-escuros, a boca sensual da mãe e um ar exultante de falsa confiança.

Quando a razão voltou, ele se perguntou o que saíra errado. Vinha deixando Lolla aos cuidados de Arn e Em, sempre por uns poucos dias, desde que tinha 5 anos. Nunca houvera qualquer problema. Alguma coisa mudara?

Merthin compreendeu que mal falara com ela desde o Domingo de Páscoa, duas semanas antes, quando a agarrara pelo braço e a afastara de seus amigos mal-afamados da frente da taverna White Horse. Lolla ficara em seu quarto, contrariada, enquanto a família almoçava; não saíra nem mesmo quando Sam fora preso. Ainda continuava irritada poucos dias mais tarde quando Merthin e Caris lhe deram um beijo de despedida e partiram para Shiring.

Ele sentiu uma pontada de culpa. Tratara-a com muito rigor e a afastara. O fantasma de Silvia observava e o desprezava por seu fracasso em tomar conta da filha?

O pensamento dos amigos mal-afamados de Lolla aflorou.

– Tenho certeza de que Jake Riley está por trás disso. Tem falado com ele, Arn?

– Não, amo.

– É melhor eu procurá-lo imediatamente. Sabe onde ele mora?

– Ao lado do peixeiro, atrás da igreja de Saint Paul.

– Irei com você – disse Caris.

Os dois atravessaram a ponte de volta à cidade e seguiram para oeste. A paróquia de Saint Paul abrangia instalações industriais à beira do rio: matadouros, curtumes, serrarias, manufaturas diversas e os tintureiros que haviam brotado como cogumelos em setembro, desde a invenção do Escarlate de Kingsbridge. Merthin se dirigiu para a torre de Saint Paul, visível acima dos telhados das casas. Descobriu a peixaria pelo cheiro e bateu à porta da casa grande e dilapidada ao lado.

Foi aberta por Sal Sawyers, a viúva pobre de um carpinteiro que morrera da peste.

– Jake vem e vai, regedor – disse ela. – Não o vejo há uma semana. Ele pode fazer o que bem quiser, desde que pague o aluguel.

– Quando ele partiu, Lolla foi com ele? – perguntou Caris.

Sal lançou um olhar rápido e cauteloso para Merthin.

– Não gosto de criticar.

– Por favor, conte tudo o que sabe – pediu Merthin. – Não ficarei ofendido.

– Lolla quase sempre está com ele. Faz qualquer coisa que Jake quer. Não direi mais do que isso. Se procurá-lo, vai encontrar sua filha.

– Sabe para onde ele pode ter ido?

– Jake nunca diz nada.

– Pode pensar em alguém que talvez saiba?

– Ele nunca trouxe os amigos para casa, com exceção de Lolla. Mas creio que seus amigos podem ser encontrados na White Horse.

Merthin assentiu com a cabeça.

– Iremos até lá. Obrigado, Sal.

– Ela vai ficar bem – comentou Sal. – Só está passando por uma fase difícil.

– Espero que tenha razão.

Merthin e Caris foram até a White Horse, à margem do rio, perto da ponte. Merthin recordou a orgia que testemunhara ali, no auge da peste, quando o agonizante Davey Whitehorse servira de graça toda a sua cerveja. A taverna permanecera vazia por vários anos depois, mas agora tinha de novo grande movimento. Merthin não entendia por que era tão popular. Os quartos eram apertados e sujos, havia brigas frequentes. Pelo menos uma vez por ano alguém era assassinado ali.

Entraram na sala enfumaçada. Era o meio da tarde, mas havia uma dúzia ou mais de fregueses embriagados sentados nos bancos. Um pequeno grupo estava em torno de um tabuleiro de gamão. Diversas pilhas de moedas de prata indicavam que se apostava no resultado. Uma prostituta de faces vermelhas chamada Joy ergueu os olhos para os recém-chegados, esperançosa, mas depois viu quem eram e recaiu em sua indolência entediada. Num canto, um homem mostrava a uma mulher um casaco que parecia de luxo, com a intenção evidente de vendê--lo, mas, quando viu Merthin, se apressou a dobrá-lo e escondê-lo. Merthin teve certeza de que era mercadoria roubada.

O dono da taverna, Evan, comia um almoço atrasado de toucinho frito. Levantou-se limpando as mãos na túnica e disse, nervoso:

– Bom dia, regedor. É uma honra recebê-lo em minha casa. Posso servir uma caneca de cerveja?

– Estou à procura de minha filha, Lolla – disse Merthin, incisivo.

– Não a vejo há uma semana.

Sal dissera exatamente a mesma coisa sobre Jake, recordou Merthin. Ele disse a Evan:

– Ela pode estar com Jake Riley.

– Já notei que os dois são amigos – disse Evan, com o devido tato. – Mas também não o vejo há uma semana.

– Sabe para onde ele foi?

– Jake é um homem que costuma se manter de boca fechada. Se alguém pergunta a que distância fica Shiring, ele sacode a cabeça, franze o rosto e diz que não é da sua conta saber dessas coisas.

A prostituta, Joy, prestara atenção à conversa e agora intervinha:

– Mas ele é mão-aberta. Não se pode deixar de reconhecer o que é justo.

Merthin lhe lançou um olhar sério.

– E de onde ele tira seu dinheiro?

– Cavalos – respondeu Joy. – Ele circula pelas aldeias comprando potros de camponeses para vender nas cidades.

É bem provável que ele também roube cavalos de viajantes incautos, pensou Merthin, irritado.

– É o que ele está fazendo agora, comprando cavalos?

– Tudo indica que sim – respondeu Evan. – A temporada das feiras está para começar. Ele foi adquirir sua mercadoria.

– E talvez Lolla tenha ido com ele.

– Sem querer ofender, regedor, acho que sim.

– Não é você quem está me ofendendo.

Merthin acenou com a cabeça numa despedida brusca e deixou a taverna, acompanhado por Caris.

– Então foi isso que Lolla fez – disse ele, furioso. – Foi embora com Jake. Provavelmente pensa que é uma grande aventura.

– Receio que você esteja certo. Só espero que ela não engravide.

– Eu bem que gostaria que isso fosse o pior a temer.

Voltaram automaticamente para casa. Ao atravessarem a ponte, Merthin parou no ponto mais alto e olhou por sobre os telhados suburbanos para a floresta além. Sua filha se encontrava em algum lugar por lá, junto com um negociante de cavalos de reputação duvidosa. Lolla corria perigo e não havia nada que ele pudesse fazer para protegê-la.

～

Quando Merthin foi à catedral, na manhã seguinte, a fim de verificar a nova torre, descobriu que todo o trabalho havia cessado.

– Ordens do prior – explicou o irmão Thomas quando Merthin perguntou. Thomas tinha quase 60 anos e demonstrava sua idade. O corpo militar se tornara encurvado e ele quase arrastava os pés, um tanto trôpego.

– Houve um desabamento na nave sul – acrescentou ele.

Merthin olhou para Bartelmy French, um velho pedreiro todo enrugado da Normandia, sentado no lado de fora da oficina amolando uma talhadeira. Bartelmy sacudiu a cabeça numa negativa silenciosa.

– Esse desabamento ocorreu há 24 anos, irmão Thomas – comentou Merthin.

– Tem razão – admitiu o outro. – Minha memória já não é tão boa como antes.

Merthin afagou seu ombro.

– Estamos todos envelhecendo.

– O prior está lá no alto da torre, se quer falar com ele – informou Bartelmy.

Claro que Merthin queria. Foi para o transepto norte, passou por uma pequena arcada e subiu por uma estreita escada em espiral dentro da parede. Ao passar da antiga interseção para a nova torre, a cor das pedras mudou, do cinza-escuro de nuvens de tempestade para o pérola claro do céu da manhã. Foi uma longa subida. A torre já se elevava a quase 100 metros. Mas ele já estava acostumado. Quase todos os dias, há onze anos, subia uma escada que se tornava mais alta a cada vez. Ocorreu-lhe que Philemon, bastante gordo agora, devia ter uma razão compulsiva para obrigar seu corpo volumoso a escalar todos aqueles degraus.

Perto do topo, Merthin passou por um compartimento que alojava a grande roda, um mecanismo de madeira duas vezes mais alto do que um homem usado para içar pedras, argamassa e madeira para os lugares em que eram necessárias. Mesmo depois de a agulha ficar pronta, a roda seria deixada ali, em caráter permanente, para ser usada em trabalhos de reparações por futuras gerações de construtores, até que as trombetas anunciassem o Dia do Juízo Final.

Ele emergiu no alto da torre. Uma brisa firme e fria soprava, embora não fosse perceptível lá embaixo. Havia um passadiço por dentro do cume da torre. Os andaimes haviam sido instalados em torno de um buraco octogonal, pronto para os pedreiros que construiriam a agulha. Pedras aparadas estavam empilhadas próximo; um monte de argamassa secava em desperdício numa plataforma de madeira.

Não havia trabalhadores ali. O prior Philemon estava parado do outro lado, junto com Harold Mason. Os dois conversavam, mas pararam com expressões de culpa quando Merthin apareceu. Ele teve de gritar acima do barulho do vento para ser ouvido:

– Por que interrompeu a construção?

Philemon já tinha a resposta pronta.

– Há um problema com seu projeto.

Merthin olhou para Harold.

– Está querendo dizer que algumas pessoas não são capazes de compreendê-lo.

– Pessoas experientes garantem que não pode ser executado – declarou Philemon em tom de desafio.

– Pessoas experientes? – repetiu Merthin, desdenhoso. – Quem em Kingsbridge é experiente? Quem construiu uma ponte? Quem trabalhou com os grandes arquitetos de Florença? Quem já esteve em Roma, Avignon, Paris, Rouen? Não foi Harold, com toda a certeza. Sem ofensa, Harold, você nunca esteve sequer em Londres.

– Não sou o único que acha impossível construir uma torre octogonal sem cimbre – protestou Harold.

Merthin já ia fazer um comentário sarcástico, mas se conteve. Philemon devia ter mais do que apenas isso, pensou ele. O prior optara deliberadamente por travar aquela batalha. Portanto, devia ter armas mais formidáveis do que a mera opinião de Harold Mason. Era de presumir que obtivera o apoio de alguns membros da guilda... mas como? Outros construtores dispostos a alegar que a agulha de Merthin era impossível deviam ter recebido a oferta de algum incentivo. O que provavelmente significava um trabalho de construção.

– O que é? – perguntou ele a Philemon. – O que você está querendo construir?

– Não sei do que está falando – vociferou Philemon.

– Tem um projeto alternativo e ofereceu a Harold e seus amigos uma parte da construção. Qual é o prédio?

– Você não sabe do que está falando.

– Um palácio maior para você? Uma nova casa do capítulo? Não pode ser um hospital, porque já temos três. Vamos, diga logo. A menos que tenha vergonha.

Philemon foi espicaçado a responder:

– Os monges desejam construir uma capela para Nossa Senhora.

– Ah...

Fazia sentido. O culto à Virgem era cada vez mais popular. A hierarquia da Igreja aprovava, porque a onda de devoção associada a Maria contrabalançava o ceticismo e a heresia que afligiam as congregações desde a peste. Numerosas catedrais e igrejas vinham acrescentando uma pequena capela especial no lado leste – a parte mais sagrada do prédio – dedicada à Mãe de Deus. Merthin não gostava da arquitetura: na maioria das igrejas, a capela para Nossa Senhora parecia uma lembrança posterior, o que era de fato.

Qual era o motivo de Philemon? Ele estava sempre tentando se insinuar nas boas graças de alguém... era o seu *modus operandi*. Uma capela para Nossa Senhora em Kingsbridge sem dúvida agradaria ao clero mais velho e conservador.

Aquela era a segunda iniciativa de Philemon nessa direção. No Domingo de Páscoa, no púlpito da catedral, ele condenara a dissecação de cadáveres. Estava desfechando uma campanha, compreendeu Merthin. Mas qual era o objetivo?

Merthin decidiu não fazer mais nada até descobrir quais eram as intenções de Philemon. Sem mais qualquer comentário, saiu do topo da torre e desceu por várias escadas até o solo.

Chegou em casa na hora do almoço. Caris veio do hospital poucos minutos depois.

– O irmão Thomas está ficando cada vez pior – comentou Merthin. – Não há nada que se possa fazer por ele?

Caris sacudiu a cabeça em negativa.

– Não há cura para a senilidade.

– Ele me disse que a nave sul desabou, como se tivesse acontecido ontem.

– Isso é típico. Ele se lembra do passado distante, mas não sabe o que está acontecendo hoje. Pobre Thomas. É provável que a deterioração seja bastante rápida. Mas pelo menos ele está num lugar familiar. Os mosteiros não mudam muito ao longo das décadas. Sua rotina diária deve ser a mesma que sempre foi. Isso ajudará.

Quando se sentaram para comer o ensopado de cordeiro com alho-poró e menta, Merthin relatou os acontecimentos da manhã. Os dois vinham batalhando com os priores de Kingsbridge há dezenas de anos: primeiro Anthony, depois

Godwyn e agora Philemon. Haviam pensado que a concessão da carta de burgo acabaria com as constantes disputas. A situação melhorara, sem dúvida, mas parecia que Philemon ainda não desistira.

– Não estou realmente preocupado com a agulha – comentou Merthin. – O bispo Henri vai revogar a ordem de Philemon e mandar que a construção seja reiniciada assim que souber. Henri quer ser o bispo da catedral mais alta da Inglaterra.

– Philemon deve saber disso – ressaltou Caris, pensativa.

– Talvez ele queira apenas destacar sua tentativa de erguer uma capela para Nossa Senhora, recebendo o crédito por isso ao mesmo tempo que atribui o fracasso a outra pessoa.

– Talvez – disse Caris, deixando transparecer sua dúvida.

Na mente de Merthin ainda havia uma questão mais importante:

– Mas o que ele de fato quer?

– Todos os atos de Philemon são motivados por sua necessidade de se sentir importante – declarou Caris, confiante. – Meu palpite é que ele está atrás de uma promoção.

– Que cargo ele pode ter em mente? O arcebispo de Monmouth parece estar morrendo, mas Philemon não pode aspirar a essa posição, não é mesmo?

– Ele deve saber alguma coisa que ignoramos.

Antes que pudessem dizer mais alguma coisa, Lolla entrou na sala.

A primeira reação de Merthin foi um sentimento de alívio tão poderoso que trouxe lágrimas a seus olhos. A filha voltara, sã e salva. Ele a fitou de alto a baixo. Lolla não exibia ferimentos aparentes e andava com os passos firmes e ágeis de sempre. O rosto apresentava apenas a expressão habitual de descontentamento e mau humor.

– Você voltou! Estou tão contente! – falou Caris.

– É mesmo?

Lolla muitas vezes fingia acreditar que Caris não gostava dela. Merthin não se deixava enganar, mas Caris ficava em dúvida, pois era sensível ao fato de não ser a mãe de Lolla.

– Estamos ambos contentes – interveio Merthin. – Você nos deu um susto.

– Por quê? – Lolla pendurou o manto num gancho e se sentou à mesa. – Eu estava muito bem.

– Mas não sabíamos disso e ficamos na maior preocupação.

– Não deveriam – declarou Lolla. – Posso cuidar de mim mesma.

Merthin reprimiu uma resposta irritada.

– Não tenho tanta certeza se pode mesmo – disse ele, a voz tão suave quanto possível.

Caris interveio para tentar baixar a temperatura:

– Por onde andou? Esteve ausente durante duas semanas.

– Fui a vários lugares.

– Pode nos dar um ou dois exemplos? – pediu Merthin, tenso.

– Mudeford Crossing. Casterham. Outhenby.

– E o que foi fazer lá?

– É uma aula de catecismo? – indagou Lolla, petulante. – Tenho de dar todas as respostas?

Caris pôs a mão no braço de Merthin para contê-lo.

– Só queremos ter certeza de que você não correu perigo – disse a Lolla.

– E eu também gostaria de saber com quem você viajou – acrescentou Merthin.

– Ninguém especial.

– Isso é uma referência a Jake Riley?

Lolla deu de ombros. Parecia constrangida.

– É, sim – respondeu ela, como se fosse um detalhe trivial.

Merthin estava disposto a perdoá-la e abraçá-la, mas Lolla tornava isso difícil. Esforçando-se para manter a voz calma, ele perguntou:

– Quais foram as disposições que você e Jake adotaram na hora de dormir?

– Isto é da minha conta apenas! – gritou Lolla.

– Não é, não! – gritou Merthin em resposta. – É da minha também e de sua madrasta. Se você engravidar, quem cuidará do bebê? Tem certeza de que Jake está disposto a aceitar, virar marido e pai? Já conversou com ele sobre isso?

– Não fale mais comigo!

Lolla desatou a chorar. Saiu da sala e subiu a escada batendo os pés.

– Às vezes eu gostaria que nossa casa só tivesse um cômodo. Assim ela não poderia fazer isso – disse Merthin.

– Você não foi gentil com ela – comentou Caris com ligeira reprovação.

– Como eu deveria agir? Ela fala como se não tivesse feito nada de errado.

– Só que ela sabe a verdade. E foi por isso que chorou.

– Oh, inferno!

Houve uma batida à porta. Um monge noviço apareceu e disse:

– Desculpe incomodá-lo, regedor. Sir Gregory Longfellow está no priorado e agradeceria se fosse procurá-lo para uma conversa assim que for conveniente.

– Droga! – resmungou Merthin. – Pode avisá-lo que estarei lá dentro de poucos minutos.

– Obrigado.

O noviço foi embora. Merthin se virou para Caris.

– Talvez seja melhor dar a ela algum tempo para esfriar.

– E a você também.

– Não vai ficar do lado dela, não é? – indagou ele com alguma irritação.

Caris sorriu e tocou no braço do marido.

– Estou sempre do seu lado. Mas sei como é ser uma garota de 16 anos. Lolla está tão preocupada quanto você com seu relacionamento com Jake. Mas não vai admitir nem para si mesma, pois isso abalaria seu orgulho. E fica ressentida com você por falar a verdade. Ergueu uma defesa frágil em torno de sua autoestima e você a destruiu.

– O que eu deveria fazer?

– Ajudá-la a erguer uma defesa melhor.

– Não sei o que isso significa.

– Tenho certeza de que vai descobrir.

– É melhor eu sair agora para encontrar sir Gregory.

Merthin se levantou. Caris o abraçou e o beijou nos lábios.

– Você é um bom homem fazendo o melhor que pode, e eu o amo com toda a força do meu coração.

Isso atenuou a frustração de Merthin. Sentiu que se acalmava enquanto atravessava a ponte e subia a rua principal para o priorado. Não gostava de Gregory. O homem era insidioso e inescrupuloso, disposto a fazer qualquer coisa por seu amo, o rei, assim como Philemon quando servia a Godwyn quando este era prior. Merthin refletiu, apreensivo, sobre a conversa. Gregory queria provavelmente falar sobre impostos, sempre uma preocupação do rei.

Merthin foi primeiro ao palácio do prior. Ali, Philemon, parecendo muito satisfeito consigo mesmo, informou-o de que encontraria sir Gregory no claustro dos monges, no lado sul da catedral. Merthin não pôde deixar de se perguntar o que Gregory teria feito para obter o privilégio de conceder uma audiência ali.

O advogado estava envelhecendo. Tinha os cabelos brancos e o corpo alto ficara encurvado. Sulcos profundos se destacavam nos dois lados do nariz. Um dos olhos azuis era agora embaçado, mas o outro continuava vigilante. Reconheceu Merthin no mesmo instante, embora não o visse há dez anos.

– Boa tarde, regedor. O arcebispo de Monmouth morreu.

– Que sua alma descanse em paz – disse Merthin, numa reação automática.

– Amém. O rei me pediu, já que eu passaria pelo seu burgo de Kingsbridge, que lhe apresentasse suas saudações e desse essa importante notícia.

– Fico agradecido. A morte não é inesperada. O arcebispo estava doente.

O rei com certeza não pedira a Gregory que se encontrasse com Merthin apenas para lhe dar uma informação interessante, pensou ele, desconfiado.

– Você é um homem intrigante, se não se importa que eu diga – comentou Gregory, expansivo. – Conheci primeiro sua esposa há mais de vinte anos. Desde então, tenho visto os dois assumirem o controle desta cidade, de forma lenta mas firme. E conseguiram tudo em que se empenharam de coração: a ponte, o hospital, a carta de burgo, um ao outro. São determinados... e pacientes.

Era condescendente, mas Merthin ficou surpreso ao perceber um tom de respeito na lisonja de Gregory. Disse a si mesmo para permanecer desconfiado: homens como Gregory só elogiavam com um propósito.

– Estou a caminho de um encontro com os monges de Abergavenny, que devem votar para escolher o novo arcebispo. – Gregory se recostou na cadeira. – Quando o cristianismo chegou à Inglaterra, há centenas de anos, os monges elegiam seus superiores.

Explicar era um hábito de velho, refletiu Merthin: o jovem Gregory não se preocuparia com isso.

– Hoje em dia, é claro, os bispos e arcebispos são importantes e poderosos demais para serem escolhidos por pequenos grupos de idealistas devotos que vivem desligados do mundo. O rei faz uma escolha e Sua Santidade, o papa, ratifica a decisão real.

Até eu sei que não é tão simples assim, pensou Merthin. Há em geral alguma espécie de luta pelo poder. Mas não disse nada.

– Mas o ritual da eleição pelos monges ainda persiste – continuou Gregory. – É mais fácil controlá-lo do que aboli-lo. E é esse o motivo da minha viagem.

– Ou seja, vai dizer aos monges quem eles devem eleger – comentou Merthin.

– Em suma, é isso mesmo.

– E que nome pretende indicar?

– Eu não disse? É seu bispo, Henri de Mons. Um homem excelente: leal, digno de confiança, nunca cria problemas.

– Oh, não!

– Não está satisfeito?

A atitude descontraída de Gregory desapareceu por completo. Ele se tornou atento ao extremo.

Merthin compreendeu que era por isso que Gregory se encontrava ali: para descobrir como as pessoas de Kingsbridge – representadas por Merthin – reagiriam ao que ele planejava e se haveria oposição. Merthin organizou seus pensamentos. A perspectiva de um novo bispo ameaçava a agulha e o hospital.

– Henri é a chave para o equilíbrio de poder na cidade – disse ele. – Há dez anos foi acertada uma espécie de armistício entre os mercadores, os monges e o hospital. Em consequência, as três partes prosperaram muito.

Num apelo para os interesses de Gregory – e do rei –, Merthin acrescentou:

– E é essa prosperidade que nos permite pagar tributos tão altos.

Gregory reconheceu o fato com uma inclinação da cabeça.

– A partida de Henri, é evidente, acarreta um risco para a estabilidade de nossos relacionamentos.

– Eu diria que isso vai depender de quem for escolhido para substituí-lo.

– Tem toda a razão. – Agora chegamos ao xis do problema, pensou Merthin. – Já tem alguém em mente?

– O candidato óbvio é o prior Philemon.

– Não! – Merthin estava consternado. – Philemon! Por quê?

– Ele é um conservador irredutível, o que é importante para a hierarquia da Igreja neste momento de ceticismo e heresia.

– Tudo se torna claro. Agora compreendo por que ele fez um sermão contra a dissecação. E por que quer construir uma capela para Nossa Senhora.

Eu deveria ter previsto isso, pensou Merthin.

– E ele já avisou que não tem nenhuma restrição à tributação do clero... uma fonte constante de atrito entre o rei e alguns de seus bispos.

– Philemon vem planejando isso há algum tempo.

Merthin estava furioso consigo mesmo por não ter percebido isso antes.

– Desde que o arcebispo caiu doente, eu diria.

– É uma catástrofe.

– Por que diz isso?

– Philemon é brigão e vingativo. Se ele se tornar bispo, vai criar disputas constantes em Kingsbridge. Temos de impedi-lo. – Merthin fitou Gregory nos olhos. – Por que veio até aqui para me avisar?

Assim que fez a pergunta, ele soube a resposta.

– Você também não quer Philemon. Não precisa que eu lhe diga que ele vai criar problemas, pois já sabe disso. Mas não pode simplesmente vetá-lo, porque ele conta com apoio entre o clero mais velho.

Gregory exibiu um sorriso enigmático, o que levou Merthin a concluir que estava certo.

– Mas o que quer que eu faça?

– Se eu fosse você, começaria a procurar outro candidato para apresentar como alternativa a Philemon.

Então era isso. Merthin assentiu com a cabeça, pensativo.

– Terei de pensar a respeito.

– Por favor, faça isso.

Gregory se levantou. Merthin compreendeu que a reunião estava encerrada.

– E me avise sobre o que decidir – acrescentou Gregory.

Merthin deixou o priorado e voltou para a ilha dos Leprosos imerso em seus pensamentos. Quem poderia propor para ser o novo bispo de Kingsbridge? Os moradores da cidade sempre haviam se dado bem com o arquidiácono Lloyd, mas ele estava muito velho... Poderiam conseguir que ele fosse eleito, mas apenas para repetir todo o processo em menos de um ano.

Ele ainda não havia se decidido por qualquer nome quando chegou em casa. Encontrou Caris na sala, à sua espera, ansiosa. Já ia pedir sua opinião quando ela falou primeiro. Levantou-se, o rosto pálido, um ar assustado.

– Lolla foi embora de novo.

86

Os padres diziam que o domingo era um dia de descanso, mas nunca fora assim para Gwenda. Hoje, depois da igreja pela manhã e do almoço, ela trabalhava com Wulfric no terreno atrás da casa. Era meio acre, com um galinheiro, uma pereira e um estábulo. Na horta, no outro lado, Wulfric abria sulcos e ela semeava ervilhas.

Os rapazes haviam saído para um jogo de rúgbi na aldeia vizinha, a recreação habitual dos domingos. O rúgbi era o equivalente dos camponeses às justas da nobreza: uma encenação de batalha em que os ferimentos eram às vezes reais. Gwenda rezava para que os filhos voltassem ilesos para casa.

Naquele dia, Sam voltou mais cedo.

– A bola arrebentou – resmungou ele.

– Onde está Davey? – perguntou Gwenda.

– Ele não foi ao jogo.

– Pensei que tinha ido com você.

– Mas não foi. Muitas vezes ele sai sozinho.

– Eu não sabia disso. – Gwenda franziu o cenho. – Para onde ele vai?

Sam deu de ombros.

– Ele nunca me diz.

Talvez ele esteja se encontrando com uma garota, pensou Gwenda. Davey era chegado a essas coisas. Se era uma garota, quem seria? Não havia muitas jovens aceitáveis em Wigleigh. As sobreviventes da peste haviam se apressado a casar de novo, como se estivessem ansiosas para povoar a terra, e as nascidas desde então ainda eram crianças. Talvez ele estivesse se encontrando com uma garota de outra aldeia em algum lugar secreto na floresta. Esses encontros clandestinos eram tão comuns quanto dor de cabeça.

Quando Davey voltou para casa, duas horas mais tarde, Gwenda o confrontou. Ele não fez qualquer tentativa de negar que estivera fazendo alguma coisa às escondidas.

– Posso mostrar o que tenho feito se você quiser – disse. – Não posso manter em segredo para sempre. Venham comigo.

Foram todos, Gwenda, Wulfric e Sam. O domingo era respeitado até certo ponto: ninguém trabalhava nos campos. Toda a área de Hundredacre estava deserta quando os quatro a atravessaram, sob uma brisa amena de primavera.

Umas poucas faixas de terra pareciam negligenciadas: ainda havia aldeões que tinham mais terra do que podiam cultivar. Era o caso de Annet, que contava apenas com a filha de 18 anos, Amabel, para ajudá-la, a menos que pudesse contratar trabalhadores, o que ainda era difícil. Sua faixa de plantio de aveia fora invadida pelo mato.

Davey os levou por pouco menos de 1 quilômetro através da floresta, até uma clareira a alguma distância da trilha.

– É isto – anunciou.

Por um momento, Gwenda não entendeu a que o filho se referia. Estava parada à beira de um terreno indefinido, com moitas baixas crescendo entre as árvores. Ela examinou as moitas com mais atenção. Eram de uma espécie que nunca vira antes. Tinham uma haste meio quadrada, com folhas pontudas, crescendo em grupos de quatro. A maneira como cobriam o solo fazia pensar que eram plantas rasteiras. Uma pilha de vegetação desenraizada num lado da clareira indicava que Davey estivera arrancando ervas daninhas.

– O que é isto? – indagou ela.

– Esta planta é conhecida como garança. Comprei as sementes de um marujo naquela ocasião em que fomos a Melcombe.

– Melcombe? – repetiu Gwenda. – Mas isso foi há três anos!

– Foi o tempo que levou. – Davey sorriu. – A princípio, cheguei a pensar que nem cresceria. Ele me disse que a garança precisava de solo arenoso e tolerava alguma sombra. Preparei a clareira e plantei as sementes, mas no primeiro ano só obtive três ou quatro plantas fracas. Pensei que havia desperdiçado o dinheiro. Mas no segundo ano as raízes se espalharam por baixo da terra e projetaram os rebentos. E agora estão por toda parte.

Gwenda ficou espantada ao descobrir que o filho conseguira manter a plantação escondida dela por tanto tempo.

– Mas para que serve a garança? – perguntou ela. – Tem um gosto agradável?

Davey riu.

– Não é comestível. Você arranca as raízes, seca e mói para fazer um pó que produz uma tintura vermelha. E vale muito. Madge Webber, de Kingsbridge, paga 7 xelins por um galão.

Era um preço espantoso, refletiu Gwenda. O trigo, o cereal mais caro, era vendido a cerca de 7 xelins por quarto, e um quarto tinha 64 galões.

– Isso é 64 vezes mais precioso do que o trigo!

Davey sorriu.

– Foi por isso que eu plantei.

– Por que você plantou... o que mesmo? – indagou uma nova voz.

Todos se viraram e viram Nathan Reeve, parado ao lado de um pilriteiro tão encurvado e retorcido quanto ele. Exibia um sorriso triunfante: ele os pegara desprevenidos. Mas Davey foi rápido na resposta:

– Esta é uma erva medicinal chamada... tirita. Serve para o chiado no peito da mãe.

Gwenda sabia que ele estava inventando, mas Nate não podia ter certeza. Nate olhou para ela.

– Não sabia que você tinha um chiado no peito.

– No inverno – respondeu Gwenda.

– Uma erva? – O ceticismo de Nate era evidente. – Há o suficiente aqui para atender a todo mundo em Kingsbridge. E você ainda prepara o terreno para plantar mais.

– Gosto de fazer as coisas direito – declarou Davey. Era uma resposta insossa e Nate a ignorou.

– Esta é uma plantação não autorizada. Em primeiro lugar, os servos precisam de permissão para o que plantam... não podem cultivar qualquer coisa assim. Isso levaria ao caos total. Em segundo lugar, não podem usar a floresta do senhor para nada, nem mesmo para plantar ervas.

Nenhum deles tinha qualquer resposta para isso. Eram as regras. E podiam ser frustrantes: muitas vezes os camponeses sabiam que podiam ganhar dinheiro com cultivos fora dos padrões, que tinham grande demanda e ofereciam altos preços. Era o caso do cânhamo para corda, do linho para roupas de baixo de luxo ou das cerejas para o prazer das mulheres ricas. Mas muitos lordes e seus bailios recusavam permissão, por conservantismo instintivo. A expressão de Nate agora era venenosa.

– Um filho é fugitivo e assassino. O outro desafia seu senhor. Que família!

Ele tinha direito a ficar furioso, refletiu Gwenda. Sam matara Jonno e escapara impune. Nate, sem a menor dúvida, odiaria sua família até o dia em que morresse. Então Nate se abaixou, arrancou uma planta do solo e disse, com evidente satisfação:

– Levarei o problema ao tribunal do solar.

Ele se voltou e afastou-se entre as árvores, claudicando. Gwenda e sua família foram atrás. Davey continuava determinado.

– Nate vai aplicar uma multa e terei de pagar. Mas ganharei dinheiro mesmo assim.

– E se ele der ordem para que a plantação seja destruída? – perguntou Gwenda.

– Como?

– Pode ser queimada ou pisoteada.

– Nate não faria isso – interveio Wulfric. – A aldeia não admitiria. A multa é a maneira tradicional de resolver esses problemas.

– Só me preocupo com o que o conde Ralph dirá – disse Gwenda.

Davey fez um gesto depreciativo com a mão.

– Não há razão para que o conde tome conhecimento de uma coisa tão insignificante.

– Ralph tem um interesse especial em nossa família.

– É verdade – concordou Davey, pensativo. – Ainda não compreendi por que ele perdoou Sam.

O garoto não tinha nada de estúpido.

– Talvez lady Philippa o tenha persuadido – Gwenda se apressou a dizer.

– Ela se lembra de você, mãe – informou Sam. – Foi o que disse quando estive na casa de Merthin.

– Devo ter feito alguma coisa para conquistar suas boas graças – disse Gwenda, improvisando. – Ou pode ter sido apenas porque ela sentiu compaixão, de uma mãe para outra.

Não era uma grande história, mas Gwenda não tinha outra melhor. Nos dias seguintes à soltura de Sam, eles tiveram várias conversas sobre os motivos do perdão concedido por Ralph. Gwenda se limitara a fingir que estava tão perplexa quanto todo mundo. Felizmente, Wulfric nunca fora do tipo desconfiado.

Chegaram em casa. Wulfric olhou para o céu, disse que ainda restava outra hora de claridade e foi para a horta, a fim de terminar de semear as ervilhas. Sam se ofereceu para ajudá-lo. Gwenda se sentou para remendar um rasgão numa roupa de Wulfric. Davey parou na sua frente e disse:

– Tenho outro segredo para contar.

Gwenda sorriu. Não se importava que ele tivesse segredos para os outros, desde que lhe contasse.

– Pode falar.

– Estou apaixonado.

– Mas isso é maravilhoso! – Ela se inclinou para a frente e beijou o rosto do filho. – Fico feliz por você. Como ela é?

– Ela é linda.

Gwenda vinha especulando, antes de saber sobre a garança, se Davey não estaria se encontrando com uma moça de outra aldeia. Sua intuição fora acertada.

– Tive um pressentimento a respeito.

– É mesmo? – Ele parecia ansioso.

– Não se preocupe. Não há nada de errado. Apenas me ocorreu que você podia estar se encontrando com alguém.

– Nós nos encontramos na clareira em que estou cultivando a garança. Foi mais ou menos assim que começou.

– E há quanto tempo vem acontecendo?

– Há mais de um ano.

– Então é sério.

– Quero me casar com ela.

– Fico muito satisfeita. – Gwenda sorriu, afetuosa. – Você ainda tem apenas 20 anos, mas já é idade suficiente se encontrou a pessoa certa.

– Ainda bem que você pensa assim.

– De que aldeia ela é?

– Daqui mesmo, de Wigleigh.

– É mesmo? – Gwenda estava surpresa. Não pensara em nenhuma jovem de Wigleigh. – Quem é ela?

– Mãe, é Amabel.

– Não!

– Não grite.

– Não a filha de Annet!

– Não deve ficar zangada.

– Não devo ficar zangada? – Gwenda fez esforço para se acalmar. O choque era tão grande que parecia até que ela havia levado um tapa. Respirou fundo várias vezes. – Preste atenção. Estamos em conflito com aquela família há mais de vinte anos. Aquela vaca da Annet partiu o coração de seu pai e nunca mais o deixou em paz.

– Lamento muito, mas tudo isso pertence ao passado.

– Nada disso. Annet ainda flerta com seu pai sempre que tem uma oportunidade!

– Isto é problema de vocês, não nosso.

Gwenda se levantou. A costura caiu de seu colo.

– Como pode fazer isso comigo? Aquela vaca será parte da nossa família! Meus netos seriam também netos dela. Ela poderia entrar e sair desta casa a todo instante, fazendo seu pai de tolo com seu jeito coquete e rindo de mim, ainda por cima.

– Não vou me casar com Annet.

– Amabel também será horrível. Olhe só para ela... é igualzinha à mãe!

– Não é, não. Amabel...

– Não pode fazer isso! Eu o proíbo!

– Não pode me proibir, mãe.

– Posso, sim. Você ainda é muito jovem.

– Isso não vai durar para sempre.

A voz de Wulfric veio da porta:

– Por que toda essa gritaria?

– Davey diz que quer casar com a filha de Annet, mas eu não vou permitir! – A voz de Gwenda era cada vez mais alta e estridente. – Nunca! Nunca! Nunca!

⌒

O conde Ralph surpreendeu Nathan Reeve quando disse que queria ver a estranha plantação de Davey. Nate mencionou o assunto de passagem, numa visita de rotina a Earlscastle. Um pequeno cultivo sem autorização na floresta era uma violação trivial das normas, que se costumava tratar com a aplicação de uma multa. Nate era um homem superficial, interessado em subornos e comissões. Não tinha a menor noção da profundidade da obsessão de Ralph pela família de Gwenda: seu ódio por Wulfric, o desejo sexual por Gwenda e, agora, a possibilidade de ser o verdadeiro pai de Sam. Por isso Nate se surpreendeu quando Ralph disse que inspecionaria a plantação na próxima vez em que passasse perto de Wigleigh.

Ralph seguiu a cavalo, em companhia de Alan Fernhill, de Earlscastle a Wigleigh, num belo dia entre a Páscoa e Pentecostes. No pequeno solar de madeira encontraram a antiga criada, Vira, encurvada e grisalha, mas ainda firme no posto. Mandaram que ela preparasse o almoço, depois se encontraram com Nate e o seguiram rumo à floresta.

Ralph reconheceu a planta. Não era um camponês, mas conhecia a diferença entre um arbusto e outro. Em suas viagens com o exército, observara muitas colheitas que não cresciam naturalmente na Inglaterra. Inclinou-se da sela e arrancou um punhado de hastes.

– Esta planta é chamada de garança. Já a vi em Flandres. É cultivada pela tintura vermelha que tem o mesmo nome.

– Ele me disse que era uma erva chamada tirita, usada para curar chiado no peito – explicou Nate.

– Creio que tem propriedades medicinais, mas não é por isso que as pessoas a cultivam. Qual será a multa?

– Um xelim seria a quantia habitual.

– Não é suficiente.

Nate ficou nervoso.

– Há muitos problemas, milorde, quando os costumes são ignorados. Eu preferia não...

– Não me interessa – bradou Ralph. Esporeou o cavalo e trotou pelo meio da clareira, pisoteando os arbustos. – Venha, Alan. – Alan o imitou. Os dois circularam pela plantação, pisoteando as plantas. Todos os arbustos foram destruídos em poucos minutos.

Ralp notou que Nate estava chocado com aquilo, mesmo diante do fato de a plantação ser ilegal. Camponeses nunca gostam de ver uma plantação desperdiçada. Raph aprendera na França que a melhor maneira de desmoralizar a população era queimar as plantações nos campos.

– Já é suficiente – disse Ralph, assim que ficou entediado.

Ele estava irritado com a insolência de Davey ao fazer aquela plantação, mas esse não era o principal motivo de sua vinda a Wigleigh. A verdade era que queria ver Sam de novo.

Enquanto voltavam para a aldeia, ele esquadrinhou os campos à procura de um jovem alto, de cabelos escuros. Sam se destacaria, por causa de sua altura, entre aqueles servos nanicos debruçados sobre suas pás. Avistou-o, a distância, em Brookfield. Parou o cavalo e ficou observando, através da paisagem varrida pelo vento, o filho de 22 anos que nunca soubera que era seu.

Sam e o homem que ele pensava que era seu pai – Wulfric – trabalhavam com um arado pequeno, puxado por um cavalo. Havia alguma coisa errada, pois eles paravam e ajustavam os arreios a todo instante. Quando estavam juntos, era fácil perceber as diferenças entre eles. Os cabelos de Wulfric eram castanho-claros; os de Sam eram escuros. Wulfric tinha o peito estufado como um boi; Sam tinha os ombros largos mas era esguio como um cavalo. Os movimentos de Wulfric eram lentos e cuidadosos; os de Sam eram rápidos e graciosos.

Era o sentimento mais estranho olhar para um desconhecido e pensar: meu filho. Ralph se considerava imune a emoções típicas de mulher. Se fosse sujeito a sentimentos de compaixão ou arrependimento, não poderia ter vivido como vivera. Mas a descoberta de Sam ameaçava privá-lo da insensibilidade masculina de que tanto se orgulhava.

Fez esforço para se desvencilhar desse sentimento e seguiu para a aldeia, mas depois sucumbiu à curiosidade e ao sentimento e mandou Nate procurar Sam e levá-lo para o solar.

Não sabia o que tencionava fazer com o garoto: conversar com ele, escarnecer, convidá-lo para almoçar, qualquer coisa. Deveria ter previsto que Gwenda não lhe daria liberdade para decidir. Ela apareceu com Nate e Sam, acompanhados por Wulfric e Davey.

– O que você quer com meu filho? – perguntou ela, falando com Ralph como se ele fosse um igual, não seu senhor.

Ralph disse, sem pensar:

– Sam não nasceu para ser um servo trabalhando nos campos.

Ele percebeu a expressão de surpresa de Alan Fernhill. Gwenda ficou perplexa.

– Só Deus sabe para que nascemos – protestou ela, tentando ganhar tempo.

– Quando eu quiser saber alguma coisa sobre Deus, perguntarei a um padre, não a você – declarou Ralph. – Seu filho tem o temperamento de um guerreiro. Não preciso conhecê-lo a fundo para perceber isso. É evidente para mim como seria para qualquer veterano das guerras.

– Mas ele não é um guerreiro. É um camponês, filho de um camponês, e seu destino é cultivar colheitas e criar animais, como o pai.

– O pai não interessa.

Ralph recordou o que Gwenda lhe dissera no castelo do representante do rei, em Shiring, quando o persuadira a perdoar Sam.

– Sam tem o instinto de um matador – acrescentou ele. – É perigoso num camponês, mas tem um valor inestimável num soldado.

Gwenda pareceu assustada enquanto começava a imaginar o propósito de Ralph.

– Aonde está querendo chegar?

Ralph compreendeu para onde o levava aquela sucessão lógica.

– Deixe que Sam seja útil em vez de perigoso. Deixe-o aprender as artes da guerra.

– Isso é um absurdo. Ele é velho demais.

– Tem 22 anos. Já é um pouco tarde, mas ele é forte e capaz. Pode conseguir.

– Não vejo como.

Gwenda fingia encontrar objeções práticas, mas Ralph podia perceber, através da dissimulação, que ela detestava a ideia com toda a força de seu coração. Isso o deixou ainda mais determinado. Com um sorriso de triunfo, ele propôs:

– É muito fácil. Sam pode se tornar um escudeiro. E viver em Earlscastle.

Gwenda dava a impressão de ter sido apunhalada. Fechou os olhos por um momento, o rosto azeitonado empalideceu. Ela movimentou os lábios para dizer "Não", mas nenhum som saiu.

– Ele está com você há 22 anos – acrescentou Ralph. – É tempo suficiente.

Agora é a minha vez, pensou. Em vez disso, porém, apenas comentou:

– Agora ele é um homem.

Como Gwenda permaneceu em silêncio por um tempo, Wulfric interveio:

– Não vamos permitir. Somos seus pais e não consentimos.

– Não pedi seu consentimento – declarou Ralph, desdenhoso. – Sou o conde e vocês são meus servos. Eu não peço, ordeno.

Nate Reeve entrou na conversa:

– Além do mais, Sam já passou de 21 anos. A decisão cabe a ele, não a seu pai.

Subitamente, todos se viraram para Sam.

Ralph não sabia o que esperar. Tornar-se um escudeiro era uma coisa com que muitos jovens de todas as classes sonhavam, mas ele não tinha certeza se Sam era um deles. A vida no castelo era suntuosa e excitante em comparação com o trabalho extenuante nos campos, mas, por outro lado, os homens de armas morriam jovens ou – pior do que a morte – voltavam para casa mutilados, para passar o resto de seus dias miseráveis esmolando na frente de tavernas.

Mas, assim que olhou para Sam, Ralph soube a verdade. O rapaz exibia um largo sorriso, os olhos faiscavam de ansiedade. Mal podia esperar para partir.

Gwenda recuperou a voz:

– Não faça isso, Sam! Não caia na tentação. Não deixe que sua mãe o veja cegado por uma flecha, mutilado pelas espadas de cavaleiros franceses ou entrevado pelos cascos de seus cavalos de guerra!

– Não vá, filho – suplicou Wulfric. – Fique em Wigleigh e tenha uma vida longa.

Sam ficou em dúvida.

– Muito bem, rapaz – disse Ralph. – Ouviu sua mãe e o pai camponês que o criou. Mas a decisão é sua. O que pretende fazer? Continuar sua vida aqui, em Wigleigh, trabalhando nos campos, ao lado de seu irmão? Ou escapar?

Sam hesitou apenas por um momento. Lançou um olhar culpado para Gwenda e Wulfric, depois se virou para Ralph.

– Eu irei. Serei um escudeiro. Obrigado, milorde.

– Bom rapaz – disse Ralph.

Gwenda começou a chorar. Wulfric passou o braço por seus ombros e olhou para Ralph.

– Quando ele partirá?

– Hoje – respondeu Ralph. – Pode seguir para Earlscastle comigo e com Alan depois do almoço.

– Não tão depressa! – protestou Gwenda.

Ninguém lhe deu qualquer atenção. Ralph disse a Sam:

– Vá para casa e pegue qualquer coisa que quiser levar. Almoce com sua mãe. Volte e espere por mim no estábulo. Enquanto isso, Nate pode requisitar um cavalo para sua viagem até Earlscastle. – Ele se voltou, encerrando a audiência com Sam e sua família. – Onde está meu almoço?

Wulfric e Gwenda saíram com Sam, mas Davey ficou. Já descobrira que sua plantação fora pisoteada? Ou era outra coisa?

– O que você quer? – perguntou Ralph.

– Milorde, tenho de lhe pedir um favor.

Isso era quase bom demais para ser verdade. O camponês insolente que plantara garança na floresta sem permissão era agora um suplicante. O dia estava se tornando bastante satisfatório.

– Você não pode ser um escudeiro, pois tem o corpo de sua mãe.

Alan riu ao ouvir o comentário.

– Quero me casar com Amabel, a filha de Annet – explicou o jovem.

– Isto vai desagradar à sua mãe.

– Serei maior de idade em menos de um ano.

Ralph sabia tudo sobre Annet, é claro. Quase fora enforcado por causa dela. A história dele se entrelaçava com a de Annet quase tanto quanto com Gwenda. E ele recordou que toda a família morrera da peste.

– Annet ainda tem algumas terras que eram de seu pai.

– Isso mesmo, milorde. Ela está disposta a transferi-las para mim quando eu me casar com sua filha.

Um pedido assim normalmente não seria recusado, embora todos os lordes cobrassem uma taxa de transferência. Mas o lorde não era obrigado a consentir. O direito dos lordes de recusar esses pedidos por um capricho qualquer, frustrando a vida de um camponês, era um dos maiores ressentimentos dos homens do campo. Mas proporcionava ao senhor um meio de disciplinar os servos que podia ser extremamente eficaz.

– Não, não vou transferir as terras para você. – Ralph sorriu. – Você e sua noiva podem comer garança.

87

Caris tinha de impedir que Philemon se tornasse bispo. Aquela era a manobra mais ousada de Philemon até então, mas ele fizera os preparativos com todo o cuidado e tinha uma chance. Se conseguisse, voltaria a controlar o hospital e teria o poder de destruir a grande obra da vida de Caris. E podia fazer até pior. Restauraria a ortodoxia cega do passado. Designaria padres de coração duro como o seu para as aldeias, fecharia as escolas para moças e pregaria sermões contra a dança.

Ela não tinha voz na escolha de um bispo, mas havia meios de exercer pressão. E começou pelo bispo Henri.

Viajou com Merthin para Shiring a fim de se encontrar com o bispo em seu palácio. No caminho, Merthin olhava para todas as moças de cabelos escuros por que passavam e, quando não havia nenhuma, esquadrinhava a floresta nos lados da estrada. Procurava por Lolla, mas eles chegaram a Shiring sem deparar com qualquer sinal dela.

O palácio do bispo ficava na praça principal, em frente à igreja e ao lado da Bolsa de Lã. Não era um dia de mercado, por isso a praça estava vazia, exceto pela forca, que ali se encontrava em caráter permanente, uma sinistra advertência aos vilões do que as pessoas do condado faziam com os que violavam as leis.

O palácio era um prédio de pedra despretensioso, com um salão e uma capela no térreo e uma série de escritórios e aposentos particulares por cima. O bispo Henri impusera ao palácio um estilo que Caris achava que devia ser francês. Havia um quadro em cada cômodo. A decoração não era extravagante como no palácio de Philemon em Kingsbridge, onde a profusão de tapetes e joias sugeria a caverna de um ladrão. Mas havia uma elegância artística agradável em tudo na casa de Henri: um castiçal de prata que refletia a luz de uma janela; o brilho polido de uma velha mesa de carvalho; flores da primavera na lareira apagada; uma pequena tapeçaria de Davi e Jônatas na parede.

O bispo Henri não era um inimigo, mas também não podia ser considerado um aliado, pensou Caris, nervosa, enquanto esperavam no salão. Provavelmente diria que queria se elevar acima das disputas em Kingsbridge. Caris, mais cética, pensava que qualquer decisão de Henri era sempre baseada em seus interesses pessoais. Ele não gostava de Philemon, mas não podia permitir que isso afetasse seu julgamento.

Henri apareceu, acompanhado pelo cônego Claude, como sempre. Os dois pareciam não envelhecer. Henri era um pouco mais velho do que Caris, Claude era talvez dez anos mais moço, mas ambos ainda pareciam meninos. Caris já observara que o clero em geral envelhecia bem, melhor do que os aristocratas. Desconfiava que era porque a maioria dos sacerdotes – com algumas exceções notórias – levava uma vida de moderação. O regime de jejum os obrigava a comer peixe e legumes às sextas-feiras, nos dias santos e durante toda a Quaresma. Além disso, em teoria, nunca se embriagavam. Em contraste, os nobres e suas esposas se entregavam a orgias com carne e vinho. Poderia ser por isso que seus rostos ficavam enrugados, a pele, flácida, o corpo, encurvado, enquanto os clérigos permaneciam empertigados e esguios por muito tempo, em suas vidas sossegadas e austeras.

Merthin deu os parabéns a Henri por ter sido escolhido para arcebispo de Monmouth, depois foi direto ao ponto:

– O prior Philemon interrompeu o trabalho na torre.

Henri indagou, com uma circunspecção estudada:

– Alguma razão?

– Há um pretexto e uma razão. O pretexto é uma falha no projeto.

– E qual é esse suposto defeito?

– Ele alega que uma agulha octogonal não pode ser construída sem um cimbre, mas eu encontrei um jeito.

– E qual é?

– Bastante simples. Construirei uma agulha redonda, que não precisará de cimbre. Depois, acrescentarei ao exterior uma camada de pedras finas e argamassa, no formato octogonal. Em termos visuais, será uma agulha octogonal, mas a estrutura será um cone.

– Já disse isso a Philemon?

– Não. Se eu disser, ele encontrará outro pretexto.

– E qual é a verdadeira razão?

– Ele quer construir, em vez disso, uma capela para Nossa Senhora.

– Ah...

– É parte de seu projeto para se insinuar nas boas graças do clero mais antigo. Ele fez um sermão contra a dissecação quando o arquidiácono Reginald estava presente. E disse aos conselheiros do rei que não fará campanha contra a tributação do clero.

– O que ele está querendo?

– Quer ser o bispo de Shiring.

Henri alteou as sobrancelhas.

– Tenho de reconhecer que Philemon sempre teve muita ousadia.

Caris falou pela primeira vez:

– Como sabe disso?

– Gregory Longfellow me contou.

Claude olhou para Henri e comentou:

– E Gregory sabe disso melhor do que ninguém.

Caris compreendeu que Henri e Claude não haviam previsto que Philemon seria tão ambicioso. Para ter certeza de que eles não ignorariam o significado da revelação, ela acrescentou:

– Se Philemon realizar seu desejo, você terá um trabalho interminável, como arcebispo de Monmouth, para julgar as disputas entre o bispo Philemon e a cidade de Kingsbridge. Sabe quantos atritos ocorreram no passado.

– Claro que sabemos – disse Claude.

– Fico contente por estarmos de acordo – declarou Merthin.

Claude, pensando em voz alta, sugeriu:

– Devemos apresentar um candidato alternativo.

Era isso que Caris esperava que ele dissesse.

– Temos uma indicação – disse ela.

– Quem? – perguntou Claude.

– Você.

Houve um momento de silêncio. Caris percebeu que Claude gostava da ideia. Imaginou que ele podia sentir alguma inveja da promoção de Henri e especulava se o seu destino seria o de permanecer para sempre uma espécie de assistente de Henri. Ele podia se desincumbir com a maior facilidade das funções de bispo. Conhecia bem a diocese e já cuidava da maior parte da administração prática.

Mas os dois pensavam agora, com toda a certeza, em suas vidas pessoais. Caris não tinha a menor dúvida de que eram em quase tudo como marido e mulher: ela os vira se beijando. Mas décadas haviam se passado desde aquele momento de romance, e sua intuição lhe dizia que eles podiam tolerar uma separação parcial.

– Ainda continuariam a trabalhar juntos a maior parte do tempo – ressaltou ela.

– O arcebispo terá muitas razões para visitar Kingsbridge e Shiring.

– E o bispo de Shiring precisará ir a Monmouth com frequência – acrescentou Henri.

– Seria uma grande honra para mim ser bispo. – Com um brilho nos olhos, Claude acrescentou: – Ainda mais abaixo de você, arcebispo.

Henri desviou os olhos, fingindo não perceber o duplo sentido.

– Acho que é uma ideia esplêndida.

– A guilda de Kingsbridge apoiará Claude posso garantir – declarou Merthin. – Mas você deverá apresentar a sugestão ao rei, arcebispo Henri.

– Claro.

– Posso fazer outra sugestão? – indagou Caris.

– Por favor.

– Arrume outro posto para Philemon. Pode propô-lo para, não sei, arquidiácono de Lincoln. Alguma coisa que ele apreciaria, mas que o levaria para bem longe daqui.

– É uma boa ideia – concordou Henri. – Se ele for candidato a dois postos, sua posição em ambos os casos será enfraquecida. Ficarei atento a todas as circunstâncias.

Claude se levantou.

– Tudo isso é emocionante. Não querem almoçar conosco?

Um servidor se aproximou e se dirigiu a Caris:

– Alguém deseja lhe falar, senhora. É apenas um menino, mas parece transtornado.

– Deixe-o entrar – disse Henri.

Era um menino em torno dos 13 anos. Estava sujo, mas as roupas eram de qualidade. Caris concluiu que pertencia a uma família em boas condições, mas passando por alguma espécie de crise.

– Pode ir à minha casa, madre Caris?

– Não sou mais uma freira, menino. Mas qual é o problema?

O menino falou depressa:

– Meu pai e minha mãe estão doentes, e meu irmão também. Minha mãe ouviu alguém dizer que a senhora estava no palácio do bispo e me mandou chamá-la. Ela sabe que a senhora ajuda os pobres, mas tem condições de pagar. Pode ir comigo, por favor?

Como esse tipo de pedido não era incomum, Caris sempre levava, para onde quer que fosse, uma bolsa de couro com suprimentos médicos.

– Claro que irei, rapaz. Qual é o seu nome?

– Giles Spices, madre, e devo esperar para levá-la.

– Está bem. – Caris se virou para o bispo. – Pode começar a almoçar, por favor. Virei assim que puder.

Ela pegou sua bolsa de couro e saiu com o menino. Shiring devia sua existência ao castelo do representante do rei na colina, assim como Kingsbridge era uma decorrência do priorado. Perto da praça do mercado ficavam as casas grandes dos cidadãos mais eminentes, os mercadores de lã, os assistentes do representante real e autoridades como o juiz de instrução. Um pouco mais adiante ficavam as casas dos que eram relativamente prósperos, mercadores e artesãos, ourives, alfaiates, boticários. O pai de Giles negociava com especiarias, como seu nome indicava. Giles levou Caris para uma rua nessa área. Como a maioria das casas ali, tinha um andar térreo de pedra que servia como depósito e loja, com os aposentos de madeira por cima. A loja estava fechada e trancada. Giles levou Caris pela escada externa.

Ela sentiu o cheiro familiar assim que entrou. Hesitou por um instante. Havia alguma coisa especial naquele cheiro, que despertava uma lembrança em sua memória... e que a fazia ficar muito assustada. Em vez de ponderar a respeito, ela atravessou a sala e entrou no quarto... para descobrir a terrível resposta.

Havia três pessoas deitadas em colchões ali: uma mulher mais ou menos da idade de Caris, um homem um pouco mais velho e um adolescente. O homem tinha a doença em grau mais avançado. Gemia e suava com febre. A camisa aberta deixava à mostra erupções púrpura escuras no peito e no pescoço. Havia sangue nos lábios e nas narinas.

Ele tinha a peste.

– Ela voltou – disse Caris. – Que Deus me ajude!

Por um momento, o medo a paralisou. Permaneceu imóvel, contemplando a cena com um sentimento de impotência. Sempre soubera, em teoria, que a peste poderia voltar – essa fora a metade da razão para escrever seu livro –, mas mesmo assim não estava preparada para o choque de ver outra vez aquelas erupções, a febre, o nariz sangrando.

A mulher se soergueu, apoiada num cotovelo. A doença não avançara muito nela: tinha as erupções e a febre, mas não havia sinais de hemorragia.

– Dê-me algo para beber, pelo amor de Deus... – suplicou.

Giles pegou um jarro de vinho. A mente de Caris finalmente voltou a funcionar, enquanto o corpo recuperava os movimentos.

– Não dê o vinho, só vai deixá-la com mais sede. Vi um barril de cerveja na sala. Encha um copo com cerveja.

A mulher se concentrou em Caris.

– Você é a prioresa, não é mesmo?

Caris não a corrigiu e a mulher acrescentou:

– As pessoas dizem que é uma santa. Pode curar minha família?

– Tentarei. Não sou uma santa, apenas uma mulher que tem observado pessoas na doença e na saúde.

Caris tirou da bolsa uma faixa de linho e a prendeu sobre a boca e o nariz. Não via um caso de peste há dez anos, mas adquirira o hábito de adotar essa precaução sempre que lidava com pacientes cujas doenças podiam ser contagiosas. Umedeceu um pano limpo com água de rosas e lavou o rosto da mulher. Como sempre, a providência acalmou a paciente. Giles voltou com o copo de cerveja. A mulher bebeu. Caris disse ao menino:

– Eles podem beber quanto quiserem, mas dê sempre cerveja ou vinho aguado.

Ela foi examinar o pai, que não tinha muito tempo de vida. Sua fala não era coerente e os olhos não conseguiam focalizar Caris. Lavou seu rosto, limpou o sangue ressequido em torno do nariz e da boca. Finalmente cuidou do irmão mais velho de Giles. Ele só sucumbira pouco antes e ainda espirrava, mas tinha idade suficiente para compreender a gravidade da doença. E parecia aterrorizado.

Quando acabou, Caris disse a Giles:

– Tente mantê-los confortáveis e deixe-os beber sempre que quiserem. Você tem parentes? Tios ou primos?

– Estão todos em Gales.

Ela fez uma anotação mental para avisar ao bispo Henri que talvez precisasse encontrar um lugar para um menino órfão.

– A mãe disse que eu tinha de lhe pagar.

– Não fiz muito para ajudar. Pode me pagar 6 *pence*.

Havia uma bolsa de couro ao lado da cama da mãe. Giles tirou 6 *pence* de prata. A mulher tornou a se ergueu e perguntou, mais calma agora:

– O que há de errado conosco?

– Sinto muito, mas é a peste.

A mulher assentiu com a cabeça, fatalista.

– Era disso que eu tinha medo.

– Não reconheceu os sintomas da última vez?

– Vivíamos numa pequena cidade em Gales... e escapamos. Vamos todos morrer?

Caris achava que não se devia enganar as pessoas nos assuntos mais importantes.

– Umas poucas pessoas sobrevivem, mas não muitas.

– Nesse caso, que Deus tenha piedade de nós.

– Amém – disse Caris.

⌒

Durante todo o caminho de volta a Kingsbridge, Caris meditou sobre a peste. Haveria de se espalhar, é claro, como acontecera da última vez. Mataria milhares de pessoas. A perspectiva a deixou enfurecida. Era como a carnificina sem sentido da guerra, só que a guerra era causada pelos homens, o que não era o caso da peste. O que ela faria? Não podia ficar sentada e observar a cruel repetição da tragédia que ocorrera treze anos antes.

Não havia cura para a peste, mas ela descobrira meios de retardar seu progresso assassino. Enquanto o cavalo trotava através da estrada pela floresta, ela pensou no que sabia sobre a doença e em como combatê-la. Merthin permanecia calado, reconhecendo a disposição da mulher, provavelmente adivinhando o que ela pensava.

Assim que chegaram em casa, Caris explicou o que queria fazer.

– Haverá oposição – advertiu-a Merthin. – Seu plano é drástico. As pessoas que não perderam parentes e amigos na última vez podem imaginar que são invulneráveis e alegar que você exagera na reação.

– É nesse ponto que você pode me ajudar.

– Nesse caso, minha sugestão é dividir os opositores em potencial e lidar com eles em separado.

– Tudo bem.

– Você tem três grupos para conquistar: a guilda, os monges e as freiras. Vamos começar pela guilda. Convocarei uma reunião... e não chamarei Philemon.

A guilda se reunia agora na Bolsa de Tecido, um prédio de pedra novo e grande na rua principal. Isso permitia que os mercadores fizessem negócios mesmo com mau tempo. A construção fora paga com os lucros do Escarlate de Kingsbridge.

Mas, antes de convocar a reunião, Caris e Merthin se encontraram individualmente com os membros mais destacados, a fim de conquistar seu apoio antecipado, uma técnica que Merthin desenvolvera há muito tempo. Seu lema era: "Nunca convoque uma reunião enquanto não tiver certeza do resultado."

Caris foi conversar com Madge Webber.

Madge se casara de novo. Para divertimento de todos, ela encantara um aldeão tão bonito quanto o primeiro marido e quinze anos mais jovem. Seu nome era Anselm, e ele parecia adorá-la embora ela continuasse tão gorda quanto antes e cobrisse os cabelos grisalhos com uma coleção de toucas exóticas. Ainda mais surpreendente, já na casa dos 40 anos, ela concebera de novo e dera à luz uma menina saudável, Selma, agora com 8 anos e cursando a escola das freiras. A maternidade nunca impedira Madge de cuidar dos negócios, e ela continuava a dominar o mercado do Escarlate de Kingsbridge, tendo Anselm como seu ajudante.

Ela ainda morava na casa grande na rua principal para onde se mudara com Mark quando começara a ganhar dinheiro com tecelagem e tintura. Caris a encontrou junto de Anselm recebendo uma carga de tecido vermelho e tentando encontrar espaço para guardá-lo no abarrotado depósito no primeiro andar.

– Estou fazendo estoque para a Feira do Velocino – explicou Madge.

Caris esperou enquanto ela conferia a mercadoria recebida. Subiram em seguida, deixando Anselm a tomar conta da loja. Ao entrar na sala, Caris recordou com absoluta nitidez a cena que encontrara ali, treze anos antes, quando fora chamada para examinar Mark, a primeira vítima da peste em Kingsbridge. E sentiu uma súbita depressão. Madge notou sua expressão.

– O que aconteceu?

Não se podiam esconder coisas das mulheres do modo como se fazia com homens.

– Entrei aqui há treze anos porque Mark estava doente.

Madge anuiu com a cabeça.

– Esse foi o início da pior época da minha vida – disse. – Naquele dia tinha um marido maravilhoso e quatro filhos saudáveis. Três meses depois era uma viúva sem filhos que não tinha nada por que viver.

– Dias de pesar – comentou Caris.

Madge foi até o aparador, onde havia copos e um jarro. Mas, em vez de oferecer uma bebida a Caris, ficou parada ali, olhando para a parede.

– Quer ouvir uma coisa estranha? Depois que eles morreram, eu não podia dizer "amém" ao final do *Paternoster*, o Pai-Nosso. – Ela engoliu em seco e a voz se tornou mais suave: – Sei um pouco de latim. Meu pai me ensinou. *Fiat voluntas tua*: Seja feita a tua vontade. Eu não podia dizer isso. Deus levara minha família, e isso era tortura demais, eu não podia aceitar.

Lágrimas afloraram aos olhos de Madge enquanto ela lembrava.

– Não queria que a vontade de Deus prevalecesse. Queria meus filhos de volta. Seja feita a tua vontade... Eu sabia que iria para o inferno, mas não podia dizer Amém.

– A peste voltou – anunciou Caris.

Madge cambaleou. Teve que se apoiar no aparador para não cair. O corpo sólido de repente ficou frágil e, à medida que a confiança se desvanecia de seu rosto, ela parecia cada vez mais velha.

– Não!

Caris puxou um banco e segurou Madge pelo braço até ela sentar.

– Lamento tê-la chocado.

– Não – repetiu Madge. – Não pode voltar. Não posso perder Anselm e Selma. Não suportaria, não suportaria...

Ela estava tão pálida e tensa que Caris começou a temer que Madge pudesse sofrer alguma espécie de ataque. Caris despejou vinho do jarro num copo. Entregou-o a Madge, que bebeu num gesto automático. Um pouco de cor voltou a seu rosto.

– Compreendemos a peste melhor agora – disse Caris. – Talvez possamos combatê-la.

– Combater a peste? Como faríamos isso?

– É o que vim lhe dizer. Sente-se melhor agora?

Madge finalmente fitou Caris nos olhos.

– Combater a peste... Claro que é isso que devemos fazer. Diga como.

– Temos de isolar a cidade. Fechar os portões, guarnecer as muralhas, impedir que qualquer pessoa entre.

– Mas as pessoas da cidade têm de comer.

– Os camponeses levarão os suprimentos para a ilha dos Leprosos. Merthin agirá como intermediário e pagará os fornecedores. Contraiu a peste na última vez e sobreviveu. Ninguém jamais pegou a peste duas vezes. Os mercadores deixarão as mercadorias na ponte. Depois que forem embora, as pessoas sairão da cidade para buscar os alimentos.

– As pessoas poderiam deixar a cidade?

– Claro, mas não poderiam voltar.

– E a Feira do Velocino?

– Essa pode ser a parte mais difícil. Deve ser cancelada.

– Mas os mercadores de Kingsbridge perderão centenas de libras!

– É melhor do que morrer.

– Se fizermos como você diz, evitaremos a peste? Minha família vai sobreviver?

Caris hesitou, mas resistiu à tentação de dizer uma mentira tranquilizadora:

– Não posso prometer. A peste pode já ter chegado aqui. Pode haver alguém neste momento morrendo numa choupana perto do rio, sem nenhuma ajuda. Por isso, temo que talvez não escapemos. Mas creio que meu plano lhe oferece a melhor chance de ainda ter Anselm e Selma ao seu lado no Natal.

– Então vamos fazer isso – declarou Madge, decidida.

– Seu apoio é crucial. Para ser franca, você perderá mais dinheiro do que qualquer outra pessoa com o cancelamento da feira. Por isso, é provável que as pessoas acreditem em você. Preciso que diga a todos como a situação é grave.

– Não se preocupe, Caris. Direi isso a todo mundo.

⁓

– Uma ótima ideia – disse o prior Philemon.

Merthin ficou surpreso. Não podia se lembrar de qualquer outra ocasião em que Philemon tivesse concordado tão prontamente com uma proposta da guilda.

– Então vai nos apoiar – disse ele, para ter certeza de que ouvira direito.

– Vou, sim. – O prior comia passas de uma tigela, enviando-as para a boca tão depressa quanto podia mastigar. Não ofereceu a Merthin. – Mas é claro que não se aplicaria aos monges.

Merthin suspirou. Deveria ter imaginado.

– Ao contrário. Aplica-se a todo mundo.

– Não, não – disse Philemon, no tom de quem instrui uma criança. – A guilda não tem o poder de restringir os movimentos dos monges.

Merthin notou um gato aos pés de Philemon. Era gordo como ele, com um rosto mesquinho. Parecia com o gato de Godwyn, Arcebispo, embora a criatura já devesse ter morrido há muito tempo. Talvez fosse um descendente.

– A guilda tem o poder de fechar os portões da cidade – disse Merthin.

– Mas nós temos o direito de ir e vir como quisermos. Não estamos sujeitos à autoridade da guilda... seria um absurdo.

– Seja como for, a guilda controla a cidade e decidimos que ninguém pode entrar enquanto a peste estiver grassando.

– Não pode criar regras para o priorado.

– Mas posso criar para a cidade, e o priorado por acaso está dentro da cidade.

– Está me dizendo que, se eu deixar Kingsbridge hoje, vai me recusar a entrada amanhã?

Merthin não tinha certeza. Seria altamente constrangedor, para dizer o mínimo, ter o prior de Kingsbridge parado na frente do portão exigindo admissão. Esperava persuadir Philemon a aceitar a restrição. Não queria que a decisão da guilda fosse testada de maneira tão dramática. Mesmo assim, tentou fazer com que sua resposta soasse confiante:

– Claro que sim.

– Vou me queixar ao bispo.

– E aproveite para avisar que ele também não poderá entrar em Kingsbridge.

⸺

O pessoal do convento quase não mudara em dez anos, percebeu Caris. Os conventos eram assim mesmo, é claro: uma freira deveria permanecer para sempre. A irmã Joan ainda era a prioresa e a irmã Oonagh dirigia o hospital, sob a supervisão do irmão Sime. Poucas pessoas vinham até ali agora em busca de cuidados médicos: a maioria preferia o hospital de Caris na ilha. Os pacientes de Sime, devotos ao extremo na maior parte, eram tratados no velho hospital, próximo da cozinha, enquanto o novo prédio era usado para hóspedes.

Caris se sentou com Joan, Oonagh e Sime na velha farmácia, a sala agora usada como escritório particular da prioresa. Explicou seu plano.

– As pessoas fora das muralhas da cidade velha que caírem vítimas da peste serão internadas em meu hospital na ilha. Enquanto a peste durar, as freiras e eu ficaremos dentro do prédio noite e dia. Ninguém sairá de lá, exceto os poucos afortunados que se recuperarem.

– E o que fazemos aqui na cidade velha? – perguntou Joan.

– Se a peste entrar na cidade apesar de nossas precauções, pode haver vítimas demais para as acomodações de que vocês dispõem. A guilda decidiu que as vítimas da peste e suas famílias serão confinadas em suas casas. A regra se aplica a qualquer pessoa que viva numa casa atingida pela peste: pais, filhos, avós, criados, aprendizes. Qualquer um que for apanhado saindo de uma casa nessas condições será enforcado.

– É muito rigoroso – comentou Joan. – Mas vale a pena se for para evitar a terrível mortandade da última peste.

– Eu sabia que você diria isso.

Sime permanecia calado. A notícia sobre a peste parecia ter esvaziado sua arrogância.

– Como as vítimas comerão, se estiverem aprisionadas em suas casas? – indagou Oonagh.

– Os vizinhos podem deixar comida na porta. Ninguém pode entrar... exceto monges médicos e freiras. Eles visitarão os doentes, mas não devem ter contato com os saudáveis. Irão do priorado para a casa e da casa de volta ao priorado, sem entrar em qualquer outro prédio, sem sequer falar com as pessoas na rua. Devem usar máscara em todas as ocasiões e lavar as mãos com vinagre cada vez que tocarem num paciente.

Sime parecia apavorado.

– Isso vai nos proteger?

– Até certo ponto, mas não completamente – respondeu Caris.

– Mas nesse caso será muito perigoso cuidar dos doentes!

– Não temos medo – afirmou Oonagh. – Aguardamos ansiosas a morte. Para nós, é o reencontro com Cristo há muito esperado.

– Claro, claro... – disse Sime.

No dia seguinte, todos os monges deixaram Kingsbridge.

88

Gwenda sentiu uma fúria rancorosa quando viu o que Ralph fizera com a plantação de garança de Davey. A destruição sem motivo de plantações era um pecado. Deveria haver um lugar especial no inferno para nobres que arruinavam o que os camponeses suavam para cultivar. Mas Davey não se mostrou desanimado.

– Acho que não tem a menor importância – disse ele. – O valor está nas raízes, que não foram afetadas.

– Destruir as raízes seria trabalho demais para ele – comentou Gwenda, amargurada.

Mas ela logo se reanimou. Na verdade, os arbustos se recuperaram com uma rapidez extraordinária. Ralph não devia saber que a garança se propagava por baixo da terra. Ao longo dos meses de maio e junho, enquanto começavam a chegar a Wigleigh as notícias de uma nova irrupção da peste, as raízes projetaram novos rebentos. No começo de julho, Davey decidiu que era tempo de fazer a colheita. No domingo, ele, Gwenda e Wulfric passaram a tarde desenterrando as raízes. Primeiro, afrouxavam o solo em torno da planta, depois a arrancavam. Removiam a folhagem e deixavam a raiz presa a uma haste curta. Era um trabalho extenuante, do tipo que Gwenda fizera durante toda a sua vida.

Deixaram a plantação como estava, na esperança de que se regenerasse no ano seguinte. Levaram as raízes de garança empilhadas em um carrinho de mão através da floresta até Wigleigh, descarregaram no paiol e as espalharam sobre o feno para secar.

Davey não sabia quando conseguiria vender sua colheita. Kingsbridge era uma cidade fechada. As pessoas ainda compravam suprimentos, é claro, mas apenas por intermediários. Davey estava fazendo uma coisa nova e precisaria explicar a situação para o comprador. E seria difícil fazer isso por um intermediário. Mas talvez ele tivesse de tentar. Precisava secar as raízes primeiro e depois moê-las até se tornarem pó, o que de qualquer maneira levaria algum tempo.

Davey não dissera mais nada sobre Amabel, mas Gwenda tinha certeza de que os dois continuavam a se encontrar. Ele fingia se manter alegre e resignado com seu destino. Se realmente tivesse desistido, estaria desanimado e ressentido.

Gwenda só podia torcer para que ele deixasse de amá-la antes de ter idade suficiente para se casar sem permissão. Ainda não era capaz de suportar sequer pensar em ver sua família se unir com a de Annet. Afinal, Annet nunca deixara de humilhá-la flertando com Wulfric, que continuava a sorrir como um tolo a cada comentário coquete e estúpido que ela fazia. Agora que Annet estava na casa dos 40 anos, com veias rompidas nas faces rosadas e fios brancos entre os cachos louros, seu comportamento não era apenas constrangedor, mas também grotesco. Wulfric, no entanto, reagia como se ela ainda fosse uma garota.

E agora, pensou Gwenda, meu filho caiu na mesma armadilha. Isso a deixava furiosa. Amabel se parecia com Annet 25 anos antes, um rosto bonito com cachos que balançavam ao vento, um pescoço comprido, ombros brancos e estreitos, seios pequenos como os ovos que mãe e filha vendiam nos mercados. Amabel tinha a mesma maneira de sacudir os cabelos, o mesmo truque de contemplar um homem com uma expressão de falsa repreensão e de bater em seu peito com o dorso da mão, num gesto que pretendia ser uma pancada, mas era na verdade uma carícia.

Davey, porém, pelo menos estava salvo e bem fisicamente. Gwenda estava mais preocupada com Sam, vivendo agora com o conde Ralph no castelo enquanto aprendia a ser um guerreiro. Na igreja, ela rezava para que Sam não fosse ferido em alguma caçada, nem aprendesse a usar uma espada, nem lutasse num torneio. Ela o vira todos os dias durante 22 anos até que, subitamente, ele lhe fora tirado. É difícil ser mulher, pensava ela. Você ama seu filho com todo o coração e alma, aí um belo dia ele vai embora.

Por várias semanas ela procurou um motivo para ir a Earlscastle e verificar como Sam estava. Depois soube que a peste também chegara ali e resolveu partir. Viajaria antes de a colheita começar. Wulfric não a acompanharia: tinha muita coisa para fazer na terra. De qualquer forma, ela não tinha medo de viajar sozinha.

– Sou pobre demais para ser roubada, velha demais para ser estuprada – gracejava.

A verdade era que ela era muito dura para deixar que qualquer das duas coisas acontecesse. E sempre viajava com uma adaga comprida.

Gwenda atravessou a ponte levadiça para Earlscastle num dia quente de julho. Havia uma gralha pousada nas ameias por cima do portão, como uma sentinela, o sol faiscando em suas penas pretas lustrosas. Crocitou em advertência para ela. O som saiu como "Vá, vá!". Ela escapara da peste uma vez, mas isso poderia ter sido pura sorte; arriscava a vida ao vir até ali.

A vida na parte inferior do castelo transcorria normalmente, embora um pouco tranquila. Um lenhador descarregava uma carroça cheia de lenha junto da padaria, enquanto um cavalariço desencilhava um cavalo empoeirado diante do estábulo. Mas não havia muita atividade ali. Gwenda notou um pequeno grupo de homens e mulheres junto da entrada oeste da pequena igreja e atravessou a área de terra batida para investigar.

– Há vítimas da peste lá dentro – informou uma criada em resposta à sua pergunta.

Gwenda atravessou a porta sentindo o medo como uma mão gelada que apertava seu coração. Dez ou doze colchões de palha estavam alinhados no chão de forma a que os ocupantes pudessem olhar para o altar, como num hospital. Cerca da metade dos pacientes parecia ser de crianças. Havia três homens adultos. Ela examinou seus rostos, apavorada.

Nenhum deles era Sam.

Gwenda se ajoelhou e fez uma prece em agradecimento. Depois saiu e se aproximou da mulher com que falara antes.

– Estou à procura de Sam de Wigleigh. Ele é um novo escudeiro.

A mulher apontou para a ponte que levava à parte interna do conjunto.

– Procure na torre.

Gwenda seguiu pelo caminho indicado. O guarda de sentinela na ponte a ignorou. Ela subiu os degraus para a torre. O grande saguão era escuro e fresco. Um enorme cachorro dormia na pedra fria da lareira. Havia bancos ao longo das paredes e duas cadeiras de braços imensas na outra extremidade. Gwenda notou que não havia almofadas, nem assentos estofados, nem ornamentos nas paredes. Deduziu que lady Philippa passava bem pouco tempo ali e não tinha o menor interesse pela decoração.

Sam estava sentado perto de uma janela, junto com três homens mais jovens. As partes de uma armadura estavam dispostas no chão à frente deles, do elmo às proteções dos joelhos e tornozelos. Cada homem limpava uma peça. Sam esfregava o peitoral com um seixo liso, tentando remover a ferrugem.

Ela ficou parada por um momento, observando. Sam usava roupas novas, a libré vermelha e preta do conde de Shiring. As cores combinavam com sua beleza morena. Ele parecia à vontade, conversando descontraído com os outros enquanto todos trabalhavam. Dava a impressão de estar saudável e bem alimentado. Era o que Gwenda esperava, mas mesmo assim sofreu uma descabida pontada de desapontamento por descobrir que o filho passava muito bem sem ela.

Sam ergueu os olhos e a viu. Seu rosto demonstrou surpresa, depois prazer e divertimento.

– Amigos, sou o mais velho entre vocês e podem pensar que sou capaz de cuidar de mim mesmo, mas não é o caso. Minha mãe me segue por toda parte para ter certeza de que estou bem.

Eles olharam para Gwenda e riram. Sam largou seu trabalho e se adiantou. Mãe e filho sentaram num banco no canto, perto da escada que levava aos aposentos de cima.

– É uma vida maravilhosa – disse Sam. – Todos se divertem aqui, na maioria dos dias. Saímos para caçar e falcoar, temos disputas de luta livre, competições de equitação e jogamos rúgbi. Aprendi tanta coisa! É um pouco embaraçoso passar o tempo todo com esses adolescentes, mas posso aturar. Só preciso adquirir a habilidade de usar uma espada e um escudo montando um cavalo.

Ele já falava de maneira diferente, notou Gwenda. Começara a perder o ritmo arrastado da fala na aldeia. E usou palavras francesas para "equitação" e "falcoar". Já estava sendo assimilado pela vida da nobreza.

– E o que me diz do trabalho? Não pode ser tudo diversão.

– Há mesmo muito trabalho. – Sam gesticulou para os outros que limpavam a armadura. – Mas é fácil em comparação com arar e colher.

Ele perguntou pelo irmão, e Gwenda deu notícias de casa: a garança de Davey se regenerara e eles haviam arrancado as raízes; Davey continuava envolvido com Amabel; e ninguém em Wigleigh contraíra a peste até agora. Enquanto conversavam, ela começou a sentir que era vigiada e teve certeza de que a sensação não era uma fantasia. Depois de algum tempo, olhou para trás.

O conde Ralph estava parado no alto da escada, diante de uma porta aberta, obviamente após sair de seus aposentos. Gwenda se perguntou havia quanto tempo ele a observava. Sustentou seu olhar, que era intenso. Mas não foi capaz de decifrá-lo, não compreendeu o que significava. Começou a sentir que tinha uma intimidade embaraçosa e se apressou a desviar os olhos.

Quando tornou a olhar, Ralph havia desaparecido.

⁓

No dia seguinte, já estava na estrada a meio caminho de casa, um cavaleiro se aproximou por trás, a galope, depois diminuiu e parou. Gwenda estendeu a mão para a adaga comprida no cinto. O cavaleiro era sir Alan Fernhill.

– O conde quer vê-la.

– Então ele deveria ter vindo pessoalmente em vez de mandar você.

– Sempre tem uma resposta esperta, não é mesmo? E acha que isso a faz cair nas boas graças de seus superiores?

Ele tinha razão nesse ponto. Gwenda ficou surpresa, talvez por nunca ter ouvido qualquer comentário inteligente durante todo o tempo em que Alan era comparsa de Ralph. Mas, se ela fosse mesmo esperta, trataria de adular pessoas como o conde em vez de zombar.

– Está bem – disse ela, cansada. – O conde me chama. Devo andar por todo o caminho de volta ao castelo?

– Não precisa. Ele tem uma cabana na floresta, não muito longe daqui, onde às vezes para e descansa um pouco durante uma caçada. Está lá agora.

Alan apontou para um ponto da floresta ao lado da estrada. Gwenda não gostou nem um pouco da situação, mas uma serva tinha de atender ao chamado de seu conde. De qualquer maneira, tinha certeza de que, se recusasse, Alan a derrubaria, amarraria e levaria até lá.

– Irei até essa cabana.

– Se quiser, pode subir na sela, na minha frente.

– Não, obrigada. Prefiro andar.

Naquela época do ano, o mato rasteiro era espesso. Gwenda seguiu o cavalo pela floresta, aproveitando a trilha que o animal abria pelas urtigas e samambaias. A estrada atrás logo desapareceu. Gwenda especulou, nervosa, sobre o motivo para Ralph realizar aquele encontro na floresta. E pressentiu que não podia ser uma boa notícia para ela e sua família.

Percorreram menos de meio quilômetro e chegaram a uma cabana com teto de colmo. Gwenda teria presumido que era a casa de um guarda-caça. Alan prendeu as rédeas em torno de uma árvore nova e entrou na frente.

A cabana tinha a mesma aparência despojada e utilitária que Gwenda notara em Earlscastle. O chão era de terra batida; as paredes, de taipa; no teto, apenas a parte de baixo do colmo. Os móveis eram mínimos: uma mesa, alguns bancos e uma cama simples de madeira, com um colchão de palha. Havia uma porta entreaberta nos fundos, onde os criados de Ralph deviam preparar comida para ele e seus companheiros de caçada.

Ralph se achava sentado, com um copo de vinho à sua frente. Gwenda parou diante dele, esperando. Alan se encostou na parede, por trás dela.

– Então Alan conseguiu encontrá-la – disse Ralph.

– Não há mais ninguém aqui? – indagou Gwenda, nervosa.

– Só você, eu e Alan.

A ansiedade de Gwenda aumentou ainda mais.

– Por que queria se encontrar comigo?

– Para falar sobre Sam, é claro.

– Você tirou Sam de mim. O que mais há para dizer?

– Ele é um bom rapaz... nosso filho.

– Não o chame assim.

Ela olhou para Alan, que não demonstrou surpresa. Era evidente que já estava a par do segredo. Gwenda ficou consternada. Wulfric nunca deveria descobrir.

– Nunca o chame de "nosso filho" – reiterou ela. – Nunca foi um pai para Sam. Foi Wulfric quem o criou.

– Como eu poderia criá-lo? Nem sequer sabia que era meu filho. Mas venho compensando o tempo perdido. Ele lhe contou que tem se saído muito bem?

– Já se meteu em brigas?

– Claro. Os escudeiros devem brigar. É um bom treino para quando forem para a guerra. Deveria ter perguntado se ele vence.

– Não é a vida que eu queria para Sam.

– É a vida para a qual ele foi feito.

– Mandou que eu viesse até aqui apenas para se gabar?

– Por que não se senta?

Relutante, Gwenda ocupou uma cadeira no outro lado da mesa. Ralph serviu vinho num copo, que empurrou em sua direção. Ela ignorou.

– Agora que sei que temos um filho, acho que devemos ser mais íntimos – sugeriu Ralph.

– Não, obrigada.

– Você é uma estraga-prazeres.

– Não me fale em prazer. Você tem sido uma praga em minha vida. Com toda a força do meu coração, gostaria de nunca tê-lo conhecido. Não quero ter nenhuma intimidade com você. Prefiro me manter o mais longe possível. Se você fosse para Jerusalém, ainda não seria bastante longe.

O rosto de Ralph se contraiu de raiva e ela se arrependeu da extravagância de suas palavras. Recordou a censura de Alan. Desejou poder dizer não com toda a simplicidade e calma, sem comentários mordazes. Mas Ralph atiçava sua ira como nenhuma outra pessoa.

– Não pode perceber? – indagou ela, tentando ser racional. – Odeia meu marido... há quanto tempo, um quarto de século? Ele quebrou seu nariz e você cortou o rosto dele. Estuprou a mulher que ele amava. Ele fugiu e você o trouxe de volta com uma corda no pescoço. Depois de tudo isso, nem o fato de termos um filho juntos pode fazer com que nos tornemos amigos.

– Discordo. Acho que podemos ser não apenas amigos, mas também amantes.

– Não!

Era o que Gwenda temia, no fundo de sua mente, desde que Alan parara o cavalo diante dela na estrada. Ralph sorriu.

– Por que não tira o vestido?

Ela ficou tensa.

Alan se inclinou por trás e tirou a adaga comprida do cinto de Gwenda com um movimento suave. Era evidente que ele premeditara o movimento: aquilo aconteceu depressa demais para que ela pudesse reagir. Mas Ralph disse:

– Não, Alan... Isso não será necessário. Ela fará de bom grado.

– Nunca!

– Pode devolver a adaga, Alan.

Relutante, Alan inverteu a posição da adaga, segurando-a pela lâmina ao estendê-la para Gwenda. Ela pegou a adaga e se levantou de um pulo.

– Vocês podem me matar, mas juro que levarei um de vocês comigo!

Gwenda recuou, a adaga estendida à sua frente, pronta para lutar. Alan foi para a porta, cortando sua retirada.

– Pode deixar, Alan – disse Ralph. – Ela não vai a parte alguma.

Gwenda não tinha a menor ideia do motivo pelo qual Ralph se mostrava tão confiante, mas ele estava completamente enganado. Ela sairia daquela cabana, correria tão depressa quanto pudesse e só pararia quando caísse de cansaço.

Alan permaneceu onde estava.

Gwenda alcançou a porta, estendeu a mão para trás e abriu o trinco simples de madeira.

– Wulfric não sabe, não é? – disse Ralph.

Gwenda ficou paralisada.

– Não sabe o quê?

– Não sabe que sou o pai de Sam.

A voz de Gwenda baixou para um sussurro:

– Não, não sabe.

– Fico imaginando como ele se sentiria se descobrisse.

– Isso o mataria.

– Foi o que pensei.

– Por favor, não conte a ele.

– Não contarei... desde que você faça o que eu disser.

O que ela podia fazer? Sabia que Ralph sentia forte atração sexual por ela. Usara esse conhecimento, em desespero, para conseguir encontrá-lo no castelo do representante do rei. Aquele momento na Bell, tantos anos antes, uma recordação infame para ela, vivera na memória de Ralph como uma ocasião áurea, provavelmente reforçada pela passagem do tempo. E ele metera em sua cabeça a ideia de reviver aquele momento.

Portanto, a culpa era sua. Como poderia desenganá-lo?

– Não somos mais as mesmas pessoas que éramos há tantos anos – argumentou ela. – Nunca serei outra vez uma jovem inocente. Você deve voltar para suas criadinhas.

– Não quero criadas. Quero você.

– Não, por favor...

Gwenda teve de fazer o maior esforço para conter as lágrimas. Mas Ralph se manteve implacável:

– Tire o vestido.

Ela guardou a adaga na bainha e desafivelou o cinto.

89

A ssim que acordou, Merthin pensou em Lolla.
Fazia três meses agora que ela havia desaparecido. Ele enviara cartas para as autoridades de Gloucester, Monmouth, Shaftesbury, Exeter, Winchester e Salisbury. Cartas suas, como regedor de uma das maiores cidades da Inglaterra, eram tratadas com a devida seriedade e ele recebera respostas cuidadosas de todas. Só o prefeito de Londres não fora prestativo, alegando que metade das garotas da cidade havia fugido de seus pais e que não era da conta do prefeito mandá-las de volta para casa.

Merthin fizera indagações pessoais em Shiring, Bristol e Melcombe. Conversara com o proprietário de cada taverna, dando uma descrição de Lolla. Todos haviam visto moças de cabelos escuros, quase sempre na companhia de patifes bonitos chamados Jake, Jack ou Jock, mas nenhum pôde afirmar com certeza que vira a filha de Merthin ou ouvira o nome Lolla.

Alguns amigos de Jake também haviam desaparecido, junto com mais uma ou outra garota, essas alguns anos mais velhas que Lolla.

Merthin sabia que Lolla podia estar morta, mas se recusava a perder a esperança. Era improvável que ela contraísse a peste. A nova irrupção vinha devastando cidades e aldeias, matando a maioria das crianças com menos de 10 anos. Mas sobreviventes da primeira onda, como ele e Lolla, deviam ser pessoas que por alguma razão tinham força para resistir à doença ou haviam conseguido se recuperar, em casos raros como o seu, e não estavam ficando doentes dessa vez. A peste, porém, era apenas um dos riscos a que se expunha uma garota de 16 anos que fugira de casa. A imaginação fértil de Merthin o torturava, durante a madrugada, com pensamentos do que poderia ter acontecido à filha.

Uma cidade que não fora devastada pela peste era Kingsbridge. A doença afetara apenas uma casa em cada cem, na cidade velha, até onde Merthin podia saber pelas conversas que mantinha, gritadas através do portão da cidade, com Madge Webber, que atuava como regedora dentro das muralhas enquanto Merthin cuidava de todos os assuntos externos. Os subúrbios de Kingsbridge e outras cidades vinham tendo a média de uma em cada cinco casas atingida pela peste. Mas os métodos de Caris haviam prevalecido sobre a peste... ou apenas a retardaram? A doença persistiria e acabaria por superar as barreiras que ela erguera? No final, a devastação seria tão terrível quanto na última vez? Não saberiam até que a irrupção refluísse... o que poderia levar meses ou anos.

Merthin suspirou e se levantou de sua cama solitária. Não via Caris desde que a cidade fora fechada. Ela vivia no hospital, a poucos metros da casa de Merthin, mas não podia deixar o prédio. As pessoas podiam entrar ali, mas não podiam sair. Caris decidira que não teria credibilidade se não trabalhasse lado a lado com as freiras, por isso estava retida no hospital.

Merthin passara metade de sua vida separado dela, ao que parecia. Mas isso não tornava a situação mais fácil. Na verdade, ele ansiava mais por ela agora, na meia-idade, do que quando era jovem.

Sua governanta, Em, acordara antes dele. Merthin a encontrou na cozinha, esfolando coelhos. Ele comeu um pedaço de pão e tomou um copo de cerveja fraca antes de sair.

A estrada principal através da ilha já estava abarrotada de camponeses e suas carroças, trazendo suprimentos. Merthin e um grupo de ajudantes conversaram com cada um. Os que traziam produtos habituais, com preços combinados, eram os casos mais simples: Merthin os enviava pela outra ponte para descarregar as mercadorias junto do portão trancado da cidade, depois lhes pagava quando voltavam sem nada. Com aqueles que traziam produtos sazonais, como frutas e legumes, ele negociava um preço antes de permitir a entrega. Para algumas cargas especiais, o acordo era fechado com alguns dias de antecedência, por ocasião do pedido: peles para o comércio de couro; pedras para os pedreiros, que haviam recomeçado a construção da agulha por ordem do bispo Henri; prata para os joalheiros; aço, ferro e cânhamo para os fabricantes da cidade, que tinham de continuar a trabalhar, embora estivessem temporariamente isolados de seus clientes. Havia ainda as cargas especiais, para as quais Merthin precisava de instruções de alguém na cidade. Hoje, nessa situação, havia um vendedor de brocado italiano que queria vendê-lo a um dos alfaiates da cidade, um boi de 6 anos para o matadouro e Davey de Wigleigh.

Merthin ouviu a história de Davey com espanto e satisfação. Admirou o rapaz por sua capacidade de empreendimento ao comprar as sementes de garança e cultivá-las, apesar das dificuldades, até produzir o pigmento tão caro. Não ficou surpreso ao saber que Ralph tentara sabotar o projeto: o irmão era como a maioria dos nobres em seu desprezo por qualquer coisa relacionada a manufatura ou comércio. Mas Davey tinha coragem, além de inteligência, e persistira. Até pagara a um moleiro para converter as raízes secas em pó.

– Quando o moleiro lavou a mó depois, seu cachorro bebeu um pouco da água que escorreu – disse Davey para Merthin. – O cachorro mijou vermelho durante uma semana. Por isso, sabemos que a tintura funciona.

Agora ali estava ele, com sacos antigos de farinha de trigo de quatro galões empilhados num carrinho de mão, cheios do que acreditava ser as preciosas raízes moídas da garança.

Merthin lhe disse para pegar um dos sacos e levar até o portão. Ali chegando, ele chamou o sentinela no outro lado. O homem subiu para as ameias e olhou para baixo.

– Este saco é para Madge Webber! – gritou Merthin. – Pode providenciar para que ela receba pessoalmente, sentinela?

– Claro, regedor.

Como sempre, algumas vítimas da peste nas aldeias foram levadas para a ilha por seus parentes. A maioria das pessoas agora sabia que não havia cura para a peste e simplesmente deixava as pessoas amadas morrerem. Mas umas poucas eram ignorantes ou bastante otimistas para esperar que Caris fizesse um milagre. Os doentes eram deixados na porta do hospital, como os suprimentos no portão da cidade. As freiras iam buscá-los à noite, depois que os parentes haviam partido. De vez em quando um sobrevivente afortunado saía do hospital com boa saúde, mas a maioria dos pacientes deixava o local pela porta dos fundos, para ser enterrada num cemitério novo no outro lado do prédio.

Ao meio-dia, Merthin convidou Davey para almoçar. Enquanto comiam um pastelão de coelho com ervilhas, o rapaz confessou que estava apaixonado pela filha da antiga inimiga de sua mãe.

– Não sei por que a mãe odeia Annet, mas é tudo de um passado distante e não tem nada a ver comigo ou Amabel.

Ele falou com a indignação da juventude contra a irracionalidade dos pais. Quando Merthin assentiu, Davey perguntou:

– Seus pais se opuseram a você dessa maneira?

Merthin pensou por um momento.

– Claro. Eu queria ser um escudeiro e passar a vida como um cavaleiro lutando pelo rei. Fiquei infeliz quando me puseram para ser aprendiz de carpinteiro. No meu caso, no entanto, acabou dando certo.

Davey não ficou muito satisfeito com essa história.

À tarde, o acesso à parte interna da ponte foi fechado no lado da ilha e o portão da cidade foi aberto. Carregadores saíram e pegaram todas as mercadorias deixadas ali. Os suprimentos foram levados para seus diversos destinos na cidade.

Não havia nenhuma mensagem de Madge sobre o pó de garança.

Merthin recebeu um segundo visitante naquele dia. Quase no final da tarde, quando o fluxo de mercadores já era bastante reduzido, o cônego Claude apareceu.

O amigo e patrono de Claude, o bispo Henri, estava agora instalado em Monmouth como arcebispo. Seu substituto como bispo de Kingsbridge ainda não fora escolhido. Claude queria o cargo e estivera em Londres para conversar com sir Gregory Longfellow. Voltava agora para Monmouth, onde continuaria a trabalhar como braço direito de Henri, pelo menos por enquanto.

– O rei gosta da posição de Philemon sobre a tributação do clero – comentou, enquanto comiam pastelão de coelho e tomavam o melhor vinho gascão de Merthin. – E o clero mais antigo gostou do sermão contra a dissecação e do plano de construir uma capela para Nossa Senhora. Por outro lado, Gregory detesta Philemon... diz que ele não merece a menor confiança. O resultado é que o rei adiou a decisão ao deliberar que os monges de Kingsbridge não podem realizar uma eleição enquanto estiverem no exílio em St.-John-in-the-Forest.

– Presumo que o rei ache que não há muito sentido em escolher o novo bispo enquanto a peste continua a se espalhar e a cidade permanece fechada – comentou Merthin.

Claude assentiu.

– Mas consegui alguma coisa, embora pequena. Há uma vaga para embaixador inglês junto ao papa. O designado deve residir em Avignon. Sugeri Philemon. Gregory pareceu atraído pela ideia. Pelo menos não a rejeitou de imediato.

– Isto é ótimo!

A perspectiva de Philemon ser enviado para tão longe deixou Merthin mais animado. Ele desejaria poder fazer alguma coisa para fortalecer a posição de Claude, mas já escrevera para Gregory garantindo o apoio da guilda e esse era o limite de sua influência.

– Tenho mais uma notícia... uma notícia triste, infelizmente – acrescentou Claude. – A caminho de Londres, passei por St.-John-in-the-Forest. Henri ainda é o abade, em caráter oficial, e me mandou repreender Philemon por deixar Kingsbridge sem permissão. Uma perda de tempo, é claro. Seja como for, Philemon adotou as mesmas precauções de Caris e não me deixou entrar. Mas conversamos através do portão. Até agora, os monges escaparam da peste. Entretanto, seu velho amigo, o irmão Thomas, morreu de velhice. Sinto muito.

– Deus permita que sua alma descanse em paz – disse Merthin, triste. – Ele ficou muito frágil no final. Sua mente delirava.

– A mudança para Saint John provavelmente não o ajudou.

– Foi Thomas quem me estimulou quando eu era um jovem construtor.

– É estranho como Deus às vezes leva os bons homens e deixa os maus.

Claude partiu cedo na manhã seguinte.

Enquanto Merthin cumpria sua rotina diária, um dos carregadores voltou do portão da cidade com uma mensagem de Madge. Ela estava nas ameias e queria falar com Merthin e Davey.

– Acha que ela vai comprar minha garança? – perguntou Davey enquanto seguiam para a ponte interna.

Merthin não tinha a menor ideia.

– Espero que sim.

Os dois pararam lado a lado diante do portão fechado e olharam para Madge, inclinada sobre a muralha.

– De onde veio a mercadoria?! – gritou ela.

– Eu cultivei – respondeu Davey.

– E quem é você?

– Davey de Wigleigh, filho de Wulfric.

– Ah... O menino de Gwenda?

– Isso mesmo. O mais novo.

– Testei sua tintura.

– Funciona, não é? – indagou Davey, ansioso.

– É muito fraca. Você moeu as raízes inteiras?

– Moí... O que mais eu deveria ter feito?

– Deveria ter removido as cascas antes de moer.

– Eu não sabia disso. – Davey estava desolado. – O pó não presta?

– Como eu disse, é fraco. Não posso pagar o preço da tintura pura.

Davey estava tão angustiado que Merthin ficou com pena.

– Quanto você tem? – perguntou Madge.

– Mais nove sacos de quatro galões como o que entreguei – informou Davey, desanimado.

– Pagarei a metade do preço habitual... 3 xelins e 6 *pence* por galão. Isso dá 14 xelins por saco, 7 libras exatas por dez sacos.

O rosto de Davey era a própria imagem da alegria. Merthin desejou que Caris estivesse ali para partilhar aquele momento.

– 7 libras! – repetiu Davey.

Madge pensou que ele estava decepcionado e disse:

– Não posso fazer mais do que isso, a tintura não é bastante forte.

Mas 7 libras eram uma fortuna para Davey. Representavam os salários de vários anos de um trabalhador, até mesmo aos preços de hoje. Ele olhou para Merthin e disse:

– Estou rico!

Merthin riu.

– Não gaste tudo de uma vez.

O dia seguinte era domingo. Merthin foi à missa na pequena igreja da ilha, dedicada a Santa Elizabeth da Hungria, a padroeira dos que curavam os doentes. Depois foi para casa e pegou uma pá de carvalho na cabana de ferramentas no pomar. Com a pá no ombro, atravessou a ponte externa, passou pelos subúrbios e entrou no passado.

Tentou se lembrar do caminho que percorrera pela floresta 34 anos antes, junto com Caris, Ralph e Gwenda. Parecia impossível. Não havia um percurso definido, exceto pelas trilhas imprecisas deixadas pelos veados. Árvores novas haviam crescido e se tornado imensas, poderosos carvalhos tinham sido derrubados pelos lenhadores do rei. Mesmo assim, para sua surpresa, ainda havia pontos de referência reconhecíveis: a água que brotava do solo, onde a menina Caris de 10 anos se ajoelhara para beber; um imenso bloco de rocha que ela dissera que devia ter caído do céu; um pequeno vale de encostas íngremes com um fundo lodoso, onde ela enlameara as botas.

Enquanto andava, as recordações daquele dia na infância foram se tornando mais nítidas. Lembrou como o cachorro, Hop, os seguira pela floresta e como Gwenda o acompanhara. Sentiu outra vez o prazer por Caris ter compreendido sua piada. O rosto ficou vermelho ao recordar como se mostrara incompetente, diante de Caris, com o arco que fizera... e a facilidade com que o irmão mais novo manejara a arma.

Acima de tudo, lembrou-se de Caris como uma menina. Eram pré-adolescentes, mas mesmo assim ele ficou fascinado por sua inteligência rápida, sua ousadia, a maneira como assumira sem esforço o comando do pequeno grupo. Ainda não era amor, mas uma espécie de fascínio não muito diferente.

As recordações o distraíram e ele perdeu o rumo. Começou a sentir que se encontrava em terreno completamente desconhecido. Depois, subitamente, se aproximou de uma clareira e percebeu que chegara ao lugar certo. As moitas eram maiores, o tronco do carvalho era ainda mais largo e a clareira era alegre, com muitas flores de verão, como não acontecera naquele dia de novembro de 1327. Mas ele não teve a menor dúvida: era como um rosto que não via havia anos, um rosto que mudara um pouco, mas continuava inconfundível.

Um Merthin mais baixo e magricela rastejara para baixo daquela moita para se esconder do homem enorme que avançava barulhento pelo mato. Recordou como um exausto e ofegante Thomas parara, encostado naquele carvalho, e desembainhara a espada e a adaga.

Viu em sua imaginação a repetição dos acontecimentos daquele dia. Os homens de libré amarela e verde alcançaram Thomas e perguntaram por uma carta. Thomas distraiu os homens ao dizer que eram observados por alguém escondido numa moita. Merthin teve certeza de que ele e os outros seriam assassinados e, nesse momento, Ralph, com apenas 10 anos, matara um dos homens de armas, demonstrando os reflexos rápidos e implacáveis que tão bem o serviram, anos mais tarde, nas guerras francesas. Thomas liquidara o outro homem, não sem antes sofrer o ferimento que redundara na perda de seu braço esquerdo, apesar – ou talvez por causa – do tratamento que recebera no hospital do priorado de Kingsbridge. Em seguida, Merthin ajudara Thomas a enterrar a carta.

"Bem aqui", dissera Thomas. "Diante do carvalho."

Havia um segredo, Merthin sabia agora, um segredo tão poderoso que pessoas poderosas tinham pavor de que fosse revelado. O segredo proporcionava proteção a Thomas, mas mesmo assim ele procurara santuário num mosteiro, onde passara o resto de sua vida.

"Se souber que eu morri, gostaria que abrisse o buraco e entregasse a carta a um padre", dissera Thomas ao menino Merthin.

Merthin, o homem, ergueu a espada e começou a cavar.

Não tinha certeza se era mesmo essa a intenção de Thomas. A carta enterrada fora uma precaução para que ele não morresse de forma violenta em vez de falecer de causas naturais aos 58 anos. Será que ainda gostaria que a carta fosse desenterrada? Merthin não sabia. Decidiria o que fazer quando lesse a carta. Sentia uma curiosidade irresistível pelo conteúdo.

Sua memória do local exato em que enterrara a bolsa com a carta não era perfeita, e ele errou na primeira tentativa. Escavou quase meio metro antes de perceber: tinha certeza de que o buraco não fora aberto além dos 30 centímetros. Tentou de novo, um pouco para a esquerda.

E dessa vez acertou.

Trinta centímetros abaixo da superfície, a pá bateu em alguma coisa que não era terra. Era mole, mas resistente. Largou a pá de lado e enfiou os dedos no buraco. Sentiu um pedaço de couro antigo, apodrecido. Com todo o cuidado, retirou a terra ao redor e ergueu o objeto. Era a bolsa de couro que Thomas levava no cinto tantos anos antes.

Limpou as mãos sujas de terra na túnica e abriu a bolsa. Lá dentro havia um saco de lã oleada, ainda intacto. Afrouxou o cordão para abrir o saco. Tirou uma folha de pergaminho, enrolada e lacrada com cera.

Merthin a manuseou com o maior cuidado, mas mesmo assim a cera se esfarelou quando a tocou. Desenrolou o pergaminho. Estava intacto: sobrevivera muito bem a 34 anos debaixo da terra.

Compreendeu no mesmo instante que não era um documento oficial, mas, sim, uma carta pessoal. Pela letra, dava para perceber que fora escrita com todo o cuidado por um nobre instruído, porque não parecia a caligrafia de um escrivão experiente.

Começou a ler. A saudação dizia:

De Eduardo, o segundo desse nome, rei da Inglaterra, no castelo de Berkele; pela mão de seu fiel servidor, sir Thomas Langley, para seu amado filho mais velho, Eduardo, saudação real e amor paternal.

Merthin ficou assustado. Era uma mensagem do velho rei para o novo. A mão que segurava o documento tremia agora. Ergueu os olhos e esquadrinhou a paisagem verde ao redor, como se pudesse haver alguém espiando através das moitas.

Meu amado filho, você ouvirá em breve a notícia de que eu morri. Saiba que não é verdade.

Merthin franziu o cenho. Não era isso que esperava.

Sua mãe, a rainha, a esposa de meu coração, corrompeu e subverteu Roland, o conde de Shiring, e seus filhos, que mandaram assassinos para cá, mas fui avisado por Thomas e os assassinos foram mortos.

Portanto, Thomas não fora o assassino, no final das contas, mas o salvador do rei.

Sua mãe, depois de fracassar na tentativa de me matar, vai sem dúvida tentar de novo, pois ela e seu consorte adúltero não podem se sentir seguros enquanto eu estiver vivo. Por isso, troquei de roupa com um dos assassinos abatidos, um homem da minha altura e aparência, e subornei várias pessoas para que jurassem que o corpo morto era o meu. Sua mãe saberá a verdade quando o vir, mas aceitará a farsa, pois, se eu for considerado morto, não serei mais uma ameaça para ela e nenhum rebelde ou rival na disputa pelo trono poderá reivindicar meu apoio.

Merthin estava espantado. A nação pensara que Eduardo II havia morrido. Toda a Europa fora enganada. Mas o que acontecera com ele depois?

Não direi para onde planejo ir, mas saiba que tenciono deixar o reino da Inglaterra e nunca mais voltar. Apesar disso, rezo para tornar a vê-lo, meu filho, antes de morrer.

Por que Thomas enterrara aquela carta em vez de entregá-la? Porque temera por sua vida e concluíra que a carta era uma arma poderosa em sua defesa. E, depois que a rainha Isabella se comprometeu com a farsa da morte do marido, precisava lidar com as poucas pessoas que conheciam a verdade. Merthin recordou então que o conde de Kent, quando ele ainda era adolescente, fora condenado por traição e decapitado, por alegar que Eduardo II ainda estava vivo.

A rainha Isabella enviara homens atrás de Thomas e eles o haviam alcançado nos arredores de Kingsbridge. Mas o cavaleiro os liquidara, com a ajuda de Ralph, um menino de 10 anos. Depois, Thomas devia ter ameaçado denunciar toda a farsa... e tinha uma prova, a carta do velho rei. Naquela noite, deitado no hospital do priorado de Kingsbridge, Thomas negociara com a rainha ou, mais provavelmente, com o conde Roland e seus filhos, na qualidade de agentes dela. Prometera guardar o segredo sob a condição de ser aceito como monge. Ele se sentiria mais seguro no mosteiro... e, para o caso de a rainha se sentir tentada a romper o acordo, deveria ter avisado que a carta fora escondida em lugar seguro, mas que seria revelada se morresse. Era o motivo para que a rainha precisasse deixá-lo vivo.

O velho prior Anthony soubera de alguma coisa. Antes de morrer, contara para madre Cecilia, que, por sua vez, em seu leito de morte, repetira parte da história para Caris. As pessoas podiam guardar segredos por décadas, refletiu Merthin, mas se sentiam compelidas a dizer a verdade quando a morte era iminente. Caris também vira o documento incriminador que concedia Lynn Grange ao priorado sob a condição de Thomas ser aceito como monge. Merthin agora compreendia por que as indagações dissimuladas de Caris sobre aquele documento haviam causado tantos problemas. Sir Gregory Longfellow persuadira Ralph a entrar no mosteiro e roubar todos os cartulários na esperança de encontrar a carta incriminadora.

O poder destrutivo daquela folha de velino fora atenuado com a passagem do tempo? Isabella tivera uma longa vida, mas morrera três anos antes. O próprio Eduardo II estava quase certamente morto... senão contaria 77 anos agora. Eduardo III ainda temia a revelação de que o pai continuava vivo enquanto o mundo pensava que ele havia morrido? Era um rei muito forte agora para ser seriamente ameaçado, mas enfrentaria grande constrangimento e humilhação.

Mas o que Merthin devia fazer?

Ele permaneceu onde estava, sentado na relva da clareira na floresta, entre flores silvestres, por longo tempo. Por fim enrolou o pergaminho, tornou a guardá-lo no saco e pôs o saco na velha bolsa de couro.

Largou a bolsa no fundo do buraco e o tapou. Também tapou o primeiro buraco, o errado. Alisou a terra por cima de ambos. Tirou algumas folhas dos galhos e as espalhou diante do velho carvalho. Ficou satisfeito com o resultado: as escavações não eram mais perceptíveis a um olhar casual.

Depois deixou a clareira e voltou para casa.

90

No final de agosto, o conde Ralph fez uma excursão por suas propriedades em torno de Shiring, acompanhado por seu antigo comparsa, sir Alan Fernhill, e pelo filho recém-descoberto, Sam. Ele gostava da companhia de Sam, que já era crescido. Os outros, Gerry e Roley, ainda eram muito jovens para aquele tipo de excursão. Sam não sabia sobre sua paternidade, mas Ralph acalentava o segredo com prazer.

Ficaram horrorizados pelo que viam ao redor. Centenas de servos de Ralph estavam mortos ou morrendo, o trigo apodrecia nos campos sem ser colhido. Enquanto viajavam de um lugar para outro, a raiva e a frustração de Ralph foram aumentando. Seus comentários sarcásticos intimidavam os companheiros e sua irritação deixava o cavalo irrequieto.

Em cada aldeia, além das terras que eram ocupadas pelos servos, havia alguns acres que eram exclusivamente de uso pessoal do conde. Deveriam ser cultivados por seus empregados e pelos servos obrigados a trabalhar para ele um dia por semana. Eram justamente as terras que se encontravam em piores condições. Muitos de seus empregados haviam morrido, o que também acontecera com alguns dos servos que lhe deviam trabalho; outros servos haviam negociado condições mais favoráveis depois da última peste e, por isso, não tinham mais de trabalhar para o senhor; e, finalmente, era impossível encontrar trabalhadores para contratar.

Quando chegou a Wigleigh, Ralph foi direto para os fundos do solar e deu uma olhada no enorme celeiro de madeira. Àquela altura, deveria estar abarrotado de cereais para a moagem, mas se encontrava vazio, com uma gata dando à luz uma ninhada no canto.

– O que teremos para fazer o pão? – berrou para Nathan Reeve. – Sem cevada para fazer a cerveja, o que vamos beber? Por Deus, é melhor você ter um plano!

Nate reagiu de maneira um tanto brusca:

– Tudo o que podemos fazer é redistribuir as faixas de terra.

Ralph se surpreendeu com a rispidez. Nate era normalmente um bajulador. Ele lançou um olhar furioso para o jovem Sam, e Ralph entendeu o motivo do comportamento do verme. Nate odiava Sam por ter matado seu filho, Jonno. Em vez de punir Sam, Ralph primeiro o perdoara e depois o fizera um escudeiro. Não era de admirar que Nate se mostrasse ressentido.

– Deve haver alguns jovens na aldeia capazes de cultivar alguns acres extras.

– Há, sim, só que não querem pagar a taxa de transferência.

– Querem a terra de graça?

– Isso mesmo. Podem ver que você tem terra demais e não dispõe de trabalhadores em quantidade suficiente para cultivar tudo. Sabem que estão em posição vantajosa para negociar.

No passado, Nate era sempre o primeiro a condenar a arrogância dos camponeses, mas agora parecia estar se divertindo com o dilema de Ralph.

– Agem como se a Inglaterra pertencesse a eles, não à nobreza – esbravejou Ralph, furioso.

– É vergonhoso, milorde – disse Nate, mais polido, com uma expressão insidiosa surgindo em seu rosto. – Por exemplo, o filho de Wulfric, Davey, quer se casar com Amabel e assumir as terras da mãe dela. Faz sentido. Afinal, Annet nunca foi capaz de cultivar direito suas terras.

– Meus pais não pagariam a taxa de transferência – interveio Sam. – São contra o casamento.

– Mas o próprio Davey poderia pagar – disse Nate.

Ralph ficou surpreso.

– Como?

– Ele vendeu aquela colheita nova que plantou na floresta.

– Garança. É evidente que não fizemos um trabalho meticuloso para pisotear tudo. Quanto ele ganhou?

– Ninguém sabe. Mas Gwenda comprou uma vaca leiteira de pouca idade e Wulfric tem uma faca nova... e Amabel usava um lenço amarelo para cobrir a cabeça na igreja no domingo.

E um polpudo suborno foi oferecido a Nate, pensou Ralph.

– Detesto recompensar a desobediência de Davey – disse. – Mas estou desesperado. Deixe-o ficar com as terras.

– Teria de lhe conceder uma permissão especial para se casar contra a vontade dos pais.

Davey pedira isso a Ralph, que recusara. Mas isso ocorrera antes de a peste dizimar os camponeses. Ele não gostava de revogar tais decisões, mas era um preço baixo a pagar.

– Eu lhe darei permissão.

– Está certo.

– Mas vamos visitá-lo. Quero fazer a oferta pessoalmente.

Nate ficou surpreso, mas é claro que não fez nenhuma objeção.

A verdade era que Ralph queria ver Gwenda de novo. Havia alguma coisa nela que o deixava com a garganta ressequida. O último encontro, na pequena cabana de caça, não o satisfizera por muito tempo. Pensara em Gwenda com bastante frequência nas semanas desde então. Encontrava pouca satisfação hoje em dia com o tipo de mulher que normalmente levava para a cama: prostitutas jovens, mulheres de taverna, criadas. Todas fingiam estar encantadas com seus avanços, embora ele soubesse que elas só queriam o presente em dinheiro que vinha depois. Gwenda, em contraste, não escondia o fato de que o detestava e sentia calafrios ao seu contato. E isso o agradava, de forma paradoxal, porque era honesto e, portanto, real. Depois do encontro na cabana de caça, Ralph lhe dera uma bolsa com moedas de prata. Gwenda a jogara em cima dele com tanta força que machucara seu peito.

– Eles estão em Brookfield hoje, recolhendo a cevada colhida – informou Nate.

– Eu os levarei até lá.

Ralph e seus homens deixaram a aldeia atrás de Nate. Subiram pela margem do córrego à beira do campo. Sempre ventava em Wigleigh, mas hoje a brisa de verão era suave e quente, como os seios de Gwenda.

Algumas faixas de terra ali haviam sido colhidas, mas em outras Ralph se desesperou ao ver a aveia madura demais, a cevada envolvida pelas ervas daninhas e uma faixa de centeio que fora ceifado, mas não enfeixado, de tal forma que a colheita se espalhava pelo chão.

Um ano antes, Ralph pensara que todos os seus problemas financeiros haviam acabado. Voltara da mais recente guerra francesa com um cativo, o *marquis* de Neuchatel, e negociara um resgate de 50 mil libras. Mas a família do marquês não conseguira levantar o dinheiro. Algo parecido acontecera com o rei francês, Jean II, capturado pelo príncipe de Gales na batalha de Poitiers. O rei Jean permanecera em Londres por quatro anos, tecnicamente como prisioneiro, embora vivendo em conforto no Savoy, o novo palácio construído pelo duque de Lancaster. Ralph mandara Alan Fernhill a Neuchatel para renegociar o resgate do prisioneiro. Alan reduzira o preço para 20 mil libras, mas outra vez a família não fora capaz de pagar. Pouco depois, o marquês morrera da peste. Por isso, Ralph estava insolvente de novo e tinha de se preocupar com a colheita.

Era meio-dia. Os camponeses almoçavam ao lado do campo. Gwenda, Wulfric e Davey estavam sentados no chão, à sombra de uma árvore, comendo carne de porco com cebolas cruas. Levantaram-se de um pulo quando os cavalos se aproximaram. Ralph seguiu até a família de Gwenda e acenou para que os outros mantivessem distância.

Gwenda usava um vestido verde solto que ocultava seu corpo. Os cabelos estavam presos atrás, o que deixava seu rosto ainda mais parecido com o de um rato. Mas, quando Ralph a fitou, em sua imaginação a viu nua, pronta, à sua espera, com um ar de repulsa resignada pelo que ele estava prestes a fazer, e isso o deixou excitado.

Ralph olhou para o marido dela. Wulfric o fitava com uma expressão serena, nem de desafio nem intimidada. Havia agora fios brancos na barba de um castanho-claro, mas ainda não crescera nenhum cabelo na cicatriz deixada pela espada de Ralph.

– Wulfric, seu filho quer se casar com Amabel e assumir as terras de Annet.

Gwenda, que nunca aprendera a falar apenas quando lhe dirigiam a palavra, interveio com evidente amargura:

– Você me roubou um filho... Quer levar o outro agora?

Ralph a ignorou.

– Quem pagará o *heriot*?

Nate deu o valor:

– São 30 xelins.

– Não tenho 30 xelins – declarou Wulfric.

– Posso pagar – disse Davey com a maior calma.

Ele deve ter ganhado um bom dinheiro com sua colheita de garança, pensou Ralph, para se dispor a pagar essa alta quantia com tanta calma.

– Ótimo. Nesse caso...

Mas, antes que Ralph pudesse continuar, Davey o interrompeu:

– Mas em que condições faz a oferta?

Ralph sentiu que seu rosto ficava vermelho.

– Como assim?

Nate interveio de novo:

– Nas mesmas condições em que Annet detém as terras, é claro.

– Então agradeço ao conde, mas não aceitarei sua generosa oferta – declarou Davey.

– Mas do que está falando? – indagou Ralph.

– Eu gostaria de assumir a terra, milorde, mas apenas como arrendatário livre, pagando a renda em dinheiro, sem as outras obrigações.

– Como ousa regatear com o conde de Shiring, seu filhote de cão insolente? – rugiu sir Alan, de forma ameaçadora.

Davey estava assustado, mas manteve a atitude de desafio:

– Não desejo ofender, milorde. Mas quero ter liberdade para cultivar o que puder vender. Não quero cultivar apenas o que Nate Reeve determina, independentemente dos preços de mercado.

Davey herdara a veia de determinação obstinada de Gwenda, pensou Ralph, que disse, furioso:

– Nate expressa meus desejos! Acha que sabe mais do que o conde?

– Perdoe, milorde, mas o senhor não ara a terra nem vai ao mercado.

Alan estendeu a mão para o punho da espada. Ralph percebeu que Wulfric olhava para a foice no chão, a lâmina afiada faiscando ao sol. Do outro lado de Ralph, o cavalo de Sam se agitou, nervoso, refletindo a tensão do cavaleiro. Se houvesse uma luta, pensou Ralph, Sam lutaria por seu lorde ou por sua família?

Ralph não queria uma luta. Queria que a colheita fosse feita; matar camponeses tornaria isso ainda mais difícil. Ele conteve Alan com um gesto.

– É assim que a peste destrói a moral – comentou ele, repugnado. – Eu lhe darei o que quer, Davey, porque devo.

Davey engoliu em seco.

– Por escrito, milorde? – indagou.

– Está exigindo também um aforamento?

Davey acenou com a cabeça em confirmação, assustado demais para falar.

– Duvida da palavra de seu conde?

– Não, milorde.

– Então por que pede um arrendamento por escrito?

– Para evitar dúvidas em anos futuros.

Todos diziam isso quando pediam um aforamento: o registro nos livros do solar. O que eles queriam dizer era que o senhor não poderia facilmente alterar os termos se o arrendamento estivesse escrito. Era mais uma afronta às tradições consagradas pelo tempo. Ralph não queria fazer mais uma concessão, mas outra vez não tinha alternativa se queria que a colheita fosse feita.

E foi então que pensou numa maneira de aproveitar aquela situação para obter uma coisa que queria. Reanimou-se no mesmo instante.

– Está bem. Darei um arrendamento por escrito. Mas não quero que os homens deixem os campos durante a colheita. Sua mãe pode ir buscar o documento em Earlscastle na próxima semana.

༄

Gwenda seguiu a pé para Earlscastle num dia quente, sufocante. Sabia o que Ralph queria, e a perspectiva a deixava desesperada. Ao atravessar a ponte levadiça para o castelo, as gralhas pareceram rir com ironia de sua situação angustiante.

O sol esquentava, implacável, o castelo, com as muralhas bloqueando a passagem de qualquer brisa. Os escudeiros estavam empenhados em algum jogo diante do estábulo. Sam se encontrava entre eles, absorto demais para notar a presença de Gwenda.

Haviam amarrado um gato num poste, no nível dos olhos, de modo que o animal mexesse a cabeça e as pernas. Um escudeiro tinha de matar o gato com as mãos amarradas nas costas. Gwenda já vira esse jogo. A única maneira de o escudeiro alcançar seu objetivo era atingir o pobre animal com uma cabeçada, mas o gato naturalmente se defendia, arranhando e mordendo o rosto do atacante.

O desafiante, um garoto em torno dos 16 anos, se mantinha a alguma distância do poste, observado pelo gato apavorado. O garoto avançou com a cabeça num movimento repentino. A testa acertou em cheio o peito do gato, mas o animal reagiu com as garras estendidas. O escudeiro soltou um grito de dor e pulou para trás, o sangue escorrendo pelas faces. Todos os outros escudeiros caíram na gargalhada. Enfurecido, o desafiante avançou e deu outra cabeçada no gato. Foi arranhado de forma ainda pior e tornou a gritar de dor, o que os outros acharam ainda mais engraçado. Chegando mais perto, simulou um ataque, o gato agitou as patas no ar e o escudeiro acertou uma cabeçada em cheio na sua cabeça. O sangue esguichou da boca e das narinas do gato, que arriou, inconsciente, embora ainda respirando. O garoto lhe deu uma cabeçada final para matá-lo e os outros gritaram e bateram palmas.

Gwenda ficou nauseada. Não gostava muito de gatos – preferia cachorros –, mas era sempre desagradável ver uma criatura desamparada ser atormentada. Calculou que os rapazes tinham de fazer aquele tipo de coisa como preparativo para mutilar e matar seres humanos na guerra. Mas precisava mesmo ser assim?

Ela seguiu adiante sem falar com o filho. Suada, atravessou a segunda ponte e subiu os degraus para a torre. Ainda bem que o vasto saguão estava fresco.

Estava contente por não ter sido vista por Sam. Esperava evitá-lo tanto quanto possível. Não queria que ele desconfiasse de que havia alguma coisa errada. Sam não era muito sensível a essas coisas, mas poderia perceber a aflição da mãe.

Ela comunicou ao chefe da recepção no saguão por que estava ali e ele prometeu avisar ao conde.

– Lady Philippa está no castelo?

Gwenda acalentava alguma esperança de que Ralph pudesse se sentir inibido pela presença da esposa. Mas o homem balançou a cabeça.

– Ela está em Monmouth, com a filha.

Gwenda assumiu uma expressão sombria e se sentou para esperar. Não podia deixar de pensar em seu encontro com Ralph na cabana de caça. Ao olhar para a parede cinza do vasto saguão, ela o viu a observá-la enquanto se despia, a boca entreaberta em expectativa. Enquanto a intimidade do sexo era uma alegria com o homem que ela amava, era repulsiva com o homem que ela odiava.

Na primeira vez em que Ralph a coagira, havia mais de vinte anos, seu corpo a traíra. Sentira prazer físico embora experimentasse ao mesmo tempo uma repulsa espiritual. O mesmo ocorrera com Alwyn, o salteador da floresta. Mas não se repetira dessa vez, com Ralph, na cabana de caça. Ela atribuíra a mudança à idade. Quando era jovem, cheia de desejo, o ato físico desencadeava uma reação automática. Era inevitável embora a deixasse ainda mais envergonhada. Agora, na maturidade, o corpo não era tão vulnerável, o reflexo não era tão imediato. Podia pelo menos se sentir agradecida por isso.

A escada no outro lado do salão levava aos aposentos do conde. Homens subiam e desciam a todo instante: cavaleiros, empregados, arrendatários, bailios. Após uma hora, o chefe da recepção avisou que ela podia subir.

Gwenda teve medo de que Ralph quisesse fazer sexo logo, mas ficou aliviada ao descobrir que ele tinha um dia movimentado. Com ele estavam sir Alan e dois padres escriturários, sentados a uma mesa com materiais de escrita. Um dos escriturários lhe entregou um pequeno pergaminho.

Ela não o examinou. Não sabia ler.

– Pronto – disse Ralph. – Agora seu filho é um arrendatário livre. Não é isso que você sempre quis?

Ela sonhara com a liberdade para si mesma, como Ralph sabia. Jamais conseguira. Mas Ralph tinha razão, Davey conquistara agora essa liberdade. Isso significava que sua vida não fora completamente desprovida de propósito. Seus netos seriam livres e independentes, cultivando as colheitas que escolhessem, pagando a renda e ficando com todo o resto que ganhassem. Nunca conheceriam a existência miserável de pobreza e fome em que Gwenda nascera.

Isso valia tudo por que passara? Ela não sabia.

Gwenda pegou o pergaminho e se encaminhou para a porta. Alan foi atrás e disse, em voz baixa, no momento em que ela saía:

– Passe a noite aqui, no saguão. – O grande saguão era o lugar em que dormia a maioria dos residentes do castelo. – Amanhã, esteja na cabana de caça duas horas depois do meio-dia.

Ela tentou sair sem responder. Alan estendeu o braço para barrar sua passagem.

– Entendido?

– Está bem. Estarei lá à tarde.

Ele a deixou passar.

Ela não falou com Sam até o anoitecer. Os escudeiros passaram a tarde inteira empenhados em diversas atividades violentas. Gwenda ficou contente por contar com aquele tempo só para si mesma. Sentou no saguão fresco, sozinha com seus pensamentos. Tentou racionalizar que não era nada de mais ter uma relação sexual com Ralph. Não era mais uma virgem, no final das contas. Estava casada havia vinte anos. Fizera sexo milhares de vezes. Tudo acabaria em poucos minutos e não deixaria cicatrizes. Faria aquilo e esqueceria.

Até a próxima vez.

Isso era o pior de tudo. Ele poderia continuar a coagi-la indefinidamente. Sua ameaça de revelar o segredo da paternidade de Sam a deixaria apavorada enquanto Wulfric fosse vivo.

Mas Ralph se cansaria dela em breve e voltaria a procurar prazer nos corpos firmes das jovens das tavernas, não é?

– O que há com você? – perguntou Sam ao crepúsculo quando os escudeiros entraram no salão para jantar.

– Não é nada de mais. Davey comprou uma vaca leiteira para mim.

Sam se mostrou um pouco invejoso. Gostava da vida que levava, mas os escudeiros não eram remunerados. Não precisavam de dinheiro – recebiam comida, bebida, acomodações, roupas –, mas, mesmo assim, um jovem gostava de ter alguns *pence* no bolso. Conversaram sobre o iminente casamento de Davey.

– Você e Annet serão avós dos mesmos netos – comentou Sam. – Terá de fazer as pazes com ela.

– Não seja estúpido – disse Gwenda, ríspida. – Você não sabe do que está falando.

Ralph e Alan desceram dos aposentos de cima quando o jantar foi servido. Todos os visitantes e residentes se reuniram no saguão. O pessoal da cozinha trouxe três enormes lúcios cozidos com ervas. Gwenda sentou perto da extremidade da mesa, bem longe de Ralph, que não lhe dispensou qualquer atenção.

Depois do jantar, ela se deitou para dormir na palha no chão, ao lado de Sam. Era um conforto dormir em companhia do filho, como fazia quando ele era pequeno. Ela lembrou como ficava escutando a respiração de Sam, leve e contente, no silêncio da noite. Sonolenta, pensou na maneira como as crianças cresciam para desafiar as expectativas dos pais. O próprio pai a via como uma mercadoria a ser negociada, mas ela se recusara, furiosa, a ser tratada dessa maneira. Agora, cada um de seus filhos seguia o próprio rumo na vida, e, nos dois casos, não tinha sido o que ela planejara. Sam seria um cavaleiro e Davey se casaria com a filha de Annet. Se soubéssemos como eles seriam, pensou, ficaríamos tão ansiosos para tê-los?

Ela sonhou que ia à cabana de caça e descobria que Ralph não estava ali. Mas havia um gato na cama. Sabia que precisava matar o gato, mas tinha as mãos amarradas nas costas e, por isso, desferiu várias cabeçadas até que o animal morresse.

Quando acordou, pensou se poderia matar Ralph na cabana de caça. Matara Alwyn, tantos anos antes, enfiando a própria adaga dele pela garganta e empurrando para cima até que a ponta saíra por um olho. Também matara Sim Chapman, mantendo sua cabeça debaixo d'água enquanto ele se debatia até que a água do rio entrara em seus pulmões e ele morrera. Caso Ralph fosse sozinho à cabana de caça, ela poderia matá-lo se escolhesse o momento apropriado.

Mas ele não estaria sozinho. Os condes nunca iam sozinhos a lugar nenhum. Ralph seria acompanhado por Alan, como na ocasião anterior. Era excepcional que ele viajasse com apenas um companheiro. E improvável que não levasse ninguém.

Poderia matar os dois? Ninguém mais sabia que ela se encontraria com Ralph ali. Se os matasse e voltasse para casa, não seria sequer suspeita. Ninguém sabia de seu motivo; era um segredo, desde o início. Alguém poderia concluir que ela estivera nas proximidades da cabana de caça na ocasião, mas apenas perguntariam se ela vira homens de aparência suspeita. Não ocorreria a ninguém que o enorme e forte Ralph pudesse ser assassinado por uma mulher pequena de meia-idade.

Mas ela seria capaz? Gwenda pensou a respeito, mas sabia, no fundo de seu coração, que não havia a menor possibilidade. Os dois eram homens violentos, experientes. Durante vinte anos participaram de guerras, a mais recente a campanha no inverno retrasado. Tinham reflexos rápidos e suas reações eram mortíferas. Muitos cavaleiros franceses haviam tentado matá-los... e morreram tentando.

Ela até poderia matar um, usando de astúcia e surpresa, mas não os dois. Teria de se submeter a Ralph.

Sombria, Gwenda deixou o saguão, lavou o rosto e as mãos. Quando retornou, o pessoal da cozinha já estava servindo pão de centeio e cerveja fraca como primeira refeição. Sam molhava o pão velho na cerveja para amolecê-lo.

– Você está de novo com aquela cara estranha, mãe. Qual é o problema?

– Nada. – Ela pegou a faca e cortou uma fatia de pão. – Tenho uma longa caminhada pela frente.

– É isso que a preocupa? Não deveria ir sozinha. A maioria das mulheres não viaja sozinha.

– Sou mais dura do que a maioria das mulheres.

Gwenda ficou satisfeita pelo fato de o filho demonstrar preocupação com ela. Era uma coisa que o verdadeiro pai dele, Ralph, nunca faria. Wulfric tivera alguma influência sobre o menino, no final das contas. Mas ela ficou constrangida por Sam ter lido sua expressão e adivinhado seu estado de espírito.

– Não precisa se preocupar comigo.

– Eu poderia ir com você – propôs Sam. – Tenho certeza de que o conde permitiria. Ele não precisa dos escudeiros hoje: vai a algum lugar com Alan Fernhill.

Era a última coisa que ela queria. Se não comparecesse ao encontro, Ralph revelaria o segredo. Podia imaginar o prazer com que ele faria isso. Não precisaria de muita provocação.

– Fique aqui. Nunca se sabe quando o conde vai chamá-lo.

– Ele não vai me chamar. É melhor eu ir com você.

– Eu o proíbo terminantemente. – Gwenda pôs na boca mais um pedaço de pão e guardou o resto na bolsa. – Você mostra que é um bom rapaz ao se preocupar comigo, mas não é necessário.

Ela o beijou no rosto e acrescentou:

– Cuide-se bem. Não corra riscos desnecessários. Se quer fazer alguma coisa por mim, permaneça vivo.

Ela se afastou. Virou-se ao chegar à porta. Sam a observava, pensativo. Gwenda se forçou, antes de sair, a lhe oferecer o que esperava ser um sorriso despreocupado.

⌒

Na estrada, Gwenda começou a se preocupar com a possibilidade de alguém descobrir sua ligação com Ralph. Essas coisas sempre davam um jeito de vazar. Encontrara-o uma vez, estava prestes a fazê-lo novamente e temia que pudesse haver outras ocasiões. Quanto tempo levaria para que alguém a visse deixando a estrada e entrando na floresta em determinado ponto da jornada, e começasse a imaginar por quê? E se alguém por acaso entrasse na cabana de caça no momento errado? Quantas pessoas notariam que Ralph saía sozinho com Alan sempre que Gwenda viajava de Earlscastle para Wigleigh?

Ela parou numa taverna pouco antes de meio-dia e pediu cerveja com queijo. Os viajantes costumavam sair dali em grupos, por segurança, mas Gwenda fez questão de se demorar para ter certeza de que estaria sozinha na estrada. Quando chegou o momento de entrar na floresta, olhou para a frente e para trás, para se certificar de que ninguém a observava. Teve a impressão de divisar um movimento entre as árvores, cerca de 1 quilômetro para trás. Espiou atentamente para a distância nebulosa, tentando divisar com mais nitidez o que percebera, mas não havia ninguém ali. Ela estava apenas nervosa.

Pensou outra vez em matar Ralph enquanto avançava pelo mato rasteiro. Se Alan não estivesse ali, por um golpe de sorte, poderia ter uma oportunidade? Mas Alan era a única pessoa no mundo que sabia que ela se encontraria ali com Ralph. Se Ralph fosse assassinado, Alan saberia quem fora a assassina. Teria de matá-lo também. E isso parecia impossível.

Havia dois cavalos diante da cabana de caça. Ralph e Alan estavam sentados a uma pequena mesa, com os restos de uma refeição à frente: metade de um pernil, um osso, a casca de um queijo e um frasco de vinho. Gwenda fechou a porta depois de entrar.

– Aqui está ela, como foi combinado – disse Alan com um ar de satisfação.

Era evidente que ele recebera a incumbência de atraí-la para o encontro e ficara aliviado ao constatar que Gwenda obedecera às suas ordens.

– Perfeita para sua sobremesa – acrescentou. – Como uma passa, um pouco enrugada mas doce.

– Por que não ordena que ele saia? – perguntou Gwenda a Ralph.

Alan se levantou.

– Sempre um comentário insolente. Você nunca vai aprender?

Mas se retirou. Foi para a cozinha, batendo a porta. Ralph sorriu.

– Venha aqui.

Ela se aproximou, obediente.

– Direi a Alan para não ser tão rude se você quiser – acrescentou Ralph.

– Por favor, não faça isso! – exclamou ela, horrorizada. – Se Alan começar a ser simpático comigo, as pessoas vão desconfiar.

– Como preferir. – Ralph pegou sua mão e tentou puxá-la. – Sente-se no meu colo.

– Não podemos apenas fazer sexo e acabar logo com isso?

Ele riu.

– É o que aprecio em você... sempre franca e honesta.

Ralph se levantou, segurou-a pelos ombros e a fitou nos olhos. Depois, inclinou a cabeça e a beijou.

Era a primeira vez que ele fazia isso. Já haviam feito sexo duas vezes sem nenhum beijo. Gwenda ficou revoltada. Enquanto os lábios de Ralph comprimiam os seus, sentiu-se mais violada até do que no momento em que ele a penetrava com o pênis. Ele abriu a boca e Gwenda sentiu o bafo de queijo. Desvencilhou-se, repugnada.

– Não!

– Lembre-se do que tem a perder.

– Não faça isso, por favor.

Ralph começou a se irritar.

– Terei você de qualquer maneira! – gritou. – Tire o vestido!

– Por favor, deixe-me ir embora.

Ele começou a dizer alguma coisa, mas Gwenda elevou a voz. As paredes eram finas, e ela sabia que Alan, na cozinha, poderia ouvi-la suplicando, mas não se importava.

– Não me obrigue, eu imploro!

– Não me importa o que você diga! – gritou Ralph. – Vá para a cama!

– Por favor, não me obrigue!

A porta da frente foi aberta nesse instante. Gwenda e Ralph se viraram para olhar, aturdidos. Sam estava à porta.

– Oh, Deus, não! – balbuciou Gwenda.

Os três permaneceram paralisados por uma fração de segundo. Nesse momento, Gwenda adivinhou o que acontecera. Sam estava preocupado com ela e, desobedecendo às suas ordens, a seguira desde Earlscastle, permanecendo fora de vista, mas nunca muito atrás. Vira quando ela deixara a estrada e entrara na floresta. Ela percebera um movimento quando olhara para trás, mas o descartara como uma mera impressão de sua imaginação.

Sam devia ter ficado lá fora e ouvido os gritos. E devia ser óbvio que Ralph estava forçando Gwenda a fazer sexo contra a vontade. Recordando tudo num relance, ela compreendeu que eles não haviam mencionado o verdadeiro motivo para que ela se subjugasse. O segredo não fora revelado... ainda.

Sam sacou sua espada.

Ralph se levantou de um pulo. Enquanto Sam avançava, ele conseguiu também desembainhar sua espada. Sam desferiu um golpe contra a cabeça de Ralph, que ergueu sua espada a tempo de apará-lo.

O filho de Gwenda estava tentando matar o pai.

Sam corria um terrível perigo. Pouco mais que um menino, enfrentava um soldado calejado em batalha.

– Alan! – gritou Ralph.

Gwenda compreendeu que Sam tinha de enfrentar não apenas um, mas dois veteranos. Ela correu para o outro lado. Enquanto a porta da cozinha era aberta, Gwenda se postou ao lado, comprimindo-se contra a parede. Tirou a adaga comprida do cinto.

Alan entrou na sala.

Olhou para os combatentes, mas não viu Gwenda. Hesitou por um instante, apreendendo a cena. A espada de Sam tornou a cortar o ar visando ao pescoço de Ralph, que outra vez aparou o golpe com sua espada.

Alan percebeu à primeira vista que seu amo estava sob um ataque furioso. Estendeu a mão para o cabo da espada e deu um passo à frente. E foi então que Gwenda o apunhalou pelas costas.

Ela enfiou a adaga comprida e a empurrou para cima com toda a força de que era capaz, com o vigor de uma camponesa que trabalhava nos campos. A adaga passou pelos músculos das costas de Alan e subiu pelo rim, estômago e pulmão, na tentativa de alcançar o coração. A arma tinha cerca de um palmo de comprimento, era pontuda e afiada e foi cortando os órgãos. Porém a morte não foi imediata.

Alan rugiu de dor, mas logo ficou em silêncio. Cambaleou e virou-se para agarrá-la, puxando-a num abraço de luta livre. Gwenda desferiu outro golpe, dessa vez atingindo o estômago e, com o mesmo impulso para cima, atravessando órgãos vitais. O sangue esguichou pela boca de Alan. Ele ficou inerte, os braços caíram pelos lados do corpo. Com uma expressão de absoluta incredulidade, fitou por um momento aquela mulher desprezível que acabara com sua vida. Depois, fechou os olhos e desabou no chão.

Gwenda olhou para os outros dois.

Sam atacou e Ralph aparou; Ralph recuou e Sam avançou. O rapaz golpeou de novo e o conde aparou mais uma vez. O pai se defendia vigorosamente, mas sem atacar.

Ele não queria matar o filho.

Sam, sem saber que o oponente era seu pai, não tinha esses escrúpulos e continuou a atacar, golpeando com sua espada.

Gwenda sabia que aquela situação não poderia durar por muito tempo. Um deles feriria o outro e a luta passaria a ser até a morte. Empunhando a adaga suja de sangue, ela procurou, desesperada, por uma chance de interferir, apunhalando Ralph da mesma maneira que fizera com Alan.

– Espere! – gritou Ralph, erguendo a mão esquerda.

Mas Sam estava furioso demais e continuou a atacar. Ralph aparou o golpe e gritou de novo:

– Espere!

Ele ofegava em razão do esforço, mas conseguiu enunciar algumas palavras:

– Há uma coisa que você não sabe.

– Sei o suficiente! – berrou Sam.

Gwenda pôde ouvir o tom de histeria infantil na voz do homem enorme. Sam atacou de novo.

– Não sabe, não! – insistiu Ralph.

Gwenda sabia o que Ralph queria dizer a Sam. Ele ia declarar: "Eu sou seu pai." Isso não devia acontecer.

– Precisa me ouvir! – disse Ralph.

Sam finalmente reagiu. Deu um passo para trás, mas sem baixar a espada. Ralph ofegava, recuperando o fôlego para falar, e, quando fez uma pausa, Gwenda avançou para ele.

Ele se voltou para enfrentá-la ao mesmo tempo que deslocava a espada para a direita, num arco. A lâmina a atingiu, derrubando a faca de sua mão. Gwenda ficou completamente indefesa. Sabia que morreria se Ralph a golpeasse de novo, no sentido inverso.

Mas, pela primeira vez desde que Sam sacara a espada, a guarda de Ralph se abriu, deixando a frente do corpo indefesa.

Sam avançou e enterrou a espada no peito de Ralph.

A ponta afiada da lâmina passou pela túnica leve de verão de Ralph e penetrou o peito, no lado esquerdo do esterno. Devia ter passado entre duas costelas, pois afundou ainda mais. Sam soltou um grito de triunfo, sedento de sangue, e pressionou a espada. Ralph cambaleou para trás com o impacto. Os ombros bateram na parede. Mas Sam avançou, cravando a espada com toda a sua força. A lâmina pareceu atravessar todo o peito de Ralph. Houve um estranho baque quando a ponta da espada saiu pelas costas dele e atingiu a parede de madeira.

Os olhos de Ralph se fixaram em Sam e Gwenda compreendeu o que ele pensava. Ralph sabia que o ferimento era fatal. E, nos últimos segundos de sua vida, refletia que fora morto pelo próprio filho.

Sam largou a espada, que não caiu. Estava cravada na parede, empalando Ralph de maneira sinistra. Sam recuou, transtornado.

Ralph ainda não morrera. Tentou erguer os braços, num esforço para segurar a espada e arrancá-la do peito. Mas já não era capaz de coordenar os movimentos. Gwenda pensou, num lampejo angustiante, que ele se parecia com o gato que os escudeiros haviam amarrado no poste.

Ela se abaixou e pegou sua adaga do chão.

E foi nesse instante, por mais incrível que pudesse parecer, que Ralph falou:

– Sam, eu sou...

O sangue esguichou de sua boca, numa golfada repentina, cortando suas palavras.

Graças a Deus, pensou Gwenda.

A torrente de sangue cessou tão depressa quanto começara, e Ralph falou de novo:

– Eu sou...

Dessa vez ele foi impedido de continuar por Gwenda. Ela saltou para a frente e enfiou a adaga na boca de Ralph. Ele soltou um som estrangulado e horrível. A lâmina afundou em sua garganta.

Gwenda largou a adaga e recuou.

Ficou olhando para o que fizera, horrorizada. O homem que a atormentara por tanto tempo estava pregado na parede, como se crucificado, com uma espada através do peito e uma adaga na garganta. Ele não emitiu qualquer som, mas os olhos indicavam que ainda vivia, deslocando-se de Gwenda para Sam e de volta, em agonia, terror e desespero.

Eles ficaram imóveis, olhando para Ralph, em silêncio, esperando. Até que finalmente ele fechou os olhos.

91

A peste desapareceu em setembro. Pouco a pouco o hospital de Caris foi se esvaziando à medida que pacientes morriam sem que novos dessem entrada. Os quartos desocupados foram varridos e lavados. Lenha de juníperos foi acesa nas lareiras, impregnando o hospital com uma intensa fragrância de outono. No início de outubro, a última vítima da peste foi enterrada no cemitério do hospital. Um sol vermelho envolto em névoa subia pela catedral de Kingsbridge no momento em que quatro freiras jovens e fortes baixaram o cadáver amortalhado para o buraco na terra. O corpo era de um tecelão corcunda de Outhenby. Ao contemplar a sepultura, Caris viu sua inimiga antiga, a peste, estendida na terra fria. Não pôde deixar de dizer:

– Você morreu mesmo ou voltará mais uma vez?

Quando as freiras voltaram ao hospital, depois do funeral, não havia nada a fazer.

Caris lavou o rosto, escovou os cabelos e pôs o vestido novo que guardara para aquele dia. Era um vermelho, de Escarlate de Kingsbridge. Depois deixou o hospital, pela primeira vez em meio ano.

Seguiu imediatamente para o jardim de Merthin.

As pereiras projetavam sombras compridas ao sol da manhã. As folhas começavam a avermelhar e encrespar, com uns poucos frutos atrasados ainda pendendo dos galhos, arredondados e castanhos. Arn, o jardineiro, colhia lenha com um machado. Ao avistar Caris, ele ficou a princípio surpreso e assustado; mas depois compreendeu o que significava a presença dela ali e seu rosto se desmanchou num sorriso. Arn largou o machado e correu para a casa.

Na cozinha, Em fazia um mingau num fogo alegre. Olhou para Caris como se fosse uma aparição divina. Ficou tão comovida que beijou as mãos dela.

Ela subiu e entrou no quarto de Merthin.

Ele estava parado à janela, olhando para o rio, que corria além da frente da casa. Virou-se para ela. O coração de Caris quase parou ao contemplar o rosto familiar, irregular, a expressão de inteligência alerta, o humor rápido na contração dos lábios. Os olhos castanho-dourados a miraram com profunda afeição, enquanto a boca se alargava num sorriso de boas-vindas. Merthin não demonstrou qualquer surpresa: já devia ter notado que menos e menos pacientes chegavam ao hospital e aguardava o retorno dela a qualquer hora. Parecia um homem cujas esperanças haviam se realizado.

Caris parou a seu lado na janela. Ele passou o braço por seus ombros. Ela estendeu o braço em torno da cintura de Merthin. Havia mais alguns fios brancos na barba do que seis meses antes e o halo dos cabelos parecia ter recuado mais um pouco, embora talvez fosse apenas sua imaginação.

Por um instante, os dois ficaram olhando para o rio. A superfície se movimentava, interminável, brilhante como um espelho ou de um preto profundo, em padrões irregulares, sempre mudando e sempre igual.

– Acabou – disse Caris. E eles se beijaram.

⌒

Merthin anunciou uma Feira de Outono especial para celebrar a reabertura da cidade. Foi realizada na última semana de outubro. A temporada dos negócios com lã já terminara, mas a lã não era mais a principal mercadoria negociada em Kingsbridge. Milhares de pessoas vieram comprar o tecido escarlate pelo qual a cidade se tornara famosa.

No banquete da noite de sábado que inaugurou a feira, a guilda prestou uma homenagem a Caris. Embora Kingsbridge não tivesse escapado totalmente à nova irrupção da peste, sofrera muito menos que outras cidades. Quase todas as pessoas achavam que deviam a vida às precauções de Caris. Ela era uma heroína. Os membros da guilda insistiram em destacar seu trabalho. Madge Webber planejou uma nova cerimônia, em que Caris recebeu uma chave de ouro, simbolizando a chave do portão da cidade. Merthin ficou muito orgulhoso.

No dia seguinte, domingo, Merthin e Caris foram à catedral. Os monges ainda continuavam em St.-John-in-the-Forest, por isso a missa foi celebrada pelo padre Michael, da igreja paroquial de Saint Peter. Lady Philippa, condessa de Shiring, compareceu.

Merthin não a via desde o funeral de Ralph. Ela não derramara muitas lágrimas pelo falecido marido. O conde, em circunstâncias normais, seria enterrado na catedral de Kingsbridge, mas, como a cidade estava fechada, Ralph fora enterrado em Shiring.

Sua morte permanecia um mistério. O corpo fora encontrado numa cabana de caça, ferido com uma espada no peito. Alan Fernhill estava caído no chão, também morto por ferimentos de uma lâmina. Os dois pareciam ter almoçado juntos, pois ainda havia os restos de uma refeição na mesa. Era evidente que ocorrera uma luta, mas não ficara claro se Ralph e Alan haviam infligido os ferimentos fatais um ao outro ou se mais alguém estivera envolvido. Nada fora roubado: havia dinheiro nos dois corpos, as armas caríssimas continuavam caídas no chão e dois cavalos valiosos pastavam na relva, na clareira. Por causa disso, o juiz de instrução de Shiring optara pela teoria de que haviam matado um ao outro.

Pensando bem, não havia mistério. Ralph fora um homem violento, e não era surpresa para ninguém que sofresse uma morte violenta. Aqueles que vivem pela espada morrerão pela espada, dissera Jesus, embora esse versículo não fosse citado com frequência pelos padres no reinado de Eduardo III. Se qualquer coisa era extraordinária, era o fato de Ralph ter sobrevivido a tantas campanhas militares, a tantas batalhas sangrentas e a tantas cargas da cavalaria francesa para morrer numa briga a poucos quilômetros de sua casa.

Merthin se surpreendera ao chorar no funeral. Não entendera por que se sentira tanta tristeza. O irmão fora um homem perverso, que causara muito sofrimento; sua morte era uma bênção. Merthin não tivera qualquer intimidade com Ralph desde que ele assassinara Tilly. O que havia para lamentar? Por fim, Merthin concluiu que lamentava pelo Ralph que poderia ter sido: um homem cuja violência não era impulsiva, mas controlada; cuja agressividade era orientada não pela ambição por glória pessoal, mas sim por um senso de justiça. Talvez tivesse sido possível outrora que Ralph crescesse para se tornar um homem assim. Quando os dois brincavam juntos, aos 5 e 6 anos de idade, pondo para flutuar barcos de madeira numa poça lamacenta, Ralph não era cruel nem vingativo. Era por isso que Merthin chorava.

Os dois meninos de Philippa haviam comparecido ao funeral e também a acompanhavam hoje. O mais velho, Gerry, era filho de Ralph com a pobre Tilly. O mais jovem, Roley, era visto por todos como filho de Ralph com Philippa, embora na verdade fosse de Merthin. Por sorte, Roley não era um ruivo pequeno e irrequieto como Merthin. Haveria de se tornar alto e distinto como a mãe.

Roley segurava uma pequena escultura de madeira, que ofereceu a Merthin com a maior solenidade. Era um cavalo muito bem-feito para um menino de 10 anos, constatou Merthin. A maioria das crianças esculpiria o animal firmemente apoiado nas quatro patas, mas Roley o fizera em movimento, as pernas em posições diferentes, a crina esvoaçando ao vento. O menino herdara a capacidade do pai verdadeiro para visualizar objetos complexos em três dimensões. Merthin sentiu um inesperado aperto na garganta. Abaixou-se e beijou a testa de Roley.

E deu um sorriso agradecido a Philippa. Imaginou que ela encorajara Roley a lhe dar o cavalo, sabendo o que significaria para ele. Merthin olhou para Caris e percebeu que ela também compreendia o significado, mas ninguém disse nada.

O clima na vasta catedral era de alegria. O padre Michael não era um pregador carismático e disse toda a missa num murmúrio. Mas as freiras cantaram tão lindamente quanto sempre e um sol otimista brilhava através dos vitrais.

Depois, eles circularam pela feira, ao ar fresco do outono. Caris dera o braço a Merthin, e Philippa seguia do outro lado. Os dois meninos iam na frente, enquanto o guarda pessoal e a dama de companhia de Philippa vinham atrás. Os negócios iam bem, constatou Merthin. Os artesãos e mercadores de Kingsbridge já começavam a reconstruir suas fortunas. A cidade se recuperaria daquela epidemia mais depressa do que da anterior.

Os membros mais velhos da guilda circulavam pela feira verificando pesos e medidas. Havia padrões para o peso de um saco de lã, a largura de uma peça de pano, o tamanho de um alqueire, e assim por diante. Por isso, as pessoas sabiam o que compravam. Merthin encorajava os membros da guilda a fazer as verificações ostensivamente, para que os compradores pudessem perceber como a cidade controlava com cuidado seus mercadores. Se desconfiassem de que alguém trapaceara, enganando os compradores, é claro que fariam uma conferência discreta. E, se a suspeita fosse confirmada, o culpado seria convidado a se retirar.

Os dois filhos de Philippa corriam excitados de uma barraca para a seguinte. Observando Roley, Merthin disse em voz baixa a Philippa:

– Agora que Ralph morreu, há algum motivo para que Roley não deva saber a verdade?

Ela ficou pensativa.

– Eu gostaria de poder lhe dizer, mas seria para o bem de Roley ou pelo nosso? Durante dez anos ele acreditou que Ralph era seu pai. Há dois meses ele chorou à beira da sepultura dele. Seria um choque terrível saber agora que é filho de outro homem.

Os dois falavam em voz baixa, mas Caris podia ouvir.

– Concordo com Philippa – disse ela. – Você tem de pensar no menino, não em si mesmo.

Merthin percebeu que o que elas diziam fazia sentido. Era uma pequena tristeza num dia feliz.

– Há outro motivo – acrescentou Philippa. – Gregory Longfellow foi me procurar na semana passada. O rei quer fazer de Gerry o novo conde de Shiring.

– Aos 13 anos? – indagou Merthin.

– O título de conde é sempre hereditário, depois que foi concedido, embora o mesmo não aconteça com os baronatos. Seja como for, eu administraria o condado pelos próximos três anos.

– Como você fez na ocasião quando Ralph se ausentou para lutar contra os franceses. Deve estar aliviada porque o rei não está lhe pedindo para se casar de novo.

Philippa fez uma careta.

– Estou velha demais.

– Roley será o segundo na linha de sucessão do condado desde que guardemos nosso segredo.

Se alguma coisa acontecer a Gerry, pensou Merthin, meu filho se tornará o conde de Shiring. Imagine só.

– Roley seria um bom suserano – comentou Philippa. – É inteligente e muito determinado, mas não cruel como Ralph.

A natureza impiedosa de Ralph já era evidente desde cedo: ele tinha 10 anos, a idade de Roley agora, quando matara o cachorro de Gwenda.

– Mas Roley pode preferir ser outra coisa.

Merthin tornou a olhar para o cavalo esculpido em madeira. Philippa sorriu. Não sorria com frequência, mas se tornava deslumbrante sempre que isso acontecia. Ainda é uma linda mulher, pensou ele.

– Deixe-o ser o que quiser e se orgulhe dele.

Merthin recordou como o pai ficara orgulhoso quando Ralph se tornara conde. Mas sabia que nunca se sentiria da mesma maneira. Teria orgulho de qualquer coisa que Roley fizesse, desde que ele se empenhasse ao máximo. Talvez o garoto se tornasse um escultor em pedra, criando anjos e santos. Talvez se tornasse um nobre sensato e misericordioso. Ou poderia ser alguma coisa que os pais nunca haviam imaginado.

Merthin convidou Philippa e os meninos para almoçar. Todos deixaram a área do priorado. Atravessaram a ponte contra o fluxo de carroças carregadas a caminho da feira. Cruzaram a ilha dos Leprosos e passaram pelo pomar para entrar na casa.

Encontraram Lolla na cozinha.

Assim que viu o pai, ela desatou a chorar. Merthin a abraçou e ela soluçou em seu ombro. Onde quer que tivesse estado, Lolla devia ter perdido o hábito de se lavar, pois cheirava como um chiqueiro. Mas ele estava feliz demais para se importar com isso.

Demorou algum tempo antes que eles pudessem encontrar algum sentido no que Lolla dizia. Quando finalmente conseguiu ser coerente, ela informou:

– Todos morreram!

E teve um novo acesso de choro descontrolado. Só depois de algum tempo, quando se acalmou um pouco, é que se tornou mais coerente.

– Todos morreram – repetiu Lolla, conseguindo agora reprimir os soluços. – Jake e Boyo, Netty e Hal, Joanie, Chalkie e Ferret, um a um, e nada do que eu fazia por eles ajudava!

Viviam na floresta, deduziu Merthin, como um grupo de jovens fingindo ser ninfas e pastores. Os detalhes foram aflorando, pouco a pouco. Os rapazes matavam um veado de vez em quando, às vezes se ausentavam por um dia e voltavam com pão e um barril de vinho. Lolla disse que compravam os suprimentos, mas Merthin achou que era mais provável que assaltassem viajantes. Lolla imaginara que poderiam viver assim para sempre: não pensara que a situação poderia ser diferente no inverno. Mas, afinal, fora a peste, em vez do clima, que acabara com o idílio.

– Fiquei muito assustada – disse Lolla. – Queria Caris.

Gerry e Roley escutavam, impressionados. Idolatravam a prima mais velha. Embora Lolla tivesse chegado em casa às lágrimas, a história de sua aventura só serviu para engrandecê-la ainda mais aos olhos dos dois.

– Não quero nunca mais me sentir assim de novo – disse Lolla. – Tão impotente, com meus amigos doentes e morrendo ao meu redor.

– Posso compreender – comentou Caris. – Foi como me senti quando minha mãe morreu.

– Pode me ensinar a curar as pessoas? – pediu Lolla. – Quero realmente ajudá-las, como você faz, não apenas cantar hinos e mostrar a imagem de um anjo. Quero entender sobre ossos e sangue, sobre ervas e as coisas que fazem as pessoas melhorarem. Quero ser capaz de fazer alguma coisa quando uma pessoa fica doente.

– Claro que ensinarei, se é isso que você quer. Terei a maior satisfação.

Merthin estava atônito. Lolla era rebelde e mal-humorada há alguns anos, e parte de sua rejeição à autoridade fora a ideia de que Caris, sua mãe adotiva, não era de fato sua mãe, por isso não precisava ser respeitada. Ele ficou exultante com a reviravolta. Quase fazia valer a pena a agonia da preocupação por que passara. Pouco depois, uma freira entrou na cozinha.

– A pequena Annie Jones está com um acesso de tosse e não sabemos por quê – disse a Caris. – Pode ir ao hospital?

– Claro.

– Posso ir com você? – perguntou Lolla.

– Não. E esta é a sua primeira lição: você tem de estar limpa. Vá se lavar agora. Poderá ir comigo amanhã.

Quando Caris saía, Madge Webber apareceu.

– Já souberam da notícia? – perguntou, com ar sombrio. – Philemon voltou.

Naquele domingo, Davey e Amabel se casaram na pequena igreja de Wigleigh.

Lady Philippa permitiu que o solar fosse usado para a festa. Wulfric matou um porco e o assou sobre uma fogueira no pátio. Davey comprou passas bem doces e Annet fez bolinhos. Não havia cerveja – a maior parte da colheita de cevada apodrecera nos campos por falta de colhedores –, mas Philippa mandara Sam para casa com um barril de sidra de presente.

Gwenda ainda pensava, todos os dias, na cena na cabana de caça. No meio da noite, olhava para a escuridão e via Ralph com sua adaga na boca, o cabo se destacando entre os dentes marrons, enquanto a espada de Sam o pregava na parede.

Depois que Sam e ela arrancaram suas armas de Ralph, o corpo caíra no chão. A impressão era a de que os dois mortos haviam matado um ao outro. Gwenda espalhara sangue em suas armas limpas e as deixara caídas onde estavam. Lá fora, afrouxara as rédeas dos cavalos, para que pudessem sobreviver por alguns dias, se necessário, até que alguém os encontrasse. Depois, ela e Sam se afastaram a pé.

O juiz de instrução de Shiring cogitara que salteadores poderiam estar envolvidos nas mortes, mas afinal chegara à conclusão que Gwenda esperava. Ninguém desconfiara dela ou de Sam. Haviam escapado impunes do assassinato.

Ela apresentara a Sam uma versão alterada do que acontecera. Alegara que era a primeira vez que Ralph tentava coagi-la e que ameaçara matá-la se recusasse. Sam estava assustado por ter matado um conde, mas não tinha a menor dúvida de que sua ação fora justificada. Ele tinha mesmo o temperamento certo para um soldado, compreendeu Gwenda: nunca sofreria as agonias do remorso por matar.

Nem ela sofrera, embora recordasse a cena com repulsa. Matara Alan Fernhill e dera o golpe final em Ralph, mas não sentia o menor arrependimento. O mundo era um lugar melhor sem os dois. Ralph morrera sofrendo por saber que o próprio filho o ferira fatalmente, e era isso que ele merecia. Com o passar do tempo, Gwenda tinha certeza, a visão do que fizera na cabana deixaria de atormentá-la.

Ela tratou de remover a lembrança da mente. Correu os olhos pelo salão do solar, observando os camponeses se divertirem.

O porco foi comido e o resto da sidra foi bebido. Aaron Appletree pegou sua gaita de foles. A aldeia não tinha um tambor desde a morte de Perkin, o pai de Annet. Gwenda pensou se Davey se tornaria o tocador de tambor agora.

Wulfric queria dançar, como sempre acontecia quando bebia muito. Gwenda dançou com ele a primeira música, rindo muito enquanto tentava acompanhá-lo nas voltas e pulos. Ele a ergueu, girou-a pelo ar, apertou seu corpo contra o dele, largou-a no chão, ficou dando enormes pulos ao seu redor. Wulfric não tinha o menor senso de ritmo, mas seu imenso entusiasmo era contagiante. Quando Gwenda disse estar exausta, ele dançou com a nora, Amabel.

E depois, como não podia deixar de ser, dançou com Annet.

Ele olhou para Annet assim que a música terminou e largou Amabel. Annet estava sentada num banco em um lado do salão do solar. Usava um vestido verde curto como o de uma garota, os tornozelos à mostra. O vestido não era novo, mas ela bordara flores amarelas e rosas no busto. Como sempre, uns poucos cachos escapavam da touca, pendendo em torno de seu rosto. Era velha demais – pelo menos uns vinte anos – para aquele vestido, mas não sabia disso... nem Wulfric.

Gwenda sorriu quando eles começaram a dançar. Queria parecer feliz e despreocupada, mas compreendeu que sua expressão podia ser mais como uma careta e desistiu de tentar. Desviou o olhar dos dois e observou Davey e Amabel. Talvez Amabel não fosse exatamente igual à mãe. Tinha alguns trejeitos coquetes de Annet, mas Gwenda nunca a vira flertando com ninguém, e naquele momento ela parecia não se interessar por qualquer outro que não o marido.

Gwenda olhou em volta e localizou o outro filho, Sam. Ele estava com os jovens, contando uma história, gesticulando, segurando as rédeas de um cavalo imaginário do qual quase caía. Todos se mostravam fascinados. Era bem provável que invejassem sua sorte de se tornar um escudeiro.

Sam ainda vivia em Earlscastle. Philippa conservara a maioria dos escudeiros e homens de armas, pois seu filho Gerry precisaria deles para cavalgar e caçar, treinar com a espada e a lança. Gwenda esperava que, durante a regência de Philippa, Sam aprendesse um código mais inteligente e misericordioso do que teria adquirido com Ralph.

Não havia muito mais para observar e o olhar de Gwenda voltou para o marido e a mulher com quem outrora ele quisera se casar. Como Gwenda receara, Annet tratava de aproveitar ao máximo a exuberância e o inebriamento de Wulfric. Oferecia sorrisos sensuais quando dançavam separados e grudava nele quando se juntavam – como se fosse uma camisa molhada, pensou Gwenda.

A dança parecia se prolongar por uma eternidade, com Aaron Appletree repetindo várias vezes a animada melodia em sua gaita de foles. Gwenda conhecia os ânimos do marido, então percebeu o brilho em seus olhos que sempre aparecia quando estava prestes a lhe pedir para fazer amor. Annet sabia exatamente o que fazia, pensou Gwenda, furiosa. Ela mudou de posição em seu banco, irrequieta, desejando que a música parasse logo, fazendo esforço para não deixar a ira transparecer.

Mas fervia de indignação quando a música terminou, com um floreio. Tomou a decisão de fazer Wulfric sentar ao seu lado até se acalmar. Trataria de mantê-lo perto pelo resto da tarde e não haveria qualquer problema.

Foi então que Annet o beijou.

Enquanto Wulfric ainda mantinha as mãos em sua cintura, ela se ergueu na ponta dos pés e o beijou em cheio nos lábios, por um breve instante, mas com firmeza. E Gwenda explodiu.

Levantou-se de um pulo do banco e atravessou o salão. Ao passar pelos recém--casados, o filho Davey percebeu a expressão em seu rosto e tentou detê-la. Mas Gwenda o ignorou. Foi até Wulfric e Annet, que ainda se fitavam com sorrisos estúpidos, enfiou um dedo no ombro de Annet e disse:

– Deixe meu marido em paz!

Wulfric se virou para ela.

– Gwenda, por favor...

– Não diga nada! Apenas fique longe desta meretriz!

Os olhos de Annet faiscaram em desafio.

– Não é para dançar que as meretrizes são pagas.

– Tenho certeza de que você sabe tudo sobre o que as meretrizes fazem.

– Como ousa me falar assim?

Davey e Amabel se interpuseram.

– Por favor, mãe, não faça uma cena – disse a garota.

– Não sou eu, mas Gwenda!

– Não sou eu quem está tentando seduzir o marido de outra mulher – protestou Gwenda.

– Mãe, você está estragando o casamento – disse Davey.

Gwenda estava enfurecida demais para ouvir.

– Ela sempre faz isso. Rompeu o noivado há 23 anos, mas nunca o deixou em paz!

Annet começou a chorar. Gwenda não ficou surpresa. As lágrimas de Annet eram apenas outro meio de conseguir o que queria. Wulfric estendeu a mão para apertar o ombro de Annet, mas Gwenda gritou, ríspida:

– Não toque nela!

Ele retirou a mão num movimento brusco, como se a tivesse queimado.

– Você não compreende... – soluçou Annet.

– Compreendo muito bem!

– Não, não compreende. – Annet limpou os olhos e fitou Gwenda. – Não compreende que venceu. Ele é seu. Não sabe que ele a adora, respeita e admira. Não percebe que ele olha para você quando fala com outra mulher?

Gwenda ficou espantada.

– Bom...

Ela não sabia mais o que dizer.

– Ele olha para mulheres mais jovens? Alguma vez fica longe de você? Quantas noites dormiu separado de você nos últimos vinte anos? Duas? Três? Não percebe que ele nunca amará outra mulher enquanto viver? – continuou ela.

Gwenda olhou para Wulfric e teve certeza de que tudo aquilo era verdade. De fato, era óbvio. Ela sabia e todos também. Tentou recordar por que sentia tanta raiva de Annet, mas a lógica do sentimento lhe escapou.

A dança parara e Aaron largara sua gaita de foles. Todos os aldeões se agrupavam agora em torno das duas mulheres, as mães dos recém-casados.

– Eu era uma garota tola e egoísta, tomei uma decisão errada e perdi o melhor homem que já conheci – acrescentou Annet. – E você ficou com ele. Às vezes não posso resistir à tentação de fingir que aconteceu o contrário e que ele é meu. Por isso sorrio para ele, afago seu braço. Wulfric é gentil comigo porque sabe que partiu meu coração.

– Você partiu seu próprio coração – comentou Gwenda.

– É verdade. E você foi a garota afortunada que se beneficiou da minha insensatez.

Gwenda estava espantada. Nunca pensara em Annet como uma pessoa triste. Para ela, Annet sempre fora uma figura poderosa e ameaçadora, sempre tramando para reconquistar Wulfric. Mas isso nunca aconteceria.

– Sei que fica irritada quando Wulfric é gentil comigo – continuou Annet. – Eu gostaria de dizer que não vai acontecer de novo, mas conheço minha fraqueza. Você tem de me odiar por isso? Não deixe que isso estrague a alegria do casamento e dos netos que ambas queremos. Em vez de me considerar como sua inimiga vitalícia, não poderia pensar em mim como uma irmã leviana que às vezes se comporta mal e a deixa irritada, mas ainda assim deve ser tratada como uma pessoa da família?

Ela tinha razão. Gwenda sempre pensara em Annet como um rosto bonito e uma cabeça vazia. Naquele momento, no entanto, ela era a mais sensata das duas, e Gwenda se sentiu humilhada.

– Não sei, mas talvez eu possa tentar.

Annet se adiantou e deu um beijo no rosto de Gwenda, que sentiu as lágrimas de Annet em sua face.

– Obrigada – disse Annet.

Gwenda ainda hesitou por um instante, mas depois passou os braços pelos ombros ossudos de Annet e a envolveu num abraço.

Ao redor, os aldeões aclamaram e aplaudiram. A música recomeçou logo depois.

No início de novembro, Philemon realizou uma missa de ação de graças pelo fim da peste. O arcebispo Henri compareceu, em companhia do cônego Claude. Sir Gregory Longfellow também foi.

Gregory devia ter vindo a Kingsbridge para anunciar a escolha do rei para novo bispo, pensou Merthin. Formalmente, ele diria aos monges que o rei indicara alguém e caberia aos monges eleger este nome ou algum outro, mas, em última análise, os monges costumavam votar naquele que fora escolhido pelo rei.

Merthin não pôde ler qualquer sinal no rosto de Philemon e calculou que Gregory ainda não revelara a escolha real. A decisão significava tudo para Caris e Merthin. Se Claude ficasse com o posto, seus problemas acabariam. Ele era moderado e razoável. Mas, se Philemon se tornasse bispo, enfrentariam mais anos de disputas e ações judiciais.

Henri conduziu o serviço, mas Philemon fez o sermão. Agradeceu a Deus por atender às preces dos monges de Kingsbridge e poupar a cidade dos piores efeitos da peste. Não mencionou que os monges haviam fugido para St.-John-in--the-Forest e deixado os moradores da cidade para se defenderem sozinhos, nem que Caris e Merthin haviam ajudado Deus a atender às preces dos monges ao fecharem os portões da cidade por seis meses. Pelo sermão, parecia que fora ele quem salvara Kingsbridge.

– Faz meu sangue ferver de raiva – comentou Merthin com Caris, sem se dar o trabalho de baixar a voz. – Ele está distorcendo completamente os fatos!

– Relaxe – retrucou ela. – Deus sabe a verdade, e as pessoas também. Philemon não está enganando ninguém.

Caris tinha razão, é claro. Depois de uma batalha, os soldados no lado vencedor sempre agradeciam a Deus, mas mesmo assim eles conheciam a diferença entre bons e maus generais.

Depois da missa, Merthin, como regedor, foi convidado a almoçar no palácio do prior com o arcebispo. Sentou ao lado do cônego Claude. Após a oração de graças, as conversas começaram. Merthin perguntou a Claude, em voz baixa e ansiosa:

– O arcebispo já sabe quem o rei escolheu para bispo?

Claude respondeu com um aceno de cabeça quase imperceptível.

– É você?

Claude balançou sutilmente a cabeça em negativa.

– Então é Philemon?

Outro aceno de cabeça.

Merthin sentiu um aperto no coração. Como o rei podia escolher um idiota e covarde como Philemon em vez de alguém sensato e competente como Claude? Mas ele sabia a resposta: Philemon manobrara com a eficiência habitual.

– Gregory já instruiu os monges?

– Ainda não. – Claude se inclinou para Merthin. – Provavelmente fará uma comunicação informal a Philemon esta noite, depois do jantar, para em seguida falar com os monges no capítulo, amanhã de manhã.

– Então temos até o final do dia.

– Para quê?

– Para fazê-lo mudar de ideia.

– Não vai conseguir.

– Posso tentar.

– Será em vão.

– Não esqueça que estou desesperado.

Merthin comeu pouco e fez um esforço para se manter paciente. Quando o arcebispo se levantou da mesa, ele disse a Gregory:

– Eu gostaria que me acompanhasse até a catedral. Preciso falar sobre uma coisa que vai interessá-lo muito.

Gregory acenou com a cabeça, em concordância. Caminharam pela nave lado a lado até um ponto em que Merthin teve certeza de que ninguém poderia ouvi-los. Respirou fundo. Era muito perigoso o que estava prestes a fazer. Tentaria dobrar o rei à sua vontade. Se falhasse, podia ser acusado de traição... e executado.

– Há muito tempo circulam rumores de que existe em algum lugar de Kingsbridge um documento que o rei gostaria muito de destruir – comentou.

Gregory manteve o rosto impassível.

– Continue.

Era um bom presságio.

– Essa carta estava em poder de um cavaleiro que morreu recentemente.

– Ele morreu? – indagou Gregory, surpreso.

– É evidente que sabe exatamente de quem estou falando.

Gregory respondeu como um advogado:

– Apenas para argumentar, suponhamos que sei.

– Eu gostaria de prestar o serviço de devolver esse documento ao rei... qualquer que seja o seu conteúdo.

Merthin sabia muito bem qual era, mas podia, prudentemente, fingir ignorar o teor da carta tal qual Gregory.

– O rei ficaria agradecido – disse Gregory.

– Agradecido até que ponto?

– O que tem em mente?

– Um bispo que esteja mais em sintonia com a população de Kingsbridge do que Philemon.

Gregory o encarou firme.

– Está tentando chantagear o rei da Inglaterra?

Merthin sabia que aquele era o ponto perigoso.

– Nós, de Kingsbridge, somos mercadores e artesãos – disse, tentando parecer razoável. – Compramos, vendemos, fazemos negócios. Só estou tentando chegar a um acordo com você. Quero lhe vender uma coisa e disse meu preço. Não há chantagem, não há coação. Não faço ameaças. Se não quiser o que estou vendendo, o assunto estará encerrado.

Chegaram ao altar. Gregory olhou para o crucifixo acima. Merthin sabia exatamente o que ele estava pensando. Deveria prender Merthin, levá-lo para Londres e torturá-lo até que revelasse o paradeiro do documento? Ou seria mais simples e mais conveniente para o rei indicar um nome diferente para bispo de Kingsbridge?

Fez-se um longo silêncio. A catedral estava fria, e Merthin se aconchegou em seu casaco. Gregory finalmente perguntou:

– Onde está o documento?

– Aqui perto. Eu o levarei até lá.

– Está bem.

– E o nosso acordo?

– Se o documento for mesmo o que você pensa que é, honrarei minha parte do acordo.

– E o cônego Claude será o novo bispo?

– Será.

– Obrigado. Precisamos caminhar um pouco pela floresta.

Desceram juntos pela rua principal e atravessaram a ponte, a respiração formando nuvens de vapor no ar. Um sol de inverno brilhava com pouco calor quando entraram na floresta. Merthin encontrou o caminho com facilidade dessa vez, pois fizera o percurso apenas poucas semanas antes. Reconheceu a pequena fonte, o imenso bloco de rocha e o vale lamacento. Alcançaram a clareira com o enorme carvalho e ele foi direto para o lugar em que o pergaminho fora enterrado.

E ficou consternado ao descobrir que alguém estivera ali antes.

Alisara a terra com todo o cuidado e a cobrira com folhas, mas mesmo assim alguém descobrira o esconderijo. Havia um buraco de 30 centímetros, com uma pilha de terra ao lado. E o buraco estava vazio. Ele ficou olhando, aturdido.

– Que inferno!

– Espero que isto não seja alguma brincadeira – disse Gregory.

– Deixe-me pensar! – pediu Merthin, um tanto ríspido. Gregory ficou calado.

– Só duas pessoas sabiam disso – disse Merthin, pensando em voz alta. – Não contei a ninguém. Portanto, só pode ter sido Thomas. Ele estava ficando senil antes de morrer. Creio que tinha revelado o segredo.

– Mas para quem?

– Thomas passou os últimos meses de sua vida em St.-John-in-the-Forest, e os monges não permitiam que ninguém de fora entrasse. Portanto, deve ter sido um monge.

– Quantos são?

– Cerca de vinte. Mas não muitos saberiam o bastante sobre os antecedentes para compreender o significado dos murmúrios de um velho sobre uma carta enterrada.

– Mas onde está a carta agora?

– Acho que sei. Peço mais uma chance.

– Está certo.

Voltaram para a cidade. Ao atravessarem a ponte, o sol baixava sobre a ilha dos Leprosos. Entraram na catedral já escura, foram para a torre do lado sudoeste e subiram pela estreita escada em espiral até o pequeno compartimento em que eram guardados os trajes para as encenações religiosas.

Merthin não entrava ali havia onze anos, mas depósitos empoeirados não mudam muito, ainda mais em catedrais; aquele continuava como antes. Ele encontrou a pedra solta na parede e a retirou.

Todos os tesouros de Philemon continuavam por trás da pedra, inclusive a mensagem de amor talhada na madeira. E ali estava também um saco de lã oleado. Merthin o abriu e tirou o pergaminho.

– Foi o que pensei – disse ele. – Philemon arrancou o segredo quando Thomas perdia o juízo.

Sem dúvida, Philemon guardara a carta para usar como instrumento de barganha se a decisão sobre o bispado lhe fosse contrária, mas agora era Merthin quem tirava proveito dela.

Ele entregou o pergaminho a Gregory.

O advogado o desenrolou. Uma expressão de espanto se estampou em seu rosto enquanto lia.

– Santo Deus... então os rumores eram verdadeiros!

Ele tornou a enrolar o documento. A expressão era agora a de alguém que encontrara uma coisa que procurava havia muitos anos.

– É o que você esperava? – perguntou Merthin.

– É, sim.

– E o rei ficará agradecido?

– Profundamente.

– Então sua parte no acordo...?

– Será cumprida. Claude será seu novo bispo.

– Graças a Deus!

⌐⌐

Oito dias mais tarde, no início da manhã, Caris estava no hospital, ensinando Lolla a prender uma atadura, quando Merthin entrou.

– Quero lhe mostrar uma coisa – disse ele. – Vamos para a catedral.

Era um dia de inverno claro e frio. Caris se envolveu em um grosso manto vermelho. Ao atravessarem a ponte para a cidade, Merthin parou e apontou.

– A agulha foi concluída.

Caris ergueu os olhos. Podia avistar a forma através da teia de andaimes que ainda a cercavam. A agulha era muito alta e graciosa. Enquanto seu olhar acompanhava a ascensão afilada da agulha, ela teve a impressão de que aquilo poderia se prolongar para sempre.

– É o prédio mais alto da Inglaterra?

Merthin sorriu.

– É, sim.

Os dois seguiram pela rua principal e entraram na catedral. Merthin subiu na frente pela escada por dentro das paredes da torre central. Já se acostumara com a escalada, mas Caris ofegava quando saíram ao ar livre no alto da torre, no passadiço em torno da agulha. Lá em cima soprava uma brisa firme e fria.

Contemplaram a vista, enquanto Caris recuperava o fôlego. Toda a cidade de Kingsbridge se estendia para norte e oeste: a rua principal, o distrito industrial, o rio, a ilha com o hospital. Fumaça se elevava de mil chaminés. Pessoas em miniatura passavam apressadas pelas ruas, a pé, a cavalo ou guiando carroças; carregando sacos de ferramentas, cestas com legumes e frutas ou sacos pesados; homens, mulheres e crianças; gordos e magros; as roupas pobres e finas ou ricas e grossas, quase todas marrons e verdes, mas com alguns nuances de azul e escarlate. A vista de todas aquelas pessoas deixou Caris maravilhada: cada pessoa tinha uma vida diferente, cada vida era rica e complexa, com dramas no passado e desafios no futuro, recordações felizes e pesares secretos, uma multidão de amigos, inimigos e entes amados.

– Está pronta? – perguntou Merthin.

Caris assentiu com a cabeça.

Ele subiu na frente pelos andaimes. Era uma teia de cordas e galhos que sempre a deixava nervosa, embora não gostasse de dizê-lo; se Merthin podia subir, ela também podia. O vento fazia toda a estrutura balançar um pouco. A túnica de Caris adejava em torno das pernas, como as velas de um navio. A agulha era muito alta e a subida pelas escadas de cordas foi extenuante. Pararam na metade para descansar.

– A agulha é muito simples – comentou Merthin, sem precisar recuperar o fôlego. – Apenas uma moldura arredondada nos ângulos.

Caris refletiu que as outras agulhas eram muito ornamentadas, com faixas de pedras e ladrilhos coloridos, recessos que pareciam janelas. A simplicidade do projeto de Merthin dava a impressão de que se prolongava indefinidamente. Merthin apontou para baixo.

– Ei, olhe só o que está acontecendo!

– Prefiro não olhar...

– Acho que é Philemon partindo para Avignon.

Caris tinha de ver isso. Estava numa plataforma larga de tábuas, mas mesmo assim se segurou com as mãos numa trave vertical para ter certeza de que não cairia. Engoliu em seco e olhou para baixo, numa perpendicular da torre até o chão.

O esforço valeu a pena. Viu uma carruagem puxada por dois bois parada diante do palácio do prior. Uma escolta constituída de um monge e um homem de armas, ambos a cavalo, esperava pacientemente. Philemon permanecia parado ao lado da carruagem enquanto os monges de Kingsbridge se adiantavam, um a um, para beijar sua mão.

Depois que todos o fizeram, o irmão Sime lhe entregou um gato preto e branco, que Caris reconheceu como um descendente do gato de Godwyn, Arcebispo.

Philemon subiu na carruagem e o cocheiro chicoteou os bois. O veículo se arrastou lentamente pelo portão e desceu a rua principal. Caris e Merthin continuaram a observar até que a carruagem passou pela ponte e desapareceu nos subúrbios.

– Graças a Deus ele foi embora – disse Caris.

Merthin olhou para cima.

– Não falta muito para o topo. Daqui a pouco você estará num ponto mais alto do que qualquer mulher jamais esteve na Inglaterra.

Ele recomeçou a subir. O vento foi se tornando mais forte, mas Caris estava exultante, apesar de sua ansiedade. Era o sonho de Merthin, e ele o convertera em realidade. Todos os dias, durante centenas de anos, as pessoas por quilômetros ao redor contemplariam aquela agulha e a achariam linda.

Chegaram ao topo dos andaimes, as tábuas em torno do pico da agulha. Caris tentou esquecer que não havia grade em torno da plataforma para impedir que eles caíssem.

Na ponta da agulha havia uma cruz. Parecia pequena lá de baixo, mas agora Caris via que era maior do que ela.

– Há sempre uma cruz no alto de uma agulha – disse Merthin. – É uma tradição. Afora isso, há uma variação na prática. Em Chartres, a cruz sustenta uma imagem do Sol. Fiz uma coisa diferente.

Caris viu que, ao pé da cruz, Merthin pusera um anjo de pedra em tamanho natural. A figura ajoelhada não olhava para a cruz, mas sim para oeste, na direção da cidade. Ao olhar mais atentamente, Caris constatou que as feições do anjo não eram convencionais. O pequeno rosto redondo era obviamente feminino. Parecia vagamente familiar, com feições precisas e cabelos curtos.

E então ela compreendeu que o rosto era o seu. Ficou espantada.

– Eles deixarão você fazer isso?

Merthin acenou com a cabeça, em confirmação.

– Metade da cidade já acha que você é um anjo.

– Mas não sou.

– Não, não é – concordou Merthin, com o sorriso que ela tanto amava. – Mas é a coisa mais próxima que já conheci.

Subitamente, o vento soprou mais forte. Caris segurou Merthin. Ele a abraçou bem apertado, com os pés separados, confiante. A rajada passou tão depressa quanto surgira, mas Merthin e Caris permaneceram abraçados, no topo do mundo, por muito tempo.

AGRADECIMENTOS

Meus principais consultores históricos foram Sam Cohn, Geoffrey Hindley e Marilyn Livingstone. A fraqueza nas fundações da catedral de Kingsbridge se baseia de forma aproximada no que ocorre na catedral de Santa Maria em Vitoria-Gasteiz, na Espanha; e sou grato ao pessoal da Fundación Catedral Santa Maria pela ajuda e inspiração, especialmente a Carlos Rodriguez de Diego, Gonzalo Arroita e o intérprete Luis Rivero. Também contei com a ajuda do pessoal do York Minster, especialmente John David. Martin Allen, do Fitzwilliam Museum, em Cambridge, Inglaterra, foi muito gentil ao me permitir manusear as moedas do reinado de Eduardo III. No Mont Saint Michel, na França, recebi a ajuda de irmã Judith e irmão François. Como sempre, Dan Starer, da Research for Writers, na cidade de Nova York, me ajudou com a pesquisa. Entre meus conselheiros literários se incluíram Amy Berkower, Leslie Gelbman, Phyllis Grann, Neil Nyren, Imogen Taylor e Al Zuckerman. Também fui ajudado pelos comentários e críticas de amigos e da minha família, especialmente de Barbara Follett, Emanuele Follett, Marie-Claire Follett, Erica Jong, Tony McWalter, Chris Manners, Jann Turner e Kim Turner.

CONHEÇA OUTROS TÍTULOS DA EDITORA ARQUEIRO

Queda de gigantes, *Inverno do mundo* e *Eternidade por um fio*,
de Ken Follett

Não conte a ninguém; *Desaparecido para sempre*; *Confie em mim*; *Cilada*,
Fique comigo e *Seis anos depois*, de Harlan Coben

A cabana e *A travessia*, de William P. Young

A farsa; *A vingança* e *A traição*, de Christopher Reich

Água para elefantes, de Sara Gruen

Inferno; *O símbolo perdido*; *O Código Da Vinci*; *Anjos e demônios*;
Ponto de impacto e *Fortaleza digital*, de Dan Brown

Uma longa jornada; *O melhor de mim*; *O guardião*;
Uma curva na estrada; *O casamento*; *À primeira vista* e
O resgate, de Nicholas Sparks

Julieta, de Anne Fortier

As regras da sedução, de Madeline Hunter

O guardião de memórias, de Kim Edwards

O guia do mochileiro das galáxias; *O restaurante no fim do Universo*;
A vida, o Universo e tudo mais; *Até mais, e obrigado pelos peixes!*,
Praticamente inofensiva; *Agência de Investigações Holísticas Dirk Gently*
e *O salmão da dúvida*, de Douglas Adams

O nome do vento e *O temor do sábio*, de Patrick Rothfuss

A passagem e *Os Doze*, de Justin Cronin

A revolta de Atlas e *A nascente*, de Ayn Rand

A conspiração franciscana, de John Sack

INFORMAÇÕES SOBRE A ARQUEIRO

Para saber mais sobre os títulos e autores
da EDITORA ARQUEIRO,
visite o site www.editoraarqueiro.com.br
e curta as nossas redes sociais.
Além de informações sobre os próximos lançamentos,
você terá acesso a conteúdos exclusivos e poderá participar
de promoções e sorteios.

 www.editoraarqueiro.com.br

 facebook.com/editora.arqueiro

twitter.com/editoraarqueiro

 instagram.com/editoraarqueiro

 skoob.com.br/editoraarqueiro

Se quiser receber informações por e-mail,
basta se cadastrar diretamente no nosso site
ou enviar uma mensagem para
atendimento@editoraarqueiro.com.br

Editora Arqueiro
Rua Funchal, 538 – conjuntos 52 e 54 – Vila Olímpia
04551-060 – São Paulo – SP
Tel.: (11) 3868-4492 – Fax: (11) 3862-5818
E-mail: atendimento@editoraarqueiro.com.br